ДЖОДЖО

Корабль
невест

Издательство «Иностранка»

МОСКВА

УДК 821.111
ББК 84(4Вел)-44
М74

Jojo Moyes
THE SHIP OF BRIDES

Издание подготовлено при участии издательства «Азбука».

Перевод с английского Ольги Александровой

Серийное оформление Ильи Кучмы

Оформление обложки Виктории Манацковой

Иллюстрация на обложке Екатерины Платоновой

ISBN 978-5-389-07073-8

Посвящается Бетти Макки и Джо Стонтон-Ламберту как дань их отваге, проявленной в ходе столь разных путешествий

Отрывок из стихотворения «Алфавит» военной невесты Иды Фолкнер, взятый из книги Джоанны Ламли «Солдатские возлюбленные», воспроизведен с любезного разрешения «Bloomsbury Publishers» и Британского военного музея.

Отрывок из книги «Арктические конвои 1941–1945» Ричарда Вудмана приведен с любезного разрешения «John Murray (Publishers) Ltd.».

Выдержки из газет «Сидней монинг геральд», «Дейли мейл» и «Дейли миррор» приведены с любезного разрешения соответствующих издательских групп.

Выдержки из архива Эвис Р. Уилсон приведены с любезного разрешения ее наследников и Британского военного музея.

В романе также приведены отрывки из книг «Вино, женщины и война» Л. Тромена, бывшего матроса с авианосца «Викториес» (издательство «Regency Press»), и «Особый вид службы» Джоан Кроуч («Alternative Publishing Cooperative Ltd. (APCOL)», Австралия). Что касается выдержек из австралийских СМИ «The Bulletin» и «The Truth», то все попытки связаться с правообладателями не увенчались успехом, поэтому «Hodder and Stoughton», а также автор были бы рады принести свою благодарность, если правообладатели сочтут нужным с ними связаться.

Благодарности

Написание этой книги потребовало проведения серьезной исследовательской работы, что было бы невозможно без великодушной помощи, оказанной самыми разными людьми. Во-первых, хочется поблагодарить лейтенанта Саймона Джонса за бесконечное терпение при объяснении всех подробностей жизни на борту авианосца, а также за блестящий совет, как вдохнуть жизнь в описанный мной корабль. Спасибо тебе, Саймон. Все остальные ошибки остаются исключительно на моей совести.

Огромная благодарность Королевскому военно-морскому флоту, в частности лейтенанту-коммандеру Иэну Макквину, лейтенанту Эндрю Дж. Линсли и экипажу авианосца «Инвинсибл» за разрешение побывать на борту корабля.

Я очень благодарна Нилу Маккарту из «Fan Publications» за разрешение воспроизвести отрывки из его великолепной и очень информативной книги «Авианосец „Викториес"». А также Лиаму Халлигану из редакции новостей Четвертого канала за то, что познакомил меня с блестящим фильмом Линдси Тейлора «Смерть в Гадани. Крушение „Канберры"».

Доступ к неопубликованным личным дневникам позволил мне проникнуться духом эпохи и колоритом того времени, когда меня еще не было на свете. В этой связи мне хочется поблагодарить Маргарет Стемпер за возможность ознакомиться с чудесным дневником ее мужа, где описана жизнь на море, и привести отрывки из этого дневника, а также Питера Р. Лоури за то, что любезно разрешил воспользоваться дневником отца, и конструктора кораблей Ричарда Лоури. Большая благодарность Кристоферу Ханту и персоналу читального зала Британского военного музея, а также сотрудникам отдела газет Британской библиотеки в Колиндейле.

Огромное спасибо маме и папе, Сэнди (Брайану Сандерсу), обладателю роскошной коллекции книг по военной тематике, Энн Миллер из «Arts Decoratifs», Кэти Рансиман, Руфь Рансиман, Джулии Кармайкл и сотрудникам «Harts» в Саффрон-Уолден. Спасибо Кэролин Мейс, Алексу Бонему, Эмме Лонгхёрст, Хейзел Орм и всем остальным в «Hodder and Stoughton» за помощь и поддержку. Также хочется сказать спасибо Шейле Кроули и Линде Шонесси из «AP Watt».

И конечно, самая глубокая благодарность Чарльзу за ценные советы и помощь в редактировании. Я оценила твою любовь, заботу о детях и умение выглядеть заинтересованным всякий раз, когда я рассказывала очередной факт об авианосцах.

Но самая большая благодарность моей обожаемой бабушке Бетти Макки, которая с верой и надеждой в душе совершила то самое путешествие и таким образом дала мне сюжет для этой книги. Думаю, дедушка мог бы мной гордиться.

В 1946 году Королевские ВМС приступили к завершающей фазе доставки военных невест — женщин и девушек, которые вышли замуж за английских военных, несущих службу в зарубежных странах. Некоторые были доставлены транспортом для перевозки войск или специальными лайнерами. Однако 2 июля 1946 года около 655 военных невест из Австралии предприняли уникальное морское путешествие: чтобы встретиться со своими британскими мужьями, они совершили плавание на борту авианосца «Викториес».

Во время этого путешествия, продолжавшегося почти шесть недель, их сопровождали 1100 военнослужащих и 19 самолетов. Самой юной невесте было пятнадцать. По крайней мере одна из них успела овдоветь еще до прибытия в пункт назначения. Моя бабушка Бетти Макки оказалась в числе тех счастливиц, кого судьба щедро вознаградила за их подвиг.

И сей вымышленный отчет об этом путешествии я хочу посвятить своей бабушке и всем невестам, нашедшим в себе достаточно мужества, чтобы отправиться за своим счастьем на другой конец света.

Джоджо Мойес
Июль 2004 года

NB. Все выдержки подлинные, они описывают то, что пришлось пережить военным невестам и тем, кто служил на «Викториесе».

Пролог

Когда я впервые увидела его много лет спустя, мне показалось, будто меня оглоушили.

Я тысячу раз слышала это выражение, но только теперь поняла его истинное значение: моя память не сразу сумела отреагировать на то, что предстало перед моими глазами, и я испытала настоящий шок, словно меня действительно ударили по голове. Меня вовсе нельзя назвать трепетной. И я не выношу красивых слов. Но могу признаться честно, что я буквально задохнулась.

Ведь я не ожидала увидеть его вновь. Тем более в таком месте. Я давным-давно похоронила воспоминания о нем в самом нижнем ящике своей памяти. Причем не только его образ, но и то, что он значил для меня. А еще все то, через что он заставил меня пройти. И только по прошествии многих лет, а на самом деле вечности я смогла понять, что он для меня сделал. Так или иначе, с ним было связано все лучшее и все худшее, что со мной случилось в этой жизни.

Однако я испытала не только шок, но и неподдельную печаль. Мои воспоминания сохранили его таким, каким он был тогда — много-много лет назад. И вот теперь, увидев *его в окружении всех этих людей, состарившегося и словно уменьшившегося в размерах... я не могла не подумать о том, что ему здесь не место. Я оплакивала того, который в свое время был прекрасным, величественным и безупречным, а теперь превратился в...*

Даже и не знаю. Возможно, я не вполне справедлива. Ведь все течет, все изменяется. Разве нет? Если честно, встреча с ним стала очередным напоминанием о том, что я тоже не вечна. А еще о том, какой я когда-то была. И о том, какими мы все, должно быть, стали.

В любом случае я нашла его там, где раньше никогда не бывала и где, по идее, не должна была быть. Или, возможно, он нашел меня.

Наверное, до той самой минуты я не верила в судьбу. А зря. Ведь иначе невозможно даже себе представить, каким ветром нас обоих сюда занесло.

И иначе невозможно понять, как, несмотря на разделяющий нас бескрайний океан и континенты, нам довелось встретиться снова.

Индия, 2002 год

Ее разбудила громкая перепалка. Шумная, взрывная, визгливая — так лает чующая неладное маленькая собачонка. Старуха отвернулась от окна, потерла шею — холодный воздух от кондиционера пробирал буквально до костей — и попыталась выпрямиться. Со сна женщина не совсем хорошо понимала, где она находится и кто она такая. Сперва она уловила некую ритмическую гармонию голосов, а затем начала различать и слова, вернувшие ее из тяжелого забытья в реальность.

— Я не говорю, что не люблю дворцы. Или храмы. Я просто хочу сказать, что провела здесь вот уже две недели, а настоящей Индии так и не видела.

— Интересно, за кого ты меня принимаешь? За виртуального Санджая? — Его голос, донесшийся с переднего сиденья, звучал слегка насмешливо.

— Ты прекрасно понимаешь, что я имела в виду.

— Я индиец. Рам тоже индиец. И хотя полжизни я провел в Англии, все равно остаюсь индийцем.

— Ой, да брось, Джай! Ты совсем не типичный.

— Не типичный? По сравнению с кем?

— Ну, я не знаю. По сравнению с большинством людей, что здесь живут.

Молодой человек решительно покачал головой:

— Ты хочешь увидеть, как живут бедняки.

— Вовсе нет.

— Хочешь вернуться домой и рассказать своим друзьям обо всех ужасах, которые тебе довелось повидать. О том, что они даже понятия не имеют, что такое настоящие страдания. А от нас ты пока смогла получить только кока-колу и кондиционированный воздух.

После его слов раздался взрыв смеха. Старуха, прищурившись, посмотрела на часы. Половина одиннадцатого. Выходит, она проспала почти час.

Сидевшая рядом с ней внучка сунула голову в зазор между спинками передних сидений:

— Послушай, я хочу узнать, как здесь действительно живут люди. А если следовать исключительно путеводителям, то можно увидеть только роскошные дворцы или торговые центры.

— А тебе нужны трущобы.

— Мисс Дженнифер, могу пригласить вас к себе домой. Теперь это самая настоящая трущоба, — послышался с водительского сиденья голос мистера Вагхелы. А когда молодые люди проигнорировали его замечание, он добавил: — Приглядитесь получше к мистеру Раму Б. Вагхеле, и вы увидите перед собой абсолютно нищего и бесправного человека. Сам удивляюсь, как я сумел продержаться столько лет.

— Мы тоже. Каждый день удивляемся, — заметил Санджай.

Старуха выпрямилась и поймала свое отражение в зеркале заднего вида. Волосы с одного бока примялись, воротничок оставил на бледной коже багровую полосу.

— Ба, ты в порядке? — оглянулась Дженнифер. Джинсы у нее слегка сползли с бедер, демонстрируя всему свету крошечную татуировку.

— Прекрасно, дорогая. — Интересно, а Дженнифер говорила ей, что сделала татуировку? Она пригладила волосы, пытаясь вспомнить, но так и не смогла. — Дико извиняюсь. Я, кажется, задремала.

— Не стоит извинений, — сказал мистер Вагхела. — Мы, граждане в возрасте, должны иметь право на отдых, когда это нам необходимо.

— Рам, похоже, ты намекаешь на то, чтобы я сменил тебя за рулем, да? — спросил Санджай.

— Нет-нет, мистер Санджай, сэр! Не хотелось бы прерывать вашу увлекательную беседу.

Глаза стариков встретились в зеркале заднего вида. Он однозначно ей подмигнул, а она, еще плохо соображая со сна, заставила себя улыбнуться в ответ.

По ее прикидкам они были в дороге уже около трех часов. Их поездка в Гуджарат, идея которой возникла у них с Дженнифер в самую последнюю минуту, нарушив тщательно составленный график тура, началась как увлекательное приключение («Ба, родители моего приятеля из колледжа — Санджая — обещали приютить нас на пару ночей! У них там потрясающий дом, по типу дворца! Всего несколько часов езды!»), но обернулась самой настоящей катастрофой, поскольку из-за сложностей с расписанием полетов у них оставался всего один день на обратную дорогу в Бомбей, чтобы успеть на стыковочный рейс самолета, который должен был доставить их домой.

Изрядно утомленная путешествием, она совсем пала духом. Для нее Индия оказалась тяжелым испытанием, слишком сильной нагрузкой на нервную систему, даже с учетом кондиционированных автобусов и четырехзвездочных отелей, и мысль о поездке в Гуджарат, каким бы роскошным там ни был дом Сингхов, приводила ее в ужас. Но затем миссис Сингх предложила им свою машину с водителем, чтобы «дамы» успели на самолет домой. И это несмотря на то, что до аэропорта было добрых четыре сотни миль.

«Вы ведь не захотите болтаться на железнодорожных вокзалах, — заявила она, деликатно показав на золотистые волосы Дженнифер. — Тем более без сопровождающих».

«Я сам могу отвезти их», — запротестовал Санджай, но его мать прошептала что-то насчет страхового требования и лишения водительских прав, а потому сын согласился сопровождать мистера Вагхелу, дабы проследить, что все будет нормально, если их вдруг остановят. Вот такие дела. В свое время ее раздражало бытующее мнение, что путешествующие в одиночестве женщины не в состоянии сами о себе позаботиться. Но теперь она была даже признательна за такую старомодную любезность. Ей вовсе не улыбалось осваивать в одиночестве эту чужую местность, при этом постоянно беспокоясь о своей бесшабашной внучке, которой море по колено. Ей уже несколько раз хотелось предостеречь внучку, но она вовремя себя одергивала, понимая, что все ее аргументы будут невнятны и неубедительны. И вообще, молодые имеют право ничего не бояться. Ведь в ее годы она была точно такой же!

— Мэм, вам удобно там, сзади?
— Я в порядке, спасибо, Санджай.
— Боюсь, нам еще ехать и ехать. Не самое легкое путешествие.

— Должно быть, тяжело столько сидеть, — пробормотал мистер Вагхела.

— Очень мило с вашей стороны, что вы нас взяли.

— Джай! Ты только посмотри!

Она увидела, что они свернули с оживленной трассы и попали в городские трущобы со множеством складских помещений, забитых пиломатериалами и стальными балками. Дорога, которая была огорожена забором, представлявшим собой хаотически наложенные друг на друга куски железа, оказалась сплошь в рытвинах и ухабах, так что даже мотороллеры и самые быстроходные транспортные средства тащились со скоростью не более пятнадцати миль в час. Черный «лексус» теперь полз в горку, его мотор недовольно ворчал, когда машине приходилось неожиданно огибать выбоины от копыт коров, целеустремленно бредущих, словно на зов сладкоголосых сирен, в каком-то только им одним известном направлении.

Но внимание Дженнифер привлекли отнюдь не коровы (на этих животных они уже успели насмотреться), а гора белых керамических раковин — сливные трубы торчали во все стороны, точно перерезанные пуповины. Неподалеку они увидели целую груду матрасов, а рядом с ней — нечто напоминающее хирургические столы.

— Это с кораблей, — заметил мистер Вагхела, ни к кому собственно не обращаясь.

— Как вам кажется, мы сможем остановиться? — спросила она. — Где мы находимся?

Водитель ткнул корявым пальцем в лежавшую рядом карту:

— В Аланге.

— Только не здесь, — нахмурился Санджай. — По-моему, это не самое подходящее место.

— Дайте-ка посмотреть. — Дженнифер снова наклонилась вперед. — Наверное, нам стоит свернуть. Куда-нибудь, где будет... немного живописнее.

— Конечно, надо свернуть, — сказала старая женщина, разглядывая пыльную дорогу, на обочине которой сидели на корточках какие-то мужчины.

Но похоже, ее никто не слышал.

Старуха беспокойно поерзала на сиденье. Она отчаянно хотела пить и вытянуть ноги. А еще не отказалась бы сходить в уборную, но за короткое время, проведенное в Индии, она уже успела усвоить, что посещение туалета за пределами гостиницы — испытание не для слабонервных.

— У меня есть предложение, — заявил Санджай. — Давайте купим пару бутылок колы и остановимся где-нибудь за городом, чтобы размять ноги.

— Это что, типа, город на свалке? — Дженнифер сощурилась на кучу вышедших из употребления холодильников.

Санджай махнул рукой водителю:

— Рам, остановись у этого магазинчика. Рядом с храмом. Возьму каких-нибудь прохладительных напитков.

— *Мы* возьмем каких-нибудь прохладительных напитков, — отрезала Дженнифер. «Лексус» затормозил у обочины. — Ба, посидишь в машине, хорошо?

Не дожидаясь ответа, они оба выскочили из машины, впустив в искусственную прохладу салона волну раскаленного воздуха, и со смехом вошли в опаленный солнцем магазинчик.

Неподалеку расположилась еще одна группа мужчин. Они что-то пили из жестяных кружек, время от времени лениво и с удовольствием сплевывая. На «лексус» они смотрели с полнейшим равнодушием.

Она сидела в машине, чувствуя себя неуютно, слишком на виду, и прислушивалась к замирающему гулу мотора. За окном от земли поднималось жаркое марево.

Мистер Вагхела повернулся к ней с переднего сиденья:

— Мэм, разрешите поинтересоваться. А сколько вы платите своему водителю?

Он уже в третий раз спрашивал ее об этом, причем всегда в отсутствие Санджая.

— У меня его нет.

— Как?! И кто же вам тогда помогает?

— Ну, ко мне приходит одна девушка, — неуверенно ответила она. — Аннетт.

— А у нее есть своя квартира?

Она подумала об аккуратном домике Аннетт с геранью на подоконнике.

— Да, можно и так сказать.

— Оплачиваемый отпуск?

— Боюсь, что точно не знаю.

Она собралась было сформулировать их с Аннетт трудовые отношения, но мистер Вагхела ее перебил:

— Сорок лет я работаю на эту семью и в результате имею только одну оплачиваемую неделю отпуска раз в году. И я уже начинаю подумывать о том, чтобы организовать профсоюз, yaar[1]. У моего двоюродного брата дома есть Интернет. И мы смотрим, как это работает. Дания. Хорошая страна для защиты прав трудящегося человека. — Он повернулся к ней спиной и кивнул: — Пенсия, больницы... образование... Нам всем следует работать в Дании.

Она на минуту притихла.

— Я там никогда не была, — наконец сказала она.

Старуха следила за молодыми людьми — ее белокурой головой и его темноволосой, — входившими в придорожный магазинчик. Дженнифер говорила, что они просто друзья, хотя два дня назад бабушка слышала, как внучка крадется по выложенному кафельной плиткой коридору в комнату Санджая. На следующий день оба резвились как дети.

---

[1] Yaar (хинди) — дружеское неформальное обращение. — *Здесь и далее прим. перев.*

18

«Ты влюблена в него?» Этот осторожный вопрос, казалось, оскорбил Дженнифер до глубины души: «Боже мой, да ты что, бабуля! Я и Джай... Ой, нет... Мне не хочется никаких серьезных отношений. Он знает».

И она снова вспомнила себя в этом возрасте: охватывающий ее дикий ужас, когда она оказывалась единственной женщиной в мужской компании, мрачную решимость до конца жизни остаться одной, хотя и по совсем другой причине. А затем бросила взгляд вслед Санджаю, который, вопреки заверениям внучки, похоже, не совсем понимал положение дел.

— А вы знаете, что это за место? — Мистер Вагхела положил в рот очередную порцию бетеля. Его зубы стали красными.

Она молча покачала головой. Теперь, когда кондиционер не работал, температура в салоне машины медленно, но верно повышалась. Во рту пересохло, и она с трудом сглотнула. И она уже неоднократно говорила Дженнифер, что не любит колу.

— Аланг. Самое большое в мире кладбище старых кораблей.

— О... — Женщина постаралась выглядеть заинтересованной, хотя в действительности чувствовала себя смертельно уставшей и больше всего на свете хотела поскорее тронуться в путь.

Бомбейский отель, до которого еще ехать и ехать, казался ей оазисом в пустыне. Она посмотрела на часы. Неужели, чтобы купить две бутылки прохладительного, требуется целых двадцать минут?!

— Здесь четыреста верфей. А еще куча народу, способного за несколько месяцев разобрать корабль до последнего винтика.

— О...

— И знаете, абсолютно никакой защиты прав трудящихся. Они получают в день один фунт, рискуя жизнью и здоровьем за этот несчастный фунт.

— Неужели?

— Некоторые из самых больших кораблей мира закончили здесь свой век. Вы не поверите, что иногда оставляют хозяева на круизных судах! Обеденные сервизы, ирландский лен, музыкальные инструменты, которых хватило бы на целый оркестр. — Он вздохнул. — Иногда от всего этого становится по-настоящему грустно, yaar. Такие прекрасные корабли — и идут на металлолом!

Старуха наконец оторвала взгляд от двери магазина и попыталась изобразить некоторое подобие интереса. Молодые бывают такими легкомысленными! Она закрыла глаза. Всегда такая уравновешенная, сейчас она чувствовала, что усталость и жажда с каждой минутой все больше отравляют ей настроение.

— Говорят, что на дороге в Бхавнагар можно купить что угодно: стулья, телефоны, музыкальные инструменты. Там продают все, что можно найти на судне. Мой шурин работает на одном из таких судоразделочных предприятий в Бхавнагаре, yaar. Он весь дом обставил вещами со старых кораблей. И теперь его дом стал похож на дворец. Можете себе представить? — Он поковырялся в зубах. — Все-все, что только можно оттуда снять. Хм. Не удивлюсь, если они продают барахло вместе с командой.

— Мистер Вагхела.

— Да, мэм?

— Это кафе?

Прервав свой монолог, мистер Вагхела посмотрел, куда она тычет пальцем. Перед магазинчиком на пыльной обочине были беспорядочно расставлены столики со стульями.

— Да, типа того.

— Тогда не могли бы вы оказать любезность проводить меня туда и заказать мне чашечку чая? Похоже, у меня больше нет сил ждать внучку.

— С превеликим удовольствием, мэм. — Он вылез из машины и распахнул перед ней дверь. — Ох уж эта молодежь, yaar! Никакого уважения к старшим. — А когда она с благодарностью оперлась на протянутую ей руку и, подслеповато щурясь от тусклых лучей солнца, вышла из машины, добавил: — Я слышал, что в Дании все по-другому.

Молодые люди вышли, когда она уже пила чашку того, что мистер Вагхела назвал «чаем по особому заказу». Чашка оказалась выщербленной, но на вид вполне чистой, а человек, который их обслуживал, устроил из чаепития целое шоу. Ей пришлось отвечать на непременные вопросы о своих путешествиях, хотя мистер Вагхела изо всех сил попытался заверить хозяина заведения, что она не знакома с кузеном последнего из Милтон-Кейнс. А затем, заплатив за стакан chai[1] для мистера Вагхелы (и липкие засахаренные фисташки — для поддержания сил, ну, вы понимаете), она просто осталась сидеть под навесом, глядя на то, что, как она теперь знала, находилось за стальным забором: переливающееся бескрайнее синее море.

Неподалеку от них в тени дерева стоял небольшой индуистский храм, к которому с двух сторон притулились кособокие постройки, приспособленные для удовлетворения самых различных нужд работающих на разборке: палатка цирюльника, сигаретный киоск, лоток торговца яйцами и фруктами, еще один — с велосипедными запчастями. И только через несколько минут до нее дошло, что она здесь единственная женщина в поле зрения.

— А мы-то гадаем, куда вы подевались?

— Полагаю, что никуда особенно. Мы с мистером Вагхелой отошли всего на несколько ярдов. — Ее тон был немного резче, чем хотелось бы.

— Не уверен, что нам стоит здесь задерживаться, — с плохо скрытым раздражением сказал Санджай, бросив мрачный взгляд сперва в сторону группы мужчин, а затем — своей машины.

---

1 *Chai (инд.)* — чай с молоком и со специями.

— Мне срочно надо было выйти, — отрезала она. — Мистер Вагхела любезно помог мне. — Она прихлебывала чай, оказавшийся на удивление вкусным. — Я нуждалась в передышке.

— Конечно-конечно. Я просто имел в виду, что хотел бы найти для вас нечто поживописнее, ведь сегодня последний день вашего отпуска.

— Меня все вполне устраивает. — Ей сразу полегчало, жару смягчал легкий бриз. После бесконечного наматывания мили за милей пыльной дороги безмятежные лазурные воды действовали успокаивающе. Где-то вдали слышалось позвякивание металла о металл и завывание отрезной машинки.

— Вау! Вы только посмотрите на эти корабли!

Дженнифер оживленно махала в сторону берега, где ее бабушка с трудом разглядела корпуса огромных судов, которые напоминали выброшенных на песок китов. Она слегка опустила веки, пожалев, что оставила в машине очки.

— Так это и есть судоразделочное предприятие, о котором вы говорили? — спросила она мистера Вагхелу.

— Четыре сотни судов, мэм. Покрывают все побережье. Растянулись на десять километров, не меньше.

— Похоже на кладбище слонов, — заметила Дженнифер и несколько высокопарно добавила: — Куда приходят умирать корабли. Ба, хочешь, сбегаю за твоими очками? — Она вдруг стала очень уступчивой и внимательной, словно таким образом извинялась за то, что слишком долго проторчала в магазине.

— Было бы очень мило с твоей стороны.

При иных обстоятельствах, впоследствии думала она, бескрайний песчаный берег вполне мог бы украсить туристический буклет. Здесь голубой небесный свод серебристой аркой встречался с горизонтом, а где-то вдали, за ее спиной, тянулась гряда синих гор. Однако, надев очки, она увидела, что песок посерел от ржавчины и машинного масла, а береговая полоса буквально испещрена остовами судов, расположенными с промежутками в четверть мили, а также огромными искореженными кусками металла и демонтированными внутренностями погибших кораблей.

Недалеко от них у самой кромки воды, растянувшись цепочкой, сидела на корточках группа мужчин в выцветших сине-бело-серых спецовках. Они следили за тем, как от белого корпуса корабля, заякоренного в нескольких сотнях футов от берега, отделяется рубка и тяжело падает в море.

— Не совсем обычный аттракцион для туристов, — произнес Санджай.

Дженнифер, приложив козырьком руку к глазам, напряженно вглядывалась вдаль. Старуха смотрела на ее голые плечи и задавала себе вопрос: а не стоит ли посоветовать внучке прикрыться?

— Именно об этом я и говорила. Ну давай, Джай, пойдем посмотрим!

— Нет-нет, мисс. Не уверен, что это хорошая идея. — Мистер Вагхела наконец допил свой chai. — Судоразделочная верфь не самое подходящее место для дам. И вообще, вам надо получить разрешение от портовых служб.

— Рам, я только хочу посмотреть. И вовсе не собираюсь орудовать сварочной горелкой.

— Мне кажется, тебе стоит послушаться мистера Вагхелу, дорогая. — Она поставила чашку, прекрасно понимая, что их присутствие в придорожном кафе не осталось незамеченным. — Это рабочая зона.

— Но сейчас же уик-энд. И вряд ли ведутся какие-нибудь работы. Ну давай же, Джай! От них не убудет, если мы пять минут посмотрим.

— Там на воротах охрана, — попытался урезонить подругу Санджай.

Старуха понимала, что явное нежелание Санджая рисковать борется с желанием казаться в глазах Дженнифер ее защитником и рубахой-парнем.

— Дженнифер, дорогая... — начала она в надежде помочь Санджаю выйти из неловкого положения.

— Пять минут! — Дженнифер буквально подпрыгивала на месте от нетерпения. И в следующую секунду она уже оказалась на середине дороги.

— Я лучше пойду с ней, — сдался Санджай. — Заставлю ее оставаться в пределах видимости.

— Молодежь, — задумчиво жуя, произнес мистер Вагхела. — Они не понимают слова «нет».

Мимо них прогромыхал огромный грузовик, кузов был набит скрученными листами железа, за которые с риском для жизни цеплялись шесть-семь человек.

Когда грузовик проехал, она увидела, что Дженнифер разговаривает с охранником на воротах. Девушка улыбалась и время от времени проводила рукой по белокурым волосам. Затем порылась в сумке и протянула ему бутылку колы. А когда Санджай наконец присоединился к ней, ворота уже открылись. И вот парочка пропала из виду, а через пару секунд она заметила на берегу их крошечные фигурки.

Прошло почти двадцать минут, прежде чем она или мистер Вагхела рискнули сказать, что они оба думают по этому поводу. Молодые люди явно куда-то запропастились, и вообще давно пора ехать дальше. И поэтому, пожалуй, надо пойти их поискать.

Чай вернул ее к жизни, и она постаралась подавить раздражение, вызванное эгоистичным, безрассудным поведением внучки. В то же время старуха понимала: подобная реакция отчасти объясняется страхом, что с девушкой, находившейся в данный момент под ее опекой, может случиться беда. Что она, старая и беспомощная, несет за внучку ответственность и здесь, в этом незнакомом, странном месте, совершенно не в состоянии контролировать ситуацию.

— Знаете, она ведь не носит часов.

— Думаю, нам следует за ними сходить, — сказал мистер Вагхела. — Наверняка они потеряли счет времени.

Она позволила ему отодвинуть стул и с благодарностью приняла его руку. Его рубашка на ощупь казалась пергаментной, словно была тысячу раз стирана-перестирана.

Он достал черный зонтик, которым пользовался время от времени, и раскрыл его у нее над головой. Чувствуя спиной взгляды мужчин на улице, а также пассажиров дребезжащих на ухабах автобусов, старуха старалась держаться поближе к мистеру Вагхеле.

У ворот произошла небольшая заминка. Мистер Вагхела что-то сказал охраннику, махнув рукой в сторону верфи. Речь его звучала весьма агрессивно и воинственно, словно охранник совершил преступление, пустив молодых людей внутрь.

Охранник что-то промямлил в ответ и открыл ворота.

Вопреки ее ожиданиям, вместо нормальных судов она увидела проржавевшие остовы старых посудин. По ним, словно муравьи, ползали крошечные человечки, они явно не замечали скрежета разрезаемого металла и пронзительного визга стальных резаков. Рабочие ловко орудовали сварочными горелками, молотками, гаечными ключами, заунывные звуки их разрушительной деятельности эхом разносились вокруг.

Корпуса кораблей, сидевших глубоко в воде, были обвязаны веревками, с них свисали до невозможности шаткие платформы, с помощью которых металл доставлялся на берег. Уже ближе к берегу старухе пришлось прикрыть лицо рукой, так как в нос шибанула вонь от свежих бытовых отходов и какой-то химии. На небольшом расстоянии от нее несколько костров отравляли ядовитым дымом прозрачный воздух.

— Пожалуйста, смотрите себе под ноги. — Мистер Вагхела ткнул пальцем в серый песок. — Не уверен, что это хорошее место. — Он явно сомневался в том, что поступил правильно, взяв ее с собой, а не оставив в кафе.

Но ей вовсе не улыбалось сидеть там в гордом одиночестве под взглядами незнакомых мужчин.

— Мистер Вагхела, ничего, если я буду за вас держаться?

— Полагаю, это было бы крайне желательно, — ответил он и, прищурившись, посмотрел вдаль.

Вокруг них на песке высились напоминавшие огромные турбины груды ржавых балок, валялись смятые стальные листы. И все были обмотаны толстенными цепями, облепленными ракушками. Кое-где цепи просто лежали на песке спутанными кольцами, словно гигантские спящие змеи, рядом с которыми, точно пигмеи, копошились рабочие.

Дженнифер нигде не было видно.

Небольшая компания мужчин кучковалась на песке возле воды, кто-то держал в руках бинокли, кто-то прохлаждался возле своих велосипедов, и все как один смотрели в сторону моря. Еще крепче вцепившись в мистера Вагхелу, она остановилась, чтобы приспособиться к адской жаре. Затем они стали медленно спускаться к берегу, туда, где, оживленно переговариваясь, расхаживали взад-вперед какие-то мужчины в пыльных спецовках, с уоки-токи, а у ног родителей играли дети.

— Еще один корабль пришел, — показал пальцем мистер Вагхела.

Они смотрели, как несколько буксирных судов тащат старый танкер, который по мере приближения к берегу вырисовывался все отчетливее. Мимо с ревом пронесся японский внедорожник и резко затормозил в нескольких сотнях ярдов от них. И именно в этот момент они услышали сердитые голоса и, обогнув целую гору газовых баллонов, заметили в тени гигантского металлического корпуса небольшую толпу людей, в гуще которой явно шла какая-то разборка.

— Мэм, должно быть, нам следует пойти в ту сторону, — сказал мистер Вагхела.

Старуха кивнула. Она начала всерьез беспокоиться.

Мужчина, чей объемистый живот выделял его на фоне остальных даже больше, чем шикарная машина, подрядчик судоразделки, махал руками в сторону корабля, сопровождая свою негодующую речь брызгами слюны. Перед ним, в окружении толпы работяг, стоял Санджай. Он явно пытался урезонить мужчину и примирительно жестикулировал, держа руки ладонями вниз. Дженнифер, объект гнева подрядчика, приняла ту самую позу, которую ее бабушка хорошо запомнила еще с тех пор, когда девушка была подростком: бедро вызывающе выдвинуто вперед, руки скрещены на груди, голова надменно откинута.

— Можешь сказать ему, — периодически вмешивалась она в разговор, — что у меня и в мыслях не было что-то сделать с его треклятой посудиной. И вообще, просто смотреть законом не запрещено.

— Джен, в том-то и проблема, — повернулся к ней Санджай. — У нас существует закон, запрещающий смотреть. Когда ты нарушаешь границы чьей-либо собственности.

— Это берег! — заорала она на подрядчика. — Длиной десять километров. Где ходят тысячи треклятых людей. Ну, посмотрела я на несколько ржавых посудин. И что это меняет?

— Джен, пожалуйста...

Окружившие Санджая мужчины следили за происходящим с нескрываемым интересом. Радостно подталкивая друг друга локтем, они тыкали пальцем в надетые на Дженнифер джинсы и майку, некоторые из зевак сгибались под тяжестью кислородных баллонов у них на плечах. Они расступились перед старухой, и она уловила странное смешение запахов: острого пота, благовоний и чего-то очень едкого. И с трудом удержалась, чтобы не прикрыть рот рукой.

— Он думает, что Дженнифер из группы защитников окружающей среды и собирает против него какие-то доказательства, — объяснил Санджай.

— Но ведь и ежу понятно, что я только смотрю, — сказала Дженнифер. — У меня и камеры-то с собой нет, — произнесла она, обращаясь к своему обидчику.

— На самом деле ты делаешь только хуже, — одернул Дженнифер Санджай.

Старуха попыталась оценить, насколько опасен для них этот человек. Его жесты стали еще резче и драматичнее, лицо исказилось от ярости. Она с надеждой посмотрела на мистера Вагхелу, словно он был здесь единственным взрослым человеком.

Возможно, ему в голову пришла та же мысль, потому что он вдруг отодвинулся от нее, расправил плечи и протиснулся поближе к пузатому. Подошел к нему, протянул руку, и тому ничего не оставалось, как ответить рукопожатием.

— Сэр, я мистер Рам Б. Вагхела.

Мужчины начали быстро-быстро говорить на урду, причем тон мистера Вагхелы был поочередно то примирительным, то агрессивным.

Разговор, похоже, затягивался. И старуха, лишившись возможности опираться на руку мистера Вагхелы, чувствовала себя как-то не слишком устойчиво. Она огляделась по сторонам в надежде куда-нибудь присесть, затем слегка попятилась: ее смущали — и даже пугали — откровенно любопытные взгляды мужчин. Наконец она обнаружила стальную бочку и побрела в ту сторону.

Усевшись, она принялась наблюдать за тем, как мистер Вагхела и Санджай пытаются убедить пузатого в отсутствии у нежданных гостей тайных умыслов или скрытых коммерческих интересов. Время от времени мужчины махали в ее сторону рукой, а она тихонько сидела в тени зонта, прекрасно понимая, что ее присутствие — очень пожилой и явно хрупкой леди — может перетянуть чашу весов в их пользу. Внешне она казалась вполне кроткой, но внутри у нее все клокотало. Дженнифер, со своим упрямством, открыто проигнорировала желания остальных, а в результате остановка в пути растянулась по меньшей мере на час. Верфи — очень опасное место, твердил мистер Вагхела, когда они шли по песку. Причем не только для рабочих, но и для тех, кто, как считается, «мешает процессу». Имели даже место случаи конфискации собственности, нервно оглядываясь на машину, говорил мистер Вагхела.

И теперь она встала перед фактом, что придется проделать такой же путь по раскаленному песку, только уже назад, а еще, вероятно, и заплатить всем этим людям, что пробьет очередную брешь в их изрядно оскудевшем за время поездки бюджете.

— Глупая, легкомысленная девчонка, — пробормотала она.

Чтобы хоть немного успокоиться, она направилась к видневшемуся поблизости кораблю, подальше от своей безответственной внучки и мужчин с абсолютно пустыми глазами. Зонтик она опустила пониже и, вздымая клубы песчаной пыли, пошла в сторону моря. Корабль уже был частично разобран, а задняя часть и вовсе отсутствовала, точно чья-то гигантская рука разломила судно пополам и убрала корму. Она подняла зонтик повыше, чтобы приглядеться повнимательнее. С такого расстояния рассмотреть корабль более детально не представлялось возможным, но она заметила показавшиеся до боли знакомыми две орудийные башни, которые еще ждали своего часа. Слегка нахмурившись, она смотрела на облупившуюся светло-серую краску. Этот цвет можно было увидеть только на британских военных кораблях. Спустя минуту она опустила зонтик, сделала несколько шагов назад и, на время забыв о затекшей шее, еще раз взглянула на возвышавшийся над ней корпус.

Поднесла руку к глазам, чтобы защититься от слепящего солнца, и наконец прочла на борту то, что осталось от названия судна.

И когда она сумела разобрать последние буквы, возбужденные голоса неожиданно смолкли, и, несмотря на полуденный индийский зной, старуху, стоявшую перед кораблем, вдруг объял пронизывающий холод.

Подрядчика, мистера Бхаттачарью, так и не удалось убедить. Несмотря на его растущую враждебность, усиливающийся ропот толпы и то крайне досадное обстоятельство, что они уже на целый час выбились из расписания, молодые люди продолжали спорить. Мистер Вагхела вытирал лоб платком. Мисс Дженнифер сердито ковыряла ногой песок, на ее лице застыло выражение угрюмого смирения. Мистер Санджай был весь красный от едва сдерживаемого раздражения, ему явно до смерти надоел весь этот бессмысленный спор. Время от времени он бросал на мисс Дженнифер недовольные взгляды. Похоже, она успела его изрядно утомить.

— Я не нуждаюсь в том, чтобы ты вместо меня излагал мои доводы. Хорошо?

— Мисс Дженнифер, я, конечно, извиняюсь, но не уверен, что ваше знание урду позволит вам выполнить поставленную задачу, — похлопал девушку по руке мистер Вагхела.

— Он понимает английский. Я слышала.

— Что там говорит эта девица? — Мистера Бхаттачарью явно оскорбляла ее не слишком пристойная манера одеваться.

Вообще-то, как подозревал мистер Вагхела, в глубине души подрядчик понимал необоснованность своих претензий, но накрутил себя до такого состояния, что остановиться уже просто не мог. На своем жизненном пути мистер Вагхела не раз встречал подобных людей.

— Мне не нравится, как он со мной разговаривает.

— Но ведь ты даже не знаешь, что именно он говорит! — подошел к девушке мистер Санджай. — Джен, ты делаешь только хуже. Возвращайся к машине и возьми с собой бабушку. Мы сами разберемся.

— Не смей указывать, что мне делать!

— Куда это она направляется? Куда они направляются? — Мистер Бхаттачарья смотрел на Санджая налитыми кровью глазами.

— Сэр, полагаю, будет лучше, если девушка покинет верфь. Мой друг как раз уговаривает ее сделать это.

— Я не нуждаюсь в... — начала мисс Дженнифер и неожиданно остановилась.

Над толпой повисла тишина, и мистер Вагхела, который уже перегрелся на солнце, увидел, что все смотрят на то место, куда падала тень от корпуса соседнего судна.

— Что случилось со старой леди? — спросил мистер Бхаттачарья.

Старуха сидела, бессильно подавшись вперед, лицо она закрывала рукой. Ее седые волосы казались серебряными.

— Ба?! — кинулась к ней девушка.

Когда старуха подняла голову, мистер Вагхела вздохнул с облегчением. Он вынужден был признать, что его немного напугала ее поза.

— С тобой все в порядке?

— Да. Да, дорогая.

Слова автоматически вылетают из ее рта, подумал мистер Вагхела. Точно против ее воли.

Сразу забыв о мистере Бхаттачарье, они с Санджаем присели перед ней на корточки.

— Осмелюсь заметить, вы выглядите очень бледной, мамаджи[1].

Он заметил, что она держится рукой за корпус корабля. Забавный жест. Именно потому она и сидела в такой нелепой позе.

Подрядчик уже был рядом с ними, он вытирал свои дорогие туфли из крокодиловой кожи о низ штанин. Затем что-то пробормотал, обращаясь к мистеру Вагхеле.

— Он интересуется, не хотите ли вы пить, — сказал ей мистер Вагхела. — Говорит, в офисе есть вода со льдом.

— Не хочу, чтобы у нее случился сердечный приступ на моей верфи, — продолжал говорить мистер Бхаттачарья. — Дайте ей воды, а потом, пожалуйста, уведите ее отсюда.

— Не желаете ли воды со льдом?

Казалось, она наконец выпрямится, но она лишь слабо махнула рукой:

— Очень любезно с вашей стороны. Но я просто посижу минутку.

— Ба, что случилось? — Дженнифер опустилась перед бабушкой на колени, глаза ее расширились от волнения.

Вся воинственность девушки словно испарилась на жаре.

Стоявшие сзади молодые мужчины перешептывались и пихали друг друга в бок, понимая, что у них на глазах разыгрывается какая-то непонятная им драма.

---

1   Суффикс «джи» индийцы добавляют в знак особого расположения.

— Джен, пожалуйста, попроси их уйти, — прошептала старуха. — Я серьезно. Мне сразу станет лучше, если я останусь одна.

— Это из-за меня? Ба, прости. Я знаю, что уже вас заколебала. Но мне страшно не понравилось, как он со мной разговаривал. Понимаешь, все потому, что я девушка. И это меня жутко бесит.

— Ты здесь ни при чем...

— Прости. Мне следовало быть более внимательной. Послушай, давай вернемся к машине.

Мистеру Вагхеле доставило большое удовольствие услышать ее извинения. Приятно знать, что молодые люди еще способны признавать свое безответственное поведение. Ей не следовало заставлять старую леди идти так далеко по такой жаре и тем более в таком месте. Это говорит о недостаточном уважении.

— Дженнифер, дело не в тебе. — В голосе старухи чувствовался надрыв. — Это корабль, — прошептала она.

Теряясь в догадках, они проследили направление ее взгляда и увидели махину из светло-серого металла с огромными ржавыми заклепками по бокам.

Молодые люди обменялись удивленными взглядами, затем посмотрели на старую леди, которая вдруг показалась им ужасно хрупкой.

— Ба, ведь это просто корабль, — сказала Дженнифер.

— Нет, — ответила она, и мистер Вагхела заметил, что ее лицо лишилось красок, совсем как металлическая обшивка корабля. — Вот здесь ты сильно ошибаешься.

Не так часто, по возвращении домой сказал своей жене мистер Рам Б. Вагхела, можно видеть, как плачут старые леди. Эти британцы оказались менее сдержанны в проявлении чувств, чем я ожидал, и вовсе они не такие напыщенные и чопорные. Жена, к его неудовольствию, только закатила глаза, словно ей было лень найти достойный ответ на его замечание. Он вспомнил, как горевала старуха, когда они вели ее к машине, и как она всю дорогу до самого Мумбаи[1] просидела молча. Она была похожа на человека, встретившегося лицом к лицу со смертью.

Да, эта английская леди изрядно удивила его. Он явно в ней ошибся.

И он ни минуты не сомневался, что в Дании они совсем другие.

---

1 *Мумбаи* — принятое в настоящее время название Бомбея.

Часть первая

Глава 1

Деньги — мусор! На последних торгах в Сиднее отборные бараны шли по цене 19 шиллингов 11 пенсов за фунт, причем для Австралии это самая высокая цена, о которой я слышал. Процентное отношение шкур не слишком велико, примерно пять на один фунт, и четыре шиллинга за шкуру уже можно считать хорошей прибылью.

Человек на земле.
Бюллетень (Австралия). 10 июля 1946 года

Австралия, 1946 год
За четыре недели до посадки

Летти Макхью остановила пикап, вытерла несуществующую копоть под глазами и мысленно заметила, что женщину «с красивыми чертами лица», как отозвалась о ней продавщица, вишневая помада не слишком изменит. Она резким движением вытерла рот, чувствуя себя глупо из-за того, что вообще купила эту дурацкую помаду. Но уже через минуту порылась в сумочке и, глядя в зеркало заднего вида, снова накрасила губы.

Расправила блузку, подняла письма, которые еженедельно забирала на почте, и бросила взгляд через лобовое стекло на унылую мокрядь вокруг. Дождь, похоже, зарядил всерьез и надолго, переждать не удастся. Тогда она прикрыла голову и плечи брезентом и, судорожно вздохнув, выскользнула из грузовичка и побежала к дому.

— Маргарет? Мэгги?

Затянутая сеткой дверь с шумом захлопнулась у нее за спиной, заглушив шум потопа за окном, но звук собственного голоса и стук каблуков выходных туфель по дощатому полу эхом вернулись к ней. Летти проверила сумочку, вытерла ноги и вошла в кухню, на всякий случай крикнув еще пару раз, хотя уже и начала подозревать, что дома никого нет.

— Мэгги? Ты там?

Кухня оказалась пустой — такой, как после ухода Норин теперь была всегда. Положив сумочку и письма на обшарпанный деревянный стол, Летти подошла к плите, где на медленном огне томилось рагу. Подняла крышку и принюхалась. Затем залезла в буфет, воровато добавила щепотку соли, немного тмина и кукурузной муки, помешала и опустила крышку.

Она подошла к аптечному шкафчику с выщербленным зеркалом и попыталась пригладить волосы, которые от влажного воздуха завились мелкими кудряшками. Разглядеть все лицо целиком ей не удалось. Уж в чем в чем, а в тщеславии семью Донливи обвинить было нельзя, это точно.

Летти снова потерла губы, затем вернулась на кухню, взглянув на нее глазами стороннего наблюдателя. Она изучила линолеум — потрескавшийся, с въевшейся деревенской грязью. Сколько она ни подметала, сколько ни мыла — все без толку. Сестра планировала заменить линолеум, даже показывала образец, который понравился ей в каталоге, присланном аж из Перта. Летти посмотрела на выцветшую краску, на календарь, где были отмечены исключительно сельскохозяйственные мероприятия: приезд ветеринаров, покупателей или продавцов зерна, — на расставленные вокруг плиты корзинки с вонючими одеялами, где спали собаки, на пачку стирального порошка «Блюю» для мужских рубашек, кристаллы которого были рассыпаны по белесой рабочей поверхности. Единственным признаком присутствия в доме женщины было наличие журнала «Гламур» с анонсом нового романы Дафны Дюморье и статьей под названием «Вышли бы вы замуж за иностранца?». Она заметила, что страницы уже изрядно засалены, а углы обтрепаны.

— Маргарет?

Летти посмотрела на часы: мужчины с минуты на минуту должны были вернуться на ланч. Она подошла к вешалке возле задней двери и сняла старую пастушью куртку, поморщившись от запаха дегтя и мокрой собачьей шерсти, которые теперь точно пропитают ее одежду.

Дождь зарядил с такой силой, что кое-где во дворе образовались небольшие речушки. Вода в дренажных канавах протестующе булькала, а цыплята, нахохлившись, сбились в кучку под кустами. Мысленно отругав себя за то, что не надела резиновые сапоги, Летти выскочила во двор и побежала к амбару. А там, как и ожидала, увидела скачущую кругами по загону лошадь, а на ней — нечто напоминающее огромный пакет из коричневой промасленной бумаги, лицо было закрыто широкополой шляпой, блестевшей от струек дождя.

— Маргарет!

Летти стояла под навесом и, пытаясь перекричать шум дождя, неуверенно махала рукой.

Лошадь явно была сыта по горло. Прижав хвост к мокрому крупу, она пятилась от ограды и время от времени отчаянно взбрыкивала, тогда как наездница, терпеливо поворачивая ее, заставляла усердно повторять все сначала.

— Мэгги!

Лошадь неожиданно встала на дыбы, и у Летти екнуло сердце, а рука непроизвольно зажала рот. Но наездницу оказалось не так-то легко выбить из седла, она только слегка пришпорила лошадь, бормоча что-то сквозь зубы, — возможно, пыталась увещевать упрямое животное, а возможно, и нет.

— Мэгги, ради всего святого! Не могла бы ты подъехать поближе?

Поля шляпы слегка приподнялись, в приветственном жесте взметнулась рука. Лошадь развернулась и, понурившись, побрела к воротам.

— Летти, ты здесь давно? — спросила Мэгги.

— Девочка моя, ты что, совсем рехнулась?! Ты соображаешь, что делаешь? — Она увидела, что племянница широко улыбается из-под полей шляпы.

— Да так, объезжаю понемножку. Папа слишком большой для нее, мальчикам с ней не справиться, значит остаюсь только я. Старушка с норовом, а?

Летти в сердцах покачала головой и сделала знак Маргарет слезть с лошади.

— Боже мой, детка! Может, тебе помочь?

— Ха! Нет, я справлюсь. А что, скоро ланч? Мясо я уже поставила тушиться, но не знаю, когда вернутся мужчины. Они перегоняют телят к Йаррава-крик и могут проторчать там весь день.

— Вряд ли они задержатся в такую погоду, — ответила Летти, когда Маргарет неуклюже слезла с лошади и тяжело приземлилась на ноги. — Если они, конечно, не такие же чокнутые, как и ты.

— А, не бухти! На самом деле она лучше, чем кажется.

— Ты насквозь промокла. Только посмотри на себя! И как тебе только в голову взбрело ездить верхом под дождем?! Господи помилуй, Мэгги, сомневаюсь, отдаешь ли ты себе отчет в том, что делаешь... Что бы сказала твоя дорогая матушка... один только Бог ведает.

И обе сразу притихли.

— Знаю... — Маргарет сморщила нос и принялась расстегивать подпругу.

Летти забеспокоилась, не перегнула ли она палку. Она замялась, с трудом удержавшись от слов извинения, готовых слететь с губ.

— Я не имела в виду...

— Забудь. Летти, ты абсолютно права, — сказала девушка, зажав под мышкой седло. — Она не стала бы заставлять кобылу наматывать круги, а просто надела бы на нее балансирующий повод, и дело с концом.

———

Мужчины вернулись около часа дня, стремительно побросали мокрые галоши и шляпы в кучу, куртки стащили прямо в дверях. Маргарет накрыла на стол и теперь подавала дымящиеся миски с тушеной говядиной.

— Колм, смотри, сколько грязи ты натащил на каблуках, — сказала Летти, и молодой человек, решив не тратить время на то, чтобы вытереть сапоги, послушно стянул их и швырнул на ковер.

— А хлеб нам дадут?

— Наберитесь терпения, мальчики. У меня только две руки.

— Мэгги, твоя собака спит в папиной старой шляпе, — ухмыльнулся Дэниел. — Папа говорит, что если подцепит блох, то пристрелит ее.

— Ничего я такого не говорил, дурачок. Как поживаешь, Летти? Ездила вчера в город?

Марри Донливи, высокий и угловатый, с бледно-голубыми глазами на веснушчатом лице, что явственно свидетельствовало о его кельтских корнях, сел во главе стола и с ходу принялся за кусок хлеба, который отрезала для него свояченица.

— Ездила, Марри.

— Для нас какая-нибудь почта была?

— Принесу, когда поешь.

В противном случае письма будут непременно закапаны соусом и захватаны жирными пальцами. Хотя Норин всегда было наплевать.

Маргарет уже успела поесть и теперь сидела в мягком кресле возле кухонного шкафа, поставив ноги в носках на скамеечку. Летти с чувством внутреннего удовлетворения смотрела, как сосредоточенно едят мужчины. В наши дни не так уж много семей могут собрать за одним столом сразу пять представителей сильного пола, и это притом что трое отслужили в армии. Когда Марри попросил Дэниела, младшенького, передать ему еще хлеба, Летти уловила едва заметный ирландский акцент, с которым он в свое время прибыл в страну. Ее сестра любила добродушно подтрунивать над ним. «Тот самый! — говаривала она, пытаясь подражать акценту мужа. — Боевого задора в нем на сотню ирландцев».

Да, за этим столом явно кого-то не хватало. Летти вздохнула, пытаясь отогнать мысли о Норин, что она делала бессчетное число раз в течение дня. И жизнерадостно сказала:

— Представляете, жена Альфа Петтита купила один из этих новомодных холодильников «Дефендер». Там четыре ящика, он сам делает лед и практически не издает шума.

— В отличие от жены Альфа Петтита, — вставил Марри. Он уже вытащил последний выпуск «Бюллетеня» и углубился в чтение своей любимой рубрики «Человек на земле». — Хм. Пишут, что на молочных фермах становится все грязнее, потому что женщины уезжают.

— Они, очевидно, никогда не бывали в комнате Мэгги.

— Это ты приготовила? — Марри оторвался от газеты и ткнул пальцем практически в пустую миску.

— Нет, Мэгги, — ответила Летти.

— Вкусно. Лучше, чем в прошлый раз.

— Даже не знаю почему, — сказала Маргарет, она поднесла руку к глазам, пытаясь найти занозу. — Я ничего нового не добавляла.

— В «Одеоне» показывают хорошую картину, — поспешила сменить тему Летти и тем самым привлекла к себе внимание остальных.

Она знала, что мужчины делают вид, что их вовсе не интересуют обрывки сплетен, которые она дважды в неделю привозила на ферму, ведь сплетни — это бабское дело, но время от времени маска безразличия с парней все же слетала. Она прислонилась к раковине, скрестив руки на груди.

— Ну?

— Это фильм о войне. Грир Гарсон и Тайрон Пауэр. Забыла название. Что-то такое с «навсегда».

— Надеюсь, там покажут военные самолеты. Американские. — Дэниел посмотрел на братьев, явно ища их одобрения, но они были всецело поглощены едой и даже не подняли головы.

— А скажи, коротышка, как ты собираешься добираться до Вудсайда. Надеюсь, ты не забыл, что сломал велосипед? — пихнул его в плечо Лиам.

— Так или иначе, не поедет же он туда один на велосипеде, — заметил Марри.

— Кто-нибудь из вас может отвезти меня туда на грузовике. Да ладно вам! Так и быть, заплачу за ваше мороженое.

— Сколько кроликов ты продал на этой неделе?

Дэниел имел небольшой приработок: он свежевал кроликов и продавал шкурки. И совершенно необъяснимым образом цена качественных шкурок поднялась с одного пенни до нескольких шиллингов, что вызывало некоторую долю зависти к неожиданно свалившемуся на младшего брата богатству.

— Только четыре.

— Что ж, тоже неплохо.

— Ой, Марри, Бетти просила передать тебе, что их хорошая кобыла наконец-то жерёбая. Если тебя это все еще интересует.

— Та самая, которую спаривали с Колдуном?

— Думаю, да.

Марри бросил взгляд на старшего сына:

— Колм, наверное, стоит заскочить туда в конце недели. Хорошая лошадь в хозяйстве не помешает.

— Кстати... — сделав глубокий вдох, начала Летти. — Сегодня я видела, как Маргарет объезжала твою норовистую молодую кобылу. Не уверена, что Мэгги стоит ездить верхом. Это... небезопасно.

— Летти, она взрослая женщина, — не отрывая глаз от миски, произнес Марри. — Очень скоро мы вообще не сможем учить ее жить.

— Летти, зря ты так кипятишься. Я знаю, что делаю.

— Кобыла на вид весьма злобная. — Летти принялась за мытье посуды, чувствуя себя немного сбитой с толку. — Я просто хочу сказать, что, по-моему, Норин этого не одобрила бы. Только не в ее... положении...

При упоминании имени ее сестры на кухне повисла напряженная тишина.

Марри отпихнул пустую миску к центру стола:

— Летти, очень благородно с твоей стороны, что ты переживаешь за нас. Не думай, что мы этого не ценим.

Даже если мальчики и заметили взгляд, которым обменялись оба «старика», как они про себя называли их, а также легкий румянец, неожиданно появившийся на щеках тети Летти, то оставили свое мнение при себе. Точно так же, как в свое время промолчали, обнаружив, что для визита к ним она вдруг стала надевать свою лучшую юбку. Или что в свои сорок с хвостиком вдруг начала делать перманент.

Тем временем Маргарет поднялась с кресла и принялась лениво просматривать лежавшие на буфете рядом с сумочкой Летти письма.

— Черт побери! — воскликнула она.

— Маргарет!

— Прости, Летти. Посмотри! Папа, ты только посмотри! Это мне. Со штампом военно-морского флота!

Отец кивком велел ей дать ему письмо. Повертел конверт в мозолистых руках, обратив внимание на официальный штамп и адрес отправителя.

— Хочешь, чтобы я открыл?

— Значит, он не погиб, да?! — воскликнул Дэниел, за что с ходу получил от Колма увесистую оплеуху.

— Не старайся быть еще большим придурком, чем кажешься!

— Ты ведь не думаешь, что он погиб, да? — Маргарет с трудом устояла на ногах, ее румяное лицо сразу потеряло все краски.

— Конечно не погиб, — ответил отец. — А иначе тебя известили бы телеграммой.

— Может, они хотели сэкономить на почтовых расходах, но... — Дэниел с трудом увернулся от энергичного пинка старшего брата.

— Я хотела подождать, пока все не поедят, — вставила Летти, но ее слова повисли в воздухе.

— Ну давай же, Мэг! Чего тянешь?

— Не знаю, — проронила девушка, явно терзаясь сомнениями.

— Да ладно тебе, мы ведь с тобой. — Отец ласково погладил ее по спине.

Она посмотрела на него, потом — на письмо, которое уже держала в руках.

Братья вскочили на ноги и окружили ее плотным кольцом. Летти, так и оставшаяся стоять у раковины, внезапно почувствовала себя лишней. Чтобы скрыть замешательство, она с удвоенным рвением принялась отскребать кастрюлю, ее крупные пальцы покраснели от горячей воды.

Маргарет вскрыла конверт и едва слышно — эта привычка сохранилась у нее с детских лет — принялась читать письмо. Затем Мэгги коротко вскрикнула, и Летти, резко обернувшись, увидела, что девушка тяжело осела на стул, услужливо придвинутый одним из братьев. Она потрясенно смотрела на отца.

— Ты в порядке, моя девочка? — Его лицо сморщилось от волнения.

— Папа, я еду, — прохрипела она.

— Что?! В Ирландию? — схватив письмо, спросил Дэниел.

— Нет. В Англию. Меня берут на борт корабля. Боже мой, папа!

— Маргарет! — предостерегающе воскликнула Летти, но ее никто не слушал.

— Мэг едет в Англию! — Старший брат уже прочел письмо. — Действительно едет! Они смогли найти ей место на корабле!

— Эй, чего раскричался? Уймись! — беззлобно одернула его Маргарет.

— «В связи с изменением статуса другой „военной невесты" мы можем предложить вам место на борту...» Как это пишется? «Мы отплываем из Сиднея»... Бла-бла-бла...

— Изменение статуса? Интересно, что случилось с той бедняжкой? — фыркнул Нил.

— Вполне возможно, что ее муж уже успел снова жениться. Такое случается.

— Летти! — возмутился Марри.

— Ну, это чистая правда. Все в жизни бывает. Почитай газеты. Я слыхала о девушках, которые добрались аж до самой Америки, а там им оказались вовсе не рады. Некоторые даже с... — начала она, но сразу прикусила язык.

— Джо другой, — отрезал Марри. — Мы все знаем, что он не из таковских.

— А кроме того, — жизнерадостно начал Колм, — когда он женился на Мэг, я предупредил его, что, если он ее бросит, я обязательно найду его и убью.

— И ты тоже? — удивился Нил.

— Господи! — перекрестилась Маргарет, проигнорировав стоявшую с покаянным видом тетю. — Вы мне вздохнуть спокойно не даете. Удивляюсь, что он вообще здесь задержался.

Но когда до присутствующих наконец дошел смысл полученного письма, на кухне стало тихо. Маргарет крепко сжала руку отца, тогда как остальные делали вид, будто ничего не замечают.

— Кто-нибудь хочет чая? — спросила Летти.

У нее в горле застрял ком. Она уже мысленно представляла себе кухню без Маргарет. В ответ она услышала очень невнятное выражение согласия.

— Но учти, нет никакой гарантии, что ты получишь каюту, — заметил Нил, продолжая читать письмо.

— Они могут поместить ее вместе с багажом, — предположил Лиам. — Такой толстокожей все нипочем!

— Что, прямо вот так? — поинтересовался Дэниел, который, как заметила Летти, был потрясен до глубины души. — Я хочу сказать, ты что, прямо вот так возьмешь и уедешь в Англию?

— Да, вот так, — спокойно ответила Маргарет.

— А как же мы? — спросил Дэниел, и голос его вдруг сорвался, словно он так и не смог воспринять всерьез замужество сестры и возможные последствия этого события. — Мы не можем одновременно потерять и маму, и Мэг! И что нам тогда делать?!

Летти собралась было принять участие в разговоре, но слова вдруг застряли у нее в горле.

А за столом молча сидел Марри, его рука сплелась с рукой дочери.

— Мы, сынок, будем радоваться, — наконец произнес он.

— Что?!

Марри ободряюще улыбнулся дочери, хотя Летти не поверила в искренность этой улыбки.

— Мы будем радоваться, потому что рядом с Маргарет будет хороший человек. Человек, сражавшийся за свою страну и за нашу тоже. Человек, который вполне заслуживает нашу Маргарет, впрочем, как и она его.

— Ой, папа, — потерла глаза Маргарет.

— И что самое важное. — Голос Марри окреп и зазвучал громко, словно пресекая все возражения. — Мы должны радоваться вдвойне, потому что дед Джо был ирландцем. А это значит... — он положил тяжелую руку на округлившийся живот дочери, — что малышу суждено попасть, да будет на то воля Господа, в рай земной.

— О Марри, — прижав руку ко рту, прошептала Летти.

— Мужайтесь, ребята, — пробормотал Колм, натягивая сапоги. — Нас ожидает вечер в духе «Danny Boy»[1].

У них уже некуда было вешать выстиранную одежду. Сушилка в доме была загружена настолько, что того и гляди обвалится потолок, мокрое белье свисало со всех крючков и веревок, болталось на плечиках, прицепленных к дверям, лежало на полотенцах на всех рабочих поверхностях. Маргарет выудила из ведра очередную сырую нижнюю рубашку и протянула тете, а та заправила подогнутый край в каток для глажки белья и начала крутить ручку.

— Это все потому, что вчера ничего не высохло, — сказала Маргарет. — Я не успела вовремя снять белье с веревки, вот оно снова и намокло, а у меня его еще куча.

— Мэгги, почему бы тебе не присесть? — предложила Летти. — В ногах правды нет. И вообще, дай им отдохнуть минутку-другую.

Маргарет с благодарностью опустилась на стул, что стоял в прачечной, и ласково погладила примостившегося рядом терьера.

— Я, конечно, могу повесить что-то в ванной, но папа будет ругаться.

---

1 *«Danny Boy»* — лирическая песня; согласно одним трактовкам, она посвящена герою, погибшему за свободу Ирландии, а согласно другим — является посланием от родителей сыну, ушедшему на войну или эмигрировавшему.

— Понимаешь, ты должна больше отдыхать. При таком сроке большинство женщин стараются держать ноги повыше.

— Ай, мне еще носить и носить, — отозвалась Маргарет.

— По моим прикидкам меньше двенадцати недель.

— Вот африканские женщины котятся прямо под кустом и идут себе дальше работать.

— Ты не африканка. И я сильно сомневаюсь, что здесь уместно слово «котятся», словно это... — Летти понимала, что не может рассуждать о деторождении, поскольку ничего в этом не смыслит.

Она молча занималась бельем, а дождь все барабанил по жестяной крыше, и из открытого окна в прачечную проникали сладкие запахи мокрой земли. Допотопный каток надрывно скрипел, неохотно возвращаясь к жизни.

— Дэниел воспринял новость хуже, чем я ожидала, — как бы между прочим заметила Маргарет.

Летти, кряхтя, продолжала крутить ручку.

— Он еще слишком молод. И здорово натерпелся за последнюю парочку лет.

— Но он жутко зол на меня. Уж чего-чего, а этого я от него не ожидала.

— Полагаю, он разочарован. Потерять и мать, и тебя... — замявшись, произнесла Летти.

— Я же не специально. — Маргарет вспомнила о внезапной вспышке его гнева, когда он бросал ей в лицо такие обидные слова, как «эгоистичная» и «злая», до тех пор, пока отец с помощью подзатыльника не прервал его обличительную речь.

— Понимаю. — Летти оставила ручку и выпрямилась. — И они тоже понимают. Даже Дэниел.

— Но когда мы с Джо поженились, знаешь, у меня и в мыслях не было оставить папу и мальчиков. И вообще, мне казалось, что им все равно.

— Ну конечно, им не все равно. Они тебя любят.

— Я же не возражала, когда Нил уходил.

— Он уходил на войну. И ты понимаешь, что выбирать не приходилось.

— Но кто теперь за ними присмотрит? Если очень приспичит, папа погладит рубашку и вымоет посуду, но вот приготовить обед никто из них точно не сможет. И простыни не будут менять до тех пор, пока они не станут такими заскорузлыми, что своим ходом отправятся в корзину для грязного белья.

Маргарет говорила и говорила, а потом и сама начала верить в то, что на ней держится весь дом, заботу о котором она со скрытым негодованием взвалила на свои плечи два года назад. Ей и в страшном сне не могло присниться, что когда-нибудь придется заниматься стряпней и уборкой. Даже Джо все прекрасно понял, когда она призналась ему, что в этом деле она безнадежна, но, что самое главное, не горит желанием исправлять ситуацию. И вот теперь, вынужденная каждый день часами обслуживать братьев, с которыми когда-то была на равных, она чувствовала, как в ее сердце борются между собой печаль, раскаяние и молчаливая ярость.

— Летти, у меня так тяжело на душе. Ведь я и вправду считаю, что им не справиться без... ну, женщины в доме.

В прачечной повисло тягостное молчание. Собака заскулила во сне, перебирая лапами, будто она за кем-то гналась.

— Уверена, они могут пригласить кого-нибудь в качестве домоправительницы, — нарушила тишину Летти, но голос ее прозвучал как-то слишком уж беззаботно.

— Папа не захочет за это платить. Тебе ведь известно, какой он экономный. И, кроме того, не уверена, что они потерпят чужого человека на кухне. Ты же их знаешь. — Маргарет покосилась на тетю. — А с тех пор как Нил вернулся из армии, он вообще не желает ни с кем знакомиться... Ой, даже и не знаю...

А на улице дождь постепенно ослабевал и теперь не так сильно стучал по крыше, на востоке между свинцовыми тучами начало проглядывать голубое небо. Женщины замолчали, задумчиво уставившись в окно.

Не дождавшись ответа, Маргарет заговорила снова:

— На самом деле я все думаю, а стоит ли мне вообще уезжать. Я хочу сказать, какой смысл отправляться в такую даль, если я постоянно буду беспокоиться о семье? — Она вопросительно посмотрела на тетю и, не дождавшись ответа, продолжила: — Потому что я...

— Думаю, — подала голос Летти, — я могу им помочь.

— Что?

— Не надо говорить «что», дорогая. Если ты действительно так за них переживаешь, — ровным тоном произнесла Летти. — Я смогу приезжать почти каждый день. Просто чтобы помогать по мере сил.

— Ой, Летти, да неужели?! — Маргарет постаралась, чтобы ее голос звучал в меру удивленно и в нем слышалась благодарность.

— Ужасно не хочется наступить кому-нибудь на больную мозоль.

— Нет... Нет... Конечно нет.

— И мне не хочется, чтобы ты или мальчики подумали... будто я стараюсь занять место вашей матери.

— Ну что ты! Никому такое даже в голову не придет!

Женщины молча переваривали то, что наконец было высказано вслух.

— И люди могут... неправильно понять. В нашем городе и вообще... — Летти машинально пригладила волосы.

— Да, они могут, — с серьезным выражением лица проронила Маргарет.

— Но с другой стороны, я пока без работы. Ведь военный завод закрылся. А семья должна быть на первом месте.

— Именно так.

— Я хочу сказать, мальчики нуждаются в женском влиянии. Особенно Дэниел. Он сейчас в том возрасте... И я ведь не делаю ничего плохого. Ничего такого... ну, ты понимаешь...

Если Маргарет и заметила, как у тети порозовели от удовольствия щеки, то ничего не сказала. Если тетина внешность в последнее время и изменилась — взять, к примеру, новую губную помаду, — что несколько усложняло для Маргарет ведение переговоров, то она решительно отмела все подозрения. Если ценой ее законной свободы станет узурпация освободившегося места матери, что ж, она постарается видеть в этом только хорошее.

Угловатое лицо Летти озарилось улыбкой.

— В таком случае, дорогая, если тебе так будет легче, я позабочусь о них, — сказала она. — И о твоей Мод тоже. Тебе не придется беспокоиться.

— Ну, о ней я меньше всего беспокоюсь. — Маргарет с трудом поднялась со стула. — Я собираюсь...

— Да, я сделаю все возможное, чтобы они были в порядке, — продолжила Летти. Согретая надеждой наконец обрести свое женское счастье, она вдруг стала словоохотливой. — Если тебе действительно так будет легче, Мэгги, дорогая, чем могу — помогу. Да, тебе не придется беспокоиться. — Почувствовав неожиданный прилив сил, она выжала последнюю рубашку, бросила ее в корзину для белья и приготовилась к новому сеансу сушки. Затем вытерла крупные костлявые руки о передник. — Ну вот. Ладно. Почему бы мне не приготовить нам по чашечке чая? А ты пока напиши письмо на флот, скажи, что согласна, и тогда мы будем знать, что все устроилось. Ты ведь не хочешь упустить место на корабле? Как та бедняжка, которой не повезло.

Маргарет выдавила сияющую улыбку. Если верить статье в «Гламуре», она, возможно, больше никогда с ними не увидится. И к этому тоже надо быть готовой.

— Знаешь что, Мэгги, я, пожалуй, проверю ящики в твоей комнате: не надо ли чего подлатать. Я ведь знаю, что с иголкой ты не дружишь, а мы хотим, чтобы ты выглядела как конфетка, когда встретишься с Джо.

Вы не должны осуждать их, говорилось в статье. Но вы должны быть уверены, что никогда не будете винить вашего мужа в том, что он разлучил вас с семьей. Тетя по-хозяйски перетаскивала корзинку с бельем, точь-в-точь как в свое время мама.

Маргарет зажмурилась и сделала глубокий вдох, слушая, как по прачечной эхом разносится голос Летти.

— Заодно приведу в порядок пару рубашек твоего отца. Раз уж я возьмусь за шитье. Дорогая, я ведь прекрасно вижу, что мужчины выглядят немного усталыми, и мне не хочется, чтобы говорили, будто я... — Она покосилась на Маргарет. — Я позабочусь о том, чтобы здесь все было тип-топ. О да. Тебе не придется ни о чем беспокоиться.

Маргарет не хотелось, чтобы они оказались брошены на произвол судьбы. Уж лучше так, чем если появится кто-то, кого она вообще не знает.

— Мэгги?

— Мм?

— Как тебе кажется... Как тебе кажется, твой отец не будет возражать? Я хочу сказать, против меня. — Лицо Летти — лицо сорокапятилетней женщины — внезапно приняло озабоченное выражение и стало трогательно-беззащитным, совсем как у молодой невесты.

Уже гораздо позже, размышляя над этим долгими бессонными ночами, Маргарет так и не смогла понять, что заставило ее сказать это. Ведь она вовсе не была подлой или злой. Более того, она не хотела, чтобы Летти или папа коротали оставшиеся им дни в одиночестве.

— Мне кажется, он будет в восторге, — произнесла она, погладив собаку. — Летти, он очень тепло к тебе относится. И мальчики тоже. — Она принялась внимательно разглядывать занозу в руке и закашлялась. — Он частенько говорил, что ты для него... как сестра. Человек, с которым он может поговорить о маме и который помнит, какой она была... И конечно, если ты будешь стирать им рубашки, то заслужишь их бесконечную благодарность.

Мэгги не осмелилась поднять глаза, но остро почувствовала, как окаменели юбки Летти, как застыли на месте ее худые сильные ноги. А руки, такие ловкие и быстрые, безвольно повисли вдоль тела.

— Да, — наконец сказала Летти. — Конечно. — Голос ее звучал слегка сдавленно. — Ну, пойду приготовлю нам чая. Как и обещала.

Глава 2

Двух кенгуру, вылезших из материнской сумки 12 месяцев назад, собираются переправить самолетом в Лондон; за время пути они съедят 12 фунтов сена. Австралийская авиакомпания «Квантас» сообщила, что кенгуру проведут в воздухе всего 63 часа.

Сидней монинг геральд. 4 июля 1946 года

За три недели до посадки

Дорогой Иэн!

Ни за что не догадаешься — я еду! Понимаю, тебе трудно поверить, я сама почти не верю, но это правда. Папочка замолвил за меня словечко своему старому другу из Красного Креста, у которого имеются высокопоставленные друзья в Королевских ВМС, и вот уже вышел приказ о том, что мне предоставляется место на первом отходящем отсюда корабле, хотя, строго говоря, у меня низкий приоритет.

Поэтому, чтобы избежать волнений, пришлось сказать остальным невестам в округе, что я собираюсь в Перт навестить бабушку, но вот я уже здесь, в Сиднее, отсиживаюсь в отеле «Уэнтворт», чтобы попасть на борт раньше других.

Дорогой, жду не дождусь встречи с тобой. Ведь я ужасно по тебе скучаю. Мамочка говорит, что, как только мы найдем себе дом, они с папочкой сразу приедут. Они планируют путешествовать самолетами австралийских международных авиалиний — интересно, а ты знал, что на «Ланкастриане» до Лондона всего 63 часа лету? Мамочка попросила меня узнать у тебя адрес твоей мамы, чтобы, как только я приеду в Англию, она могла выслать мне туда оставшиеся вещи. Не сомневаюсь, они лучше поймут ситуацию, когда познакомятся *с твоими родителями. А то им почему-то кажется, что в результате я окажусь в сырой халупе где-нибудь посреди английского поля.*

Но так или иначе, мой дорогой, я отрабатываю новую подпись, учусь отзываться на «миссис» и привыкаю к обручальному кольцу на пальце. Жаль, конечно, что у нас не было настоящего медового месяца, но мне без разницы, где мы его проведем, лишь бы быть с тобой. Все, заканчиваю, так как днем иду в Клуб американских жен в Вуллумулу, хочу узнать, что мне понадобится в пути. У американских жен масса возможностей, не то что у нас, бедных английских жен. (Шучу-шучу!) Но хочу тебе сказать, что если меня заставят в очередной раз слушать «When The Boy From Alabama Meets A Girl From Gundagi», то я полечу к тебе сама на крыльях любви. Не забывай меня и пиши, когда у тебя выдастся свободная минутка.

Твоя Эвис

В течение четырех лет с момента своего основания Клуб американских жен собирался каждые две недели в элегантном белом доме рядом с Королевским ботаническим садом. Изначально его целью было помочь девушкам, приехавшим из Перта или Канберры, скоротать бесконечные недели до получения разрешения на поездку в Америку для воссоединения с их американскими мужьями. Девушек учили шить лоскутные одеяла, распевать «Звездно-полосатый флаг» и давали материнские советы беременным и кормящим матерям, а еще тем, кто так и не смог разобраться, что их сильнее мучает: страх перед дальней дорогой или мысль о том, что они в результате никуда не уедут.

Однако в последнее время клуб перестал быть чисто американским: принятый в США закон о военных невестах позволил ускорить отправку двенадцати тысяч недавно заключивших брак австралийских жен, поэтому на смену лоскутным одеялам пришли полуденный бридж и советы, как привыкнуть к английской еде и ее скудному рациону.

Многих вновь прибывших невест распределили по семьям в Лейчхардте, Дарлингхерсте[1] или в пригородах Сиднея. Они словно оказались в странной прибрежной зоне: их жизнь в Австралии еще не закончилась, а новая — где-то там далеко — пока не началась, они целиком сосредоточились на детализации будущего, о котором совершенно ничего не знали и которое не могли контролировать. Поэтому на их встречах два раза в неделю у всех, естественно, была одна-единственная тема для разговоров.

— Одна моя знакомая девушка из Мельбурна отправилась через океан на борту «Куин Мэри»[2] в каюте первого класса, — рассказывала какая-то очкастая девица. О лайнере говорили как о Священном Граале в мире транспорта. В Австралию до сих пор продолжали приходить письма с легендами об этом судне. — Все плавание она жарилась у бассейна. А еще там после ужина были танцы, различные игры и вообще... И она купила на Цейлоне совершенно божественные платья. Плохо только то, что ей приходилось делить каюту с какой-то женщиной с детьми. Фи! Повсюду липкие следы от пальцев на одежде, а в половине шестого начинал орать младенец.

— Дети — это благословение Господа, — безапелляционно заявила миссис Проффит, которая проверяла швы на зеленой шапочке с коричневой шерстяной подкладкой. Сегодня они собственными руками делали подарки для детей из Лондона, лишившихся крова в результате бомбардировки. Одной из девушек английская свекровь прислала

---

1 *Лейчхардт, Дарлингхерст* — районы Сиднея.
2 *«Куин Мэри»* — трансатлантический лайнер, назван в честь супруги короля Георга V королевы Марии.

книгу «Полезные вещи из обрезков и остатков», и миссис Проффит выписала оттуда советы, как сделать ожерелье из металлических колец для куриных лап и ночную кофту из старой сорочки и панталон. — Да, — сказала она, с любовью оглядев всех девушек. — Когда-нибудь вы поймете. Дети — это Божье благословение.

— А отсутствие детей — еще большее, — пробормотала кареглазая девушка, сидевшая рядом с Эвис, панибратски пихнув ее локтем.

В другое время Эвис и пяти минут не выдержала бы в такой пестрой компании девиц — некоторые из них явно только что прибыли с захудалого полустанка, у них даже туфли были припорошены красной пылью — и не захотела бы тратить столько часов своего драгоценного времени на то, чтобы выслушивать бесконечные лекции пожилых старых дев, которым война дала уникальный шанс хоть как-то скрасить свою унылую жизнь. Но сейчас она уже десять дней находилась в Сиднее вместе с другом отца, мистером Бартоном, единственным человеком, которого она здесь знала, и расширить круг общения могла исключительно в Клубе американских жен. Более того, она все еще не решила, как объяснить папочке поведение мистера Бартона. Ей пришлось раза четыре, не меньше, напоминать мистеру Бартону, что она замужем, однако она не была до конца уверена, что для него это хоть что-то меняло.

На сегодняшних посиделках присутствовали еще двенадцать молодых женщин. Некоторые из них провели с мужьями в общей сложности не более недели, а добрая половина почти год не видела своих суженых. При отправке на родину приоритет отдавался воинским частям, а вовсе не «соломенным вдовам», как их здесь называли. Некоторые оформили нужные бумаги заранее, но с тех пор прошло уже больше года, а они так и не получили ни ответа ни привета. По крайней мере одна, не выдержав жутких жилищных условий, сдалась и вернулась домой. Остальные, ведомые слепой верой, отчаянием, любовью или чаще всеми этими чувствами одновременно, пока держались.

Эвис была здесь новенькой. Слушая их рассказы о семьях, в которые их определили, она в очередной раз мысленно поблагодарила родителей за то, что могла позволить себе такую роскошь, как гостиничный номер. Ее затея была бы не столь волнующей, если бы ей пришлось жить с какой-нибудь ворчливой престарелой парой. Тем более что все и так с каждым днем становилось чуть менее захватывающим.

— Если эта миссис Тидворт еще раз скажет: «О, дорогая, неужели он еще не послал за тобой?» — клянусь, я ее придушу.

— Ей это нравится, старой суке. То же самое она проделывала с Мэри Найт, когда та у нее жила. Уверена, старуха только и ждет, чтобы ты получила телеграмму «Не приезжай».

— А я больше не могу слышать все эти причитания типа «ты еще пожалеешь».

— Надеюсь, что осталось недолго, а?

— А когда приходит следующий?

— Примерно через три недели, если верить моему предписанию, — ответила кареглазая девица. Ее вроде бы звали Джин, но у Эвис была плохая память на имена, она забывала их сразу же после знакомства. — Хорошо бы он оказался не хуже «Куин Мэри». Ведь там был даже парикмахерский салон с настоящими фенами. А я ужас как хочу перед встречей со Стэном привести в порядок волосы.

— Она была замечательной женщиной. Королева Мария, — послышался голос миссис Проффит с другого конца стола. — Настоящей леди.

— А ты что, уже получила предписание? — хмуро посмотрела на Джин сидевшая напротив веснушчатая девушка.

— Еще на прошлой неделе.

— Но у тебя же низкий приоритет. Ты ведь сама говорила, что сдала документы только месяц назад.

В разговоре возникла неловкая пауза. Девушки обменялись многозначительными взглядами и снова сосредоточились на своем вышивании. Миссис Проффит удивленно подняла глаза, явно почувствовав возникшее в комнате легкое напряжение.

— Кому-нибудь нужны нитки? — глядя поверх очков, спросила она.

— Ну может же человеку просто повезти?! — воскликнула Джин, встав из-за стола.

— Как так вышло, что ее берут на борт? — спросила веснушчатая девица у своих соседок. — Я жду вот уже пятнадцать месяцев, а ее отправляют ближайшим кораблем. Разве это правильно? — Ее голос звенел от обиды, и Эвис взяла себе на заметку в дальнейшем помалкивать о своем предписании.

— Она беременна, да? — пробормотала другая девушка.

— Что?

— Джин. Она едет как семья. Американцы, например, всегда пропускают вперед тех, у кого срок больше четырех месяцев.

— Кто делает пингвина? — спросила миссис Проффит. — Для пингвина надо непременно использовать черную нитку.

— Постой-ка, — сказала рыжеволосая девушка, продевая нитку в иголку. — Ее Стэн уехал в ноябре. Она говорила, на том же корабле, что и мой Эрни.

— Значит, она не может считаться семьей.

— Или она... и...

Девушки многозначительно переглянулись, скривив рот в усмешке.

— Сара, милочка, ты закончила кенгуренка? — Миссис Проффит одарила девушек сияющей улыбкой и достала из матерчатой сумки несколько кусочков желтовато-коричневатого фетра. — По-моему, кенгурята прелесть какие милые. Правда?

Несколько минут спустя вернулась Джин. Она села на свое место, воинственно скрестив руки на груди. Однако поняв, что перестала быть темой для обсуждения, заметно расслабилась, хотя, возможно, и удивилась внезапному порыву трудового энтузиазма у собравшихся.

— Я встретила Иэна, своего мужа, на благотворительной вечеринке с танцами, — решила нарушить затянувшееся молчание Эвис. — Вместе с другими девушками я была в организационном комитете, и он оказался вторым, кому я предложила чашку чая.

— И это все, что ты ему предложила? — подала голос Джин.

Что ж, ей виднее.

— Насколько мне известно, твое понятие гостеприимства несколько отличается от общепринятого, — парировала Эвис.

Она вспомнила, как покраснела, когда наливала ему чай. Он, не скрываясь, глазел на ее щиколотки, которыми она и вправду весьма гордилась.

Унтер-офицер Иэн Стюарт Рэдли. Двадцати шести лет от роду, на целых шесть лет старше ее, что, по мнению Эвис, было самое то. Высокий, с прекрасной выправкой и глазами цвета моря, английский акцент настоящего джентльмена и большие мягкие руки, заставившие ее трепетать уже при первом прикосновении, а ведь она просто предложила ему песочное печенье. Он пригласил Эвис на танец — хотя никто не танцевал, — и она решила, что будет крайне неприлично с ее стороны отказать: ведь он как-никак военный. Подумаешь какой-то там квикстеп или «Веселые

Гордоны»[1], если перед тобой человек, смотревший смерти в лицо!

И меньше чем четыре месяца спустя они поженились. Скромная, но со вкусом церемония в бюро записей актов гражданского состояния на Коллинз-стрит. Ее отца мучили подозрения, и он попросил жену поговорить с дочерью — просто как женщина с женщиной, — чтобы узнать, нет ли, кроме неизбежного отъезда Иэна, каких-то иных причин для такого поспешного вступления в брак. Иэн ответил отцу — очень благородно с его стороны, думала она, — что он готов ждать, если таково желание родителей Эвис, и что он не пойдет против их воли, но она была решительно настроена стать миссис Рэдли. Война ускорила нормальный ход событий, уменьшив временны́е рамки подобных вещей. И после той первой чашки чая она поняла, что в мире нет другого человека, которого она желала бы увидеть в роли своего мужа. Ему, и только ему она хотела бы принести себя в дар.

— Дорогая, но мы же о нем ничего не знаем, — ломая руки, говорила ее мать.

— Он мой идеал.

— Ты ведь понимаешь, что я совсем другое имела в виду.

— А что тебе надо знать? Его часть была дислоцирована в районе Брисбенской линии, разве не так? Неужели сам факт, что он защищает нашу страну, рискуя жизнью вдали от родного дома, и все для того, чтобы спасти нас от япошек, не делает его достойным моей руки?

— Давай обойдемся без громких слов, солнышко, — сказал папа.

Конечно, они сдались. Они всегда ей уступали. Ее сестра Дина была в ярости.

— А мой Джонни был расквартирован у моей тети Ви, — сказала одна из девушек. — Он мне сразу пригля-

---

1 *«Веселые Гордоны»* — шотландский групповой мужской танец.

нулся. Роскошный мужик. И уже на вторую ночь я проскользнула в его спальню. Вот такие дела.

— Да уж, кто смел, тот и съел, — заметила другая под дружное хихиканье. — Надо успеть первой застолбить участок.

— Особенно если рядом Джин.

И даже Джин улыбнулась.

— А теперь кто хочет попробовать сделать прелестное ожерелье? — Миссис Проффит показала цепочку из разномастных алюминиевых колец. — Не сомневаюсь, что самые элегантные дамы Европы носят именно такие.

— А на следующей неделе мы узнаем, как сделать шикарную вечернюю накидку из попоны.

— Эдвина, это я уже слышала. — Миссис Проффит аккуратно положила ожерелье на стол.

— Простите, миссис П., но если мой Джонни увидит на мне вот такую штуковину, он точно растеряется и не будет знать, что сделать вперед: то ли поцеловать меня, то ли проверить, не снесла ли я яйцо.

Девушки встретили ее слова взрывом смеха, в котором чувствовались едва сдерживаемые истерические нотки.

Миссис Проффит вздохнула и отложила в сторону свое рукоделие. Ну надо же! Конечно, этого следовало ожидать, поскольку до посадки на корабль оставалось совсем мало времени. И все же. Нет, ну надо же! Эти девицы бывают на редкость несносными!

— Так когда ты отплываешь?

Поскольку семья, принявшая Джин, жила в двух кварталах от «Уэнтворта», девушки не спеша пошли домой вместе. Они не испытывали друг к другу особой симпатии, но обеим не слишком хотелось провести очередной вечер в одиночестве в своей комнате.

— Эвис, что сказано в твоем предписании? Когда ты отплываешь?

А Эвис мучительно размышляла, стоит ли говорить правду. Она прекрасно понимала, что Джин — еще очень незрелая и совсем неотесанная — для нее не самая подходящая компания, особенно если слова о ее интересном положении — правда. Но Эвис не привыкла себя особо сдерживать, а ведь ей и так пришлось весь день держать рот на замке относительно своих планов.

— Тогда же, когда и ты. Через три недели. Как называется судно? «Виктория»?[1]

— Просто жуть, да? — Джин прикурила сигарету, сложив руки домиком, чтобы пламя не задуло морским ветром.

У Эвис моментально испортилось настроение.

— Что ты сказала? — сморщила она нос.

— Это просто жуть. Они уехали на чертовой «Куин Мэри», а нам досталась старая лоханка.

Мимо них медленно проехала машина, из окна высунулись двое солдат, выкрикнув в их адрес какую-то непристойность. Джин ухмыльнулась, помахивая сигаретой, и машина скрылась за углом.

Эвис резко остановилась:

— Прости, не поняла, что ты имела в виду.

— Ты разве не слышала, что сказала миссис Проффит? Та самая, что замужем за коммандером? — спросила Джин и, когда Эвис покачала головой, горько рассмеялась. — Боюсь, детка, что там не найдется для нас ни парикмахерских, ни кают первого класса. Наша «Виктория» — чертов авианосец.

Эвис с минуту молча смотрела на Джин, а затем улыбнулась. Той самой улыбкой, которую дома специально приберегала для прислуги, когда та делала очередную глупость.

---

1 *Авианосец «Виктория»* — вымышленный корабль, прообразом которого стал авианосец «Викториес». Он был спущен на воду в 1939 году и утилизирован в 1968 году в Фаслейне, Шотландия.

— Джин, ты, должно быть, ошибаешься. Леди не путешествуют на авианосцах. — Она поджала губы, табачный дым попал ей прямо в лицо. — А кроме того, они вряд ли смогут там нас всех разместить.

— Значит, ты действительно ничего не знаешь, да? — (Эвис с трудом подавила раздражение. Какая-то соплюха, младше ее по крайней мере на пять лет. И надо же, имеет наглость так с ней разговаривать!) — Все, у них закончился приличный транспорт. И поэтому они готовы запихнуть нас куда угодно, лишь бы доставить по назначению. По-моему, они считают, что тот, кто действительно хочет ехать, привередничать не станет.

— Ты уверена?

— Даже старая миссис П. проявляет некоторое беспокойство. Похоже, волнуется, что ее молодые леди прибудут в Англию в рабочих комбинезонах и чумазые, как трубочисты. А она-то рассчитывала, что наши красотки произведут совсем другое впечатление.

— Авианосец? — У Эвис подкосились ноги. Она оперлась о ближайшую стенку и села.

Джин устроилась рядом.

— Да, именно так. Название я, конечно, не проверяла. Но по прикидкам выходит, что это он самый и есть... Ну, наверное, они его все же как-то приспособят.

— Но где мы будем спать?

— Без понятия. На палубе вместе с самолетами? — (У Эвис округлились глаза.) — Тьфу на тебя, Эвис, нельзя же быть такой лопоухой! — Джин отрывисто расхохоталась, затушила сигарету, встала и пошла вперед. Возможно, это все игра воображения, но Эвис решила, что Джин с каждой минутой становится все вульгарнее. — Они найдут какой-нибудь способ нас устроить. Все лучше, чем застрять здесь надолго. У нас будет еда и постель, а Красный Крест за нами присмотрит.

— Ой, я сильно сомневаюсь в этом. — Эвис сразу помрачнела и ускорила шаг. Если она позвонит сейчас, то еще застанет папу в клубе.

— Что ты имеешь в виду?

— Я не смогу путешествовать в таких условиях. Для начала мои родители этого не допустят. Они думали, что я поплыву на лайнере. Ну, ты понимаешь, на одном из тех, что были реквизированы для транспортировки. А иначе они не разрешили бы мне ехать.

— Детка, в такие времена, как сейчас, приходится брать, что дают. И ты это знаешь. — (Только не я, мысленно произнесла Эвис. Теперь она уже со всех ног бежала к отелю. Только не девушка, чья семья была крупнейшим в Мельбурне производителем радиоприемников.) — А еще нас обеспечат рабочей одеждой на случай, если нам придется что-то драить.

— Не смешно.

— Да что ты! Просто животики надорвешь! — (Пошла прочь, мерзкая девчонка, подумала Эвис. Я не поплыву с тобой на одном судне, пусть это будет хоть «Куин Мэри», даже на прогулку по Сиднейской бухте.) — Расслабься, Эвис. Не сомневаюсь, что они обеспечат тебя первоклассной койкой в котельном отделении!

Эвис успела добежать до середины улицы, а в ушах у нее все стоял хриплый смех Джин.

— Мамочка?

— Эвис, дорогая, это ты? Уилфред! Эвис звонит. — (Она слышала, как разносится по коридору мамин голос, представляла, как та сидит возле телефона, на паркетном полу персидский ковер, на столике неизменная ваза с цветами.) — Как ты там, моя дорогая?

— Прекрасно, мамочка. Но мне срочно надо поговорить с папочкой.

— Мне не нравится твой голос. У тебя действительно все хорошо?

— Да.

— Иэн наконец дал о себе знать?

— Мамочка, мне надо срочно поговорить с папочкой. — Эвис изо всех сил старалась не выдать свою нервозность.

— Но ты ведь мне обязательно скажешь, да?

— Это моя маленькая принцесса?

— Ой, папочка, слава богу! У меня проблема. — (Отец не ответил.) — С транспортом.

— Я лично разговаривал с коммандером Гилдом. Он обещал, что тебя посадят на борт ближайшего...

— Нет, дело не в том. Он устроил меня на корабль.

— Тогда в чем проблема?

Эвис слышала на заднем фоне голос матери:

— Это молодой человек. Десять к одному, что дело в нем.

А еще голос Дины:

— Он что, велел ей не приезжать?

— Скажи им, что Иэн здесь ни при чем. Я о корабле.

— Ничего не понимаю, принцесса.

— Это авианосец.

— Что?

— Морин, — шикнул на мать отец, — успокойся! Я ничего не слышу.

Эвис отрывисто выдохнула:

— Именно так. Это авианосец. Они собираются отправить нас в Англию на *авианосце.*

В трубке возникла длинная пауза.

— Они хотят, чтобы она путешествовала на авианосце, — объяснил отец домочадцам.

— Что? На самолете?

— Да нет же, глупая ты женщина! На корабле, на котором они перевозят самолеты.

67

— На военном корабле?

Эвис сразу представила, как мать театрально пошатнулась от ужаса. Дина разразилась гомерическим хохотом. Чего и следовало ожидать: сестра не могла простить Эвис, что та первой выскочила замуж.

— Тебе придется устроить меня на какое-нибудь другое судно, — торопливо произнесла Эвис. — Поговори с тем, как бишь его, кто посадил меня на корабль. Скажи, что я не могу отправиться на *этом* в путь. Пусть организует для меня другой корабль.

— Ты ничего не говорил про авианосец! — услышала она голос матери. — Она не может на нем ехать. Только не со всеми этими самолетами, что каждую минуту взлетают с палубы. Очень опасно!

— Папочка?

— Они ведь потопили «Вайнер Брук», разве не так? — запричитала мать. — Япошки попытаются потопить авианосец, как в свое время потопили «Вайнер Брук».

— Замолчи, женщина. В чем дело? Ты что, единственная девушка на борту, принцесса?

— Я? Ой нет, отправляют примерно шестьсот жен, — нахмурилась Эвис. — Что само по себе ужасно. Они заставят нас ночевать в спальных мешках, и там вообще не будет никаких удобств. И, папочка, ты бы видел, с какими девицами мне придется общаться — одна только их манера говорить чего стоит! Мне даже трудно сказать...

Трубку взяла ее мать:

— Эвис, я так и думала! Они просто не твоего круга. Не уверена, что это хорошая идея.

— Папочка, ты сможешь все уладить?

Ее отец тяжело вздохнул:

— Ну, это не так просто, как кажется, принцесса. Мне пришлось нажать на все рычаги, чтобы посадить тебя на корабль. И в любом случае большинство невест уже уехали. Не уверен, будут ли другие корабли и сколько.

— Ну, тогда отправь меня самолетом. Я могу полететь «Квантасом».

— Эвис, все не так просто.

— Но я не могу путешествовать на этом жутком корабле!

— Послушай, Эвис. Я потратил кучу денег, чтобы запихнуть тебя на корабль. Ты меня поняла? И еще чертову уйму — на твой проклятый отель, потому что тебе, видите ли, не нравится, как размещают жен моряков. И я не буду платить еще за перелет в Англию только потому, что тебя, понимаешь ли, не устраивают условия на борту судна.

— Но, папочка! — Она топнула ногой, сразу обратив на себя внимание девушки за стойкой портье. Тогда она понизила голос до трагического шепота: — Я в курсе твоих дел. Так что не думай, будто я не знаю, почему ты отказываешься мне помочь.

В разговор вмешалась мать, в ее голосе слышались металлические нотки:

— Эвис, ты совершенно права. Мне кажется, что корабль не самая удачная идея.

— Правда? — В душе Эвис затеплилась надежда.

Уж кто-кто, а ее мать умела путешествовать с комфортом. Она знала, что все нужно делать как положено. И что подумает Иэн, когда она предстанет перед ним грязная, как землекоп.

— Да. Полагаю, тебе прямо сегодня следует вернуться домой. Садись на первый утренний поезд.

— Домой?

— Во всей этой истории слишком много «но». Эта затея с кораблем поистине ужасна, и от твоего Иэна до сих пор нет ни слуху ни духу...

— Мамочка, но он же в море.

— И мне кажется, что все складывается решительно не в твою пользу. А потому смирись, дорогая, и возвращайся домой.

— Что?

— Ты ничего не знаешь о семье этого человека. Ты даже не можешь сказать точно, будут ли тебя встречать. В случае если военный корабль вообще туда доберется. Возвращайся домой, дорогая, и мы все утрясем. Многие девушки уже передумали. В газетах постоянно об этом пишут.

— А многих вообще поматросили и бросили, — встряла в разговор Дина.

— Мамочка, но я замужем!

— Не сомневаюсь, что мы сможем с этим что-то сделать. Ведь здесь практически никто ничего не знает.

— Что?

— Подумаешь, большое дело! Мы можем аннулировать брак или типа того.

Эвис не верила своим ушам.

— Аннулировать?! Фу! Какие же вы все лицемерные! Теперь-то я понимаю, что вы задумали. Вы специально посадили меня на это дырявое корыто, чтобы мне не захотелось никуда ехать.

— Эвис...

— Ну, ничего у вас не получится. Вы не заставите меня изменить мое мнение относительно Иэна.

Девушка-портье, которой надоело притворяться, будто она не слушает, сгорая от любопытства, облокотилась на стойку. Эвис прикрыла трубку рукой, выразительно подняла брови, и пристыженная девушка принялась деловито перебирать бумажки.

В разговор снова вступил отец:

— Ты еще там? Эвис? — Он горестно вздохнул. — Послушай, я переведу тебе немного денег. Если хочешь, отложи их на потом. Сиди в гостинице и не дергайся. Мы еще поговорим.

Эвис слышала, как где-то на заднем фоне верещит мать. А сестра требовательно спрашивает, с чего это Эвис живет в лучшем отеле Сиднея.

— Нет, папочка, — сказала она. — Передай маме и Дине, что я сяду на этот чертов корабль, чтобы встретиться со своим мужем. Я сама туда доберусь, даже если мне придется плыть по морю солярки в окружении вонючих солдат, потому что я *люблю* его. Больше я звонить не буду, но можешь сказать ей... Словом, передай мамочке, что, когда доберусь, пошлю ей телеграмму. Когда Иэн — мой муж — встретит меня.

Глава 3

Служба медицинских сестер армии Австралии предъявляет следующие требования к соискателям: кандидатка должна быть официально зарегистрированной профессиональной медсестрой, британской подданной, незамужней, не имеющей иждивенцев... годной по состоянию здоровья, дружелюбной и обладающей теми личными качествами, которые необходимы для того, чтобы стать хорошей военной медсестрой.

Джоан Кроуч. Особый вид службы.
История Австралийского главного военного госпиталя
за номером 2/9. 1940–1946

Моротай, к северу от острова Хальмахера,
южная часть Тихого океана, 1946 год
За неделю до посадки

В небе над островом Моротай стояла полная луна. Она меланхолично освещала спящую землю, окутанную такой удушливой жарой, что даже ласковый морской ветерок, проникающий сквозь защитный экран из сизаля, не приносил прохлады. Ночную тишину нарушал только звук падающих на землю кокосов. Но теперь не осталось никого, кто мог бы подбирать спелые плоды, и они беспорядочно падали, создавая угрозу для утративших бдительность.

Теперь бо́льшая часть Моротая погрузилась во тьму, только кое-где тускло светились окна строений, вытянувшихся вдоль дороги, что пересекала остров. Последние два года на этой стороне стоял непрерывный шум от военных машин союзных войск, в небе ревели самолеты, оставлявшие за собой инверсионный след, но сейчас здесь воцарилась непривычная тишина, нарушаемая лишь взрывами смеха где-то там вдалеке, хриплым шипением граммофона и звоном стаканов, едва различимым в неподвижном воздухе.

В сестринской палатке, стоявшей в палаточном лагере в нескольких сотнях ярдов от того, что некогда было американской базой, старшая медсестра Одри Маршалл из Австралийского главного военного госпиталя делала последние записи в оперативном журнале своего отделения:

— Эвакуация бывших военнопленных на кораблях с острова Моротай — на стадии рассмотрения.
— Получен приказ на перемещение в пределах подразделения: двенадцать бывших военнопленных и одна медицинская сестра отправляются завтра в Австралию на «Ариадне».
— Наличие койко-мест: занято двенадцать, свободно двадцать четыре.

Она посмотрела на эти две цифры и вспомнила тот страшный год, когда данные были совершенно иными и ей приходилось заполнять еще одну графу, а именно: «число умерших». Ее отделение осталось на острове в числе последних: из пятидесяти двух отделений сорок пять уже закрылись, пациенты отправлены на родину в Англию, Австралию и даже в Индию; медсестры уволены, все имущество подготовлено для продажи властям Нидерландов. А сборная солянка из оставшихся бывших военнопленных должна была быть отправлена в Австралию на «Ариадне» — последнем плавучем госпитале. Затем, вплоть до получения приказа возвращаться на родину, старшая медсестра будет иметь дело только с ранениями в результате автомобильных аварий или с обычными заболеваниями.

— Медсестра Фредерик говорит, я должна доложить вам, что в операционной сержант Уилкс танцует фокстрот с медсестрой Купер... Она уже два раза упала, — просунула голову в занавешенный дверной проем младшая медсестра Гор.

Ее всегда пылающее лицо сейчас еще больше раскраснелось от волнения и выпитого виски. В связи с надвигающимся закрытием госпиталя девушки совсем распустились. Они вели себя глупо и легкомысленно, распевали песенки и разыгрывали перед мужчинами сцены из старых фильмов. Их сдержанность и умение держать дистанцию напрочь испарились в насыщенном влагой воздухе. И хотя, строго говоря, они все еще были на службе, старшей медсестре не хватило духу устроить им выволочку — ведь бедняжки и так натерпелись за последние недели. Она не могла забыть их испуганные, вытянутые лица, когда с Борнео прибыли первые военнопленные.

— Иди и передай этой глупой девчонке, чтобы отвела его обратно. Меня не волнует, если она покалечится, но он уже сорок восемь часов на ногах. При всех его проблемах только перелома ему и не хватает!

— Будет сделано, старшая медсестра. — Опустив за собой занавеску, девушка исчезла, но затем ее лицо появилось снова. — А вы придете? Мальчики спрашивают, куда это вы подевались.

— Я скоро. — Она закрыла журнал и поднялась со складного стула. — Не жди меня.

— Да, старшая медсестра, — хихикнула девушка — и была такова.

Одри Маршалл поправила прическу перед маленьким зеркалом над тазиком для умывания и промокнула потное лицо полотенцем. Прихлопнула севшего на руку комара, одернула серые хлопчатобумажные брюки и прошла мимо операционной, где сейчас, слава богу, было тихо, в сторону палаты G, размышляя о том, насколько приятнее слышать звуки музыки и смех, чем стоны корчащихся от боли мужчин.

Бо́льшая часть коек в длинной палатке, известной как палата G, была сдвинута в сторону, так что половина помещения превратилась в танцплощадку с песчаным полом, лежачие больные могли наблюдать за танцующими прямо с кровати. На столе в углу стоял граммофон, хрипло проигрывавший немногочисленные пластинки, еще не заезженные до конца. Импровизированный бар устроили в перевязочной, капельницы приспособили под виски и пиво.

Сегодня большинство присутствующих решили обойтись без форменной одежды: женщины надели светлые блузки и цветастые юбки, мужчины — рубашки и брюки с затянутыми на талии тонкими ремнями. Несколько сестер танцевали, одни — просто шерочка с машерочкой, другие, спотыкаясь на замысловатых па, — с оставшимся персоналом Красного Креста и физиотерапевтами. При появлении Одри Маршалл кое-кто остановился, но она кивнула, чтобы на нее не обращали внимания.

— Полагаю, мне следует сделать вечерний обход, — нарочито строгим голосом сказала она, словно ожидая получить слова ободрения от присутствующих в палатке.

— Нам будет не хватать вас, старшая медсестра, — взволнованно произнес лежавший в углу сержант Леви.

Одри Маршалл с трудом разглядела его лицо за поднятыми вверх загипсованными ногами.

— Тебе скорее будет не хватать обтираний мокрой губкой, — под одобрительный смех собравшихся заметил его приятель.

Она прошла по проходу между кроватями, измеряя температуру у заболевших лихорадкой денге и заглядывая под повязки, наложенные на тропические язвы, которые упорно не желали заживать.

Хотя эти выглядели не так уж плохо. Когда в начале года в госпиталь поступили освобожденные из плена индийцы, даже ее стали мучить ночные кошмары. Она вспомнила раздробленные кости, гноящиеся раны от штыков, раздувшиеся от голода животы. Доведенные до нечеловеческого состояния, многие сикхи не давали лечить себя. Они так привыкли к жестокости, что даже в таком жалком состоянии не ожидали ничего иного. А потом медсестры рыдали в своих палатках, оплакивая тех, которых японцы перед отступлением специально перекормили и которые умерли мучительной смертью после первого глотка свободы.

Некоторые сикхи и на мужчин-то были не слишком похожи. Безмолвные и не вполне адекватные, они оказались настолько истощенными, что их легко могла поднять с кровати одна медсестра. Чтобы восстановить полностью разрушенную пищеварительную систему, медсестры неделями кормили сикхов, точно новорожденных: разведенным сухим молоком — каждые два часа, картофельным пюре — чайными ложками, молотым кроличьим мясом и вареным рисом. Сестры прижимали к груди похожие на черепа головы, вытирали им после еды потрескавшиеся губы, пытаясь ласковыми словами и улыбками убедить индийцев, что это вовсе не прелюдия к очередному акту немыслимой жестокости. И постепенно в их запавших глазах загорался огонь узнавания, мужчины начинали понимать, где они находятся и что с ними делают.

Медсестры были настолько тронуты их страданиями, их безмолвной благодарностью, а также тем обстоятельством, что многие годами не получали весточки из дома, что спустя несколько недель даже попросили одного из переводчиков помочь им приготовить блюдо с карри для тех пациентов, кто был в состоянии переварить подобную еду. Ничего особенного, просто немного баранины со специями, индийские лепешки и отварной рис. Медсестры подали блюдо на подносах, украшенных цветами. Им хотелось убедить индийцев, что в мире еще осталось место для красоты. Но когда девушки вошли в палату и гордо поставили перед сикхами подносы с едой, те неожиданно полностью потеряли самообладание: им оказалось труднее перенести проявления доброты, чем грубую брань и побои.

— Пропустите с нами по маленькой, старшая медсестра?

Капитан поднял бутылку, приглашая ее присоединиться. Песня закончилась, и кто-то в дальнем конце палатки грубо выругался, когда следующая пластинка выскользнула из рук и упала на пол. Одри Маршалл пристально посмотрела на капитана. При том лекарстве, что он на данный момент принимал, алкоголь был ему категорически противопоказан.

— Не откажусь, капитан Бейли. За наших мальчиков, которые не вернутся домой.

Медсестры сразу расслабились.

— За отсутствующих друзей, — подняв стаканы, пробормотали они.

— Жаль, что уехали американцы, — вытерла потный лоб младшая медсестра Фишер. — Чего мне не хватает, так это их ведерок с колотым льдом.

В госпитале осталось только несколько английских пациентов.

По палатке пронесся гул одобрения.

— Ужасно хочется на море, — произнес рядовой Лервик. — Мечтаю почувствовать на лице морской ветер.

— А еще чая, заваренного на воде без хлорки.

— Холодного английского пива.

— Такого не бывает, приятель.

Сильная жара обычно вызывала у всех чувство апатии. Больные дремали на койках, а медсестры неторопливо выполняли свою работу: вытирая прохладными полотенцами взмокшие лица пациентов, они осматривали их на предмет язв, инфекции и дизентерии. Но грядущий отъезд бывших военнопленных, а также сам факт, что они идут на поправку и уже виден свет в конце туннеля, — все это неуловимо изменило атмосферу в палате. Возможно, просто пациенты неожиданно осознали, что занимавшие остров подразделения, которые плечом к плечу прошли через ужасы последних лет, вскоре будут окончательно расформированы, жизнь раскидает боевых товарищей по разным странам, даже континентам, и они могут никогда больше не свидеться.

И, глядя на этих людей, Одри Маршалл почувствовала, как у нее внезапно сдавило горло, ощущение настолько непривычное, что она даже слегка растерялась. Одри вдруг поняла желание девочек устроить праздник и стремление мужчин провести последние часы перед расставанием в обстановке безудержного пьяного веселья.

— Знаете что, — сказала она, махнув рукой в сторону капельницы в углу, где один из физиотерапевтов пил пиво из протеза ступни. — Пожалуй, налейте мне большой стакан.

А вскоре все дружно затянули «Shenandoah». Пьяные, гнусавые голоса проникали через брезент, растворяясь в ночном небе.

И когда хор уже приближался к кульминации песни, в палатке появилась девушка. Одри поначалу ее даже и не увидела, — возможно, виски притупило обычную остроту восприятия. Но сейчас, с удовольствием наблюдая за тем, как поют в постели идущие на поправку пациенты, как крепко держатся за руки медсестры, время от времени смахивавшие с глаз слезы умиления, она радостно возвышала голос в песне и только потом заметила, что в помещении будто подуло холодным ветром, и не сразу увидела косые взгляды, явственно говорившие о том, что в палатке что-то неуловимо изменилось.

Девушка стояла в дверях, ее бледное веснушчатое лицо казалось фарфоровым, обтянутые форменной одеждой худенькие плечики вздернуты. В руках она держала небольшой чемоданчик и вещмешок. Она явно не накопила добра за шесть лет работы в Австралийском главном военном госпитале. Она смотрела на толпу людей внутри так, словно вдруг передумала входить. Но затем поймала взгляд

Одри Маршалл и нерешительно приблизилась к ней, стараясь держаться поближе к стенке палатки.

— Уже успела собраться, сестра?

После секундного колебания девушка ответила:

— Если не возражаете, старшая медсестра, сегодня вечером я уезжаю вместе с плавучим госпиталем. Тяжелобольным нужен уход.

— Можно подумать, меня кто-то спрашивал, — сказала Одри, стараясь не выдавать обиды.

— Я... Я сама предложила, — потупилась девушка. — Надеялась, что вы не будете возражать. Думала, там от меня больше пользы... И я вам здесь больше не нужна. — Из-за музыки ее было практически не слышно.

— А ты не хочешь остаться и выпить с нами на посошок?

Одри сама удивилась своему вопросу. За все четыре года, что они проработали бок о бок, сестра Маккензи не была ни на одной вечеринке. Теперь Одри начинала понимать почему.

— Очень любезно с вашей стороны, но нет, благодарю. — Девушка уже поглядывала на дверь, словно ей не терпелось поскорее уйти.

Одри собралась было надавить на нее, ужасно не хотелось отпускать сестру Маккензи просто так, словно шесть лет совместной работы не в счет. Но пока старшая медсестра подыскивала нужные слова, она вдруг заметила, что девушки прекратили танцевать. Они сбились в кучку, бросая на сестру Маккензи колючие взгляды.

— Я желаю сказать... — начала Одри, но ее перебил один из мужчин:

— Неужели это сестра Маккензи? Старшая медсестра, вы что, прячете ее от нас? Ну давай же, сестра! Вы не можете вот так взять и уехать, толком не попрощавшись.

Рядовой Лервик попытался встать с кровати. Он уже спустил одну ногу на пол и теперь прилагал неимоверные усилия, чтобы выпрямиться, держась за металлическое изголовье кровати.

— Сестра, не уходите! Помните, что вы мне обещали?

Одри увидела, как медсестра Фишер обменялась многозначительным взглядом со стоящими рядом девушками. Старшая медсестра посмотрела на сестру Маккензи и поняла, что та тоже заметила. И еще крепче вцепилась в свои нехитрые пожитки. Она выпрямилась и тихо сказала:

— Я не могу остаться, рядовой. Мне уже пора быть на борту плавучего госпиталя.

— Так вы что, даже и не выпьете с нами, сестра? На прощание.

— У сестры Маккензи еще много дел, сержант О'Брайен, — отрезала старшая медсестра.

— Ай да бросьте! Пожмите хотя бы мне руку.

Девушка шагнула вперед, чтобы обменяться рукопожатием со всеми желающими. Музыка заиграла снова, это отвлекло внимание от сестры Маккензи, но Одри не могла не заметить, как презрительно прищурились некоторые девушки и демонстративно отвернулся кое-кто из мужчин. Она последовала за сестрой Маккензи, бдительно следя за тем, чтобы ее не слишком задерживали у каждой кровати.

— Вы столько для меня сделали, сестра. — Сержант О'Брайен сжал в широких ладонях ее бледную руку, в глазах у него стояли пьяные слезы.

— Не больше, чем любая другая из нас, — чуть более резко, чем надо, ответила она.

— Сестра! Сестра, идите сюда! — взывал к ней рядовой Лервик. Одри увидела, что девушка обратила на него внимание, и тут же мысленно прикинула, сколько кроватей отделяет ее от него. — Ну давайте же, сестра Маккензи. Вы мне обещали. Неужто забыли?

— Простите, но я не думаю...

— Вы же не станете нарушать обещание, которое дали раненому. Ведь правда, сестра? — Выражение лица рядового Лервика сделалось до смешного умилительным.

Лежащие рядом с ним больные хором присоединились к нему:

— Ну давайте, сестра. Вы обещали.

В палатке неожиданно стало очень тихо. Одри Маршалл увидела, что девушки расступились и выжидающе посмотрели на сестру Маккензи.

Наконец старшая медсестра не выдержала и пришла на помощь девушке:

— Рядовой, я была бы вам крайне признательна, если бы вы легли обратно в постель. — Она поспешно подошла к нему. — Какая разница — обещала, не обещала. Все равно вам еще рано вставать с постели.

— Ай, старшая медсестра. Сделайте для парня исключение.

Она как раз поднимала его ногу, чтобы помочь ему нормально лечь, когда услышала за спиной голос сестры Маккензи:

— Все правильно, старшая медсестра. — И только трепет бледных рук выдавал волнение девушки. — Я действительно обещала.

Одри даже не увидела, а буквально кожей ощутила взгляды других женщин и неожиданно почувствовала, что у нее, несмотря на жару, покалывает лицо.

Маккензи была высокой девушкой, и ей пришлось наклониться, чтобы помочь молодому человеку сесть, а затем она ловким жестом опытной медсестры, положив руку ему на спину, рывком поставила его на ноги.

На секунду все словно онемели, а затем сержант Леви крикнул, чтобы поставили пластинку, и граммофон завели снова.

— Вперед, Скотти, — произнес какой-то мужчина у девушки за спиной. — Только смотри не отдави ей пальцы.

— Я и раньше был не мастак танцевать, — пошутил он, когда они медленно вышли на импровизированную танцплощадку. — А два фунта шрапнели в коленях вряд ли помогут делу.

И они начали танцевать.

— Ах, сестра, — услышала Одри, — вы даже не представляете, как долго я об этом мечтал.

Окружившие их мужчины разразились аплодисментами. Одри Маршалл неожиданно для себя тоже захлопала в ладоши. Представшее ее глазам зрелище тронуло Одри чуть ли не до слез: сияющий от гордости и счастья искалеченный мужчина, который сумел наконец осуществить свою скромную мечту — выйти на танцплощадку, держа в объятиях женщину. Одри наблюдала за медсестрой, которую пациент поставил в неловкое положение, но которая тем не менее была готова в любую минуту подхватить его своими гибкими руками, если, не дай бог, он потеряет равновесие. Добрая девочка. Хорошая медсестра.

В том-то и беда.

Музыка стихла. Рядовой Лервик облегченно рухнул на постель, продолжая улыбаться, несмотря на усталость. А у Одри упало сердце. Она понимала, что даже такой акт милосердия будет истолкован не в пользу молодой медсестры. Более того, Одри видела, что девушка, которая сейчас искала глазами свои вещи, тоже все прекрасно понимает.

— Я провожу тебя, сестра, — торопливо произнесла Одри Маршалл, желая хоть немного отвлечь внимание остальных от девушки.

Но рядовой Лервик не отпускал ее руку.

— Мы очень благодарны вам всем, что вы тратите на нас свободное время... Вы нам стали... как сестры. — Его голос сорвался, и девушка, немного поколебавшись, склонилась над ним, уговаривая не расстраиваться. — Именно так я всегда и думаю о вас, сестра. Так, и только так. Мне просто хотелось, чтобы бедный Чоки...[1]

Одри решительно вклинилась между ними:

---

1 Чоки (chalkie, *австрал. сленг*) — школьный учитель.

— Я уверена, что здесь все очень благодарны сестре Маккензи. Разве нет? Более того, я уверена, что все хотят пожелать ей в дальнейшем всего наилучшего.

Несколько медсестер вежливо похлопали Одри. А парочка мужчин обменялись понимающими ухмылками.

— Спасибо вам, — тихо сказала девушка. — Спасибо. Я рада, что мне довелось познакомиться... со всеми вами... — Она закусила губу и бросила взгляд в сторону двери. Ей явно не терпелось поскорее убраться отсюда.

— Сестра, я тебя провожу.

— Берегите себя, сестра Маккензи.

— Когда будете дома, передайте привет нашим парням.

— Скажите моей женушке, чтобы согрела мою половину постели. — Эти слова сопровождались непристойным смехом.

Одри, которая чуть-чуть отошла от терзавшего ее смутного беспокойства, удовлетворенно взирала на происходящее. Еще несколько недель назад некоторые из мужчин не могли назвать имя своей жены.

Две женщины медленно брели к кораблю, звуки вечеринки давно смолкли вдали, и лишь шуршание их накрахмаленной форменной одежды да хруст песка под ногами нарушали тишину. Они шли вдоль забора, окружавшего лагерь, мимо рядов опустевших госпитальных палаток, обшитых рифленым железом казарм, походной кухни и уборных. Они кивнули часовому на воротах, который отдал им честь, вышли из лагеря и, печатая шаг по асфальту, направились по пустынной дороге в сторону госпитального судна, которое покачивалось при свете луны на тускло мерцающей воде.

Оказавшись у пропускного пункта, они остановились. Сестра Маккензи смотрела на корабль, а Одри Маршалл гадала про себя, что творится сейчас у девушки в голове, хотя, кажется, уже заранее знала ответ.

— До Сиднея плыть не так далеко, — нарушила она неловкое молчание.

— Нет. Совсем недалеко.

Слишком много ненужных вопросов, слишком много банальных ответов. Одри с трудом поборола желание обнять девушку, жалея, что не может толком выразить свои чувства.

— Ты поступаешь совершенно правильно, Фрэнсис, — наконец произнесла она. — На твоем месте я сделала бы то же самое.

Девушка посмотрела на нее, спина прямая, взгляд совершенно спокойный. Она всегда была настороже, подумала Одри, но сейчас замкнулась настолько, что ее лицо было словно высечено из мрамора.

— Не обращай внимания на остальных, — неожиданно для себя сказала старшая медсестра Маршалл. — Они тебе просто завидуют. — (Но обе знали, что все не так просто.) — Ну что, начинаешь все с нуля? — протянула ей руку Одри.

— Да, с нуля, — ответила ей твердым рукопожатием сестра Маккензи. Несмотря на жару, рука ее оставалась прохладной. Лицо было совершенно непроницаемым. — Спасибо вам.

— Береги себя. — Одри была лишена сантиментов и внезапных душевных порывов.

И когда девушка решительно направилась к кораблю, Одри кивнула, одернула брюки и пошла обратно в сторону лагеря.

Часть вторая

Глава 4

На прошлой неделе самым захватывающим зрелищем в Сиднее стало отплытие в Англию на борту авианосца «Викториес» 700 австралийских женщин — жён английских военнослужащих из заграничного контингента войск. Еще задолго до отправления судна дороги рядом с гаванью уже были запружены родственниками и друзьями...
Большинство так называемых военных невест оказались на удивление юными.

Бюллетень (Австралия), 10 июля 1946 года

Погрузка

В последствии она и сама не была уверена в том, что именно ожидала увидеть: возможно, чинную очередь из женщин с чемоданами в руках. Они пройдут мимо капитана, обменяются с ним рукопожатием, попрощаются с родственниками — вероятно, со слезами на глазах — и поднимутся по трапу на борт огромного белоснежного корабля. А она, Маргарет, будет махать платочком своим родным, выкрикивая последние наставления насчет корма для кобылы и маминых новых ботинок, которые подойдут Летти, ну и конечно, прощальные слова любви. И когда корабль начнет медленно выходить в открытое море, слова эти эхом разнесутся над гаванью. А она — храбрая молодая женщина — не станет оглядываться назад, а будет смотреть только вперед.

А вот чего она даже представить себе не могла, так это жутких заторов на дорогах до самой Сиднейской гавани; машин, бампер к бамперу ползущих под свинцовым небом в бесконечной веренице транспорта; толп осаждающих вход в порт людей, которые, надрывая глотку, приветствовали тех, кто или был от них слишком далеко, или настолько оглох от стоявшего кругом шума, что в любом случае ничего не слышал. Духовой оркестр, продавцы мороженого, потерявшиеся дети. Тысячи людей, которые, спотыкаясь и работая локтями, прокладывали себе дорогу в толпе. Общая истерика молодых женщин и нагруженных багажом родителей, которые с отчаянными воплями пытались пробиться в этом людском водовороте к огромному серому судну. Нервозное ожидание, как морской туман, повисло над портом.

— Черт возьми, при такой скорости мы никогда не доберемся! — Марри Донливи сидел за рулем пикапа и курил сигарету за сигаретой, его веснушчатое лицо было мрачным.

— Успокойся, папа. — Маргарет положила руку ему на плечо.

— Этот мужик ведет машину как идиот. Ты только посмотри, чешет почем зря языком и даже не видит, что все уже тронулись. Ну давай пошевеливайся! — Он изо всех сил нажал на гудок, в результате чего машина впереди дернулась и заглохла.

— Папа, ради бога, это ведь не одна из твоих коров! Послушай, все прекрасно. У нас все будет прекрасно. Если мы окончательно застрянем, я могу выйти и пойти пешком.

— Она вполне способна раскидать машины своим чертовым пузом. — Сидевший на заднем сиденье Дэниел в очередной раз очень грубо высказался о ее животе, который он иначе как брюхом не называл.

— Но сперва я накидаю тебе, если ты не будешь следить за языком. Причем даже не животом, а просто рукой.

Маргарет наклонилась, чтобы погладить терьера, сидевшего на полу между ее ног. Мод Гонн то и дело принюхивалась к доносившимся из открытого окна незнакомым запахам: морской соли, выхлопных газов, попкорна и дизельного топлива. Мод была очень старой и полуслепой, шерсть на носу уже местами поседела. Когда Маргарет исполнилось десять лет, мать подарила ей на день рождения собаку, поскольку, в отличие от братьев, на ружье Мэгги вряд ли приходилось рассчитывать. Маргарет поставила на колени корзинку и в четырнадцатый раз проверила, все ли бумаги на месте.

— Да оставь ты в покое эту корзину! Кстати, а где сэндвичи, что положила туда Летти?

— Должно быть, я их выложила, когда носилась с корзинкой по дому. Прости, но утром у меня уже просто ум за разум заходил.

— Ладно, будем надеяться, что тебя покормят на борту.

— Она стала такой прожорливой, что им точно потребуется дополнительный корабль для ее еды.

— Дэниел!

— Папа, все нормально.

Сердитое лицо брата пряталось под отросшей челкой. Похоже, он не мог заставить себя посмотреть сестре прямо в лицо. Маргарет хотела погладить его по плечу, сказать, что все понимает и не держит на него зла, но боялась, что он снова ее оттолкнет, а у нее уже просто не оставалось моральных сил на очередную ссору — ведь вот-вот должен был пробить час расставания.

Летти возражала против того, чтобы он ехал. Считала, что его мрачный вид — дурной знак перед дальней дорогой.

«Вряд ли тебе будет приятно, если последним воспоминанием о семье станет вот такое лицо», — сказала она, когда Дэниел в очередной раз хлопнул дверью.

«Да нет, ничего страшного», — ответила Маргарет.

Летти только покачала головой и с удвоенной энергией принялась собирать продуктовую посылку, вес которой не должен был превышать двадцати пяти фунтов. Девушкам разрешили взять с собой именно столько продуктов питания, и, чтобы мать Джо, не дай бог, не подумала, будто ее новые австралийские родственники недостаточно щедрые, Летти все тщательно взвешивала и перевешивала, стремясь тютелька в тютельку уложиться в положенную норму.

Таким образом, приданое Маргарет среди прочего включало: запаянный в банку фирменный кекс Летти, бутылочку хереса, консервированный лосось, говядину и спаржу, а еще коробочку желейного печенья, рядом с которой Летти положила купоны на посещение универмага «Хордерн бразерз». Летти собиралась упаковать дюжину яиц, но Маргарет совершенно справедливо заметила, что даже если яйца и переживут дорогу до Сиднея, то после шести недель на борту корабля станут скорее угрозой для здоровья, чем благодеянием.

«Похоже, не только англичане сидят на голодном пайке», — посетовал Колм, питавший слабость к кексам своей тетки.

«Как аукнется, так и откликнется. Чем лучше мы с ними обойдемся, тем больше вероятность того, что они так же обойдутся с нашей Мэгги», — отрезала Летти. Затем ее взгляд затуманился, и она убежала на другой конец кухни, вытирая глаза посудным полотенцем.

В последнее время она даже перестала делать укладку.

— Ваши документы.

Они наконец достигли ворот в порт Вуллумулу. Офицер в новенькой форме был преисполнен сознания важности сегодняшнего события. Он наклонился к окну, и Маргарет достала из корзинки пачку замусоленных бумаг.

Он провел пальцем по списку фамилий и, найдя нужную, махнул рукой, чтобы они проезжали.

— Все невесты к «Виктории». Причал номер шесть. Вам придется высадить ее здесь, у столба. Там негде припарковаться.

— Мы не можем, приятель. Посмотри на нее.

Офицер сунул голову в окно машины, затем оглядел толпу.

— Если вам повезет, вы сможете найти место вон там, слева. Указатели выведут вас к причалу. Там свернете налево и остановитесь за голубым столбом.

— Спасибо, приятель.

Офицер дважды постучал по крыше пикапа:

— Только постарайтесь никого не задавить. Здесь сейчас черт знает что творится.

— Сделаю что смогу. — Марри надвинул шляпу на лоб и поехал в сторону причала. — Хотя ничего не обещаю.

Пикап надрывно выл и рычал, когда Марри осторожно пробирался сквозь толпу, то и дело тормозя, чтобы не наехать на людей на дороге или, например, объехать мать, которая, ничего не замечая вокруг, с рыданиями прижимала к себе плачущую дочь.

— Да уж, это явно не коровы. У коров и то больше ума.

Он и в лучшие времена не любил толпу. Несмотря на то что Вудсайд находился относительно недалеко от Сиднея, на памяти Маргарет Марри был там от силы раз пять. Шумное, вонючее место, да к тому же кишащее мошенниками. Там невозможно пройти по прямой, жаловался он. И чтобы пробраться из точки «А» в точку «Б», нужно постоянно лавировать в потоке людей. Маргарет и сама не слишком любила большое скопление народу, но сегодня, как ни странно, толпа ее не раздражала, словно она была сторонним наблюдателем, не способным до конца оценить все значение того, что ей предстоит совершить.

— Ну, как у нас со временем? — поинтересовался Марри, в очередной раз заставив мотор работать вхолостую, чтобы пропустить вереницу людей, волокущих за собой набитые чемоданы и капризных детей.

— Папа, мы успеваем. Я же тебе говорила. Если хочешь, я могу здесь выйти и пойти дальше пешком.

— Можно подумать, я оставлю тебя одну в этом сумасшедшем доме!

Маргарет вдруг поняла, что на плечи отца давит колоссальный груз ответственности. И хотя Марри вовсе не радовало расставание с дочерью, он очень хотел, чтобы последние минуты перед разлукой прошли без сучка без задоринки.

— Здесь не больше двухсот ярдов, а я пока еще не инвалид.

— Мэгги, я дал обещание посадить тебя на корабль. Не рыпайся, — твердо произнес он, а Мэгги, как ни старалась, так и не смогла припомнить, кому это он дал подобное обещание.

— Туда! Смотри, папа! — Дэниел барабанил по стеклу и, оживленно жестикулируя, показывал на представительского вида автомобиль, выезжавший с парковки.

— Правильно. — Марри стиснул зубы и завел мотор, распугивая идущих впереди людей. — Поберегись! — прорычал он и, опередив несколько нацелившихся туда машин, уже через секунду занял освободившееся место. — Вот так! — Он выключил зажигание и повернулся к дочери. — Вот так, — повторил он уже менее уверенно.

Она взяла его за руку и сказала:

— Я знала, что ты доставишь меня в лучшем виде.

Корабль был гигантским. Вытянувшийся во всю длину причальной стенки, он заслонял собой небо и море, так что люди, осаждавшие ограждения, чтобы еще раз попрощаться с уезжавшими девушками, видели только плоские серые поверхности. Он казался таким огромным, что у Маргарет перехватило дыхание.

На бортах были установлены орудийные башни, выступавшие словно балкончики. На полетной палубе, не слишком хорошо видной издалека, расположились самолеты трех типов: «корсары», «файрфлаи» и, должно быть, «валрусы». Маргарет, которую брат заразил своим увлечением авиацией, могла назвать их все до одного. На борту уже находилось около сотни девушек, они стояли на полетной палубе, сидели на орудийных башнях, махали с мостика и на фоне махины авианосца казались совсем крошечными. В туго завязанных на голове шарфах они зябко кутались в пальто, ежась под порывами сердитого морского ветра. Некоторые выглядывали из иллюминаторов, чтобы беззвучно сказать «прощай» оставшимся внизу. Но расслышать хоть что-нибудь в этом адском грохоте было нереально.

Слева играл духовой оркестр. Маргарет узнала «The Maori's Farewell» и «Bell-bottomed Trousers», насколько можно было различить в стоявшем вокруг гвалте. Она увидела, как вниз по трапу сводят какую-то рыдающую девушку, к ее пальто прилипли длинные полоски разноцветного серпантина.

— Она передумала, — услышала Маргарет слова одного из офицеров. — После того, как ее отвели к остальным в ангар.

Маргарет не позволила легкому беспокойству перерасти в нечто большее, поскольку прекрасно знала, как легко можно взвинтить себя до истерического состояния.

— Нервничаешь? — спросил отец. Он тоже заметил ту девушку.

— Не-а, — ответила она. — Мне просто не терпится снова увидеть Джо.

Похоже, отца вполне удовлетворил ее ответ.

— Твоя мама могла бы тобой гордиться.

— Мама сказала бы, что мне следовало бы надеть что-нибудь понаряднее.

— И это тоже. — Он слегка пихнул ее в бок, она ответила ему тем же, а затем поправила шляпку.

— Есть еще невесты? — Мимо них протискивалась представительница Красного Креста с блокнотом в руках. — Невесты, пора на посадку. Приготовьте ваши документы.

Каждую девушку, поднимавшуюся по трапу, осыпали серпантином, а докеры — то ли в шутку, то ли нет — кричали им вслед: «Ты еще пожалеешь!»

Отец понес ее чемодан на таможню. Она отыскала глазами младшего брата, он стоял спиной к кораблю, демонстративно от нее отвернувшись.

— Ты там присмотри за моей кобылой, Дэниел. — Теперь ей уже приходилось кричать. — Даже близко не подпускай к ней наших тяжеловесов. — (Он упорно глядел себе под ноги, отказываясь поднять на нее глаза.) — И постарайся не снимать с нее уздечку. Сейчас она уже не дергает. И вообще, погоняй ее подольше, только следи за тем, чтобы у нее рот оставался мягким.

— Дэниел, ответь своей сестре, — подтолкнул его локтем отец.

— Ладно.

Маргарет бросила взгляд на худые плечи Дэниела, на его угрюмое лицо, которое он упрямо от нее отворачивал. Девушку переполняло желание обнять брата, сказать ему, как сильно она его любит. Но он находил беременность сестры просто отвратительной, а узнав о том, что она уезжает, вообще перестал с ней общаться. Словно считал, что всему виной не Джо, к которому она уезжала, а вот этот большой живот.

— Ну что, не хочешь пожать мне руку?

В воздухе повисла длинная пауза, которую в любую секунду мог грубо нарушить отец, затем Дэниел все же протянул руку и, обменявшись с сестрой коротким рукопожатием, поспешно отдернул ее.

— Я напишу, — сказала она. — И очень советую все же ответить, черт бы тебя побрал!

Брат промолчал.

Затем к ней подошел отец и крепко обнял:

— Передай своему мужу, чтобы присматривал за тобой. — Он уткнулся носом ей в волосы, голос его звучал совсем глухо.

— Папа, и ты туда же. — От его парадного пиджака пахло нафталином, а еще коровами и сеном. — У вас все будет хорошо. А Летти приглядит за вами лучше, чем я.

— Ну, это как раз нетрудно, — натужно пошутил отец, а Мэгги только крепче прижала его к себе. — Я желаю... Я желаю...

— Папа... — остановила она отца.

— Ладно. — Он резко отстранился и огляделся по сторонам, будто мысленно был уже далеко. Потом тяжело сглотнул. — Пожалуй, тебе пора на посадку. Хочешь, понесу твои вещи?

— Я справлюсь.

Самую большую сумку она повесила на плечо, корзинку и продуктовую посылку сунула под мышку. Сделала глубокий вдох и повернулась в сторону корабля.

— Держись, девочка! Учти, сначала надо пройти таможенный досмотр, — остановил ее отец.

— Что?

— Таможню. Прежде чем посадить на корабль, они сперва всех посылают туда.

Она проследила за его рукой и увидела на пристани здоровенный ангар из рифленого железа.

— Так говорили женщины из Красного Креста. Сначала таможня.

Какие-то две девушки разговаривали с офицерами на входе. Один из них со смехом показывал на ее сумку.

Отец бросил на Мэгги обеспокоенный взгляд:

— Все в порядке, девочка? Ты почему-то ужасно побледнела.

— Пап, я не могу, — прошептала она.

— Я тебя не слышу, девочка. Что случилось?

— Папа, я неважно себя чувствую.

— В чем дело? Может, хочешь присесть?

— Нет... Слишком много народу. У меня кружится голова. Скажи им, чтобы сразу посадили меня на корабль. —

Она закрыла глаза. Потом услышала, как отец что-то отрывисто бросил Дэниелу, и тот сразу рванул с места.

И через несколько минут рядом с ней уже стояли два морских офицера.

— Вы в порядке, мэм?

— Мне просто надо поскорее подняться на борт.

— Хорошо. А вы уже прошли...

— Послушайте! Вы же видите, что я в положении. Мне нехорошо. Ребенок давит на мочевой пузырь. Я боюсь оконфузиться. И больше ни минуты не могу оставаться в этой толпе. — У нее на глаза навернулись слезы отчаяния, и она заметила, что они смутились.

— Это совсем на нее не похоже, — озабоченно произнес отец. — Вообще-то, она сильная девочка. И до сих пор еще не падала в обморок.

— Ну, у нас уже несколько случаев было. Всему виной суматоха, — заявил один из офицеров. — Мы посадим ее на корабль. Позвольте ваши вещи, мэм.

Она отдала им сумку и продуктовую посылку, на оберточной бумаге виднелись пятна от ее потных рук.

— С ней все будет хорошо? На судне есть доктор? — наклонился к ним отец, его лицо сразу вытянулось.

— Да, сэр. Успокойтесь, пожалуйста. — (Мэгги почувствовала, что отец боится от нее отойти.) — Простите, сэр. Дальше вам нельзя.

Один из офицеров потянулся к ее корзинке:

— Разрешите, я понесу.

— Нет, — резко сказала она, прижимая корзинку к себе. — Нет, спасибо, — добавила она и попыталась улыбнуться. — Здесь все мои документы и вещи. И я ужасно боюсь их потерять.

— Вы, возможно, правы, мэм. Сегодня не самый подходящий день, чтобы что-то терять.

Они взяли ее под руки и стали протискиваться к кораблю. В отличие от самого корабля, непроизвольно отметила она, трап выглядел довольно ветхим, деревянные ступеньки изъедены морской водой и стерты подошвами множества ног.

— Тогда прощай, Мэгги! — окликнул ее отец.

— Папа.

Неожиданно ей показалось, что все происходит слишком быстро. Она не чувствовала себя готовой. Она попыталась послать свободной рукой воздушный поцелуй в последней попытке передать то, что она чувствует.

— Дэн?! Дэниел?! Где же он?! — Отец резко обернулся, ища глазами сына. Потом махнул дочери, чтобы та подождала, но толпа напирала, затягивая его.

— Я так толком и не попрощалась.

— Чертов мальчишка! — Отец почти плакал. — Дэн! Уверен, он хочет сказать «до свидания». Послушай, ты только не обращай внимания...

— Мэм, нам действительно пора, — сказал один из офицеров.

Маргарет посмотрела сначала на него, затем — на таможенный ангар. Она неуверенно ступила на трап. Стоящий сзади офицер непроизвольно подтолкнул ее тяжелой сумкой.

— Не могу его найти, родная! — крикнул Марри. — Не знаю, куда он запропастился.

— Папа, передай ему, что все нормально. Я понимаю. — Она видела, что отец чуть не плачет.

— Ты еще пожалеешь! — лукаво ухмыльнулся портовый рабочий в низко натянутой на лоб шапке.

— Береги себя! — заорал отец. — Ты меня слышишь? Береги себя! — Голос отца становился все тише, и вот уже его лицо, а затем и тулья поношенной шляпы исчезли в людском водовороте.

Старший помощник командира корабля, или старпом, как его называли члены команды, трижды попытался привлечь его внимание. Чертов мужик продолжал торчать здесь, подпрыгивая на месте, ну точь-в-точь ребенок, которому срочно нужно пи-пи.

Добсон. Как всегда, чуть более неформальный, чем того требуют обстоятельства. Капитан Хайфилд, настроение которого оставляло желать лучшего, был решительно настроен его игнорировать. Он отвернулся и позвонил в машинное отделение.

От сырости у него разболелась нога. Чтобы дать ей немного отдохнуть, он перенес тяжесть тела на здоровую ногу, приняв несвойственную ему кривобокую позу. Капитан был коренастым мужчиной, но за годы службы выработал бравую выправку, которую совершенно непочтительно постоянно передразнивали на нижних палубах.

— Хокинс, сообщите мне о состоянии левого двигателя. Все еще не работает?

— Сэр, я уже послал вниз двух человек. Мы надеемся запустить его минут через двадцать или около того.

Капитан Хайфилд облегченно вздохнул:

— Вы уж постарайтесь, ребята. Иначе, чтобы выйти на открытую воду, нам понадобятся еще два буксира, что сегодня совсем нежелательно. Так?

— Да уж, не хочется оплошать на глазах у жителей нашей бывшей колонии в тот момент, когда мы увозим их дочерей.

— Мостик, рулевая рубка, рулевой Коксвейн.

— Очень хорошо, Коксвейн. Держите курс один-два-ноль. — Капитан Хайфилд отошел от переговорной трубы. — Ну, что еще?

Добсон замялся:

— Я... согласен с вами, сэр. Мы хотим произвести совсем другое впечатление...

— Ну да. Хотя это не ваша забота, Добсон. Чего вам там от меня нужно?

Вся гавань лежала перед ними как на ладони: растянувшиеся вплоть до сухих доков многотысячные толпы людей, развевающиеся флаги внизу, медленно поднимающиеся по трапу одна за другой женщины. Хайфилд даже застонал про себя.

— Я пришел доложить о личном составе, сэр. У нас до сих пор не хватает нескольких человек.

Капитан Хайфилд посмотрел на часы:

— В это время? И сколько отсутствует?

Добсон сверился со списком:

— На данный момент человек шесть.

— Твою мать! — Капитан Хайфилд ударил по циферблату. Выход в море превращался в самый настоящий фарс. — И чем, скажите на милость, занимались ночью ваши люди?

— Похоже, гуляли в каком-то кабаке, сэр. Некоторые вернулись в хорошем подпитии, а некоторые были просто никакие. Один оступился на трапе и исчез в тумане. Это еще счастье, что Джонс и Моррис несли вахту, сэр, а иначе мы бы и его потеряли. Но шесть все равно отсутствуют.

Хайфилд посмотрел вниз.

— Чертов бардак! — сказал он. Но те, кто стоял рядом, прекрасно понимали, что ярость его вызвана не только отсутствием шести человек. — Шестьсот дрожащих девиц смогли вовремя подняться на борт, а наши лучшие из лучших — нет.

— Есть кое-что еще. Четырьмя невестами уже занимается Красный Крест.

— Что?! Они ведь всего пять минут на борту.

— Мы говорили, что надо осторожнее проходить через люки. А они не слышали. Наверное, очень волновались. — Добсон хлопнул себя по лбу, показывая, что это самая распространенная травма на борту судна. — Одной, похоже, надо наложить швы.

— Покажите ее хирургу.

— Хм... Дело в том, что... он... в числе отсутствующих.

На мостике повисла тяжелая тишина. Моряки ждали продолжения.

— Двадцать минут, — наконец произнес Хайфилд. — Ждем, пока не заработает левый двигатель. После этого можете отдать приказ, чтобы начали выгружать личные вещи тех шестерых. Я не собираюсь задерживать из-за них судно. Только не сегодня.

Облокотившись о перила, Эвис поправила новую шляпку. Джин, оседлавшая орудийную башню, устроила целый спектакль. У нее случилась самая настоящая истерика, она наоралась до хрипоты на радость зевакам и в результате уселась, бессильно положив руки на плечи двум матросам, словно здорово напилась и теперь нуждалась в посторонней помощи. Хотя, возможно, она и *вправду* напилась, от девиц такого сорта можно ожидать чего угодно, подумала Эвис. Именно поэтому, когда полчаса назад они поднялись на борт, Эвис поспешила дистанцироваться от Джин.

Она оглядела плиссированную юбку своего нового костюма. Да уж, ее одежда была подобрана безупречно, особенно на фоне остальных. Родители не смогли ее проводить, но прислали телеграмму и немного денег, а мама позаботилась о том, чтобы утром в отель доставили новый костюм. Эвис страшно переживала из-за того, что не знала, как в таких случаях положено одеваться. Теперь же, хорошенько разглядев по крайней мере сотню других девушек, одетых совершенно неподобающим образом, Эвис поняла, что зря волновалась.

Корабль оказался обшарпанным. Эвис сфотографировалась, дала интервью обозревателю светской хроники «Бюллетеня», обменялась рукопожатием с каким-то мужчиной, наверное капитаном корабля, но факт оставался фактом: «Виктория» местами проржавела и так же мало напоминала «Куин Мэри», как Джин — свою тезку Джин Харлоу[1]. А когда Эвис поднималась по шаткому трапу, ей в нос ударил слабый, но отчетливый запах вареной капусты, что лишний раз свидетельствовало о второсортности корабля.

И все же никто не осмелился бы упрекнуть Эвис в отсутствии силы духа. Вот уж нет. Она расправила плечи и заставила себя переключиться на то, что ждало ее впереди. Через шесть недель она узнает, какой будет новая жизнь. Встретится с его родителями, выпьет чая в доме викария, познакомится с дамами из романтической английской деревушки, а возможно, даже со старым герцогом и с герцогиней. Эвис представят его друзьям детства — тем, кто не служит в Королевских ВВС. Она начнет обустраивать их дом.

Она наконец-то станет миссис Иэн Рэдли, а не просто Эвис или, как обычно говорила мама: «Ох уж эта Эвис...», которая хоть и вышла замуж, но, по мнению своей семьи, заслуживала уважения и серьезного к себе отношения не больше, чем тогда, когда была ребенком.

— Ты только посмотри на нее!

Эвис бросила взгляд на палубу: Джин соскользнула с орудийной башни и, хихикая, повисла на одном из матросов, нижняя юбка задралась, зацепившись за пуговицу на его кармане, открыв взорам желающих то, что обычно не принято показывать. Эвис собралась было сделать Джин замечание, но неожиданно палуба под ногами слегка завибрировала. Должно быть, запустили двигатели, но кругом стоял такой гвалт, что никто этого и не заметил. Перегнувшись через борт, она с удивлением обнаружила, что трап уже убрали. Затем послышались какие-то крики, и она увидела, как лебедка поднимает несколько матросов, очевидно

---

1 *Джин Харлоу* — американская актриса, кинозвезда и секс-символ 1930-х годов.

упустивших возможность подняться на борт обычным путем. Они громко смеялись и улюлюкали, на лицах виднелись следы губной помады. Скорее всего, парни были пьяны в стельку.

Какой позор, подумала Эвис не в силах сдержать улыбку, когда опоздавших бесцеремонно выгрузили на летную палубу. Облепившие огромный корабль буксирные суда, натужно кряхтя, пытались вывести его из гавани. Женщины взволнованно переговаривались и еще более усердно махали рукой, надрывая голосовые связки в надежде, что их последнее послание будет услышано в стоящем кругом грохоте.

— Мама! — услышала Эвис у себя за спиной истерические крики. — Мама! Мама!

Какая-то девушка рядом отчаянно молилась, внезапно прервав общение с Господом яростным восклицанием:

— Поверить не могу! Поверить не могу!

Толпа — море австралийских флагов и только кое-где «Юнион Джек»[1] — бурлила и кипела, люди пытались пробиться поближе к краю причала, подпрыгивали на месте, чтобы их увидели с корабля. Кто-то поднял над головой плакаты типа: «Попутного ветра, Одри», «Наилучшие пожелания от докеров Гарден-Айленда». Эвис поймала себя на том, что рассматривает порт и окружающие его горы. Вот и все, промелькнуло у нее в голове, и ей вдруг стало трудно дышать. Неужели я последний раз вижу Австралию? Затем серпантин с треском лопнул, его обрывки бессильно повисли с ограждения причала, и корабль с протяжным стоном вышел из гавани, сразу осев на несколько градусов, когда подняли якорь.

Над палубой пронесся дружный вздох. Двигатели заработали. Пронзительно закричала какая-то девушка, а рас-

---

1 *«Юнион Джек»* — государственный флаг Соединенного Королевства Великобритании и Северной Ирландии.

положившийся на причале духовой оркестр заиграл «Waltzing Matilda»[1].

Туда, где только что стоял корабль, с унылым всплеском упало несколько предметов, голубые воды расступились и снова сомкнулись над ними. А корабль — абсолютно равнодушный к творящемуся кругом безумию — на удивление быстро выскользнул из гавани.

— Ты еще пожалеешь! — раздался одинокий крик, перекрывший музыку. Что прозвучало как неуместная шутка. — Вы все пожалеете!

И пассажиры корабля тотчас же притихли. А потом зарыдала первая девушка.

Марри Донливи, обняв своего всхлипывающего сына, молча стоял, пережидая, когда рассосется толпа и горестный плач женщин растает вдали. Наконец рядом осталось только несколько одиноких кучек людей, они молча провожали взглядом уходящий за горизонт корабль. Холодало, и Дэниел дрожал всем телом. Марри снял пиджак, накинул на плечи сына, затем притянул его к себе, чтобы хоть чуть-чуть согреть.

Время от времени Дэниел поднимал голову, словно собирался что-то сказать, но не мог найти нужных слов, а потом снова начинал всхлипывать, стыдливо закрывая лицо руками.

— Не переживай, мой мальчик, — прошептал Марри. — Сегодня у нас выдался трудный денек.

Их машина в числе последних уныло стояла посреди валяющихся в грязи серпантина и конфетных оберток. Марри подошел к пикапу со стороны водителя, но замешкался, увидев, что сын, будто приросший к месту, смотрит на него в упор.

— Ну что, успокоился, сынок?

---

[1] «Вальсируя с Матильдой» — неофициальный гимн Австралии.

— Папа, как думаешь, она меня ненавидит?

Марри вернулся к Дэниелу и снова обнял его.

— Нельзя быть таким чертовски мягкотелым! — Марри взъерошил сыну волосы. — Она еще не успеет сойти с корабля, как уже начнет хлопотать, чтобы ты к ней приехал.

— Куда, в Англию?

— А почему бы и нет? Продолжай копить деньги за кроликов и в два счета сможешь полететь к ней. Ведь жизнь не стоит на месте!

Мальчик задумчиво смотрел в никуда. На секунду он перенесся в мир дорогих кроличьих шкурок и огромных самолетов.

— Я могу полететь туда, — задумчиво повторил он.

— Вот я и говорю, малыш. Копи деньги. А при твоих темпах ты за нас за всех сможешь заплатить.

Дэниел улыбнулся, и у отца заболело сердце при виде того, как мужественно сын принимает вот уже вторую потерю. Должно быть, именно это испытывали женщины во время войны, подумал он, залезая в пикап. Хотя женщины не знали, вернемся мы назад или нет. Позаботься о ней, обратился он к кораблю с молчаливой просьбой. Присмотри за моей девочкой!

Они еще немного посидели в машине, наблюдая, как выходят люди из ворот порта. Опустевшая площадь теперь казалась огромной. Тем временем поднялся ветер, он закружил и понес разбросанные бумажки в сторону моря, где на них накинулись чайки. Марри вздохнул, неожиданно осознав, что им еще предстоит долгий путь домой.

— Папа, она забыла сэндвичи. — Дэниел поднял сверток из промасленной бумаги, который Летти приготовила сегодня утром. — Они лежали здесь, на полу. Она оставила свой ланч.

Марри нахмурился, пытаясь вспомнить ее слова о забытом дома завтраке. Ну ладно, подумал он. Должно быть, она ошиблась.

— Ох уж эти беременные! Все у них не слава богу. Норин была точно такой же.

— Папа, а можно мне их съесть? Умираю с голоду.

Марри вставил ключ в замок зажигания:

— Почему бы и нет. Ей они теперь без надобности. Знаешь что, оставь-ка и для меня один.

И тут начался ливень. Серое небо, хмурившееся все утро, наконец пролилось дождем, хлеставшим о ветровое стекло. Марри завел мотор и медленно отъехал от причала. Неожиданно он ударил по тормозам, да так, что Дэниела бросило вперед, его сэндвич вывалился изо рта прямо на приборную доску.

— Подожди-ка, — сказал Марри, вспомнив о пустой корзинке и о том, что дочь подозрительно торопилась поскорее подняться на борт. — А где эта чертова собака?

Глава 5

Австралийская невеста не успела к отплытию «Викториеса» из-за предъявленных ей обвинений, которые вскоре были сняты. Ее немедленно выпустили и на полицейской машине доставили на причал номер три в Вуллумулу, но корабль с невестами на борту уже вышел в море.

Сидней монинг геральд. 4 июля 1946 года

Первый день плавания

Д лина авианосца «Виктория» составляла семьсот пятьдесят футов, а вес — двадцать три тысячи тонн, на корабле было девять палуб под полетной палубой и четыре — над ней, мостик и остров[1] находились на головокружительной высоте. Даже без учета специально организованных кают для невест, гигантское чрево корабля включало двести различных помещений, складов и отсеков, по размеру сравнимых с несколькими универмагами или кондоминиумами для состоятельных людей. Или, в зависимости от того, откуда приехали невесты, с несколькими огромными амбарами. Длина одних только ангаров, где разместили, кормили и развлекали большинство невест, достигала пятисот футов, они располагались на том же этаже, что и столовые, душевые, каюта капитана и четырнадцать-пятнадцать просторных кладовых. Все помещения соединялись между собой узкими проходами, и если перепутать палубы, то вместо уборной для невест можно было попасть в авиаремонтные мастерские или кают-компанию для инженеров — ситуация, не раз вызывавшая краску на девичьих лицах. Кто-то повесил план корабля в столовой

---

1 *Остров* — надстройка на авианосце.

106

для невест, и Эвис уже неоднократно пыталась его изучить, раздраженно пробираясь сквозь дебри таких названий, как «овощехранилище», «помещение для укладки парашютов», «патронный погреб для зенитных орудий „пом-пом“», хотя вместо них предпочла бы видеть бальные залы и каюты первого класса. Это был плавучий мир запутанных правил и предписаний, упорядоченной, но непонятной рутины, перенаселенный дом с лабиринтом помещений с низкими потолками, отсеков и коридоров, большинство из которых вело в места, не предназначенные для женщин. Корабль казался огромным, но в то же время очень тесным, шумным — особенно для тех, кого поместили возле машинного отделения, — обшарпанным и набитым под завязку щебечущими девушками и мужчинами, пытающимися без особого энтузиазма делать свое дело. Из-за бессчетного числа снующих кругом людей и странного расположения трапов проход по палубе иногда занимал чуть ли не полчаса, причем, чтобы пропустить идущего навстречу человека, приходилось прижиматься или к нему, или к переборкам со множеством труб.

И Эвис так и не удалось отделаться от Джин.

Узнав, что их разместили в одной каюте — надо же, на корабле более шестисот невест, а Джин подселили именно к ней! — Джин взяла на себя несвойственную ей роль Лучшей Подруги Эвис. Эта девица предпочла забыть о их взаимной антипатии, возникшей во время посиделок в Клубе американских жен, и последние двадцать четыре часа буквально ходила за Эвис хвостом, вклиниваясь в ее разговоры с другими девушками, чтобы заявить о своих правах на их с Эвис общую историю жизни в Сиднее.

Эвис приходилось терпеть назойливость Джин и когда они обе сидели за ранним завтраком — «Эвис! А помнишь ту девицу, которая все вещи шила исключительно обметочным стежком? Даже нижнее белье!», — и когда гуляли по палубе, пытаясь сориентироваться, — «Эвис! А помнишь наши ожерелья из колец для куриных лап? У тебя оно сохранилось?», — и когда стояли в плотной очереди в туалет — «Эвис! Это что, комплект белья, который ты надевала в первую брачную ночь? Слишком шикарно для каждого дня... Или ты хочешь кого-то впечатлить, а?». Эвис понимала, что должна быть помягче с Джин, тем более что той, как она недавно выяснила, всего шестнадцать, — и все-таки! Девица оказалась ужасно докучливой.

Более того, Эвис отнюдь не была уверена, что Джин отличается особой правдивостью. Так, во время разговора за завтраком Джин поделилась своими планами получить работу в универмаге, где тетка ее мужа занимала какую-то административную должность.

— Как ты сможешь работать? Мне казалось, ты ждешь ребенка, — холодным тоном произнесла Эвис.

— Выкидыш, — беспечно бросила Джин. Эвис наградила ее тяжелым, недоверчивым взглядом. — Очень печальная история, — поспешно добавила Джин и, помедлив, сказала: — Как тебе кажется, можно мне попросить еще одну порцию бекона?

Джин, отметила про себя Эвис, преодолевая последний лестничный пролет, практически не упоминает своего мужа Стэнли. Безусловно, и ей самой не мешало бы почаще говорить об Иэне, но всякий раз, как она заводила разговор о муже, Джин тут же пыталась добиться от нее непристойных откровений: «А ты позволила ему сделать это самое до первой брачной ночи?» Или еще хуже: «А ты испугалась, когда в первый раз увидела... ну, ты понимаешь... когда у него встало торчком?» Наконец Эвис оставила попытки с ходу отделаться от Джин. Хотя в одиннадцать все девушки соберутся на полетной палубе, чтобы выслушать приветственную речь капитана, и затеряться в толпе из более чем шестисот женщин будет гораздо проще. Ведь так?

— А тебя вдохновляет перспектива идти на одну из этих лекций? — крикнула Джин, когда они проходили мимо киноаппаратной. — На следующей неделе нам собираются рассказать о некоторых особенностях брака с иностранцем. — Ее голос — уже в который раз за сегодняшнее утро — заглушил и шум двигателей, и передаваемые по громкой связи приказы старшине Гарднеру или дежурным матросам явиться на командный пункт. Эвис сделала вид, что не слышит. — Допускаю, что кто-то, может, и испытывал трудности в первый год, — продолжила Джин. — Но только не я. Ведь мужа вообще со мной не было.

— Команда авианосца «Виктория» сделает все от нее зависящее, чтобы ваша поездка в Соединенное Королевство доставила вам удовольствие... И в то же время вы не должны забывать о том, что вам предоставлена привилегия считаться пассажирами не просто авианосца, а одного из кораблей его величества. И жизнь на борту регулируется правилами внутреннего распорядка.

Маргарет стояла на полетной палубе, в третьем ряду выстроившихся невест, которые сопровождали речь капитана нервным хихиканьем. Надо же, подумала она, он движется так, будто рукава его кителя пришили к туловищу.

Море — искрящая голубая гладь — выглядело на редкость мирным и безмятежным, и палуба, размером с поле в добрых два акра, практически не дрожала. Маргарет украдкой озиралась по сторонам, с удовольствием вдыхая соленый морской воздух и ощущая на коже принесенные морским ветром капельки воды. С тех пор как накануне днем подняли якорь, она впервые испытала сладостное чувство свободы. Девушка опасалась, что испугается, когда земля исчезнет из виду, но нет, она наслаждалась бескрайними океанскими просторами и гадала — без страха, но с живым интересом, — что же лежит под поверхностью воды.

На обоих концах палубы, отражаясь в лужицах морской воды, расположились самолеты. Эти стальные птицы устремили в небо блестящие носы, словно в любую минуту были готовы взлететь. Между ними, у основания башни, носящей название «остров», стояли моряки в робах и наблюдали за девушками.

— Каждый человек на борту кораблей его величества подчиняется дисциплинарному уставу Военно-морских сил, что категорически запрещает употребление крепкого алкоголя, вина или пива, а также любые азартные игры. Курение поблизости от самолетов категорически запрещено. И самое главное, категорически запрещается отвлекать моряков от исполнения служебных обязанностей. Разрешено посещать практически все помещения на корабле, за исключением кубриков, если это не мешает работе личного состава.

Некоторые девушки сразу завертели головой, и один из матросов им подмигнул. По женским рядам пробежал сдержанный смешок. Маргарет перенесла тяжесть тела на другую ногу и вздохнула.

Джин, одна из девушек, которых поселили вместе с ней, проскользнула на свободное место перед Маргарет через две минуты после того, как капитан начал свою речь, и теперь стояла в небрежной позе, грызя ногти. Этим утром она буквально излучала жизнерадостность и болтала без умолку о корабле и о своих новых туфлях. Все, что в данную минуту приходило ей в голову, тут же обрушивалось на ее новых товарок. Однако, по мере того как суровый капитан зачитывал длиннющий список возможных прегрешений, Джин скисала прямо на глазах, а ее энтузиазм постепенно испарялся.

— Возможно, вы слышали от других невест, что они могли высадиться в портах на пути следования судна. Но вы должны усвоить, что находитесь на военном корабле и сойти на берег вам не удастся. Вероятно, такая возможность представится в Коломбо, а затем в Бомбее, если, конечно, позволит международная обстановка, но ничего обещать не могу. И хочу добавить, что те из вас, кто не вернется на корабль в установленное время, останутся на берегу. — Капитан обвел равнодушным взглядом лица девушек. — При наличии каких-либо жалоб обращайтесь к дежурному офицеру женской вспомогательной службы, и она доложит одному из помощников капитана. Кстати, женщинам запрещено посещать следующие помещения: кубрики и кают-компании матросов, каюты и кают-компании офицеров — те, что расположены под ангарной палубой и над полетной палубой, орудийные точки, галерейные палубы и шлюпки. Чуть позднее вам всем раздадут подробное руководство в виде буклета. Мне хотелось бы, чтобы, изучив буклет, вы досконально следовали изложенным там предписаниям. И предупреждаю: тех, кто нарушит установленные правила, ждут серьезные неприятности.

Капитан закончил — и на палубе воцарилась мертвая тишина. Маргарет вспомнила о своей каюте на ангарной палубе и почувствовала, что краснеет. Неподалеку от нее заплакала какая-то девушка.

— На борту находятся шесть офицеров из женской вспомогательной службы, они будут помогать вам во время плавания. — При этих словах он показал на группу стоявших возле «корсаров» женщин, которые выглядели не менее угрюмыми и преисполненными собственной значимости, чем сам капитан. — Каждая женщина из вспомогательной службы отвечает за определенную группу кают, она всегда придет вам на помощь. — Капитан обвел девушек из переднего ряда тяжелым взглядом. — Офицеры женской вспомогательной службы будут по ночам совершать обход кают.

— И изгадят мне все вечерние развлечения, — под сдавленный смех стоявших рядом прошептала соседка Маргарет.

— Точно так же, как женщинам запрещается посещать места расположения личного состава, мужчинам не разрешается находиться в женских каютах и местах общего пользования, за исключением случаев, когда это необходимо для выполнения их служебных обязанностей. Еще раз я хочу напомнить вам, что дежурные офицеры из женской вспомогательной службы будут совершать ночные обходы.

— А непослушных девочек заставят идти с завязанными глазами по доске, — произнес кто-то.

В ответ снова раздался приглушенный, но отчетливый взрыв смеха, словно кто-то открыл запорный клапан.

— Бог его знает, за кого он нас принимает, — теребя брошь, произнесла соседка Маргарет.

Похоже, пространная речь капитана все же подходила к концу. Капитан бросил взгляд на прикрепленный к буклетам листок бумаги, очевидно раздумывая, не пора ли закругляться. Через пару секунд он поднял голову:

— Меня также просили сообщить вам, что... маленький парикмахерский салон... — У капитана окаменела челюсть. — Организован за прачечной, примыкающей к каюте В. Парикмахерскую будут обслуживать волонтеры из числа пассажиров, если кто-нибудь из них... сможет предложить свои услуги.

Он снова проверил свои записи, затем наградил девушек полным усталого презрения холодным взглядом.

— На редкость дружелюбная личность, — еле слышно произнесла Маргарет.

— У меня такое чувство, будто я снова вернулась в школу, — прошептала стоявшая впереди нее Джин. — Только здесь меньше мест для курения.

Хайфилд посмотрел на выстроившихся перед ним женщин. Они перешептывались, суетились, подталкивали друг друга локтем, проявляя явную неспособность стоять смирно, чтобы выслушать правила и предписания, согласно которым им предстоит жить следующие шесть недель. За последние двадцать четыре часа он еще отчетливее увидел все опасности и еще яснее понял, что затея была абсолютно провальной. Ему даже захотелось отправить Макманусу телеграмму: «Вот видите! А я ведь предупреждал, что так и будет». Некоторые девицы были на грани истерики и не знали, то ли смеяться, то ли плакать. Другие уже вовсю шастали по кораблю, терялись в проходах между палубами, забывали пригнуть голову и в результате получали травмы, мешали личному составу и даже останавливали матросов, как давеча утром одна вертихвостка, чтобы спросить, где тут дают мороженое. И в довершение всего, когда он шел по верхней галерейной палубе, то внезапно очутился в облаке тончайшей взвеси, причем не авиационного топлива, а женских духов. Духи! Им оставалось только заменить флаг корабля на нижнее белье — и дело сделано!

И хотя поведение личного состава не особенно изменилось, капитан знал, что это только вопрос времени, когда женщины станут главным предметом разговора в кубриках и кают-компаниях офицерского состава и даже матросов. Он буквально ощущал присутствие в воздухе едва уловимого беспокойства. Так собаки нюхом чувствуют приближение грозы.

Возможно, дело просто в том, что после смерти Харта все пошло наперекосяк. Моряки потеряли ту жизнерадостную целеустремленность, что была характерна для них последние девять месяцев в Тихом океане. Те, кому удалось выжить, пребывали в мрачном настроении, вступали в пререкания и нарушали субординацию. Капитан уже неоднократно замечал, что моряки недовольно бурчат, и невольно задавался вопросом, винят ли они в случившемся именно его. Он закончил речь и привычно заставил себя выкинуть из головы неприятные мысли. Женщины выглядели крайне вызывающе. Слишком яркие цвета, слишком длинные волосы. И теперь по всему судну разбросаны шарфы. А ведь его корабль всегда был образцом порядка и монохромности — только серое и белое. Любое нарушение этой цветовой гаммы выбивало из колеи: у него возникало такое чувство, будто кто-то выпустил рядом с ним стаю экзотических птиц, а потом оставил их щебетать и хлопать крыльями, создавая настоящий хаос. И боже правый, некоторые женщины были даже в туфлях на высоком каблуке!

Не то чтобы я не любил женщин, уже в который раз за этот час думал он. Просто всему свое время и свое место. Он был адекватным человеком. И не считал подобную точку зрения неразумной.

Он сунул буклет под мышку и внезапно заметил нескольких матросов, которые топтались возле цепей, крепивших самолеты к палубе.

— У вас что, других дел нет, черт возьми! — пролаял он, развернулся на каблуках и быстрым шагом направился в рубку.

Дорогой Джо!

Ну вот я и на «Виктории» вместе с другими невестами. И теперь могу сказать со всей определенностью: море не для меня. Здесь ужасно тесно, даже на таком большом корабле, и куда бы ты ни шел, непременно натыкаешься на людей. Совсем как в городе, только гораздо хуже. Ты, наверное, к этому привык, а вот я уже мечтаю о полях и пустошах. Прошлой ночью мне даже приснились папины коровы...

Наша каюта, как, впрочем, и остальные, похоже, находится там, где была шахта элеватора для подъема самолетов. Я делю ее с тремя девушками, которые вроде бы вполне ничего. Одной из них, Джин, всего шестнадцать. И можешь себе представить, она здесь еще не самая молодая! На борту находятся две пятнадцатилетние девчушки — обе замужем за англичанами и обе путешествуют без сопровождающих. Даже представить страшно, что сказал бы папа, если бы я в этом возрасте выскочила замуж, даже за тебя, дорогой. А еще с нами в каюте есть девушка, работавшая в Австралийском главном военном госпитале на островах Тихого океана, но она все время молчит. И еще одна, этакая светская штучка. Не могу сказать, будто между нами есть много общего, хотя мы все хотим одного и того же.

Одна невеста не успела сесть на корабль в Сиднее, и ее самолетом отправляют во Фримантл, а оттуда она поплывет вместе с нами на «Виктории». Так что, похоже, нельзя сказать, что ВМС не делают всего возможного, чтобы доставить нас к вам.

Моряки очень дружелюбные, хотя нам и не разрешается отвлекать их разговорами. Некоторые девчонки ведут себя страшно глупо при встрече с ними. Если честно, можно подумать, что они в жизни не видели мужчин, кроме своего мужа. Капитан успел зачитать нам закон об охране общественного порядка, как надо пользоваться водой и что лучше вообще ею не пользоваться. Пришлось утром обтереться фланелевой тряпочкой. Я часто о тебе думаю, и меня утешает мысль, что, возможно, в эту самую минуту мы плывем по одному и тому же океану.

Джо-младший, уверена, передает тебе большой привет. Лягается, как мул, когда я пытаюсь заснуть!

Твоя Мэгги

Но было и то, о чем Маргарет не стала рассказывать Джо. О том, что первую ночь она провела без сна, прислушиваясь к звяканью цепей, хлопанью дверей вверху и внизу, истерическому хихиканью других женщин за тонкими переборками и к своим ощущениям от движения гигантской махины похожего на доисторическое животное корабля. О том, что переговорные трубы оживали каждые пятнадцать минут: «По местам!», «Мусорная баржа по борту!», «Вахте заступить по-походному!». О том, что сигнал к побудке, передаваемый по громкой связи, звучал как: «Подъем, подъем, всем вставать!» Правда, в пять тридцать Маргарет услышала более пикантную версию: «Подъем, подъем, всем вставать, руки с членов убрать, носки надевать!» О том, что у личного состава на этом корабле было столько разных званий и функций, что просто уму непостижимо: от морских пехотинцев до кочегаров-машинистов и летчиков. О том, что в столовой могли одновременно разместиться триста девушек, от которых шума было не меньше, чем от стаи скворцов, и что такой хорошей еды, как вчера за ужином, она уже два года не видела. О том, что буквально первый морской закон, который им велели зарубить себе на носу, был «дхоби[1] подводника»: на несколько секунд включить душ, чтобы намочить тело, затем выключить и только потом намыливаться, а затем быстро ополоснуться проточной водой. Жизненно важно, внушали им представители Красного Креста, экономно расходовать воду, чтобы насосные установки успевали ее опреснять и менять. Но после посещения душевых она поняла, что, наверное, является единственной, кто соблюдает данные инструкции.

За ее спиной, скрытая от посторонних глаз тщательно сложенным одеялом, спала Мод Гонн. После приветственной речи капитана Маргарет бегом вернулась в каюту — Дэниел сказал бы «протопала» — и заткнула пасть скулившей собаке украденными пресными лепешками, затем, во избежание конфуза, отнесла ее в уборную. Не успела Маргарет вернуться, как в каюту вошла Фрэнсис. И Маргарет пришлось срочно лечь, собаку спрятать под одеяло и положить ей руку на голову, чтобы не высовывалась.

Это стало целой проблемой. Маргарет рассчитывала, что получит отдельную каюту, ведь большинству беременных невест именно такие и предоставили. Ей даже в голову не могло прийти, что у нее будут соседки.

И она гадала про себя, можно ли доверять Фрэнсис, занимавшей койку напротив. На вид та вроде была нормальной, но настолько немногословной, что бог ее знает. Более

---

1 *Дхоби* — индийская каста, занимающаяся стиркой белья.

того, Фрэнсис работала медсестрой, а медсестры, как известно, строго придерживаются установленных правил.

Маргарет беспокойно заворочалась на койке, чувствуя, как вибрируют где-то внизу двигатели. Ей так много всего хотелось сказать Джо, поведать ему о странностях своего путешествия, о том, что неожиданно для себя она попала в странный мир, где девушки впадают в истерику не из-за своего будущего, а из-за торговой марки шампуня или чулок — «Ой, а где ты такие достала? Я их везде искала!» — и делятся интимными переживаниями, словно дружат уже много-много лет, а не познакомились лишь сутки назад.

Мама наверняка сумела бы мне объяснить, думала Маргарет. Она смогла бы найти с ними общий язык, перевести его на человеческий, а затем поставить точку с помощью парочки крепких словечек. Если бы я знала, что мама уйдет, то слушала бы ее гораздо внимательнее. Относилась бы к маминым словам с бо́льшим уважением, а не тратила бы понапрасну время, пытаясь равняться на братьев. А в результате в душе возникла незаживающая рана, которая постоянно давала о себе знать, поскольку многие вопросы так и остались без ответа.

Маргарет бросила взгляд на часы. Они, должно быть, сейчас едут на тракторе, расчищают мелкую поросль по краям луга для выпаса бычков, чем, собственно, занимаются каждое лето. Колм как-то в шутку сказал, что она непременно рехнется после всех этих недель в обществе женщин. А папа ответил, что, может, это, наоборот, научит ее уму-разуму. Маргарет украдкой изучала окружавшие ее чисто женские ловушки: шелк, нейлон, цветочные рисунки, а еще кремы для лица и маникюрные наборы. Она даже не ожидала, насколько чужды ей окажутся подобные вещи.

— Дать тебе мою подушку? — Фрэнсис оторвалась от своего романа и показала на живот Маргарет.

— Нет. Спасибо.

— Брось, тебе же так неудобно.

Это была самая длинная фраза, произнесенная Фрэнсис с тех пор, как они познакомились. Немного поколебавшись, Маргарет с благодарностью взяла подушку и подложила под бедро. Что правда, то правда: по ширине и комфорту их койки можно было сравнить разве что с гладильной доской.

— Тебе когда рожать?

— Примерно через пару месяцев, — ответила Маргарет, неуверенно поерзав на матрасе. — Хотя, полагаю, нам еще повезло. Ведь они могли дать гамаки.

Улыбка на лице Фрэнсис сразу угасла, словно, завязав разговор, девушка теперь не знала, о чем еще говорить. И она снова открыла книгу.

Мод Гонн поскуливала и беспокойно ворочалась во сне, скребя когтями по спине Маргарет. Но шум, слава богу, заглушали урчание двигателей и болтовня проходивших мимо их полуоткрытой двери девушек. Однако надо было срочно что-то делать. Мод Гонн не сможет пролежать так все шесть недель. И даже если Маргарет будет выводить ее только в уборную, не исключена вероятность, что там окажутся другие девушки. И как тогда заставить собаку сидеть смирно?

Господи, подумала она, снова пытаясь поудобнее устроить живот. Ну как тут соберешься с мыслями, когда ни минуты покоя: ребенок постоянно пихается, а вокруг день и ночь толпа женщин!

Дверь распахнулась, в каюту вошла Эвис, не забыв при этом пригнуть голову — ей вовсе не хотелось предстать перед Иэном с синяком на лбу, — и улыбнулась девушкам, лежавшим на нижних койках. Койки представляли собой положенные на сетку из переплетенных ремней матрасы, расстояние между ними составляло менее пяти футов, и чемоданчики с минимумом вещей были составлены у временной стенки из металлических листов, которая отделяла их каюту от соседней.

Все помещение было меньше туалета у нее дома. И никаких скидок на женский пол временных обитателей кают: ткани исключительно практичные, голый пол без ковра, все окрашено в серый цвет военного корабля. Зеркала были только в душевых, где вечно стояли облака пара. Чемоданы побольше, с одеждой и прочими вещами, хранились на шканцах в вонявших авиационным топливом шкафчиках, доступ туда можно было получить только по специальному разрешению на редкость неприветливой тетки из женской вспомогательной службы, которая уже дважды успела напомнить Эвис — причем явно из зависти, — что корабль не место для показа мод.

И вообще, Эвис страшно разочаровали ее попутчицы. Везде, где она побывала сегодня утром, ей встречались хорошо одетые девушки, вид которых однозначно свидетельствовал о том, что они стоят с Эвис на одной ступеньке социальной лестницы. В их компании она могла бы хоть на время забыть об ужасах этого корабля. Но нет, ей приходится делить каюту с беременной деревенской девчонкой и угрюмой медсестрой. Вопреки ожиданиям Эвис, медсестра смотрела на других немного свысока, словно после всех страстей, что ей довелось увидеть, остальные девушки, пытавшиеся хоть как-то развлечься, казались ей безмозглыми пустышками. Ну и конечно, эта прилипала Джин!

— Эй, там, товарищи по плаванию! — Джин забралась на верхнюю полку над головой Маргарет — ее голые худые конечности были точь-в-точь как у обезьянки — и закурила сигарету. — Мы с Эвис разведали, что́ тут есть на борту. На нижней галерейной палубе, ближе к баку, имеется кинозал. Кто-нибудь хочет попозже посмотреть кино?

— Нет. Но все равно спасибо, — ответила Фрэнсис.

— Пожалуй, я тоже останусь. Напишу пару писем. — Эвис залезла на верхнюю койку, старательно придерживая рукой юбку. Это оказалось не так-то просто. — Что-то я притомилась.

— А ты, Мэгги? — свесилась вниз Джин.

Увидев голову Джин, Маргарет подпрыгнула и сразу согнулась в три погибели. И Эвис подумала, что она еще более странная, чем показалась с первого взгляда. Маргарет, похоже, почувствовала, что ведет себя не вполне адекватно. Она пошарила у себя за спиной, достала журнал и с напускной беззаботностью открыла его.

— Нет, — сказал она. — Спасибо. Я... Я лучше отдохну.

— Ага. Тебе полезно. — Джин снова уселась на койке и сделала глубокую затяжку. — Не хватает только, чтобы ты здесь родила!

Эвис искала щетку для волос. Она несколько раз обшарила косметичку, затем слезла с койки и пристально посмотрела на попутчиц. Теперь, когда радостное возбуждение по поводу отъезда улеглось и она наконец осознала, в каких условиях ей придется провести следующие шесть недель, настроение у нее резко испортилось. А ее сияющая улыбка померкла.

— Простите за беспокойство, но никто из вас, случайно, не видел моей щетки для волос? — Она подумала, что это очень благородно с ее стороны не указывать сразу на Джин.

— А как она выглядит?

— Серебряная. С моими инициалами. По мужу, естественно. Э. Р.

— Наверху ее нет, — сказала Джин. — Когда двигатели заработали на полную, из чемоданов кое-что вывалилось. Ты на полу искала?

Эвис опустилась на колени, в душе проклиная тусклую лампочку без абажура под потолком. Если бы в каюте имелся иллюминатор, ей не пришлось бы так напрягать глаза. И правда, все стало бы гораздо приятнее с видом на море.

Она точно знала, что в каютах некоторых девушек иллюминаторы были. И не понимала, почему папа не удосужился поставить такое условие. И вот когда Эвис шарила рукой под койкой Фрэнсис, она вдруг почувствовала, как что-то мокрое и холодное коснулось внутренней поверхности ее бедра. С диким визгом она вскочила на ноги, ударившись головой о койку Фрэнсис.

— Что, ради всего святого...

Она даже стала заикаться из-за пронзившей голову дикой боли. Прижав юбку поплотнее к бедрам, она изогнулась, чтобы посмотреть, что там у нее за спиной.

— Кто это сделал? У кого это такое странное чувство юмора?

— А что случилось? — сделала большие глаза Джин.

— Меня кто-то шлепнул по заднице! Кто-то сунул свои холодные мокрые руки мне... — И Эвис, не в состоянии подобрать нужные слова, принялась подозрительно озираться, словно ожидая увидеть незаметно пробравшегося в каюту маньяка. — Меня кто-то шлепнул по заднице, — повторила она.

Все как воды в рот набрали.

Фрэнсис с непроницаемым лицом молча смотрела на Эвис.

— Я не выдумываю, — ощетинилась Эвис. Лицо ее пылало, сердце лихорадочно билось.

И тут все взгляды обратились на Маргарет, которая свесилась через край койки, бормоча что-то себе под нос. Эвис с вызывающим видом смотрела на нее круглыми глазами.

Маргарет бросила на Эвис виноватый взгляд. Потом подошла к двери, закрыла ее и тяжело вздохнула:

— Вот черт! Мне надо вам кое-что сказать. Я рассчитывала на отдельную каюту, потому что я... такая...

Эвис сделала шаг назад, что в тесноте каюты было отнюдь не легко.

— Какая «такая»? Господи! Надеюсь, ты не одна из этих... с отклонениями от нормы? О боже!

— С отклонениями от нормы? — переспросила Маргарет.

— Я знала, что мне не стоило ехать.

— Да беременная я, идиотка несчастная! Я рассчитывала на отдельную каюту, потому что я беременная!

— Неужели ты решила устроить под койкой гнездо? — поинтересовалась Джин. — Моя кошка так делала, когда окотилась. Ох и грязи же было!

— Нет, — отрезала Маргарет. — Не делала я никакого чертова гнезда! Послушайте, я все пытаюсь вам что-то сказать. — Лицо ее стало бордовым.

— У тебя что, такая манера извиняться? — Эвис воинственно сложила руки на груди.

— Это не то, что ты думаешь, — покачала головой Маргарет. Она встала на четвереньки, что-то ласково пропела и пошарила под койкой рукой. Через секунду она вытащила оттуда маленькую собачку.

— Девочки, — сказала она. — Познакомьтесь с Мод Гонн.

Девушки уставились на собаку, равнодушно смотревшую на них слезящимися глазами.

— А ведь я догадывалась! Догадывалась, что у тебя явно что-то на уме! — ликующим тоном произнесла Джин. — Еще когда мы стояли на полетной палубе, я сказала себе: «Эта Маргарет, она не так проста. Наверное, хитрая бестия».

— Ой, ради всего святого, — поморщилась Эвис. — Ты хочешь сказать, что это твоя...

— Эвис, твои штанишки все же тебе пригодились, а? — насмешливо произнесла Джин.

Фрэнсис внимательно смотрела на собаку.

— Но на борту запрещено держать домашних животных, — сказала она.

— Я знаю.

— Мне очень жаль, но можешь даже и не надеяться, что она будет сидеть смирно, — нахмурилась Эвис. — И в нашей спальне будет вонять.

В каюте воцарилось тягостное молчание, невысказанные мысли словно повисли в воздухе.

И тут беспокойство побороло природную деликатность Эвис.

— Мы шесть недель будем плыть на этой штуке. И где она будет делать свои делишки?

Маргарет села, пригнув голову, чтобы не стукнуться о верхнюю койку. Собака устроилась у нее на коленях.

— Она очень чистоплотная — и я хорошо все продумала. Вы ведь ничего не заметили прошлой ночью, да? Когда вы уснули, я выгуляла ее на палубе.

— Выгуляла на палубе?!

— А потом все убрала. Послушайте, она даже не лает. И я постараюсь, чтобы она «делала свои делишки» подальше от вас. Пожалуйста, не надо на меня доносить. Она... Очень старая... Ее подарила мне мама. И... — Маргарет отчаянно заморгала. — Это все, что у меня от нее осталось. Я не могу бросить Мод Гонн. Хорошо? — Девушки молча переглянулись. Маргарет даже покраснела от волнения. Она не хуже своих попутчиц понимала, что еще не пришло время для столь доверительных отношений. — Всего на несколько недель. Это действительно очень важно для меня.

В каюте снова повисло тягостное молчание. Медсестра опустила глаза:

— Если хочешь попробовать оставить ее здесь, я не возражаю.

— Я тоже, — подхватила Джин. — Если, конечно, она не будет грызть мою обувь. Она довольно миленькая. Для такого крысеныша.

Эвис понимала, что не может стать единственной, кто будет против: тогда все подумают, будто у нее нет сердца.

— А как насчет морских пехотинцев? — спросила она.

— Что?

— Тех, что будут стоять на часах у нас под дверью начиная с завтрашней ночи. Разве ты не слышала, что говорила тетка из женской вспомогательной службы? Тебе не удастся вывести собаку.

— Морские пехотинцы?! Зачем?

— Они заступают на дежурство в половине десятого. Наверное, чтобы нас никто не смог изнасиловать, — произнесла Джин. — Вы только представьте! Тысяча изголодавшихся мужчин лежат всего в футе под нами. Если они захотят, то вышибут дверь и...

— Ой, ради всего святого! — Эвис прижала руки к шее.

— И еще, — сально ухмыльнулась Джин, — возможно, это и для того, чтобы держать нас взаперти.

— Ну, тогда придется выводить ее до появления морских пехотинцев.

— На сходнях будет слишком много народу, — заметила Джин.

— Возможно, нам следует кому-нибудь сообщить, — сказала Эвис. — Не сомневаюсь, они поймут. Возможно, у них даже имеются... удобства на такой случай. Комната, куда ее можно поместить. Мне кажется, ей будет гораздо приятнее, если будет где побегать. Ведь так?

Нет, она не имела ничего против собак, но ей было неприятно, что кому-то все же удалось пронести что-то тайком. Ведь их багаж взвесили до последней унции, строго ограничили продуктовые посылки, заставили их оставить любимые вещи. А эта девчонка имела наглость всех обдурить.

— Нет, — отрезала Маргарет, ее лицо потемнело. — Ты ведь слушала сегодня утром нашего капитана. Мы еще слишком близко от дома. Они посадят собаку в шлюпку, чтобы отправить обратно в Сидней, и я больше ее никогда не увижу. Нет, я не могу рисковать. По крайней мере, не сейчас.

— Мы будем держать рот на замке, — сказала Джин, гладя собаку по голове. И у Эвис промелькнула мысль, что Джин будет поддерживать любое действие, ниспровергающее основы власти. — Правда, девочки? Это даже прикольно. Я буду таскать для нее вкусняшки с обеденного стола.

— Эвис? — подала голос Маргарет.

Ну вот, теперь меня будут считать занудой, подумала Эвис.

— Я ни слова никому не скажу, — выдавила она. — Только держи ее от меня подальше. И если тебя вдруг раскроют, уж будь любезна сообщить, что мы здесь ни при чем.

Глава 6

В команде корабля было тридцать пять — сорок морских пехотинцев, блестящие внешность и манеры, как правило, выгодно отличали их от нас, простых матросов, вызывая наше немалое удивление... Их латунные пуговицы и ботинки всегда сверкали, и весь внешний вид отличался особой изысканностью.

Л. Тромен. Вино, женщины и война

Второй день плавания

Д ля того чтобы отвлечь тех невест, у которых первоначальное возбуждение сменилось тоской по дому, уже на второй день плавания на авианосце «Виктория» им были предложены мероприятия, приведенные в торжественном выпуске «Ежедневных судовых новостей», а именно:

- 10.00   Протестантское богослужение (палуба Е).
- 13.00   Прослушивание музыкальных записей.
- 14.30   Палубные игры (полетная палуба).
- 16.00   Курсы вязания (четыре унции розовой или белой шерсти и две пары спиц в одни руки предоставляются Красным Крестом).
- 17.00   Лекция «Замужество и семейная жизнь», читает судовой капеллан.
- 18.30   Вечер игры в бинго (зона отдыха, главная палуба).
- 19.30   Католическая месса.

Из всего списка наибольший интерес вызвали палубные игры и вечер игры в бинго, а наименьший — лекция. Капеллан имел слишком суровый вид, и одна из невест остроумно заметила, что они не нуждаются в лекциях человека, который выглядит так, будто ему хочется помыться всякий раз, как он коснется проходящей мимо женщины.

Тем временем газета с замысловатым названием, которую с помощью двух невест выпускала одна из офицеров женской вспомогательной службы, сообщила о двух днях рождения: миссис Джозефин Данфорт (19-го) и миссис Элис Саттон (22-го) — и обратилась с просьбой к читательницам приходить со свежими сплетнями и с наилучшими пожеланиями, что поможет провести путешествие «в приятной и дружеской обстановке».

— Сплетни, а? — задумчиво произнесла Джин, которой вслух зачитали этот пассаж. — Зуб даю, к концу поездки у них будет столько материала, что хватит на двадцать чертовых газет.

Эвис встала сегодня пораньше, чтобы пойти на протестантское богослужение. Она надеялась, что в церкви ей удастся познакомиться с теми, кто больше подходит ей по социальному статусу. Ее возмутило, когда Маргарет объявила, что будет посещать католические мессы. Она еще ни разу не встречала папистов, как называла их ее мама, однако постаралась ничем не выдать своих чувств.

Джин, успевшая заявить, что не придерживается никакой веры (неудачный опыт с братом во Христе), собиралась на прослушивание музыкальных записей, поскольку рассчитывала, что там будут устроены танцы. Сообщив, что чувствует себя совсем как «кенгуру-валлаби, севший голой задницей на термитник», она в мгновение ока испарилась.

Маргарет, ласково поглаживая собаку, лежала на койке и читала один из журналов Эвис. Время от времени она презрительно фыркала:

— Здесь написано, что нельзя слишком часто спать на боку, а иначе будут морщины. А как, черт возьми, можно спать по-другому?!

Правда, затем она вспомнила, что Эвис, накрутив волосы на бигуди, лежала на спине, испытывая явные неудобства, и решила в будущем воздержаться от подобных комментариев.

Тем временем Фрэнсис воспользовалась удобным случаем и, ни слова не говоря, исчезла из каюты. Одетая в некое подобие ее прежней формы — брюки цвета хаки и блузка с коротким рукавом, — она незаметно проскользнула по коридору, здороваясь кивком с проходящими мимо девушками, и спустилась по трапу.

Ей пришлось дважды постучаться, чтобы наконец получить ответ, но даже тогда она слегка отпрянула и проверила еще раз табличку на двери.

— Входите.

Она вошла в лазарет, где вдоль стен стояли высокие — от пола до потолка — застекленные стеллажи с баночками и аптечными склянками. За столом сидел мужчина в штатском, с прилизанными короткими рыжими волосами. У него было веснушчатое лицо и глаза в сеточке морщин, должно быть от привычки постоянно щуриться, но, судя по его поведению, скорее от смешливости характера.

— Да входите же. А то из-за вас помещение выглядит неряшливо. — (Фрэнсис зарделась, поняв, что он шутит, и нерешительно шагнула к нему.) — Ну, на что жалуетесь? — Он водил рукой по столу, будто в такт одному ему слышимому ритму.

— Ни на что. — Она расправила плечи, ее спина в накрахмаленной блузке казалась негнущейся. — Вы хирург? Мистер Фарадей?

— Нет. — Он посмотрел на Фрэнсис, явно прикидывая, как бы ее развеселить. — Винсент Даксбери. Штатский пассажир. Вы, наверное, приняли меня за другого. Он, хм... не смог продолжить плавание. Поэтому капитан Хайфилд попросил меня заступить вместо него. И, если честно, определил некий стандарт развлечений на борту, которому я счастлив следовать. Так чем могу быть полезен?

— Не уверена, что можете. — Она была явно сбита с толку. — По крайней мере, не совсем так, как вы думаете. Фрэнсис Маккензи. Медсестра Фрэнсис Маккензи. Насколько я слышала, некоторым невестам разрешили исполнять секретарские обязанности или вроде того. Поэтому и хочу предложить вам свои услуги.

Винсент Даксбери пожал ей руку и жестом пригласил садиться.

— Медсестра, а? Я не сомневался, что на борту все же есть несколько. И каков ваш опыт работы?

— Пять лет на островах Тихого океана. Последнее место службы — Австралийский главный военный госпиталь за номером 2/7, Моротай. — Она с трудом поборола желание добавить слово «сэр».

— Мой двоюродный брат был в японском плену. Вернулся в сорок третьем. А ваш муж?

— Мой? О... — Она явно смутилась. — Альфред Маккензи. Королевские уэльские фузилеры.

— Королевские уэльские фузилеры... — медленно, со значением повторил он.

Она сложила руки на груди.

Доктор Даксбери откинулся на спинку кресла, поигрывая горлышком бутылки из коричневого стекла. Он так и остался в куртке, хотя явно сидел здесь давно. Внезапно до нее дошло, что запах алкоголя был не совсем медицинским.

— Итак... — (Она терпеливо ждала, стараясь не бросать строгих взглядов на этикетку бутылки.) — Значит, вы хотите нести службу. Эти шесть недель.

— Если могу быть полезной, то да. — Она сделала глубокий вдох. — Я умею обрабатывать ожоги, лечить дизентерию и восстанавливать органы пищеварения. У бывших военнопленных.

— О-хо-хо.

— Я не слишком хорошо разбираюсь в гинекологии или акушерстве, но, по крайней мере, смогу помочь в лечении моряков. Я наводила справки на госпитальном судне «Ариадна», которое было моим последним местом службы, и мне сказали, что на авианосцах отмечается несоразмерное число травм, особенно во время летних учений.

— Все правильно, миссис Маккензи.

— Итак... Доктор, дело даже не в том, что я хочу с пользой провести время на борту. Я была бы весьма благодарна, если бы мне предоставили возможность набраться еще опыта... — сказала она и, не получив ответа, добавила: — Я быстро учусь.

В разговоре возникла длинная пауза. Она подняла на него глаза, смутившись под его пристальным взглядом.

— Вы поете? — неожиданно спросил он.

— Простите?

— Поете, миссис Макензи. Ну, знаете, всякие там песни из мюзиклов, церковные гимны, арии из опер. — Он принялся напевать себе под нос какую-то незнакомую мелодию.

— Боюсь, что нет, — ответила она.

— Жаль. — Он сморщил нос, затем хлопнул рукой по столу. — Я надеялся, что мы сможем собрать вместе всех наших девушек и поставить какое-нибудь шоу. Какая прекрасная возможность, а?

Коричневая бутылка, которую она заметила, была пуста. Ей так и не удалось разобрать, что же написано на этикетке, но теперь после каждого слова доктора запах того, что некогда было содержимым бутылки, становился все ощутимее.

— Доктор, не сомневаюсь, это была бы... очень полезная идея... — Она попыталась собраться с духом. — Но мне хотелось бы знать, сможем ли мы просто обсудить...

— «Так давно и так далеко...»[1] А вы знаете «Плавучий театр»?[2]

— Нет, — ответила она. — Боюсь, что нет.

— Жаль. А «Старик-река»?[3] — Закрыв глаза, он принялся напевать себе под нос.

Она сидела, сложив руки на коленях, и мучительно размышляла, можно ли его перебить.

— Доктор? — (Пение плавно перешло в низкое мелодичное мурлыканье. Его голова была откинута назад.) — Доктор, у вас есть какие-нибудь идеи насчет того, когда мне можно приступать?

— «Он просто продолжает накатывать свои волны...»[4] — Доктор приоткрыл один глаз. Допел строчку до конца. — Миссис Маккензи?

— Если хотите, я могу начать прямо сегодня. Если сочтете, что я могу... оказаться полезной. У меня в каюте есть форма. Я специально оставила ее в сумке.

Он сразу перестал петь. И широко улыбнулся. А ее мучил вопрос: неужели так будет каждый день? Тогда ей придется тайно пересчитывать бутылки, как было в случае с доктором Арбатнотом.

— Знаете, что я хочу вам сказать, Фрэнсис? Можно мне называть вас Фрэнсис? — Он направил на нее горлышко бутылки. У него был такой вид, будто он наслаждался возможностью проявить необычайное великодушие. — Я собираюсь сказать вам, чтобы вы уходили.

— Простите?

— Я вас, наверное, уже достал, да? Нет, Фрэнсис Маккензи. Вы пять лет служили своей стране и моей тоже.

---

1   Слова песни из музыкального фильма 1944 года с участием Риты Хейворт и Джина Келли.
2   *Плавучий театр* — мюзикл 1936 года.
3   Песня из мюзикла «Плавучий театр».
4   Слова из песни «Старик-река».

И имеете право на маленькую передышку. И я собираюсь прописать вам шестинедельный отпуск.

— Но я хочу работать, — нахмурилась она.

— Никаких «но», миссис Маккензи. Война окончена. И уже через несколько недель, которые пролетят как один миг, у вас будет самая важная в вашей жизни работа. Вы и оглянуться не успеете, как станете нянчить собственных ребятишек, и, можете мне поверить, по сравнению с этим уход за ранеными солдатами покажется вам плевым делом. Уж кто-кто, а я точно знаю. Три мальчика и девочка. И каждый как динамо-машина. — Он начал загибать пальцы, чтобы сосчитать детей, затем обреченно покачал головой, словно не справившись с дистанционной оценкой своих отпрысков. — И я хочу, чтобы начиная с сегодняшнего дня это стало единственной работой, которая будет вас интересовать. *Настоящая женская работа*. И хотя я действительно наслаждаюсь обществом столь привлекательной молодой женщины, я настаиваю на том, чтобы и вы начали наслаждаться последними днями свободы. Сделайте прическу. Посмотрите кино. Почистите перышки перед встречей с вашим стариком. — (Она молча смотрела на него во все глаза.) — Все. Можете идти. Да идите же вы, наконец! — (Ей потребовалось несколько секунд, чтобы осознать, что она получила отказ. Он оттолкнул ее протянутую руку.) — И получайте удовольствие! Спойте пару песенок! «Уступи место завтрашнему дню»[1].

И пока она поднималась по трапу, у нее в ушах стояло его пение.

В тот вечер морской пехотинец появился за минуту до половины десятого. Очень стройный, с темными прилизанными волосами и экономными движениями человека, привыкшего быть невидимым, он заступил на пост у две-

---

1   Слова из песни к одноименному фильму 1937 года.

рей их спальни и остался стоять, ноги на ширине плеч, спиной к двери, глядя прямо перед собой. Он отвечал также за две каюты, по обеим сторонам от их собственной, и еще за пять кают. Остальные морские пехотинцы были расставлены через равные промежутки друг от друга.

— Чтобы так не доверять людям! Один — прямо под нашей дверью, — пробормотала Маргарет.

Невесты читали или писали, лежа на койках, а Эвис красила ногти лаком, купленным в лавке военторга при офицерской кают-компании. Лак оказался не того оттенка, но, как уже успела понять Эвис, для того чтобы пережить столь нелегкое путешествие, необходимо себя немножко баловать.

Услышав тяжелые шаги в коридоре и увидев сквозь полуоткрытую дверь спину часового, девушки переглянулись. Маргарет инстинктивно посмотрела на спящую собаку. Они ждали, что он поздоровается или даст им хоть какие-то инструкции, однако он просто стоял как вкопанный.

Без четверти десять Джин вышла в коридор и предложила ему сигарету. И когда он отказался, небрежно закурила и принялась засыпать его вопросами. А где находится кинозал? Кормят ли моряков тем же самым, что и невест? Любит ли он картофельное пюре? Он отвечал односложно, улыбнувшись всего один раз, когда она поинтересовалась, а что он делает, когда ему надо в сортир. («Боже мой, Джин!» — пробормотала за дверью Эвис.)

— Мы приучены терпеть, — сухо произнес он.

— А где вы спите? — кокетливо спросила она, прислонившись к идущей по стене трубе.

— В своем кубрике, мэм.

— А где он находится?

— Служебная тайна.

— Не вешайте мне лапшу на уши. — (Морпех с каменным лицом смотрел прямо перед собой.) — Мне просто интересно. — Она подошла поближе и заглянула ему в лицо. — Ой, да бросьте! Мои игрушечные солдатики и то более разговорчивы.

— Мэм.

Она явно собиралась пустить в ход тяжелую артиллерию. Обычное оружие, похоже, на него не действовало.

— По правде говоря, — начала она, смяв окурок, — я хотела вас кое о чем спросить, но стесняюсь.

Моряку явно все это надоело. И немудрено, подумала Эвис.

Джин задумчиво описывала полукруг носком туфли.

— Пожалуйста, никому не говорите, но я совершенно не ориентируюсь, — сказала она. — Мне очень хотелось бы немного пройтись, но сегодня я уже дважды заблудилась, и остальные девушки надо мной потешаются. Поэтому как-то неловко их просить. Я сегодня даже пропустила обед, потому что не нашла столовую. — (Морпех немного расслабился. Он слушал очень внимательно.) — Понимаете, это потому, что мне всего шестнадцать. Вообще-то, я не очень-то успевала в школе. Чтение и прочие дела. И я не могу... — Она перешла на трагический шепот. — Не могу разобрать карту корабля. Может, вы мне ее объясните, ладно?

Морпех явно колебался, но не выдержал и сдался.

— На доске объявлений есть карта. Если хотите, могу вам все показать. — Он говорил тихим, но очень звучным голосом.

— Ой, да неужели?! — наградив его неотразимой улыбкой, воскликнула Джин.

— Чтоб мне провалиться, она великолепна! — бросила стоявшая под дверью Маргарет.

Когда Маргарет с Эвис выглянули в коридор, парочка уже стояла перед большой картой примерно в пятнадцати футах от трапа. Маргарет вышла из каюты в халате, с несуразно большой сумочкой для туалетных принадлежностей в руках и, проходя мимо, весело помахала им рукой. Морпех отдал ей честь и, повернувшись к Джин, продолжил объяснять, как с помощью карты пройти, например, с ангарной палубы в прачечную. Джин явно ловила каждое его слово.

— Нет, все равно не то, — вернувшись, заявила Маргарет. Она тяжело опустилась на койку, а собака тем временем бегала по каюте, деловито обнюхивая пол. — Это не прогулка. Я хочу сказать, что она ведь привыкла бегать по полям.

Эвис, которая сидела перед дорожным зеркалом и втирала в лицо кольдкрем, так и подмывало сказать, что раньше надо было думать, но она вовремя прикусила язык. Ее сейчас гораздо больше волновало то, что морской воздух просто ужасно действует на кожу, а очень не хотелось при встрече с Иэном выглядеть как кусок бомбейской утки[1].

Дверь открылась.

— Высший класс, — увидев ухмыляющуюся Джин, сказала Маргарет. — Джин, ты была просто неподражаема.

Джин самодовольно улыбнулась.

— Ну вот, девочки, теперь вы поняли... — начала она и остановилась. — Чтоб мне провалиться! Эвис, что у тебя со ртом? Ты похожа на морского окуня.

Эвис поспешно закрыла рот.

— Джин, ты даже не представляешь, как я тебе благодарна! — воскликнула Маргарет. — Я даже и не надеялась, что он хотя бы на шаг стронется с места. Я имею в виду, что твои слова, будто ты не умеешь читать, — просто мастерский ход.

— Что?

---

1   *Бомбейская утка* — разновидность рыбы, которая водится в Аравийском море, особенно у побережья Бомбея. Из-за того что рыба не имеет собственного вкуса, перед употреблением ее часто сушат и солят.

— Я бы до такого в жизни не додумалась. Уж кто-кто, а ты точно на ходу подметки рвешь!

Джин наградила ее странным взглядом.

— У меня и в мыслях не было, подруга, — сказала Джин и, уставившись в пол, добавила: — Не могу прочесть ни слова. Кроме собственного имени. И никогда не могла.

В каюте повисло неловкое молчание. Эвис пыталась понять, не является ли это очередной дурацкой шуткой Джин, но та даже не улыбнулась.

Затянувшуюся паузу нарушила Джин.

— Твою мать, а это что такое?! — принялась она обмахиваться обеими руками.

Возникло секундное замешательство, но затем гнилостный запах в каюте объяснил вспышку ее эмоций.

— Простите, дамы, — поморщилась Маргарет. — Я говорила, что она очень чистоплотная, но не обещала, что она не будет пукать.

Джин разразилась истерическим смехом, и даже Фрэнсис выдавила страдальческую улыбку.

Эвис возвела глаза к небесам и подумала, пытаясь унять горечь в душе, о «Куин Мэри».

И вот на вторую ночь на нее навалилась тоска по дому. Маргарет лежала с открытыми глазами в темной каюте, прислушиваясь к надрывному скрипу коек под ворочающимися товарками. Как ни странно, именно изнеможение не давало ей спокойно уснуть. Ей казалось, что она в порядке. Странность всего происходящего и волнение во время отплытия из бухты на время заставили ее забыть о новом окружении. Теперь же, когда она представляла их корабль посреди океана, в чернильной темноте, то испытывала иррациональный страх и детское желание повернуть назад, чтобы найти защиту под кровом родного дома, вне стен которого она доселе не провела ни одной ночи. Братья, должно быть, уже собираются отправиться на боковую. Она представляла, как они расположились, вытянув длинные ноги, за кухонным столом — с тех пор как ушла мать, они практически не пользовались гостиной, — слушают радио, играют в карты, Дэниел читает комикс, а Колм, возможно, заглядывает ему через плечо. Папа, наверное, в своем любимом кресле, руки за головой, на локтях потертые заплаты, глаза закрыты, словно он уже готовится ко сну. Он, как всегда, молчит и только время от времени кивает. Летти, скорее всего, что-то шьет или полирует, вероятно сидя на том же стуле, что некогда занимала мама.

Летти, с которой она так подло поступила.

Маргарет вдруг захлестнула мысль, что ей больше не суждено их увидеть, и она принялась нервно покусывать палец, надеясь физической болью заглушить душевную.

Она вздохнула и погладила Мод Гонн, уткнувшуюся под одеялом в низ ее живота. Нет, конечно, не следовало брать с собой собачку — это было крайне эгоистичным решением. Ведь она, Маргарет, даже не подумала, как тяжело будет Мод Гонн сутками сидеть взаперти в тесной, шумной каюте. Ведь даже самой Маргарет оказалось очень нелегко, хотя она при желании могла подняться на другие палубы. Прости меня, беззвучно сказала она собаке. Обещаю, что, когда мы прибудем в Англию, я тебе все с лихвой компенсирую. Слеза скатилась по ее щеке.

Снаружи морской пехотинец, сменив положение ног на стальной палубе, тихо поприветствовал кого-то, проходившего мимо. Она услышала, как его рубашка трется о дверь. Где-то вдали по металлическому трапу прогромыхали тяжелые шаги. На верхней койке Джин что-то сонно пробормотала, а Эвис спрятала украшенную бигуди голову под одеяло.

Маргарет еще ни разу не приходилось делить с кем-то комнату — привилегия, полученная благодаря тому, что она была единственной девочкой в семействе Донливи.

И теперь она буквально задыхалась в этой крошечной спальне, с закрытой дверью, без единого луча света и глотка свежего воздуха. Она спустила ноги на пол и села. Я не могу этого сделать, сказала она себе, прикрывая колени широкой ночной рубашкой, но я должна собраться. Маргарет вспомнила о Джо, о ласковом, слегка насмешливом выражении его лица.

— Держись, старушка, — прошептала она, чтобы напомнить себе, почему отправилась в это рискованное путешествие.

— Маргарет? — прорезал темноту голос Джин. — Ты что, куда-то собралась?

— Нет, — отозвалась Маргарет, скользнув обратно под одеяло. — Нет, просто... — Она не знала, как объяснить. — Просто не спится.

— Мне тоже.

Ее голосок казался непривычно тонким. И Маргарет внезапно почувствовала острый приступ жалости. Ведь Джин, в сущности, еще совсем ребенок.

— Хочешь спуститься ко мне? — спросила она.

Джин, цепляясь за ступеньки худенькими ножками, тут же ловко спустилась по лестнице и примостилась на другом конце койки.

— Там, наверху, вообще нет места, — хихикнула она, и Маргарет неожиданно для себя хихикнула в ответ. — Только не давай своему ребеночку меня пинать. И не позволяй своей собаке совать нос ко мне в штаны.

Они несколько минут лежали молча. Маргарет так и не смогла решить для себя, приятно ли ей чувствовать кожей чужое тело, или наоборот. Джин беспокойно поерзала, суча ногами, и Маргарет почувствовала, что Мод Гонн насторожённо подняла голову.

— А как зовут твоего мужа? — неожиданно спросила Джин.

— Джо.

— А моего — Стэн.

— Ты уже говорила.

— Стэн Каслфорт. Во вторник ему стукнет девятнадцать. Его мамаша не слишком-то обрадовалась, когда он сообщил, что женился, но он говорит, будто сейчас она немного утихомирилась.

Маргарет легла на спину, уставившись в темноту. Она вспомнила о ласковых письмах от матери Джо и мысленно задала себе вопрос, что заставило эту женщину, еще не вышедшую из детского возраста, отправиться в одиночку на другой конец света: смелость или безрассудство.

— Уверена, как только вы познакомитесь, она сразу оттает, — произнесла Маргарет, чтобы нарушить затянувшееся молчание.

— Он из Ноттингема, — сообщила Джин. — Знаешь такой?

— Нет.

— Я тоже. Но он говорил, что Робин Гуд родом оттуда. Вот я и прикинула, что там, наверное, кругом лес.

Джин снова заерзала, словно что-то искала.

— Ничего, если я закурю? — свистящим шепотом произнесла она.

— Валяй.

Вспыхнувший на мгновение язычок пламени осветил лицо Джин, она сосредоточенно прикуривала сигарету. Затем спичка погасла, и каюта снова погрузилась во тьму.

— Я вот думаю о Стэне. Он у меня о-го-го какой! Ну, ты понимаешь, — начала Джин. — Ужасно красивый. Все мои подруги так думают. Мы встретились возле кино, и он с приятелем предложил заплатить за билеты для нас с подружкой. «Безумства Зигфилда»[1]. В цвете. — Она шумно

---

1 «Безумства Зигфилда» — фильм-концерт из номеров шоу, поставленных американским антрепренером Флоренцом Зигфилдом.

вздохнула. — И он мне сказал, что с самого Портсмута не поцеловал ни одну девушку, и я, естественно, не могла сказать «нет». Они еще не успели спеть «Это мое сердце», а он уже залез мне под юбку. — (И Маргарет услышала, как она что-то мурлычет себе под нос.) — Я выходила замуж в платье из парашютного шелка. Моя тетя Мейвис достала его у одного американского солдата, занимавшегося левыми радиоприемниками. А вот мама все это как-то не слишком одобряла. — Она помолчала. — И вообще, я гораздо лучше лажу с тетей Мейвис. Всегда с ней ладила. Мама считает, что я никудышная и совсем пропащая.

Перевернувшись на бок, Маргарет вдруг подумала о своей матери. О ее непреклонности, властности и вездесущности, о ее веснушчатых руках, по сто раз на день закалывавших выбившуюся из прически прядь волос. И у девушки вдруг пересохло во рту.

— Скажи, а вы делали что-то по-другому, чтобы... Ну, ты понимаешь.

— Что?

— Вам пришлось делать что-то по-другому... чтобы получился ребеночек?

— Джин!

— Что?! — возмутилась Джин. — Но кто-то ведь должен мне объяснить!

Маргарет осторожно села, стараясь не стукнуться головой о верхнюю койку.

— Ты сама должна знать.

— Тогда зачем бы я спрашивала?! Разве не так?

— То есть ты хочешь сказать, что тебе никто никогда не рассказывал... о птичках и пчелках?

— Я знаю, куда он вставляется, — фыркнула Джин, — если ты об этом говоришь. Как раз то, что мне очень даже нравится. Но я не знаю, что надо сделать, чтобы получить ребеночка.

Маргарет буквально онемела от удивления. И тут с верхней койки послышался сердитый голос:

— Если ты так неотесанна, что можешь обсуждать подобные вещи с другими, то, по крайней мере, старайся не шуметь. Некоторые из нас пытаются уснуть.

— Зуб даю, Эвис точно знает, — хихикнула Джин.

— А мне казалось, ты говорила, будто потеряла ребенка, — многозначительно произнесла Эвис.

— Ой, Джин, мне так жаль! — Маргарет невольно прижала руку ко рту.

В разговоре возникла неловкая пауза.

— Если честно, — отозвалась Джин, — я по-настоящему и не была беременна. — (Маргарет услышала, как Эвис заворочалась под одеялом.) — Так вот, у меня задержались... сами знаете что. И моя подружка Полли объяснила, что я, того-этого, залетела. Ну, я так и сказала. Я знала, что тогда меня возьмут на корабль. Хотя когда я прикинула числа, то сообразила, что никак не могла, если вы понимаете, о чем я. А потом они дважды отложили медицинскую проверку. И тогда я соврала, что потеряла ребеночка, и начала горько плакать, потому что и сама уже успела поверить. Медсестричка меня пожалела и сказала, зачем кому-то знать, так это или не так, ведь самое главное — доставить меня к моему Стэну. Мэгги, наверное, поэтому меня и поместили к тебе. — Она сделала глубокую затяжку. — Вот такие дела. Я не нарочно врала. — Она перекатилась на другой бок, достала туфлю и затушила сигарету о подошву. В голосе ее появились агрессивные нотки. — Но если кто-нибудь из вас меня заложит, я в любом случае скажу, что потеряла ребенка уже на борту. Так что нет смысла стучать на меня.

Маргарет сложила руки на животе:

— Джин, никто не собирается стучать на тебя.

Эвис демонстративно промолчала.

Снаружи, где-то вдалеке, послышался звук сирены, предупреждающей о тумане. На одной низкой заунывной ноте.

— Фрэнсис? — сказала Джин.

— Она спит, — прошептала Маргарет.

— А вот и нет. Я видела ее глаза, когда прикуривала. Фрэнсис, ты ведь меня не заложишь, да?

— Нет, — отозвалась Фрэнсис. — Не заложу.

Джин вылезла из кровати, потрепала Маргарет по ноге и проворно забралась к себе на койку, а потом еще долго шебуршилась, устраиваясь поудобнее.

— Да ладно вам, — наконец произнесла она. — Так кому из вас нравится это делать и откуда все-таки берутся дети?

С полетной палубы тысячефунтовая бомба, сброшенная с бомбардировщика «Штука»[1], выглядит совсем как пивная бочка. Беззаботно и весело она выкатывается, словно из пивного подвала, из подбрюшья зловещего маленького самолетика, защищаемого с флангов истребителями. На секунду застывает в воздухе, а затем — в окружении своих собратьев — плывет вниз, в сторону корабля, нацеленная, точно невидимой рукой, прямо на палубу.

Именно об этом думает, среди прочего, капитан Хайфилд, глядя в глаза надвигающейся смерти. Об этом, а еще о том факте, что, когда столб пламени поднялся с бронированной палубы, окружая командный центр корабля и распространяя жар раскаленного металла, он, капитан, охваченный всепоглощающим ужасом — момент, который он всегда предвидел, — забыл нечто очень важное. Нечто такое, что он непременно должен был сделать. И даже в состоянии ступора он безотчетно осознает, как смехотворно

---

[1] «Юнкерс Ю-87», или «Штука» — немецкий пикирующий бомбардировщик, принятый на вооружение люфтваффе.

думать о невыполненном задании сейчас, перед лицом неминуемой гибели.

Здесь, в адском пламени бушующего огня, стоя среди сыплющихся дождем бомб, вдыхая запах горящего масла и слушая, не в силах заткнуть уши, крики своих моряков, он поднимает глаза туда, где должен быть самолет, но самолета этого уже практически нет. Потому что он тоже объят пламенем, желтые языки которого лижут кабину пилота и поднятые вверх почерневшие крылья, а за стеклом кабины — пока еще нетронутое огнем лицо Харта, в его обращенных на капитана глазах застыл немой вопрос.

Прости, всхлипывает Хайфилд, хотя в стоящем кругом адском реве молодой человек вряд ли может его услышать. Прости меня.

Проснувшись — подушка мокрая от слез, над безмятежным океаном черное небо, — он продолжает твердить в ночной тишине покаянные слова.

Глава 7

У меня, как и у многих других, были смешанные чувства — любви и одновременно ненависти — к «Вику». Мы ненавидели жизнь на корабле, но восхищались им как боевой единицей. Мы проклинали его в своем кругу, но не позволяли посторонним сказать о нем худого слова... Этот корабль приносил удачу. А моряки ведь так суеверны.

Л. Тромен. Вино, женщины и война

Двумя неделями раньше

Согласно записям в судовом журнале, авианосец «Виктория» участвовал в боевых действиях в Северной Атлантике, Тихом океане, а также у острова Моротай, где, с самолетами «корсар» на борту, помогал оттеснить японцев и даже получил в ходе операции боевые шрамы. В течение последних нескольких лет авианосец, как и многие другие корабли, неоднократно бросал якорь на верфях в Вуллумулу, чтобы отремонтировать пробитый минами корпус, заделать пробоины от пуль и торпед — словом, залечить жестокие раны войны, прежде чем снова выйти в море, взяв на борт моряков, готовых — после того как их подлатали на берегу — идти в бой.

Капитана Джорджа Хайфилда время от времени посещали странные мысли, и иногда, проходя мимо сухого дока и разглядывая сквозь пелену тумана корпуса «Виктории» и соседних кораблей, он позволял себе думать о судах как о своих собратьях. Невозможно было не видеть их страданий от того или иного увечья и каким-то образом не одушевлять их — уж коли они связали с тобой свою судьбу, отдали тебе себя целиком, покоряли с тобой водную и огненную стихии. У него даже появились любимчики, что и немудрено за сорок лет службы. Корабли, которые он однозначно считал своими. Тот редкий случай волшебного единения человека и судна, когда каждый член экипажа был готов пожертвовать ради него жизнью. И расставаясь с очередным кораблем, капитан всегда тайком смахивал непрошеную слезу, а иногда — когда тот оказывался потоплен — не старался скрыть эмоций. Должно быть, нечто подобное предыдущие поколения мужчин на войне испытывали к своим лошадям.

— Бедная старушка, — пробормотал он, разглядывая дыру в боку «Виктории».

Корабль был страшно похож на авианосец «Индомитебл», на котором капитан служил до того.

Хирург велел ходить с тростью. И, как подозревал Хайфилд, сказал остальным, чтобы ни в коем случае не разрешали ему выходить в море.

— В вашем возрасте такие вещи заживают очень долго, — заметил врач, разглядывая багровый шрам в том месте, где металл разрезал ткани до кости, и бугристый след от ожога вокруг. — Капитан, я не уверен, что вы пока можете вернуться в строй.

В то утро Хайфилд выписался из госпиталя.

— Мне надо отвести свой корабль домой, — решительно закрыл он тему. Разве он мог позволить, чтобы на этом этапе его вчистую списали по инвалидности?!

Хирург, как и все остальные, промолчал. Иногда Хайфилду казалось, что никто не знает, что говорить в подобных случаях. Но он никого особо не винил: на их месте он поступил бы точно так же.

— А, Хайфилд. Мне сказали, что вы здесь.

— Сэр. — Капитан остановился и отдал честь.

Не обращая внимания на легкий дождик, адмирал отмахнулся от сопровождавшего его офицера с зонтиком в руках. Над их головой кружились чайки, пикируя в море, их пронзительные крики замирали в тумане.

— Ну, что с ногой? Уже лучше?

— Все прекрасно, сэр. Совсем как новенькая, — ответил он, заметив, что адмирал покосился на его ногу.

Моряки любили говорить: когда на горизонте появляется какой-нибудь адмирал, то никогда не знаешь, что тебе делать, — то ли надраивать пуговицы для торжественного построения, то ли готовиться к хорошей головомойке. Но Макманус относился к совершенно иному типу начальников. Большинство адмиралов просиживали штаны за письменным столом и поднимались на палубу корабля за день до начала похода, чтобы погреться в лучах его славы. Адмирал Макманус оказался редкой птицей: он всегда находился в курсе того, что происходит в доках, был посредником в спорах, проверял политический климат, во всем сомневался и абсолютно ничего не упускал.

Хайфилд с трудом поборол желание снова перенести тяжесть тела на другую ногу. И неожиданно понял, что адмирал, возможно, знает и об этом.

— Решил сходить посмотреть на «Викторию», — сказал Хайфилд. — Несколько лет ее не видел. Со времен конвоев в Адриатике.

— Ну, с тех пор корабль слегка изменился, — заметил Макманус. — Его здорово потрепало.

— Полагаю, это можно сказать о каждом из нас, — осмелился пошутить Хайфилд, и Макманус оценил его юмор легкой улыбкой.

Они медленно направились к докам, непроизвольно шагая в ногу.

— Итак, Хайфилд, вы в отличной форме и готовы выйти в море, да?

— Сэр.

— То, что случилось, просто ужасно. Знаете, ведь мы все вам очень сочувствовали. — (Хайфилд продолжал смотреть прямо перед собой.) — Да, Харт мог бы очень далеко пойти. Он здорово отличался от всех этих летчиков. Чертовски обидно. Ведь вы уже были почти дома.

— Сэр, я написал его матери, пока лежал в госпитале.

— Да. Хороший человек. Вы правильно поступили.

Хайфилду было неловко выслушивать похвалу адмирала, ведь он ничего особенного не сделал. И вдруг обнаружил — как всегда, когда речь заходила об этом парне, — что не в силах произнести ни слова.

Когда молчание затянулось на несколько минут, адмирал остановился и повернулся к нему лицом:

— Вы не должны себя ни в чем винить.

— Сэр.

— Я слышал, вы приняли это немного... слишком близко к сердцу. Ну, на долю каждого из нас выпали подобные утраты, и каждый из нас лежал ночью без сна, терзаясь вопросом, можно ли было предотвратить случившееся. — Его оценивающий взгляд скользнул по лицу Хайфилда. — У вас не оставалось выбора. И все это понимают. — (Хайфилд внутренне напрягся. Он не мог заставить себя посмотреть адмиралу в глаза.) — Я абсолютно серьезно. И если оставшиеся члены вашего экипажа отдадут военной службе столько же лет, сколько вы, то они еще не такого успеют навидаться. Хайфилд, только не надо зацикливаться. Такое случается. — Макманус замолчал, будто целиком ушел в свои мысли.

Хайфилд решил последовать его примеру, и внезапно наступившую тишину нарушали лишь звуки шагов по скользкой дороге да глухое бормотание подъемных кранов.

Они уже почти подошли к трапу. Отсюда можно было увидеть, как механики на борту судна заменяют искореженные листы металла, услышать грохот молотка, жужжание сверла и треск сварочного аппарата, говорившие о том, что в ангарах уже вовсю трудятся сварщики. Бригада работала в поте лица, однако на сером гладком металле пока еще виднелась обугленная трещина. Конечно, корабль вряд ли займет первое место на конкурсе красоты, но, глядя на него, Хайфилд вдруг почувствовал, что боль последних мучительных недель постепенно уходит.

Возле трапа они слегка помедлили и, прищурившись, подняли глаза навстречу дождю. У Хайфилда снова разболелась нога, и он начал было подумывать о том, чтобы незаметно сменить позу.

— Итак, Хайфилд, что вы будете делать, когда вернетесь домой?

— Ну, подам в отставку, сэр, — слегка замявшись, ответил Хайфилд.

— Черт, я не о том. Я хочу сказать, чем вы сможете себя занять? У вас есть хобби? И нет ли, случайно, где-нибудь поблизости миссис Хайфилд, которую вы успешно прятали от нас все эти годы?

— Нет, сэр.

— О...

Хайфилду показалось, что адмирал его жалеет. Ему хотелось объяснить адмиралу, что он никогда не страдал из-за отсутствия в его жизни женщины. Ведь стоит подпустить к себе женщину чуть поближе — и ты уже никогда не будешь счастлив. Он видел, как его моряки во время плавания скучали по своим женам, но, оказавшись на суше в бабьем царстве, злились и раздражались. Хотя теперь он предпочитал не касаться данной темы, так как, когда он пытался что-то сказать своим людям, те отвечали ему лишь удивленными взглядами.

Адмирал снова повернулся к «Виктории».

— Ну, значит, вы, слава богу, не приговорены к пожизненному заключению. Не так ли? Полагаю, мы смогли бы не получить от вас такой отдачи, если бы ваши мысли постоянно были заняты женщиной, которая вас где-то ждет.

— Несомненно, сэр.

— А я вот поклонник гольфа. И со временем планирую весь день проводить на поле для гольфа. Полагаю, жена будет довольна, — рассмеялся он. — За все эти годы у нее уже возник свой круг интересов. Ну, вы все понимаете.

— Да, — ответил капитан Хайфилд, хотя, честно говоря, ничего не понял.

— Меня как-то не слишком вдохновляет перспектива оказаться у нее под каблуком до конца жизни.

— Еще бы.

— Но вам, слава богу, об этом не придется беспокоиться, а? Сможете играть в гольф, сколько душе угодно.

— Но я не по этой части, сэр.

— Что?

— Думаю, я больше люблю воду.

Он чуть было не признался, что пока еще не знает, чем займется дальше. И это его здорово нервировало. В течение последних четырех десятилетий вся его жизнь была расписана буквально по минутам. Уже за несколько дней и даже недель он знал — из отпечатанного на машинке боевого приказа, — что будет делать и где, то есть в какой именно части света.

Некоторые считали его счастливчиком. Закончить карьеру сразу по окончании войны! В лучах славы, шутили они, хотя затем спохватывались, так как понимали, что сморозили глупость. Я доставлю своих моряков домой, заявлял он. Что станет прекрасным заключительным аккордом. Он умел говорить убедительно. Правда, потом у него несколько раз возникало искушение попросить адмирала оставить его на флоте, которое он с трудом преодолевал.

— Ну что, поднимемся наверх?

— Полагаю, мне следует проверить, как ведутся работы. Похоже, что весьма интенсивно.

И вот теперь, когда, оказавшись снова на борту корабля, Хайфилд понял, что обретает былые властные полномочия, к нему вернулось ощущение стабильности и порядка, напрочь утраченное во время пребывания в госпитале. Адмирал промолчал и, заложив руки за спину, стал решительно подниматься по трапу.

Доска с крючками для именных бирок была прислонена лицевой стороной к переборке. Капитан помешкал в дверях, перевернул доску и повесил именной жетон, чтобы отметить свое присутствие на борту. Обнадеживающий жест. Затем они одновременно переступили порог и, пригнув головы, шагнули в похожий на пещеру ангар.

Свет горел не везде, и Хайфилду потребовалась пара минут, чтобы привыкнуть к полумраку. Матросы крепили ремнями огромные ящики с оборудованием к узким полкам, протягивая черные ведерки с инструментами тем, кто работал на высоте. В дальнем конце ангара трое парней красили трубы. Они оглянулись, явно раздумывая, надо ли отдавать честь. Капитан узнал одного из них: несколько недель назад молодой человек едва не лишился пальца, попавшего между канатами. Матрос отдал честь, выставив на всеобщее обозрение привязанный к руке кожаный мешочек. Хайфилд довольно кивнул. Хорошо, что парень уже в строю. Затем капитан перевел взгляд на огромные шахты элеваторов, доставлявших самолеты на палубу. В шахтах работали несколько человек, один — на лесах, закрепляя с равными интервалами металлические раздвижные опоры, идущие вплоть до полетной палубы. Капитан бросил на него удивленный взгляд, пытаясь найти возможное объяснение происходящему. И не смог.

— Эй! Ты! — крикнул капитан и, когда сварщик снял защитную маску, подошел к краю шахты. — Что, ради всего святого, ты творишь?! — (Парень не ответил, выражение его лица было недоуменным.) — Что ты делаешь с элеваторами? Совсем опупел?! Разве ты не в курсе, для чего они предназначены? Они позволяют поднимать и опускать треклятые самолеты. Кто велел тебе это...

Адмирал положил Хайфилду руку на плечо. Но капитан был настолько поглощен представшим его глазам немыслимым безобразием, что не сразу обратил внимание на жест адмирала.

— Именно об этом я и пришел с вами потолковать.

— Чертов придурок ставит в шахты металлические опоры. Опоры для коек, чтоб ему было пусто! Парень, неужели ты не соображаешь, что делаешь?

— Он выполняет мой приказ, Хайфилд.

— Не понял, сэр?

— «Виктория». Пока вы отлеживались на больничной койке, кое-что изменилось. Новые приказы из Лондона. Этот рейс будет не совсем таким, как вы предполагали.

У Хайфилда вытянулось лицо.

— Очередные бывшие военнопленные?

— Нет.

— Надеюсь, не пленные японцы? Вы помните, сколько хлопот они нам доставили...

— Хайфилд, боюсь, все гораздо хуже. — Адмирал тяжело вздохнул и посмотрел капитану прямо в глаза. — Это для женщин. — (В разговоре возникла длинная пауза.) — Вам по-прежнему надлежит доставить ваших моряков домой. Но на борту будет дополнительный груз. Примерно шестьсот австралийских военных невест, которые должны воссоединиться с мужьями в Англии. Шахты элеваторов будут использованы для их коек.

Тем временем сварщик, рассыпая снопы искр, возобновил работу.

Капитан Хайфилд повернулся к адмиралу:

— Они не могут плыть на моем корабле.

— Война требует жертв, Хайфилд. Выбирать не приходится.

— Но их ведь всегда перевозят на транспортных судах, сэр. На лайнерах, которые лучше приспособлены для такого дела. Разве можно посадить девушек, младенцев и прочих на авианосец?! Чистой воды безумие! Вы должны им там, наверху, объяснить.

— Не могу сказать, что меня это тоже сильно порадовало. Но ничего не поделаешь, старина. Лайнеров больше не осталось. — Он потрепал Хайфилда по плечу. — Только шесть недель. Вы и оглянуться не успеете, как все будет позади. И вообще, пусть ребята немного взбодрятся после всей этой истории с Хартом. Так они хотя бы смогут отвлечься.

Но ведь это мой последний рейс. Я в последний раз буду со своим экипажем. Со своим кораблем. Хайфилд был не в силах перенести такое унижение. Ему хотелось выть от отчаяния, в груди клокотала глухая ярость.

— Сэр...

— Послушайте, Джордж. Телефонные линии связи с Лондоном буквально раскалились. Из-за этих жен уже и так кипят политические страсти. Английские девушки устраивают манифестации перед парламентом. Им кажется, будто их обошли. Наши верхние эшелоны власти и правительство Австралии не хотят, чтобы нечто подобное повторилось и здесь. Австралийским мужчинам тоже не слишком по вкусу, что их женщины вышли замуж за иностранцев. Полагаю, обе стороны хотят поскорее увезти военных невест от греха подальше, чтобы все само собой утряслось. — Адмирал перешел на примирительный тон. — Я прекрасно понимаю, как это трудно для вас, но постарайтесь посмотреть на проблему с точки зрения девушек. Некоторые из них уже больше двух лет не видели своих мужей. Война закончилась, и они жаждут воссоединения семьи. — Адмирал заметил, как у его собеседника окаменело лицо. — Джордж, поставьте себя на их место. Единственное, чего они хотят, — как можно скорее, но без лишнего шума увидеть своих любимых. Вы не можете не понимать, что они сейчас чувствуют.

— Женщины на борту — верный путь к катастрофе. — Хайфилда переполняли эмоции, его голос сразу окреп, набрав силу, так что несколько находившихся неподалеку мужчин на время даже перестали работать. — Я этого не допущу! Не допущу, чтобы какие-то там женщины разнесли, к чертям, мой корабль. Там, наверху, все поймут. Они сами увидят.

И хотя адмирал говорил успокаивающим тоном, похоже, он уже начинал терять терпение.

— С ними не будет ни детей, ни младенцев. Тех, кто поедет, отбирали на редкость тщательно. Только здоровые молодые женщины. Ну, возможно, несколько в интересном положении.

— А как насчет мужчин?

— Никаких мужчин. Может, кто-то и поедет, но мы узнаем об этом только за несколько дней до отплытия. Окончательный список еще не готов. — Адмирал сделал паузу. — Ох, вы имеете в виду своих. Так вот, их разместят на разных палубах. Шахты — с каютами — будут запираться. Только нескольким — тем, что в интересном положении, — предоставят отдельные каюты. Личный состав сможет работать в обычном режиме. И мы собираемся выставить охрану, чтобы не допустить нежелательных контактов. Ну, вы понимаете, о чем я.

Капитан Хайфилд повернулся к своему начальнику. Волнение по поводу необходимости безотлагательного решения вопроса оживило его обычно бесстрастное лицо: всем своим существом он отчаянно стремился доказать адмиралу, насколько опасна и вредоносна данная затея.

— Послушайте, сэр. Некоторые из членов экипажа находятся без... женского общества уже несколько месяцев. Это как бросить горящую спичку в коробку с пиротехникой. Разве вы не слышали об инцидентах на авианосце «Одейшес»? Господи боже мой, да мы все знаем, что там произошло!

— Полагаю, мы все извлекли уроки из «Одейшеса».

— Невозможно, сэр. Опасно, нелепо и вообще может дестабилизировать обстановку на корабле. Вы ведь не хуже моего знаете, насколько это тонкая вещь.

— Хайфилд, вопрос закрыт и не подлежит обсуждению.

— Мы много месяцев пытались восстановить хотя бы шаткое равновесие. Вы ведь знаете, через что пришлось пройти моему экипажу. Невозможно вот так взять и запустить на корабль девиц, считая...

— Они будут подчиняться очень строгим приказам. Военно-морской флот разработал на сей счет жесткие директивы...

— И что женщинам наши приказы?! Если женщины находятся рядом с мужчинами, значит жди беды.

— Хайфилд, это замужние дамы, — отрезал адмирал. — Они едут на новую родину к своим мужчинам. Вот так-то.

— При всем уважении к вам, сэр, осмелюсь заметить, что вы плохо знаете человеческую природу. — Последняя фраза повисла в воздухе, шокировав их обоих. Капитан судорожно вздохнул. — Разрешите быть свободным?

И, не дождавшись кивка, капитан Хайфилд развернулся и пошел прочь, впервые за всю свою долгую карьеру разозлившись на старшего по званию.

Адмирал стоял и смотрел, как тот пересек ангар, а потом исчез в недрах судна, точь-в-точь как кролик, спасающийся в кроличьем садке. В некоторых случаях подобное проявление неуважения означало конец карьеры военнослужащего. Однако адмирал Макманус питал искреннее уважение к этому сварливому старому хрену, капитану Хайфилду. И не хотел, чтобы он так позорно закончил службу. А кроме того, подумал адмирал, кивнув матросам, чтобы те продолжали, если бы это был его корабль, он, честно говоря, испытывал бы аналогичные чувства. Несмотря на всю свою любовь к жене и дочерям.

Глава 8

Во время морского путешествия невесты смогли прослушать лекции, сопровождаемые наглядной демонстрацией того, как следует покупать и готовить продукты питания с учетом строгих продовольственных норм. Ближе к концу плавания режим питания несколько ужесточили, чтобы переход на продуктовые карточки не стал для них слишком болезненным.

Дейли миррор. 7 августа 1946 года

Пятый день плавания

Состояние моря, столь же капризного, что и невесты на борту «Виктории», резко ухудшилось, как только корабль покинул каналы Сидней-Хедс.

Великая Австралийская бухта, восхищенно, но с долей опаски говорили члены команды, покажет, кто настоящий моряк, а кто нет.

Судьба, словно нарочно убаюкав девушек ложным ощущением безопасности, решила теперь продемонстрировать их уязвимость и непредсказуемость их будущего. Жизнерадостное синее море почернело, стало мутным и ощетинилось высокими гребнями. Легкие бризы превратились в порывистые ветры, те со временем переросли в шквалистые — плевавшиеся холодным дождем в моряков, крепивших, задыхаясь в своих штормовках, самолеты к палубе. А корабль, вставая на дыбы и кряхтя от натуги, прокладывал себе путь между водяными валами.

И вот пассажиры, которые до того беспокойной толпой бродили по палубам, сперва по одиночке, а затем уже целыми группами ретировались на свои койки. А те, кто еще держался на ногах, хватаясь за стенки, неуверенно передвигались — бледные от страха — по коридорам. Лекции пришлось отменить, так же как и запланированные учения по использованию спасательных шлюпок: члены экипажа поняли, что лишь немногим женщинам под силу их выдержать. Оставшиеся в строю офицеры из женской вспомогательной службы разносили по каютам таблетки от тошноты.

Беспрестанные удары волн о борт корабля, заунывные звуки корабельного гудка, несмолкаемый лязг цепей и скрежет самолетов на полетной палубе — все это окончательно лишало надежды хоть немного поспать. Эвис и Джин — ну конечно же Джин, а кто еще? — лежали на койках, замкнувшись в собственном мирке тошнотворной напасти. Но если у Эвис этот мирок был сугубо личным, то Джин держала всех в курсе своих страданий. Эвис казалось, что ей уже известны практически все симптомы Джин — что у той стоит ком в животе, что маленький кусочек сухарика чуть было не привел к конфузу у дверей столовой на полетной палубе, что этот ужасный кочегар, который шел за ними до самой прачечной, жрал у нее на глазах сэндвич с сыром и белковой пастой, отчего ее едва не стошнило. Все это свисало у него изо рта и...

— Да-да, Джин, я представляю, — простонала Эвис и заткнула уши.

— Значит, вы не пойдете на чай, да? — поинтересовалась стоявшая в дверях Маргарет. — Сегодня дают мясо в горшочках.

Собака спала на ее койке, явно не чувствуя резкой смены погоды.

Джин повернулась лицом к стене. И ее ответ — слава богу — прозвучал неразборчиво.

— Ну что, Фрэнсис, пошли? — сказала Маргарет. — Похоже, будем только мы вдвоем.

Маргарет Донливи познакомилась с Джозефом О'Брайеном восемнадцать месяцев назад, когда ее брат Колм привел его, а вместе с ним еще шесть-семь дружков из пивной домой, и вот вплоть до окончания войны все они стали частыми гостями семьи Донливи. Таким образом брат собирался снова наполнить жизнью дом, осиротевший после ухода матери. Ведь на первых порах они никак не могли примириться с оглушающей тишиной, вызванной отсутствием самого спокойного члена семьи. Но ни отец, ни братья не хотели, чтобы Маргарет с Дэниелом оставались дома одни, пока старшие будут топить горе в вине, — они были чрезвычайно заботливы, хотя такая забота и принимала иногда странные формы, — поэтому было решено перенести пивную на ферму. Иногда из кузова их грузовичка свисало до четырнадцати-пятнадцати человек, в основном американцев, нагруженных крепким алкоголем и пивом, или ирландцев, распевавших песни, от которых у Марри слезы наворачивались на глаза. И теперь каждый вечер в их доме звучали голоса пьющих и горланящих мужчин, а иногда — тихий плач Дэниеля, пытавшегося понять, кому все это нужно.

— Джо был единственным, кто не приглашал меня на свидания и не приставал ко мне, — сказала она Фрэнсис, уписывая за обе щеки картофельное пюре в полупустой столовой. — Остальные обращались со мной так, будто я что-то вроде официантки, и, стоило братьям отвернуться, норовили облапать меня в темном углу. Одного даже пришлось в маслобойне отоварить лопатой, уж больно рьяно он стал распускать руки. — Она подхватила свой металлический поднос, который грозил соскользнуть со стола. — С тех пор я его больше не видела.

Неделей позже Колм застукал еще одного парня, когда тот подглядывал за тем, как она мылась в ванной, и они с Нилом и Лиамом чуть было не вытрясли из бедняги всю душу.

Так вели себя все, кроме Джо, который приходил каждый день, добродушно подтрунивал над Дэниелом, давал отцу советы, основанные на опыте работы на родительском приусадебном участке в Девоне, дарил ей нейлоновые чулки не того размера и угощал сигаретами, посматривая на нее исподтишка.

— В конце концов мне пришлось спросить, почему он не подбивает под меня клинья, — продолжила рассказ Маргарет. — И, по его словам, он прикинул, что, если сможет задержаться здесь подольше, я привыкну к нему, будто к предмету меблировки.

Первый раз он пригласил ее на свидание ровно за три месяца до того, как Военно-воздушные силы Соединенных Штатов сбросили атомную бомбу на Хиросиму, а уже через несколько месяцев они поженились — Маргарет надела мамино подвенечное платье, — как раз в тот день, когда Джо в последний раз получил увольнительную. Она знала, что им будет хорошо вместе, сказала она. Джо был очень похож на ее братьев. Он не относился к себе или к ней слишком серьезно.

— А он обрадовался, узнав о ребенке?

— Когда я сообщила ему, что беременна, Джо поинтересовался, не придутся ли роды на период ягнения, — фыркнула Маргарет.

— Да уж, не слишком романтично, — улыбнулась Фрэнсис.

— Джо, наверное, и слова-то такого, как «романтика», в жизни не слыхивал, — ответила Маргарет. — Хотя мне, в общем-то, без разницы. Все эти охи и вздохи не для меня. Если всю жизнь живешь с четырьмя деревенщинами, которые стряхивают на тебя под столом козявки из носа, то трудно ассоциировать романтику с представителями того же пола, что и они. — Маргарет улыбнулась, снова набив рот картофельным пюре. — Я вообще не собиралась замуж. Для меня замужество означало только еще больше стряпни и грязных носков. — Она опустила глаза, и ухмылка вдруг исчезла с ее лица. — Я до сих пор постоянно себя спрашиваю, как такое могло случиться.

— Мне очень жаль, что ты осталась без мамы, — произнесла Фрэнсис. Маргарет заметила, что та взяла себе добавки, чего она, в своем положении, позволить себе, к сожалению, не могла, ибо рисковала заработать несварение желудка. И тем не менее Фрэнсис была худой как спичка. На десерт подали бланманже «Прекрасная купальщица», получившее такое название, как с усмешкой объяснил повар, потому что оно все дрожало и имело прелестные изгибы. — А отчего она умерла? Прости, — поспешно сказала Фрэнсис, заметив, как покраснело бледное лицо Маргарет. — Я не хотела быть бестактной. Интерес чисто профессиональный.

— Нет... нет, — ответила Маргарет. Они обе ухватились за край накренившегося стола, пытаясь не дать солонке, перечнице и стаканам упасть на пол. — Это было как гром среди ясного неба. Буквально минуту назад она была здесь, а еще через минуту... уже ушла, — наконец выдавила она, когда качка на время прекратилась.

В столовой стояла тишина, нарушаемая лишь невнятным бормотанием тех немногих женщин, у кого хватало твердости характера или отваги смотреть на еду, да внезапным звоном бьющейся посуды, когда еще один поднос становился жертвой набежавшей волны. Очередей, как в начале плавания, уже не было, и только несколько девушек, с удовольствием пользуясь возможностью спокойно выбирать, топтались перед выставленными блюдами.

— Я бы сказала, что это лучший вариант ухода, — произнесла Фрэнсис, бросив на Маргарет твердый взгляд ярко-синих глаз. — Она, скорее всего, даже ничего не почувствовала. — Фрэнсис помедлила и добавила: — Правда. Ей хотя бы не пришлось страдать.

Последняя фраза, возможно, заставила бы Маргарет развить тему, если бы не хихиканье в углу. Поначалу звучавшее просто как фон, хихиканье это становилось то громче, то тише, словно шло в унисон с шумом волн за бортом.

Повернувшись, Маргарет с Френсис увидели, что к сидевшим в углу женщинам присоединились несколько мужчин в рабочих комбинезонах. Одного из них Маргарет даже узнала: они здоровались накануне днем, когда он драил палубу. Моряки плотным кольцом окружили млевших от мужского внимания женщин.

— Эх, жаль, что здесь нет Джин, — принявшись за еду, рассеянно бросила Маргарет.

— Как думаешь, может, отнести им чего-нибудь? Хотя бы пюре.

— Пока мы доберемся до каюты, оно будет совсем холодным, — ответила Маргарет. — И, кроме того, я вовсе не горю желанием, чтобы Джин потом стошнило прямо на мою койку. В каюте и так черт-те как воняет.

Фрэнсис посмотрела в иллюминатор на пенистые волны, яростно бьющиеся о стекло в пятнах соли.

Она на редкость сдержанная, подумала Маргарет. Принадлежит к тому типу людей, что, даже когда говорят, продолжают внутренний диалог.

— Надеюсь, с Мод Гонн будет все в порядке, — сказала она вслух, очевидно оторвав Фрэнсис от каких-то своих мыслей. — Прямо не знаю, что делать. С одной стороны, вроде бы надо проверить, как она там, а с другой — ужасно не хочется возвращаться в чертову каюту. У меня там буквально крыша едет. Особенно когда наша сладкая парочка начинает стонать.

Фрэнсис едва заметно кивнула. Похоже, ее способность выразить свое согласие ограничивалось этим скупым жестом. Но она все же наклонилась к Маргарет поближе, с тем чтобы перекричать стоящий в столовой шум.

— Если хочешь, можно выгулять ее на палубе. Чуть позже. Дай ей глотнуть свежего воздуха. Положи ее в корзинку и прикрой сверху шерстяной кофтой.

— Привет, дамы.

Это был тот самый матрос. Подпрыгнув от неожиданности, Маргарет оглянулась на легкомысленных девиц, которых он только что покинул. Те, вытянув шеи, провожали его взглядом.

— Добрый день, — равнодушно ответила она.

— Дамы, я поговорил со своими друзьями и подумал, что неплохо было бы вам сообщить, что сегодня вечером в кубрике кочегаров будет небольшая вечеринка. Типа «добро пожаловать на борт». — Он говорил с легким акцентом и держался с непрошибаемой уверенностью.

— Мысль неплохая, — отхлебнув чая, ответила Маргарет. — Но у нас за дверью стоят часовые.

— Но только не сегодня вечером, дамы. В связи с погодными условиями численность блюстителей нравственности резко уменьшилась. Так что впереди вечер-другой полной свободы. — Он подмигнул Фрэнсис, хотя не исключено, что глаз у него просто дергался от рождения. — Выпьем грога, перекинемся в картишки. Может, сумеем познакомить вас с некоторыми английскими обычаями.

— Нет, спасибо, но это не для нас, — закатила глаза к потолку Маргарет.

— Карты, миссис, только карты. — Его лицо приняло удивленное и даже несколько обиженное выражение. — Уж не знаю, что вы там подумали. Чтоб мне провалиться, вы замужняя женщина и все такое...

Маргарет не выдержала и рассмеялась:

— В принципе, я не против карт. А во что вы играете?

— Джин-рамми. Ньюмаркет. Ну, может быть, иногда в покер.

— Тогда только карты, и больше ничего. Но учтите, я играю только на интерес.

— Наш человек, — ухмыльнулся он.

— Ну, тогда я обдеру вас как липку. У меня были лучшие учителя, — сказала она.

— Попробую рискнуть, — отозвался он. — Мне все равно, с кого снимать деньги.

— А... Для меня там места хватит? — Она откинулась на стуле, чтобы продемонстрировать свой живот, и стала ждать реакции.

Если он и колебался, то лишь долю секунды.

— Отыщем вам место. Мы всегда рады хорошему игроку в покер.

Похоже, он нашел в ней родственную душу.

— Деннис Тимс, — протянул он руку.

— Маргарет... Мэгги... О'Брайен, — обменявшись рукопожатием, сказала она.

Он кивнул Фрэнсис, которая сидела с каменным лицом.

— Мы четырьмя палубами ниже. Практически под вами. Спускайтесь по трапам, мимо офицерских гальюнов, и идите на шум хорошего веселья. — Он отдал им честь и уже собрался было отойти от их стола, но остановился и произнес трагическим шепотом: — Мэг, если застрянете на трапе, кликните нас. Мы с парнями живо пропихнем вас!

Перспектива провести несколько часов в мужской компании вдохновила Маргарет. Правда, в отличие от большинства женщин, она соскучилась отнюдь не по флирту, ей просто не хватало мужчин в доме. Маргарет тяжело вздохнула: появление Денниса в очередной раз напомнило о том, как тяжело ей давалась новая — чисто женская — жизнь.

— Кажется, он вполне ничего, — радостно сказала она, с трудом вылезая из-за стола.

— Да, — ответила Фрэнсис, которая уже направилась с подносом к стойке для грязной посуды.

— А ты, Фрэнсис, пойдешь со мной?

Маргарет пришлось чуть ли не вприпрыжку догонять эту высокую стройную девушку, которая размашисто шагала по коридору, не обращая внимания на качающийся под ногами пол. За все время разговора Фрэнсис даже не посмотрела на Денниса, подумала Маргарет. И потом до нее вдруг дошло, что они провели вместе почти два часа, а Фрэнсис так ничего и не рассказала о себе.

Дорогой Джордж!

Надеюсь, что мое письмо найдет тебя в добром здравии и что твоя нога заживает. Не знаю, дошло ли до тебя мое последнее письмо, ведь ты так и не ответил. Поэтому я взяла на себя смелость поставить номер на этом послании, чтобы ты потом мог сообщить мне, в каком порядке получил письма. Мы у себя в Тайвертоне живем хорошо. Сад выглядит прелестно, а мои новые бордюры прекрасно разрастаются. Патрик, как всегда, очень много работает, ему даже пришлось взять себе в помощь нового парня для работы с бухгалтерской отчетностью. Таким образом, у него в штате уже пять сотрудников, что для нынешнего тяжелого времени более чем достаточно.

Джордж, мне срочно нужен твой ответ, поскольку, как я уже неоднократно у тебя справлялась, необходимо оперативно решить вопрос с арендой коттеджа на границе поместья Хомвортов. Я лично говорила с лордом Хомвортом (время от времени мы встречаемся на приемах, которые устраивает его жена), и он сказал, что счастлив рассмотреть твою кандидатуру с учетом твоего блестящего послужного списка, но ответ он должен получить немедленно, так как, мой дорогой, на коттедж имеются другие претенденты. В соседнем доме живет миссис Барнс, учительница на пенсии. Очень милая дама из Челтенхема. И мы уже нашли женщину, которая будет тебя обслуживать, так что о горячих обедах можешь не беспокоиться!

И, как я уже упоминала раньше, Патрик с удовольствием
представит тебя сливкам нашего общества — он не последний человек в местном Ротари клубе, поэтому постарается,
чтобы ты попал в круг лучших людей. Теперь, когда после от-
ставки у тебя будет больше свободного времени, возможно,
ты не откажешься вступить в местный клуб автолюбите-
лей? Или займешься парусным спортом? Не сомневаюсь, что
ты «будешь продолжать заниматься лодками» и на закате
своей жизни.

Еще один отставной военнослужащий недавно обосновал-
ся вместе со своей женой в наших краях, он, кажется, из Королевских ВВС, так что тебе будет с кем обменяться «военными историями». Правда, он очень тихий — до сих пор не
обмолвился со мной ни единым словом! — и у него что-то не
в порядке с глазом. Полагаю, это военная рана, но Марджори
Лэтхем клянется, что он ей подмигивает.

Все, Джордж, мне пора идти. Но я непременно должна
тебе сообщить, что нашей сестре уже немного лучше. Она
очень благодарна тебе за все, что ты сделал, и надеется, что
скоро сможет написать тебе сама. Она очень мужественно
переносит свою утрату.

И я, как всегда, буду молиться, чтобы твое плавание
прошло благополучно.

Твоя любящая сестра Айрис

Капитан Хайфилд сидел в своей каюте, сжимая в одной
руке хрустальный бокал, а в другой — вилку, и читал письмо, которое не стал распечатывать в Сиднее. Закончив с
письмом, капитан положил вилку и отодвинул в сторону
остывший свиной бифштекс с вареным картофелем.

Он был несказанно рад изменению погоды: женщинами гораздо легче управлять, когда они сидят по каютам и
лежат на своих койках. Если не считать пары случаев жестокой рвоты, а также девицы, свалившейся с верхней койки и в результате получившей травму, судовой лазарет по-

ка еще пустовал. Хотя это напомнило о том, что ему самому сейчас не помешал бы хороший доктор.

Поначалу он списал все на сырость: на приступ ревматизма из-за резкого падения давления. Но боль в ноге медленно, но верно усиливалась, видоизменялась, становилась нестерпимо острой, что уже было нехорошим сигналом. Он прекрасно знал, что надо пойти показаться врачу — доктор в Сиднее несколько раз подчеркивал настоятельную необходимость этой процедуры. Но капитан понимал и другое: если у него действительно обнаружат то, что он на самом деле подозревал, они непременно найдут причину лишить его последнего похода. Отправят самолетом домой. А ведь даже набитый женщинами корабль лучше, чем вообще никакого корабля.

Внезапно послышался стук в дверь. Капитан Хайфилд рефлекторно спрятал ногу под стол.

— Войдите.

Это был Добсон с толстой пачкой бумаг под мышкой.

— Простите за беспокойство, сэр, но я принес вам пересмотренный список больных. Я решил, вы захотите узнать, что мы лишились пяти из восьми офицеров женской вспомогательной службы.

— И что, все больны?

— Четыре больны, сэр. Одна прикована к постели. Упала с трапа возле радиорубки и растянула лодыжку.

Добсон уставился на нетронутую тарелку с едой. Не приходится сомневаться, что он расскажет об этом в кают-компании и поделится своими соображениями по данному вопросу, подумал капитан Хайфилд.

— Но что, ради всего святого, она забыла возле радиорубки?!

— Заблудилась, сэр. — Добсон умело сохранял равновесие, несмотря на то что пол уходил из-под ног, а вид из окна закрывало волной. — Сегодня утром один из матросов обнаружил двух девушек на мучном складе номер два.

Они оказались запертыми, каким-то образом умудрились захлопнуть дверь. Похоже, абсолютное большинство из них не в состоянии прочесть карту.

От выпитого вина у Хайфилда вдруг стало кисло во рту.

— И что нам теперь делать с сегодняшним ночным обходом? — выдохнул он.

— Полагаю, мы можем привлечь к этому делу несколько морских пехотинцев, сэр. Клайв и Найкол на редкость ответственные ребята. Если честно, то, пока мы находимся в Большом Австралийском заливе, не думаю, что у нас будут особые проблемы с дамами. Я бы сказал, половина из них стенают сейчас на своих койках и им не до глупостей. В столовых вообще практически никого нет.

Добсон прав. Хайфилд очень надеялся, что такая отвратная погода продержится все шесть недель.

— Прекрасно. Пусть ваши ребята этим займутся. А как у нас с пресной водой?

— Неплохо, сэр. Пока хватает, хотя, должен заметить, все системы у нашей старушки здорово изношены. Часть машинного оборудования держится буквально на честном слове. И все же нам еще крупно повезло, что большинству женщин не встать с кровати, — ухмыльнулся он. — Меньше воды расходуется на мытье головы, и вообще.

— Ну хорошо. Я уже об этом думал. Организуйте им еще одну лекцию на тему дхоби. Обязательную для всех. А тем, кто не послушается, пригрозите лишить права пользоваться водой в течение трех последних дней перед встречей с мужьями. Это наверняка подействует.

Добсон ушел, в очередной раз оставив неприятный осадок своей развязностью. Он уже воображает себя капитаном, не раз говорил Хайфилду его стюард Ренник. Хайфилд всегда с удовольствием продвигал своих подчиненных, но в манере держаться у Добсона было нечто такое, что стояло у капитана поперек горла. Возможно, причина крылась в истории с Хартом или в предстоящей отставке, но в глазах своих моряков он читал, что его уже практически списали, а потому, несмотря на должность и послужной список, не принимали за человека, с которым следует считаться.

— Ну и дурак, — сказал Ренник, пришедший забрать у капитана тарелку.

Он состоял при Хайфилде почти десять лет и, пользуясь столь долгим знакомством, без околичностей высказывал свое мнение.

— Может, он и дурак, но у меня нет другого старпома.

— Экипаж его не уважает. И в этом походе от него не будет никакого проку.

— Знаешь что, Ренник? Дурак он там или нет, но прямо сейчас Добсон волнует меня меньше всего.

Стюард только пожал плечами. На его морщинистом лице типичного шотландца было написано, что он, как и капитан, знает гораздо больше, чем считает нужным сказать. Хайфилд дождался, когда Ренник выйдет из каюты, и снова обратил взор на лежавшее перед ним письмо. Затем взял со стола красного дерева бокал с вином и смахнул свободной рукой листок бумаги прямо в мусорную корзину внизу.

Насчет морских пехотинцев Деннис ошибся. Когда Маргарет с Фрэнсис вернулись в каюту, морпех уже стоял с поднятой рукой под дверью, словно хотел постучаться.

— Эй! — заорала Маргарет, предприняв попытку, несмотря на мешавший живот и уходивший из-под ног пол, пробежать по коридору. — Эй! — Он опустил руку, и Маргарет проскользнула между ним и дверью. — Чем могу помочь? — пыхтя и придерживая живот, поинтересовалась она.

— Я принес вам немного крекеров. Приказ капитана, мэм. Мы разносим их всем больным.

— Они спят, — сказала Маргарет. — Лучше их не беспокоить. Правда, Фрэнсис?

Фрэнсис посмотрела на парня и поспешно отвернулась.

— Да, конечно.

— Фрэнсис у нас медсестра. И ей лучше знать, что хорошо для больных, а что нет.

В разговоре возникла короткая пауза.

— Крекеры обычно помогают. — Морпех крепко держал коробку обеими руками. — Может, тогда я оставлю это у вас?

— Да. Спасибо. — Маргарет взяла коробку и болезненно поморщилась: ребенку явно не нравилась тряска.

Парень уставился на Фрэнсис. Но, заметив взгляд Маргарет, быстро отвел глаза.

— Сегодня вечером меня здесь не будет, — сказал он. — Кое-кто из нас уже слег из-за этой погоды, поэтому придется помочь делать обход. Мне разрешили заглянуть к вам попозже, если хотите. — Говорил он отрывисто, словно не привык вести пустые разговоры.

— Нет. За нас не волнуйтесь. Все будет в порядке, — широко улыбнулась Маргарет. — Но спасибо за предложение. И не стоит называть нас «мэм». Уж слишком... формально.

— Приказ, мэм.

— О, приказ.

— Так точно. — Он поднял руку и небрежно отдал честь.

— Тогда пока, — помахала ему Маргарет. — И спасибо за крекеры. — Она молилась в душе, чтобы Мод Гонн, услышав ее голос, не залаяла.

Когда они открыли дверь, Джин сразу проснулась, откинула одеяло, показав бледное личико. Отказавшись от крекеров, она медленно села на койке. На ней была фланелевая ночная рубашка в розочках. Она еще совсем ребенок, подумала Маргарет.

— Как считаешь, нам надо что-нибудь с собой взять?

Мод Гонн прыгнула к ней на колени и попыталась лизнуть в лицо.

— Взять куда?

— В кубрик кочегаров. Ну, там что-нибудь выпить, и вообще.

— Я не пойду, — заявила Фрэнсис.

— Ты должна! Не могу же я отправиться туда одна!

Джин прищурилась. Под глазами у нее залегли тени.

— Идете? Куда? — прошептала она.

— Да так, — ответила Маргарет. — Обещала сыграть кое с кем в покер. Выгуляю по-быстрому Моди, а потом спущусь вниз. Да ладно тебе, Фрэнсис! Не будешь же ты весь вечер торчать в каюте. Потом будешь жалеть.

— Вообще-то, я не по этой части, — не слишком уверенно произнесла Фрэнсис.

— Тогда я тебя научу.

— Вы не можете оставить меня здесь! — Джин свесила ноги с края койки.

— Ты уверена? — спросила Маргарет. — Все еще здорово штормит.

— Все лучше, чем блевать в компании мисс Задаваки. — Джин ткнула пальцем в сторону Эвис, спавшей на противоположной койке, откуда свисал край длинного шелкового халата цвета само. — Я с вами. Не могу же я пропустить вечеринку! А то я уж и забыла, когда в последний раз смеялась!

Конечно, каюты для невест казались Маргарет очень тесными, но она и представить себе не могла, что окажется в маленьком кубрике — размером с гостиную в рабочем районе, — под завязку набитом мужиками. Еще за дверью ей шибанул в нос знакомый мускусный запах — именно так всегда пахло в комнатах братьев, — только здесь он казался еще гуще, а на пороге буквально валил с ног. Это был запах мужских тел, постоянно находящихся впритирку друг к другу, чистых и грязных, пахнущих потом, и алкоголем, и сигаретами, и нестираным бельем, и чем-то еще, о чем ни Фрэнсис, ни Маргарет старались не думать. И вообще в кубрик, находящийся всего четырьмя палубами ниже, на уровне ватерлинии, вряд ли когда-нибудь попадал хотя бы один глоток свежего воздуха. А поскольку он был расположен прямо над машинным отделением по правому борту, там ощущались постоянные вибрации: волны шума возникали под ногами с ужасающей, какой-то библейской неотвратимостью.

— Думаю, нам стоит вернуться, — сказала Фрэнсис.

Она еле-еле тащилась, словно ожидала засаду в конце каждого коридора. В результате Маргарет не выдержала и схватила Фрэнсис за рукав, твердо вознамерившись заставить ее хоть раз в жизни весело провести время, а там будь что будет.

— Мимо офицерских гальюнов, так? Как думаешь, это гальюны?

— Даже не собираюсь смотреть, — заявила Джин.

Когда они вышли из каюты и спустились по трапу, к ней вдруг вернулся нормальный цвет лица. Шествие замыкала Фрэнсис, она спотыкалась и хваталась за стенки при каждом новом толчке.

— Вот здесь, — сообщила Маргарет. — Эй! — крикнула она и неуверенно постучала, сомневаясь, что ее услышат в этом адском шуме. — А Деннис тут?

В ответ ей было короткое молчание, а потом на них обрушились свист и улюлюканье. А еще крики: «Полундра, ребята, у нас гости!» И только после нескольких томительных минут — Маргарет с Фрэнсис уж начали было подумывать о том, чтобы уйти, а Джин пыталась заглянуть внутрь через освещенную щелку — дверь наконец распахнулась. Вкусно пахнущий Деннис в наглаженной рубашке, с бутылкой какой-то янтарной жидкости в руке широким жестом пригласил их внутрь.

— Дамы, — склонился перед ними Деннис. — Добро пожаловать туда, где находится подлинное сердце «Виктории».

В кубрике обычно размещались тридцать два человека, и, хотя сейчас здесь присутствовала едва ли половина списочного состава, женщины оказались настолько притиснуты к представителям сильного пола, что в обычных условиях последние — как честные люди — были бы обязаны жениться. Первые полчаса Фрэнсис простояла, вжавшись в шесть дюймов свободного пространства стенки, она просто не рискнула сесть в присутствии множества полуодетых мужчин. Джин, заливаясь румянцем и хихикая, визгливо говорила «хамишь!» всякий раз, когда не могла придумать ничего умнее, — словом, достаточно часто. Маргарет же, наоборот, сохраняла олимпийское спокойствие. Во-первых, учитывая свое интересное положение, она совершенно не волновалась, а во-вторых, чувствовала себя легко и непринужденно в обществе мужчин, и они, в свою очередь, отнеслись к ней как к любимой сестре. Всего за час она успела не только обыграть их в карты, но и проконсультировать, что лучше написать в письме к любимой, как обращаться с тещами и даже какой галстук носить на гражданке. Атмосфера была до предела насыщена алкогольными парами, сигаретным дымом и солеными словцами, сопровождаемыми соответствующими извинениями — скидка на присутствие дам. В дальнем углу какой-то тощий как жердь моряк с прилизанными рыжими волосами тихо играл на трубе. Но на него никто не обращал внимания, из чего Маргарет сделала вывод, что для моряков это в порядке вещей.

— Ну как, дамы, выпить хотите? — поинтересовался Деннис, протягивая им пару стопок.

Девушки очень быстро выяснили, что их новый знакомый не слишком строго придерживается установленных на корабле правил. Алкоголь, сигареты, деньги в долг до получки — здесь он был как рыба в воде. Фрэнсис, которую уговорили сесть рядом с Маргарет, покачала головой. Не замечая восхищенных взглядов мужчин, она не решалась поднять глаза, и Маргарет начала жалеть, что уговорила ее пойти. Тем временем Джин, уже успевшая опрокинуть две стопки, глупела прямо на глазах.

— Уймись, Джин, — прошептала Маргарет. — Ведь еще недавно тебе было совсем плохо.

— А вот Дейви говорит, что это поможет успокоить живот, — ответила Джин, пихнув в бок сидевшего рядом мужчину.

— Спакоит жавот? — Джексона, одного из матросов, буквально заворожил их акцент, и он не упускал случая повторять за ними каждую фразу.

— Не советую верить им на слово, — подняла брови Маргарет. — Подумать только, поможет успокоить живот!

— Твой Джо, наверное, тебе то же самое говорил, да? — Под дружный смех окружающих Деннис показал на округлившееся пузико Маргарет.

Вдоль переборок с балками, к которым крепились гамаки, стояли ряды шкафчиков, хозяина каждого можно было определить по прикрепленным к ним почтовым открыткам или надписям от руки. На свободных местах висели фото полуобнаженных старлеток, которых теснили не столь гламурные, зернистые снимки жен, подружек, улыбающихся детишек, — пожелтевшие от никотина реликвии, которые напоминали о другом, большом мире, находившемся за тридевять земель отсюда. Те из моряков, что не играли в карты, лежали в гамаках: писали письма, спали, курили или наблюдали за происходящим — просто наслаждаясь обществом женщин. Из уважения к дамам большинство мужчин прикрыли наготу, девушкам со всех сторон совали карамельки и сигареты, предлагали полюбоваться фотографиями любимых. Несмотря на замкнутое пространство, в воздухе не чувствовалось абсолютно никакой угрозы. Ведь когда папа притаскивал из пивной пьяный сброд, она ни на секунду не могла расслабиться. А вот здешние парни оказались приветливыми, гостеприимными и в меру игривыми. Маргарет, кажется, понимала, в чем тут дело: этим ребятам, оторванным от родного дома, было достаточно одного лишь присутствия тех, кто напоминал им о мире, где нет ни войны, ни солдат, ни сражений. Она сама испытывала нечто подобное, когда встречала парней в такой же форме, что и у ее Джо.

— Фрэнсис, ты точно не хочешь перекинуться в картишки? — Маргарет снова выиграла.

Деннис присвистнул и бросил карты на стол, обещая в следующий раз взять реванш. Похоже, он ни капли не сомневался, что эта встреча не последняя.

— Нет, спасибо.

— У тебя наверняка здорово получилось бы.

Да, у Фрэнсис получилось бы. Ее лицо, с тонкими, слегка заостренными чертами, казалось абсолютно бесстрастным — ни тени беспокойства, которое она, как догадывалась Маргарет, в данный момент испытывала. Маргарет несколько раз упоминала о том, что Фрэнсис работала медсестрой, но та пресекала любые попытки втянуть ее в разговор о службе в госпитале. Правда, у нее вполне хватало воспитания, чтобы не дать повода обвинить ее в грубости. И все же.

— Твоя подруга в порядке? — шепнул Деннис.

— Думаю, она просто немного стесняется. — Другого объяснения у Маргарет не имелось.

Она опустила голову, ей было как-то неловко заявлять о дружеских отношениях с женщиной, с которой лишь недавно познакомилась.

— Намного стесняецца, — прошептал кто-то у нее за спиной.

— Заткнись, Джексон. А где служит твой муж?

— На флоте, — ответила Маргарет. — Джозеф О'Брайен. Он механик на «Александре».

— Механик, а? Эй, парни, а Мэг, оказывается, одна из нас. Жена механика. Я понял, что у тебя, Мэг, есть вкус, как только положил на тебя глаз.

— Ага, глаз он положил. Зуб даю, ты так всем женщинам говоришь, — подняла брови Маргарет.

— Только тем немногим, у кого есть вкус, — заметил его приятель.

Они сыграли еще несколько партий. Игра и дружелюбное окружение позволили женщинам забыть, что они здесь чужие. Маргарет знала, что для такого человека, как Деннис, она самый безопасный вариант: он был из тех мужчин, кто получал удовольствие от женского общества только при отсутствии сексуального подтекста. А она, глупая, боялась, что ее беременность осложнит ей путешествие! Теперь же она находила в своем положении несомненные преимущества.

И, как ни парадоксально, приятнее всего было то, что мужчины вообще не обращали внимания на ее живот. Ведь практически каждая женщина на корабле обязательно интересовалась, какой у нее срок, «хороший» ли ребенок (интересно, думала она, а что, бывают и плохие?) и кого она ждет — девочку или мальчика. Одни хотели потрогать живот и пускались в ненужные откровения насчет того, как страстно желают иметь детей, а другие, вроде Эвис, смотрели на него с едва заметной брезгливостью и категорически избегали всяческих разговоров о беременности, словно это могло быть заразным. Маргарет и сама старалась не слишком муссировать данную тему: ее буквально преследовали образы папиных телившихся коров, и ей до сих пор так и не удалось смириться со своей женской участью.

Они сыграли две, три и еще несколько партий. В комнате дым стоял коромыслом. Человек в углу сыграл на трубе две мелодии, которые она не узнала, а затем, в непривычно быстром темпе, — «The Green Green Grass of Home». Отложив карты, мужчины затянули песню. Джин влезла с непристойными куплетами, но забыла последние две строчки и зашлась в истерическом смехе.

Было уже совсем поздно, или, по крайней мере, им так казалось. При отсутствии естественного освещения и часов на руке невозможно понять, то ли время тянется еле-еле, то ли стремительно летит. Это зависело от удачной или неудачной партии в карты, от хихиканья Джин, мелодии трубы в углу — словом, от всех тех звуков, которые — при наличии некоторого воображения — могли напомнить о доме.

Маргарет положила карты на стол. Деннису понадобилась секунда, чтобы это заметить.

— Думаю, вы мне должны, мистер Тимс.

— Все, я пустой, — добродушно пропыхтел он. — Как насчет сигаретных карточек? Порадуешь своего старика.

— Оставь себе, — ответила она. — Мне слишком тебя жаль, чтобы отбирать последнее.

— Нам лучше вернуться к себе. Уже поздно. — Фрэнсис, единственная из них, кто вел себя сдержанно и чопорно, демонстративно посмотрела на часы, а потом — на Джин, которая, продолжая хихикать, лежала в гамаке какого-то молодого матросика и разглядывала книжку комиксов.

Часы показывали без четверти двенадцать. Маргарет тяжело поднялась, ей ужасно не хотелось уходить.

— Было здорово, парни. Но все хорошо, что хорошо кончается, — сказала она. — Пожалуй, нам пора.

— Ага, значит, не хотите, чтобы вас отправили домой на спасательной шлюпке.

Судя по выражению лица Фрэнсис, она восприняла эти слова вполне серьезно.

— Большое спасибо за гостеприимство.

— Гастипримсво, — пробормотал Джексон.

— Всегда пожалуйста, — сказал Деннис. — Не хотите, чтобы кто-нибудь из нас проверил, свободен ли путь? — Неожиданно его тон сделался резким: — Эй, Пламмер, поимей хоть немного уважения!

Музыка остановилась. Все глаза устремились туда, куда смотрел Деннис. Владелец комиксов, небрежно положивший ладонь на бедро Джин, поспешно отдернул руку. Осталось только не совсем ясным, была ли Джин настолько пьяна, чтобы ничего не заметить. Так или иначе, атмосфера в кубрике слегка изменилась. Секунду-две все стояли, как воды в рот набрав.

Тогда вперед выступила Фрэнсис.

— Да. Пошли, Джин. — Казалось, будто во Фрэнсис вдохнули новую жизнь. — Вставай. Пора возвращаться.

— Ну вот, все удовольствие испортила. — Джин, едва не свалившись на пол, соскользнула с гамака, послала матросику воздушный поцелуй и позволила Фрэнсис взять себя за руку. — Пока, парни. Спасибо за чудный вечер. — Волосы упали ей на лицо, скрыв блаженную улыбку. — Утром буду танцевать. — Она неуклюже задрала ногу, и Фрэнсис, наклонившись вперед, поспешно одернула ей юбку.

Маргарет кивнула сидевшим за столом мужчинам и направилась к двери, ей вдруг стало неловко, словно она только сейчас поняла, чем могло быть чревато их поведение.

Деннис, похоже, сразу смекнул, в чем дело.

— Мне очень жаль, — сказал он. — Это все выпивка. Мы ничего плохого не имели в виду.

— Ничего плохого и не произошло, — сдержанно улыбнулась Маргарет.

Деннис протянул ей руку:

— Приходите еще. — Он подошел поближе и прошептал: — А то меня уже тошнит от них. — (Она сразу поняла, что он пытается ей сказать, и почувствовала безграничную благодарность к этому парню.) — И вообще, я с удовольствием сыграл бы партейку-другую, — добавил он.

— Не сомневаюсь, что мы еще вернемся, — ответила она, наблюдая за тем, как Фрэнсис выволакивает Джин из кубрика.

Эвис не спала и прекрасно слышала, как они осторожно проскользнули внутрь, волоча под руки хихикающую и пыхтящую Джин.

По дороге им встретились еще две девушки. Заговорщицы ухмыльнувшись, они исчезли за темным порогом своих кают. Маргарет, правда, везде чудились призрачные контролеры. У нее горели уши, поскольку каждую секунду она была готова услышать: «Эй! Вы там! Какого черта вы делаете?!» Судя по серьезному лицу Фрэнсис, она чувствовала то же самое. Тем временем Джин уже дважды стошнило — слава богу, в офицерском гальюне, оказавшемся пустым в это время суток. Более того, давясь от смеха, она пыталась пересказать им историю, которую только что прочитала:

— Ужасно смешно. Всякий раз, как эта девица пыталась хоть что-то сделать... Хоть что-то. — Она вылупила на них глаза. — С нее слетала вся одежда.

— Уписаться можно! — пробормотала Маргарет.

Она была крепкой девушкой (настоящей «кобылой», как говаривали братья), но ребенок в животе, Джин, оказавшаяся страшно тяжелой, плюс жуткая качка — все это заставляло ее кряхтеть и потеть. Правда, основная масса тела Джин пришлась на Фрэнсис, которая, хватаясь за трубы и перила, с каменным лицом молча волокла ее по коридору.

— Чаще всего исподнее и кое-что другое. Но там были две картинки, где на ней вообще ничегошеньки не было. Ничегошеньки. И ей пришлось воспользоваться руками. — Джин неожиданно вырвалась из их цепких пальцев — она оказалась на удивление сильной для такой худышки — и прикрыла руками грудь и низ живота, на лице у нее словно было написано: «Ух ты!»

— Ну давай, Джин! — Маргарет осторожно заглянула за угол и увидела, что никаких морских пехотинцев под их дверью, к счастью, нет. — Пошевеливайся! Время поджимает!

Именно в этот момент из темноты вышла женщина.

— Ой, — выдохнула Фрэнсис.

Маргарет почувствовала, что краснеет.

— Дамы, что происходит?

Женщина-офицер чуть ли не бегом направилась к ним, ее объемистая грудь показалась раньше всего остального. Рыжеволосая приземистая тетка из женской вспомогательной службы, она еще днем показывала им, как пройти в прачечную. Было нечто крайне неприятное в ее поспешности, словно она только того и ждала, чтобы поймать их на правонарушении.

— Что происходит? Разве вы не знаете, что невестам запрещено покидать каюты в это время суток?

Маргарет вдруг почувствовала, что у нее язык прилип к горлу.

— Наша подруга больна, — невозмутимо ответила Фрэнсис. — Ей срочно нужно было в туалет, и мы сомневались, что она справится без посторонней помощи.

И точно в подтверждение ее слов, палуба вдруг резко ушла из-под ног, отшвырнув их к стенке. Джин, упав на колени, выругалась и срыгнула.

— Морская болезнь?

— Ужасная, — поддакнула Маргарет, поднимая Джин.

— Ну, я не уверена...

— Я медсестра, — перебила ее Фрэнсис.

Надо же, и откуда что взялось?! — подумала Маргарет. Сколько властности в ее тоненьком, тихом голосе.

— И я решила, что будет гораздо гигиеничнее, если ее стошнит подальше от коек. Там у нас еще одна больная. — Фрэнсис показала на дверь.

Женщина строго посмотрела на Джин, которая стояла, бессильно опустив голову.

— А вы уверены, что это всего-навсего морская болезнь?

— О да, — ответила Фрэнсис. — Я ее осмотрела. В остальном с ней все в порядке.

Но выражение лица настырной тетки оставалось недоверчивым.

— Я уже сталкивалась с подобным, — заявила Фрэнсис. — Когда служила в плавучем госпитале «Ариадна». — Сделав ударение на слове «служила», она протянула руку: — Сестра Фрэнсис Маккензи.

Похоже, Фрэнсис удалось переиграть противницу, хотя женщину явно продолжало что-то тревожить — Маргарет это отлично видела, — причем не из-за того, что у нее не было уверенности в том, как на самом деле обстояло дело.

— Ну... Хорошо... — наконец процедила она. Не встретив ответного рукопожатия, рука Фрэнсис так и осталась висеть в воздухе. И по тому, с какой легкостью Фрэнсис опустила руку, Маргарет сделала вывод, что той, похоже, не привыкать. Значит, ей уже не раз приходилось сталкиваться с подобным обращением. — Ладно, дамы. Я попросила бы вас вернуться в свою каюту и без необходимости ее не покидать. Разве что в случае экстренной ситуации.

Вы ведь в курсе, что мы сегодня остались без часовых, следовательно, необходимо соблюдать комендантский час.

— Уверена, что теперь все будет в порядке, — сказала Фрэнсис.

— Приказ есть приказ, вы должны знать.

— Да, мы знаем, — отозвалась Фрэнсис.

Маргарет собралась было открыть дверь, но Фрэнсис явно ждала, пока уйдет проверяющая.

Ну конечно, подумала Маргарет. Собака.

Женщина сдалась первой. Она направилась дальше, в сторону столовой, бросив на них настороженный взгляд через плечо.

Глава 9

Обходы всех открытых и галерейных палуб, а также орудийных башен проводились достаточно часто, а после наступ-
ления темноты через неравномерные промежутки времени.
К 11 часам вечера все женщины должны были лежать в кро-
ватях, и дежурная женщина-офицер проверяла, все ли из них
на месте... Подобные меры, хоть и не идеальные, оказались
оптимальными из всего, что удалось разработать. Они были
направлены на то, чтобы сдерживать проявления неподобаю-
щего поведения и препятствовать переходу вечеринок с участием женщин на стадию логического завершения.

Капитан Джон Кэмпбелл Эннесли
Нил Маккарт. Авианосец «Викториес»

Седьмой день плавания

Звук сигнальной трубы, усиленный громкоговорите-
лями, эхом разнесся по палубе В. Несколько мужчин,
находившихся палубой ниже, поморщились, а один
даже зажал уши руками. Их заторможенные, неловкие движения служили неопровержимым доказательством участия
в восьми ночных вечеринках в узком кругу, по непроверен-
ным данным проведенных в предыдущие дни. Примерно
пятнадцать человек выстроились возле офиса командира
корабля, одиннадцать из них ждали разбирательства по поводу изложенных в рапорте правонарушений, остальные —
проступков, совершенных во время последней увольнительной на берег. В обычных условиях такие дисциплинарные мероприятия проводились через день-два после
выхода корабля из порта, не позже, но — с учетом экстра-
ординарного характера груза — необычно высокий уровень правонарушений свидетельствовал о том, что несение
службы в штатном режиме на борту авианосца «Виктория»
до какой-то степени еще не налажено.

Старшина корабельной полиции стоял перед одним из молодых матросов, которого с двух сторон поддерживали под руки два прыщавых приятеля. Толстым коротким пальцем старшина взял нарушителя порядка за подбородок и нахмурился, уловив явственный запах перегара.

— Уж не знаю, что бы сказала тебе твоя матушка, мой увядший цветочек, если бы увидела тебя в таком состоянии, но у меня есть неплохая идея. — Он повернулся к поддерживавшим его парням: — Это ваш кореш?

— Сэр.

— Как он сумел так набраться?

Парни, которые были примерно в той же кондиции, уставились себе под ноги:

— Не можем знать, сэр.

— Скотч со льдом, да? А не просто скотч?

— Не можем знать, сэр.

— «Не можем знать, сэр», — передразнил старшина, пригвоздив их хорошо отрепетированным гневным взглядом. — Да откуда уж вам знать!

Морской пехотинец Генри Найкол попятился к стене. Стоявший рядом с ним молодой маляр нервно мял разбитыми в кровь руками бескозырку. Тяжело дыша, он пытался сохранить выправку, несмотря на легкую качку. Они уже прошли самую опасную часть Великой Австралийской бухты, но расслабляться было еще рано.

— Сомс, да?

Парень, что помоложе, обреченно кивнул:

— Сэр.

— Найкол, в чем он обвиняется?

— В ссорах, нарушении порядка. И в пьянстве.

— Непохоже на тебя, Сомс.

— Нет, сэр.

Старшина покачал головой:

— Ты так и будешь за него говорить, Найкол?

— Да, сэр.

— Тогда постарайся потом хоть немного поспать. Сегодня ночью тебе снова заступать на вахту. А вид у тебя неважнецкий. — Он кивнул Сомсу. — Сомс, это не дело. В следующий раз постарайся работать головой, а не кулаками.

Старшина корабельной полиции перешел к следующему провинившемуся — дисциплинарное правонарушение, наркотики, алкоголь, — и Сомс бессильно сполз по стенке.

— Вы все за это ответите, — заявил старшина корабельной полиции. — Причем перед капитаном, а не перед старпомом, а капитан сегодня не в лучшем настроении.

— Меня накажут, да? — простонал Сомс.

При других обстоятельствах Найкол, возможно, попытался бы его разуверить, успокоить, внушить капельку оптимизма. Но поскольку он так и не вынул руку из кармана, в котором лежало письмо, у него не оставалось ни сил, ни желания поднимать кому-либо настроение. Он уже несколько дней не решался распечатать письмо, догадываясь о его содержании и страшась убедиться в своей правоте. И вот теперь, через семь дней после того, как они покинули Сидней, он уже знал.

Будто оттого, что он знал, ему стало легче!

— У тебя все будет в порядке, — сказал он.

Дорогой Генри!

Я немного разочарована, но нисколько не удивлена, не получив о тебя ответа. Еще раз хочу сказать, что мне очень жаль. Я не хотела делать тебе больно. Но ты так давно не давал о себе знать, а мне действительно очень нравится Антон. И он хороший человек, добрый человек, который очень внимателен ко мне...

Нет, это я отнюдь не в упрек тебе. Я понимаю, что мы были ужасно молоды, когда поженились, и, возможно, если бы не война... И тем не менее мы оба прекрасно знаем, что вся наша жизнь состоит из таких вот «если бы»...

Он прочел первый абзац и подумал, что, как это ни парадоксально, насколько легче было жить, когда письма подвергались цензуре.

Прошло не меньше двадцати минут, прежде чем неприятная процедура подошла к концу. Они помедлили у дверей капитанского офиса, затем Найкол провел молодого человека внутрь, и они отдали честь. Командир корабля Хайфилд, что-то записывавший в толстый журнал, сидел за письменным столом между капитаном морской пехоты и незнакомым лейтенантом.

Найкол слегка подтолкнул Сомса локтем.

— Бескозырка, — прошипел он, держа свой черный берет перед собой.

Сомс поспешно стянул головной убор.

Офицер, сидевший рядом с капитаном, зачитал обвинение: парень сцепился с другим маляром в кубрике. А еще он употреблял алкоголь, количество которого значительно превышало «пять капель», входящих в дневной рацион рядового состава.

— И как мы будем отвечать на обвинение? — продолжая писать, спросил командир корабля. У него был крупный элегантный почерк, немного не вязавшийся с его короткими толстыми пальцами.

— Виноват, сэр, — произнес Сомс.

Да, я виновата. И я слабая. Но, положа руку на сердце, если учесть, что за эти четыре года от тебя не было ни слуху ни духу, я вполне могла считать себя вдовой. Я три года пролежала без сна, молясь о твоем благополучном возвращении. Я каждый день говорила о тебе с детьми, даже тогда, когда мне казалось, будто ты нас забыл. А вернувшись, ты стал совсем чужим.

Наконец Хайфилд поднял глаза. Внимательно посмотрел на мальчишку и обратился к морпеху:

— Найкол, да?

— Сэр.

— Что вы можете сказать о характере этого молодого человека?

Найкол прочистил горло и собрался с мыслями:

— Он с нами чуть больше года, сэр. Маляр. За все это время вел себя образцово. Спокойный, трудолюбивый. — Найкол сделал паузу. — Хороший характер.

— Итак, Сомс, в свете столь блестящей характеристики, что превратило тебя в драчливого идиота? — (Парень виновато опустил голову.) — Смотри на меня, когда разговариваешь со старшим по званию.

— Сэр. — Сомс густо покраснел. — Это все моя девушка, сэр. Она... она должна была проводить меня в Сиднее. Мы с ней какое-то время гуляли. А она... Она оказалась среди тех, кто сейчас на палубе С, сэр.

Когда появился Антон и начал уделять мне внимание, это не означало, что он заменил мне тебя, Генри. Некого было заменять.

— ...И он начал насмехаться надо мной... Ну а за ним и другие. Говорили, что я, типа, не могу удержать женщину. Вы ведь знаете, как это бывает в кубрике, сэр. Так вот они меня, типа, достали. Ну, я, похоже, и рассвирепел.

— Ты, похоже, рассвирепел.

Дети души в нем не чают. Ты всегда останешься для них отцом, и они это знают, но они обязательно полюбят Америку, где для них открываются самые широкие возможности, о которых нельзя было и мечтать в старой сонной деревушке в Норфолке.

— Да, сэр. — Сомс кашлянул в ладонь. — Мне очень жаль, сэр.

— Тебе очень жаль, — сказал командир корабля. — Итак, Найкол, ты утверждаешь, что до этого момента он был хорошим парнем, да?

— Да, сэр.

Хайфилд отложил ручку и потер ладони. Голос его был ледяным.

— Вы все знаете, что я не одобряю драки на моем корабле. Особенно пьяные драки. Более того, мне крайне неприятно обнаруживать, что на моем корабле без моего ведома проводятся светские мероприятия, причем с употреблением горячительных напитков.

— Сэр.

— Тебе все понятно? Я не люблю сюрпризов, Сомс.

И вот тут, дорогой, я должна сообщить нечто крайне для тебя неприятное. Я пишу тебе так срочно, потому что ношу под сердцем ребенка Антона, и мы с нетерпением ждем твоего согласия на развод, с тем чтобы мы с ним могли пожениться и воспитывать ребенка вместе.

— Ты позоришь флот.

— Да, сэр.

— И за это утро ты уже пятый человек, который обвиняется в злоупотреблении алкоголем. Ты это знал? — (Парень промолчал.) — Очень странно, если учесть, что на корабле, кроме вашей недельной нормы, по идее, не должно быть спиртного.

— Сэр. — Найкол откашлялся.

Капитан продолжал исподлобья смотреть на мальчишку:

— Я учту твои прежние заслуги, Сомс, и считай, что тебе повезло получить в заступники человека с безупречной репутацией.

— Сэр.

— Так вот, ты еще очень легко отделался. Пока только штрафом. Но я хочу, чтобы ты зарубил себе на носу одну вещь — можешь передать своим друзьям и тем, кто ждет в коридоре. Почти ничего не ускользает от моего внимания на этом корабле. Почти ничего. И если ты думаешь, что я не знаю о посиделках, проходящих в то время, когда команду корабля и его женский груз должны разделять не только стены, но и треклятые коридоры, то ты глубоко заблуждаешься.

— Я не хотел, сэр. Я не нарочно.

Я не хотела, чтобы все так обернулось. Но пожалуйста, Генри, не дай этому ребенку стать незаконнорожденным. Я тебя заклинаю. Да, я понимаю, что причинила тебе ужасную боль, но, умоляю, не надо срывать свою обиду на невинном младенце.

— Ты не хотел, — пробормотал Хайфилд и начал что-то быстро писать. — Ты не нарочно. Вы все не нарочно. — (В комнате вдруг стало тихо.) — Два фунта. И чтоб я тебя здесь больше не видел.

— Сэр.

— Налево кругом, шагом марш!

Матрос и морпех отдали честь и вышли из капитанской каюты.

— Два чертовых фунта, — снова нахлобучив бескозырку, сказал Сомс, когда они прошли мимо длинной очереди из нарушителей. — Два чертовых фунта, — пробормотал он одному из своих корешей. — Этот Хайфилд, чертов несчастный ублюдок.

— Не повезло.

Распаляемый обидой на такую несправедливость, Сомс ускорил шаг:

— Не понимаю, с чего это он вдруг прикопался ко мне. Все нудил и нудил. Я даже слова не сказал треклятым английским невестам. По крайней мере, не больше чем одной из них, черт бы ее побрал! Не то что этот чертов Тимс. Он каждый вечер водит в свой кубрик девчонок. Джексон мне все рассказал.

— Лучше держись от них подальше, — произнес Найкол.

— Что? — Сомс повернулся к Найколу, почувствовав едва сдерживаемое напряжение в его голосе. — С тобой все в порядке?

— У меня все прекрасно, — вынув руку из кармана, ответил Найкол.

Пожалуйста, напиши мне письмо или отправь телеграмму, когда сможешь. Я счастлива, что могу оставить тебе дом и остальное. По мере возможности я старалась содержать все в порядке. Не хочу еще больше осложнять тебе жизнь. Единственное, чего я хочу, — это чтобы ты меня отпустил.

Твоя Фэй

— Да, прекрасно, — повторил Найкол, размашисто шагая по коридору. — Прекрасно.

Дисциплинарное судебное разбирательство закончилось сразу после одиннадцати утра. Командир корабля Хайфилд положил ручку и жестом предложил Добсону, пришедшему несколькими минутами ранее, и капитану морской пехоты присаживаться. Стюарда послали за чаем.

— Плохо дело, — сказал Хайфилд, откинувшись на спинку кресла. — Мы всего неделю в море, а вы только посмотрите, что творится!

Капитан морской пехоты промолчал. Морские пехотинцы были дисциплинированными ребятами и никогда не пили на борту. Как правило, их привлекали для того, чтобы охарактеризовать того или иного моряка, или когда трения между моряками и морскими пехотинцами начинали переходить допустимые границы.

— Это создает напряженную обстановку на борту. И алкоголь. Когда еще мы имели столько случаев правонарушений на море по пьяной лавочке?!

Добсон и капитан морской пехоты сокрушенно покачали головой.

— Капитан, мы обыщем шкафчики. Постараемся вовремя потушить пожар, — заявил Добсон.

Из иллюминатора за их спиной открывался вид на ярко-синее небо и безмятежное море. Такая картина не могла не успокаивать, вселяя в сердце оптимизм. Но Хайфилда она отнюдь не радовала: все утро нога ныла и пульсировала, словно постоянно напоминая о его неудаче.

Утром, когда капитан одевался, он старался не смотреть на ногу — ее цвет вызывал беспокойство. Едва заметный багровый оттенок кожи говорил не о появлении здоровых тканей, а о том, что в ноге явно протекают нехорошие процессы. Если бы Бертрам, штатный судовой хирург, был на борту, капитан мог бы попросить его осмотреть ногу. Бертрам бы понял. Но Бертрам опоздал на корабль в Сиднее, и теперь ему предстоит предстать перед трибуналом, а его место занял чертов придурок Даксбери.

Упершись локтями в колени, Добсон наклонился вперед:

— Согласно докладам женщин-офицеров, они почти уверены, что по ночам происходит некое движение. Только прошлой ночью одной из них пришлось вмешаться в ситуацию, возникшую на палубе В.

— Драка?

Обменявшись понимающими взглядами, Добсон и капитан морской пехоты посмотрели на Хайфилда.

— Нет, сэр. Хм... Физический контакт между невестой и матросом.

— Физический контакт?

— Да, сэр. Он держал ее за... корму.

Хайфилд подозревал, что такое может случиться, предупреждал начальство. И все же ему будто дали под дых. Сама мысль о том, что, пока он тут сидит, подобные вещи творятся на борту его корабля...

— Я знал, что это непременно случится, — произнес он, заметив, к своему удивлению, что его собеседников сей факт встревожил гораздо меньше. И действительно, у Добсона был такой вид, словно он с трудом сдерживал улыбку. — Придется выставить дополнительные караулы из морских пехотинцев на ангарной палубе и у кубриков матросов и кочегаров.

— При всем уважении, сэр, — перебил его капитан морской пехоты, — мои парни и так дежурят по скользящему графику семь дней в неделю, и это помимо выполнения других задач. Я не могу заставить их прыгнуть выше головы. Вы сами видели, какой замученный вид у Найкола, и он не один такой.

— А так ли необходимо выставлять караул у дверей кубриков? — спросил Добсон. — Охрана из числа морских пехотинцев у кают невест плюс регулярные обходы блюстителей нравственности из женской вспомогательной службы — этого, безусловно, должно быть достаточно.

— Нет, совершенно очевидно, что недостаточно. Разве не так? Решительно нет, если нам уже сейчас приходится разгонять любовные вечеринки и тому подобное... Послушайте, мы лишь неделю назад покинули порт. И если пустим все на самотек, то один Бог знает, чем все может закончиться. — Перед его мысленным взором пронеслись жуткие картины совокупляющихся на мучном складе парочек, он представил себе багровые лица разъяренных мужей и представителей адмиралтейства.

— Ой да ладно вам, сэр! Я бы сказал, что просто надо учесть это на будущее.

— Что именно?

— Конечно, поначалу небольшие сбои непременно будут, особенно с учетом большого числа новых членов команды, но ничего такого, с чем мы не могли бы справиться. И вообще, после истории с «Индомитеблом» это, наверное, даже и к лучшему. Поскольку означает, что наши моряки потихоньку оклемываются.

До сих пор, возможно из соображений дипломатичности или нежелания бередить раны капитана Хайфилда, никто не заводил речь о потопленном корабле — по крайней мере, в контексте морального духа моряков. При упоминании названия корабля у Хайфилда окаменело лицо. Вероятно, чисто рефлекторно. Но скорее всего, из-за личности говорившего.

Тем временем Добсон, собравшись с мыслями, вкрадчиво произнес:

— Капитан, если не возражаете, можете возложить на нас дисциплинарные вопросы. Будет очень печально, сэр, если несколько шумных вечеринок подпортят вам ваш последний поход.

Язвительная речь Добсона, его уверенная, даже развязная манера держаться однозначно свидетельствовали о том, что думают о Хайфилде его моряки, хотя и не решаются произнести это вслух. Раньше Добсон в жизни не осмелился бы говорить подобным тоном со своим капитаном. Командир корабля был настолько ошеломлен таким плохо замаскированным нарушением субординации, что потерял дар речи. И когда стюард принес чай, он даже не сразу это заметил.

— Сэр, — начал капитан морской пехоты, который оказался несколько дипломатичнее Добсона, — полагаю, все возникшие за прошлую неделю проблемы были связаны с погодными условиями в бухте. Мне кажется, что как наши моряки, так и женщины воспользовались отсутствием проверяющих, для того чтобы повысить уровень... хм... взаимодействия. Еще несколько дней — и женщины потихоньку угомонятся, а экипаж привыкнет к их присутствию на борту. Я надеюсь, все образуется.

Хайфилд, терзаемый подозрениями, испытующе посмотрел на капитана морской пехоты. Но, в отличие от Добсона, морской пехотинец явно не хитрил и не лукавил.

— Значит, вы предлагаете пока оставить все как есть, да?

— Точно так, сэр.

— Согласен, сэр, — сказал Добсон. — Не буди лихо, пока оно тихо.

Демонстративно проигнорировав его, Хайфилд закрыл журнал и повернулся к капитану морской пехоты:

— Очень хорошо. Будем действовать осторожно. Но я хочу знать буквально каждый шаг, словом, абсолютно все, что происходит после десяти вечера. Расшевелите проверяющих — заставьте их протереть глаза и навострить уши. И если я замечу хотя бы намек на недостойное поведение — учтите, хотя бы намек, — то попрошу, не жалея сил, изничтожить это в самом зачатке. Не желаю, чтобы наш корабль обвинили в снижении военно-морских стандартов. По крайней мере, не под моим командованием.

Дорогая Дина!
Надеюсь, что ты, мама и папа поживаете хорошо. Не знаю, когда мне удастся отправить это письмо, но я все же рискнула написать, чтобы рассказать тебе о нашем морском путешествии. Оно потрясающее. Я часто думаю о том, как бы тебе здесь понравилось, а еще о том, в каких удивительных условиях оказалась. Надо же, а я еще сомневалась!

У меня появились три изумительные новые подруги: Маргарет, ее отец владеет большим поместьем неподалеку от Сиднея; Фрэнсис, она безумно элегантная и как медсестра творит настоящие чудеса; и Джин. Они намного интереснее наших прежних знакомых. А еще тут есть одна девушка, которая взяла с собой целых пятнадцать пар туфель! Слава богу, что я успела до отъезда пройтись по магазинам. Ведь так приятно щеголять в обновках, да?

Меня разместили в самой большой части корабля, неподалеку от капитанского мостика и походной каюты капитана. Нам сказали, что как только мы достигнем Гибралтара, то пассажиров пригласят на коктейль, а еще на корабль вроде бы сядут несколько губернаторов, так что я уже жду не дождусь.

Персонал из кожи вон лезет, желая нам угодить. Чтобы девушки не скучали, каждый день придумывают новое развлечение: рукоделие, танцы, самые последние фильмы. Сегодня днем я собираюсь посмотреть «Национальный бархат». Не уверена, что этот фильм уже дошел до Мельбурна, но, когда дойдет, советую, обязательно сходи на него. Девушки, которые его уже видели, говорят, что Элизабет Тейлор бесподобна. Моряки просто душки, всегда готовы услужить и балуют нас разными съедобными пустячками. И, Дина, за такую еду можно жизнь отдать. Будто они тут слыхом не слыхивали о продовольственных нормах. Тем более об этом противном яичном порошке, который мы все ненавидели! Поэтому можешь передать папе с мамой, что нет ни малейших поводов для беспокойства.

В дальнем конце корабля имеется прекрасно оборудованный парикмахерский салон. Быть может, когда закончу письмо, наведаюсь туда. Попробую предложить им свои услуги! Как ты, наверное, помнишь, миссис Джонсон всегда говорила, что никто не умеет укладывать волосы лучше меня! Как только приеду в Лондон, сразу же постараюсь найти приличный салон. Конечно, я непременно напишу тебе про Лондон. Я рассчитываю еще до приезда туда получить весточку от Иэна относительно его планов провести каникулы в Лондоне.

Как я уже писала, надеюсь, что вы все поживаете хорошо, и, пожалуйста, поделись радостными новостями обо мне с нашими старыми друзьями. Ой, совсем забыла: когда ты *получишь это письмо, твой сольный концерт уже состоится. Надеюсь, он пройдет хорошо. Напишу еще, когда появится свободная минутка!*

Твоя любящая сестра Эвис

Эвис сидела в буфетной на полетной палубе и смотрела в забрызганный соленой водой иллюминатор на кружившихся вокруг корабля чаек и на бездонное синее небо. За те полчаса, что ушли у нее на написание письма, она уже сама успела поверить в изложенную ею версию своего морского путешествия. Причем до такой степени, что почувствовала глубочайшее разочарование, когда, подписавшись, обнаружила, что сидит в ржавом протекающем ангаре и кругом не гости на коктейле или чудесные новые подруги, а поцарапанные носы самолетов на палубе, какие-то непонятные парни в грязных комбинезонах, морская вода и соль, запахи подгоревшей еды, машинного масла и ржавчины.

— Эвис, чашечку чая? — Над ней, практически положив на деревянный стол свой огромный живот, склонилась Маргарет. — Пойду налью. Кто знает, а вдруг чай успокоит твой желудок.

— Нет, спасибо. — Эвис сглотнула, представив себе вкус чая.

И на нее тотчас же накатила волна тошноты, словно в подтверждение того, что, отказавшись, она поступила совершенно правильно. Она так и не сумела привыкнуть к вездесущему запаху авиационного топлива, который ее повсюду преследовал, прилипал к одежде, попадал в нос. И сколько бы она ни прыскалась духами, ей все равно казалось, будто от нее пахнет, как от механика из машинного отделения.

— Ты должна хоть немного поесть.

— Выпью стакан воды. Может быть, крекер, если у них найдется.

— Бедная ты бедная. Гляжу, тебе хуже всех приходится.

На полу виднелись три большие лужи. В них отражался падающий из иллюминатора свет.

— Уверена, это скоро пройдет. — Эвис постаралась беззаботно улыбнуться. Ведь в жизни нет таких невзгод, которые нельзя было бы преодолеть с помощью милой улыбки, — так говорила ее мама.

— У меня тоже такое было на раннем сроке. — Маргарет похлопала себя по животу. — Даже подсушенный тост не могла в себе удержать. И чувствовала себя ужасно несчастной. Даже странно, что меня не укачивает, как вас с Джин.

— Мы можем поговорить о чем-нибудь другом?

— Не вопрос. Прости, Эв. Пойду принесу чая.

Эв. Если бы ей не было так плохо, она непременно одернула бы Маргарет. Нет ничего хуже, чем уменьшительно-ласкательные имена. Но Маргарет уже поковыляла к прилавку, оставив ее наедине с Фрэнсис, тем самым еще больше испортив Эвис настроение.

За последние несколько дней Эвис поняла, что во Фрэнсис есть нечто очень странное. Нечто такое, что донельзя смущало Эвис. Слишком уж она замкнутая, и даже когда сидела молча, то возникало неприятное ощущение, будто она тебя оценивает. Конечно, Фрэнсис могла быть очень любезной: она приносила Эвис таблетки от тошноты, проверяла, нет ли у нее обезвоживания, но при этом ее манера поведения была крайне сдержанной, словно она, Фрэнсис, находила в Эвис нечто такое, что напрочь отбивало желание сблизиться. Будто Фрэнсис какая-то особенная!

Маргарет рассказала, что Фрэнсис получила отказ, когда предложила помочь в лазарете. Эвис даже позволила себе позлорадствовать, мысленно гадая, чем это, интересно, Фрэнсис не устроила военно-морской флот, но тут же подумала, насколько было бы легче, если бы Фрэнсис, с ее постным лицом и неумением поддержать беседу, не отсвечивала бы весь день в каюте. Эвис обвела взглядом другие столы. Сидевшие за ними девушки беззаботно болтали, будто знали друг друга миллион лет. Они уже успели сформировать свой круг, недоступные для посторонних небольшие тесные группы. Эвис, разглядывая одну особенно жизнерадостную компанию, боролась с желанием подойти к ним, сказать, что она случайно оказалась за одним столом со странной суровой девицей. Но это, конечно, было бы слишком грубо.

— Какие у тебя планы на сегодня?

Фрэнсис изучала последний выпуск «Ежедневных судовых новостей». Она подняла глаза, и на лице ее появилось такое настороженное выражение, что Эвис захотелось крикнуть: «Знаешь, я ведь просто так спрашиваю, без всякой задней мысли!» Светло-рыжие волосы Фрэнсис были убраны в тугой узел. Будь на ее месте кто-нибудь другой, Эвис предложила бы ей сделать что-то более кокетливое. Если бы Фрэнсис добавить хоть немного красок, то она была бы прехорошенькой.

— Нет, — ответила Фрэнсис. И когда молчание стало совсем неприличным, добавила: — Собиралась просто посидеть немного здесь.

— Ну... Похоже, погода налаживается. Да?

— Да.

— Мне показалось, что сегодняшняя лекция была уж слишком занудной, — сказала Эвис. Она ненавидела неловкие паузы в разговоре.

— О?

— Нормирование и все такое! — фыркнула Эвис. — Честно говоря, когда мы доберемся до Англии, я вообще сведу готовку до минимума.

У них за спиной компания девчушек с шумом отодвинула стулья и, не прекращая оживленно щебетать, встала из-за стола.

Эвис с Фрэнсис проводили их взглядом.

— Ты уже закончила свое письмо? — поинтересовалась Фрэнсис.

Эвис накрыла рукой бювар, словно Фрэнсис могла увидеть его содержимое.

— Да. — Ответ прозвучал резче, чем ей хотелось бы. Сделав над собой усилие, она немного расслабилась. — Это сестре.

— О...

— Утром я написала еще два. Иэну и школьной подруге. Она дочь Маккиллленсов. — (Фрэнсис непонимающе покачала головой.) — Они очень богатые люди. Я ни разу не написала Анжеле с тех пор, как уехала из Мельбурна... Правда, даже и не представляю, когда мы сможем отправить письма. И когда я получу хотя бы одно письмо от Иэна. — Она принялась изучать ногти. — Надеюсь, что это случится на Цейлоне. Мне говорили, что почту могут доставить прямо на борт.

Она мечтала о толстой связке писем от Иэна, что ждала ее в каком-нибудь раскаленном от тропической жары почтовом отделении. Она перевяжет письма красной ленточкой и будет в одиночестве читать их по одному, смакуя, как коробку шоколадных конфет.

— Так странно, — сказала она, скорее себе, — что мы, поженившись, столько времени не общались. — Она пальцем начертила на конверте имя Иэна. — Иногда все кажется немножко нереальным. Словно мне не верится, что я вышла замуж за этого человека и теперь плыву в никуда. Когда не можешь с ним поговорить, нелегко верить в реальность происходящего.

Прошло пять недель и четыре дня со времени его последнего письма. И первого, что она получила, уже будучи замужней дамой.

— Я пытаюсь представить себе, о чем он сейчас думает, ведь самое плохое в невозможности вовремя получать письма — это то, что все чувства за время пути успели измениться. То, что могло расстраивать его, уже в прошлом. А закаты, которые он описывает, далеко позади. Я даже не знаю, где он сейчас. Остается только надеяться, что на расстоянии наши чувства не угасли. Мне кажется, это и есть наша проверка на верность. — Ее голос стал совсем тихим, задумчивым. Она вдруг поняла, что на несколько минут забыла о тошноте. И слегка оживилась. — А ты как думаешь?

Но выражение лица Фрэнсис, вдруг ставшего похожим на маску, неуловимо изменилось: сделалось замкнутым и безразличным.

— Полагаю, что так, — проронила Фрэнсис.

И Эвис поняла, что если бы она, Эвис, сказала, будто небо позеленело, то получила бы такой же ответ. Девушка неожиданно почувствовала себя не в своей тарелке, словно ее попытка установить более доверительные отношения была демонстративно отвергнута. Эвис так и подмывало сказать что-нибудь по сему поводу, но тут к столу вернулась Маргарет с чайным подносом в руках. Ее кружка оказалась доверху наполненной ванильным мороженым. Уже третья порция с тех пор, как они сели за стол.

— Девчонки, послушайте, что я вам расскажу. Старушке Джин точно понравится. Они собираются проводить церемонию перехода через экватор. Оказывается, это старая морская традиция, и на полетной палубе будет масса развлечений. Так говорил парень, который разливает чай.

Эвис тут же забыла об обиде на Фрэнсис.

— И что, надо наряжаться? — непроизвольно поправила прическу Эвис.

— Без понятия. Тут я не в курсе. Они потом вывесят информацию на доске для объявлений. Но будет весело. Ну, что будем делать?

— Хм. Я пас. Только не с моей морской болезнью.

— Фрэнсис? — Маргарет, измазав кончик носа, лизнула шарик мороженого.

— Не знаю.

— Ай да брось! — воскликнула Маргарет. Когда она опустилась на стул, тот протестующе заскрипел. — Отведи душу, подруга. Дай себе волю!

Фрэнсис неуверенно улыбнулась, показав мелкие белые зубы. А она, оказывается, красавица, неожиданно поняла Эвис.

— Поживем — увидим, — сказала Фрэнсис.

Фрэнсис думала, что возненавидит мужчину под дверью их каюты. В первую ночь, что он стоял на часах в коридоре, она не сомкнула глаз, ощущая присутствие незнакомого человека. Свою наготу, свою беззащитность. И тот факт, что он, по крайней мере в теории, имел над ней власть. Она остро чувствовала каждое его движение, каждый шаг, каждый скрип и шорох, каждый звук его голоса, когда он тихо приветствовал или инструктировал проходивших по коридору. И потом, лежа на своей койке, она размышляла о том, почему так переживает по сему поводу: его присутствие подчеркивало тот непреложный факт, что они здесь просто груз, партия товара, которую необходимо безопасно переправить с одного конца света на другой, в основном от отцов к мужьям, от одних мужчин — к другим.

Эта чеканная поступь, эта выправка, этот карабин говорили о том, что женщин не только лишили свободы, посадили в заключение, но и охраняли, защищая от неких неведомых сил, находящихся палубой ниже. Иногда, когда она начинала нервничать из-за множества людей поблизости, обилия незнакомых мужчин, которых поневоле сплотила изоляция от внешнего мира, она была даже рада, что он стоял на посту у них под дверью. Однако гораздо чаще она ненавидела его за то, что он заставлял ее чувствовать себя вещью, чьей-то собственностью, нуждающейся в охране.

Впрочем, остальные девушки старались не вдаваться в столь сложные философские материи. По правде говоря, они вообще его не замечали. Для них, как и для многих на борту, он был вроде мебели, человеком, которому говорили «добрый вечер» и мимо которого можно было протащить собаку или пробраться самим, чтобы на цыпочках спуститься туда, где проходила очередная вечеринка. Совсем как сегодня. Маргарет с Джин собирались на партию в покер с Деннисом. Заговорщицы перешептываясь, они укладывали волосы, возились с чулками и туфлями, а также — в случае Джин — одалживали чужую косметику. Было около девяти вечера, словом, еще не так поздно, чтобы, соблюдая комендантский час, загнать их в каюту, но — поскольку время ужина давно прошло — достаточно поздно для того, чтобы, если их перемещения будут обнаружены, поинтересоваться на законных основаниях, куда это они направляются.

— Фрэнсис, уверена, что не хочешь с нами пойти? (Они уже были на нескольких вечеринках, и во время по крайней мере одной Джин удалось остаться трезвой. Фрэнсис покачала головой.) — Ты не должна вести себя точно монашка. — Маргарет зашнуровала вторую туфлю. — Господи боже мой, я уверена, что твой старик не стал бы возражать против того, чтобы ты чуть-чуть развлеклась в хорошей компании.

— Мы никому не скажем, — поддакнула Джин, надувая губы, чтобы подкрасить их помадой.

Маргарет посадила собаку на колени.

— Знаешь, если будешь все вечера сидеть здесь, то непременно трехнешься.

— А когда мы прибудем в Плимут, им придется надеть на тебя смирительную рубашку, — покрутила пальцем у виска Джин. — Решат, что у тебя шарики за ролики заехали.

— Я все же рискну, — улыбнулась Фрэнсис.

— Эвис?

— Нет, спасибо. Я лучше отдохну. — Тошнота у нее снова усилилась, и она — бледная и вялая — лежала на койке с книгой в руках, периодически опуская ее. — Если постараешься держать подальше от меня свою собаку, я буду тебе крайне признательна. От ее запаха меня еще больше мутит.

Они не ожидали увидеть под дверью морского пехотинца. Прошлым вечером его не было, и на сей раз они не слышали тяжелых шагов, сигнализировавших о его появлении. Джин, а за ней и Маргарет замерли на пороге.

— Ой... А мы вот собрались подышать свежим воздухом, — сказала Маргарет, поспешно закрывая за собой дверь.

— К одиннадцати вернемся, — добавила Джин.

— Или типа того.

Услышав мужской голос и взволнованный шепот подруг, Фрэнсис, которая встала, чтобы снять с вешалки халат, замешкалась возле двери.

— Если я правильно понимаю вашу любовь к свежему воздуху, то посоветовал бы держаться подальше от «чумазой бригады», — произнес он так тихо, что девушки засомневались, правильно ли расслышали его слова. Фрэнсис, взяв халат, приникла к двери. — Кубрика кочегаров. Сегодня там будет облава, — объяснил он.

— О... Хорошо, — сказала Маргарет. — Ну ладно. Спасибо.

Фрэнсис услышала их удаляющиеся шаги и тихое покашливание морпеха. Они наверняка не произнесут ни слова, пока не завернут за угол возле пожарного шланга. А там, вне его поля зрения, зайдутся истерическим смехом и, на секунду обнявшись и воровато оглянувшись назад, направятся в сторону кубрика кочегаров.

Эвис не спала. Жаль, подумала Фрэнсис, так было бы гораздо легче. Зажатые в тесной каюте, они старались молча обходить друг друга. Затем Эвис все же легла, повернувшись лицом к стене, а Фрэнсис принялась смущенно перелистывать журнал, уповая на то, что со стороны ее неожиданный интерес к чтению выглядит вполне естественно.

Они не так часто проводили время только вдвоем. Маргарет была легкой в общении, незатейливой и простодушной, о чем свидетельствовала ее готовность улыбаться. Джин казалась менее предсказуемой, но и без камня за пазухой — словом, что на уме, то и на языке. Она открыто выражала как недовольство, так и бурный восторг, хотя это не всем приходилось по вкусу.

А вот Эвис, как догадывалась Фрэнсис, считала ее тяжелым человеком. Мало того что между ними не было ничего общего, даже манера ее поведения, ее характер явно раздражали Эвис. Эвис может проявить открытую враждебность: Фрэнсис по опыту знала, на что способны такие девицы. Для самоутверждения им просто необходимо смотреть на кого-то сверху вниз. Но в их тесной — десять на восемь футов — каюте не было места для открытого проявления чувств. И в результате из дипломатических соображений каждой из них приходилось замыкаться в собственном мучительном мирке. Фрэнсис будет время от времени справляться, как себя чувствует Эвис и не надо ли ей чем-нибудь помочь, а Эвис в свою очередь спросит, не мешает ли Фрэнсис свет, и до конца вечера каждая из них станет из вежливости притворяться, будто она считает, что другая уже давно спит.

Фрэнсис легла обратно на койку. Снова взяла журнал, но поймала себя на том, что по несколько раз перечитывает один и тот же абзац. Попыталась сосредоточиться и в результате обнаружила, что уже читала этот журнал. В конце концов она уставилась на сплетение прогнувшихся ремней над головой.

Собака под шерстяной кофтой Маргарет едва слышно поскуливала во сне. Фрэнсис опустила глаза, чтобы проверить, достаточно ли в собачьей миске воды.

Где-то наверху послышался глухой звук удара, затем сдавленный смех.

За дверью морпех что-то сказал тому, кто проходил мимо. Время, словно резиновое, тянулось до бесконечности.

Фрэнсис вздохнула. Очень тихо, чтобы не услышала Эвис. Маргарет права. Если она проведет еще один вечер в каюте, то непременно сойдет с ума.

Он повернулся на звук отворившейся двери.

— Хочу немного размять ноги, — сказала она.

— Строго говоря, мэм, вы не должны покидать каюту в такое время.

Она не протестовала и не упрашивала его, а просто стояла и ждала, и он не выдержал и кивнул:

— Кубрик кочегаров?

— Нет, — не поднимая глаз, улыбнулась она. — Нет. Это не для меня.

Она решительно прошла по коридору, спиной чувствуя его взгляд. Ей казалось, что сейчас он ее остановит, скажет, что передумал, что скоро наступит комендантский час, и велит оставаться в каюте. Но он промолчал.

Оказавшись вне пределов его досягаемости, она поднялась по трапу рядом с кинозалом, кивнула каким-то двум девушкам, шедшим рука об руку и посторонившимся, чтобы дать ей пройти. Опустив голову, она поспешно прошла мимо кают, мимо рядов прикрепленных к стене ремнями жестяных ящиков, в бездонных недрах которых хранились спасательные жилеты, оружие, боеприпасы, на каждом из них масляной краской были написаны инструкции: «Держать сухим», «Не использовать после 11.1947», «Не курить». Она поднялась по ведущему к капитанской походной каюте трапу, перешагивая сразу через две ступеньки и пригибая голову, чтобы не удариться о металлические распорки.

Оказавшись возле двери, оглянулась, нет ли кого вокруг, открыла ее и вылезла на полетную палубу. И резко остановилась, потрясенная темно-синим морем и бескрайним небом над головой.

Фрэнсис немного постояла, полной грудью вдыхая прохладный свежий воздух, чувствуя, как стягивает кожу на лице легкий бриз, ощущая плавное движение корабля. Там, внизу, из-за постоянной вибрации двигателей ей казалось, что она находится в желудке гигантского доисторического животного: оно тряслось и дрожало, злобно пыхтя и рыча от натуги. А здесь она слышала лишь тихое урчание мифического зверя, что послушно нес ее вперед по безбрежным океанским просторам.

Фрэнсис оглядела пустынную палубу, посещение которой было строго запрещено после темноты. Ее окружали призрачные силуэты самолетов, местами освещенных лунным светом, они напоминали собравшихся на игровой площадке детей. В них было нечто безумно притягательное, задранные вверх носы словно нюхали небо. Она медленно прошла между самолетами, позволив себе погладить блестящий металл, прохладный и немного влажный на ощупь. Наконец она уселась под обтекаемым брюхом железной птицы. Оказавшись в столь выгодной позиции, она обняла себя за колени и принялась смотреть на мириады звезд, на хвосты белого дыма, отмечавшего курс корабля, на то место, где темно-синий океан сходился с чернильным небом. И Фрэнсис Маккензи закрыла глаза и, содрогнувшись всем телом, позволила себе облегченно вздохнуть — наверное, впервые со времени посадки.

Просидев так минут двадцать, она неожиданно увидела командира корабля. Он вышел из той же двери, что и она. О его статусе говорила и кокарда на белой фуражке, и его неестественно прямая осанка. Она буквально отпрянула от ужаса и постаралась спрятаться в тени самолета, ожидая в любую минуту услышать гневный окрик: «Эй! Вы!», за которым последует позорное разоблачение. Она следила за тем, как он осторожно, стараясь не хлопать, закрывает за собой дверь. Затем так же воровато, как и она до того, он прошел вперед и, все явственнее прихрамывая, направился в сторону правого борта, в ту часть палубы, которая не просматривалась с мостика. Потом остановился возле большого самолета — капитанская форма была хорошо видна в лунном свете — и оперся о распорку крыла. После чего нагнулся и потер ногу.

Он несколько минут стоял, перенеся вес тела на здоровую ногу, и смотрел на море. Потом расправил плечи и зашагал обратно к двери. Хромота его сразу сделалась практически незаметной.

Впоследствии Фрэнсис так и не сумела сформулировать, что такого успокаивающего она нашла для себя в этой короткой сценке. Возможно, дело было в красоте моря, или в ее способности тайком урвать двадцать минут свободы, или в таившемся в хромоте капитана крошечном намеке на человечность, а именно в напоминании о том, что мужчины тоже способны ошибаться, страдать и скрывать боль, но когда она спустилась по трапу, то обнаружила, что ее уже не задевают взгляды идущих навстречу людей, словно ей удалось вернуть себе крупицы былой уверенности.

Конечно, она никогда не попросит у мужчины сигарету. Не позволит втянуть себя в беседу. Никогда не начнет ее первой. Тем не менее ей стало гораздо легче. Небо оказалось таким прекрасным. И было нечто невероятно печальное в выражении лица капитана.

Морпех стоял, прислонившись к стене напротив их двери, между большим и указательным пальцем зажата сигарета, взгляд устремлен куда-то в пол. Волосы упали на лоб, плечи поникли, словно он целиком ушел в свои мысли, причем мысли не самые приятные. Заметив ее приближение, он поспешно убрал сигарету в карман. Ей показалось, что он даже немного покраснел. Уже гораздо позже она вспоминала, что испытала тогда нечто вроде легкого шока:

ведь он всегда казался ей скорее не одушевленным существом, а автоматом. Как и все морские пехотинцы. Она и предположить не могла, что под этой маской есть место таким человеческим эмоциям, как смущение или даже чувство вины.

— Пожалуйста, не стоит беспокоиться, — сказала она. — Только не из-за меня.

— А я и не собираюсь, — пожал он плечами. — Я же на посту.

— И все же.

Он угрюмо поблагодарил ее, стараясь не встречаться с ней глазами.

И по какой-то непонятной даже для нее самой причине она не закрыла за собой дверь каюты, а осталась стоять, накинув на плечи шерстяную кофту, и потом неожиданно для себя попросила у него сигаретку.

— Что-то не хочется идти внутрь, — объяснила она.

Она смущенно топталась возле него, по правде говоря уже жалея о своей опрометчивости.

Он вытащил из пачки сигарету и молча протянул девушке. Затем дал ей прикурить и, прикрывая ладонями пламя, на секунду коснулся ее руки. Фрэнсис сделала отчаянную попытку не дернуться, а потом мысленно спросила себя, не станет ли ей дурно от сигареты и как долго она сможет выдержать. Он явно не желал ни с кем общаться. Уж кто-кто, а она должна была это сразу понять.

— Спасибо, — сказала она. — Только несколько затяжек.

— Не торопитесь.

Она уже во второй раз поймала себя на том, что улыбается, — инстинктивный, примирительный жест. Его ответная улыбка была слишком мимолетной. И вот так они стояли бок о бок у порога каюты, опустив глаза или устремив их в сторону огнетушителя и плаката о необходимости соблюдать правила техники безопасности, пока молчание не стало уже совсем неловким.

Она искоса посмотрела на его рукав:

— Какое у вас звание?

— Капрал.

— Тогда у вас нашивки перевернуты.

— Эти три нашивки за долгую службу.

Она сделала глубокую затяжку. Оказывается, она уже успела выкурить сигарету на треть.

— А я думала, три нашивки означают сержантское звание.

— Не тогда, когда они перевернуты.

— Ничего не понимаю.

— Это за долгую службу. Хорошее поведение[1]. — Он оглядел свой рукав, словно никогда толком не рассматривал нашивки. — За то, что предотвращал драки и всякое такое. Словом, это такой способ наградить кого-то, кто не стремится к продвижению по службе.

Мимо них по коридору прошли два матроса. Поравнявшись с Фрэнсис, они перевели взгляд с нее на морпеха и обратно. Она подождала, пока не затихнет эхо их шагов по коридору. Минутой позже неожиданно громкий, а потом сразу стихший звук голосов подсказал ей, что дальше по коридору открылась и закрылась дверь каюты.

— А почему вы не хотите повышения?

— Сам не знаю. — Вероятно, поняв, что ответ прозвучал слишком лаконично, он добавил: — Наверное, никогда не видел себя в роли сержанта.

Его лицо внезапно окаменело, а выражение глаз — не то чтобы совсем недружелюбное — говорило о том, что ему тяжело дается пустая болтовня. Однако подобный взгляд был ей хорошо знаком: она и сама точно так же смотрела на других.

На секунду их глаза встретились, и он поспешно отвернулся.

1 С 1946 года каждая нашивка присваивается после четырех, восьми и двенадцати лет безупречной службы.

— Возможно, я не хотел брать на себя лишней ответственности, — произнес он.

Именно тогда она и заметила фотографию. Должно быть, он разглядывал снимок до ее появления. Черно-белое фото, размером меньше мужского бумажника, зажатое в его руке.

— Ваши? — кивнула она на фото.

Он поднял руку и посмотрел на снимок такими глазами, точно впервые его видел:

— Да.

— Мальчик и девочка?

— Два мальчика.

Она извинилась, оба смущенно улыбнулись.

— Моего младшего не мешало бы подстричь. — Он протянул ей фото.

Она поднесла снимок к свету и посмотрела на сияющие личики, не зная, что в таких случаях положено говорить.

— Симпатичные.

— Фото сделано восемнадцать месяцев назад. За это время они уже успели подрасти.

Она кивнула, словно он обменялся с ней некой родительской мудростью.

— А у вас?

— Ой, нет... — Она вернула фото. — Нет. — (В коридоре снова стало тихо.) — А вы по ним скучаете?

— Каждый день. — Голос его неожиданно окреп. — Они, наверное, и не помнят, как я выгляжу.

Она не знала, что говорить: она вторглась туда, где вряд ли может помочь выкуренная сигарета или легкая болтовня ни о чем. И внезапно поняла, что, завязав с ним беседу, явно поторопилась и не рассчитала свои силы. Его работа — стоять на часах у дверей каюты. И если она с ним заговорит, он волей-неволей должен будет ответить, чего ему вовсе не хочется.

— Я вас покидаю, — тихо сказала она и добавила: — Спасибо за сигарету.

Она затушила сигарету ногой, затем нагнулась поднять окурок. Но не решалась унести его в каюту. Что с ним делать в такой темноте? Ведь если положить окурок в карман, он может прожечь дыру. Похоже, он не сразу заметил ее затруднительное положение, однако, когда она нерешительно остановилась у двери, снова повернулся к ней.

— Кладите сюда. — Он протянул руку ладонью вверх. Это была ладонь настоящего моряка, заскорузлая от соленой воды и мозолистая от тяжелой работы.

Она покачала головой, но он не спешил убрать руку. Тогда она положила ему на ладонь окурок и, покраснев, прошептала:

— Простите.

— Нет проблем.

— Спокойной ночи.

Она открыла дверь, скользнула в темноту каюты и тут неожиданно услышала его голос. Голос звучал достаточно спокойно, чтобы подтвердить правильность ее выводов, но в то же время достаточно непринужденно, чтобы показать: нет, он и не думает обижаться. Достаточно непринужденно, чтобы угадать намек на возможность продолжения отношений.

— Кстати, чья это собака? — спросил он.

Глава 10

Плавание оказалось сущим кошмаром. Из-за постоянных инцидентов на борту оно длилось восемь недель. У нас было одно убийство, одно самоубийство, одно помешательство, когда офицер ВВС сошел с ума, и т. д. И все это на фоне того, что члены команды открыто пренебрегали своими служебными обязанностями, поскольку были заняты тем, что гонялись за «невестами», а затем фактически у всех на глазах кувыркались с ними, вступая в сексуальный контакт. С этой целью они использовали любое доступное пространство, а одна парочка даже облюбовала себе «воронье гнездо»[1].

Из архива покойного Ричарда Лоури, конструктора кораблей

Шестнадцатый день плавания

П ервая радиограмма «НЕ ЖДУ НЕ ПРИЕЗЖАЙ» пришла на шестнадцатый день плавания. Радиограмма поступила в радиорубку после восьми утра, сразу после долгосрочных прогнозов погоды. Радист обратил внимание на ее содержание. И тут же отнес ее капитану, который ел в своей каюте овсянку с тостом. Капитан прочел радиограмму и вызвал капеллана, который, в свою очередь, пригласил соответствующего офицера из женской вспомогательной службы, и все трое принялись разглагольствовать по поводу того, что известно о характере упомянутой невесты и насколько спокойно — или нет — она может воспринять подобную новость.

Предмет обсуждения, миссис Миллисент Ньюком (урожденная Самптер), вызвали в капитанский офис в десять тридцать утра — они решили не портить девушке за-

---

1   *«Воронье гнездо»* — наблюдательный пункт на одной из корабельных мачт.

втрак, поскольку все только-только успели оправиться от морской болезни. Она пришла очень бледная, полная уверенности в том, что ее мужа — пилота палубного истребителя «сифайр» — сбили, что он пропал без вести, а возможно, погиб. Ее отчаяние было настолько велико, что никто из троих не осмелился с ходу открыть ей правду. Они неловко топтались вокруг, пока она всхлипывала в носовой платочек. Наконец капитан Хайфилд решил взять быка за рога и звучным голосом произнес, что он очень сожалеет, но все несколько не так. На самом деле совсем не так. И протянул ей радиограмму.

Уже потом он рассказывал стюарду, что она страшно побледнела, причем гораздо сильнее, чем тогда, когда решила, что муж погиб. Она несколько раз спросила, не думают ли они, будто это розыгрыш, но, услышав в ответ, что подобные радиограммы обязательно проверяют на достоверность и потом заверяют, рухнула на стул, вглядываясь в написанные на бумаге слова, словно не могла вникнуть в их смысл.

— Это все его мать. Я знала, что она постарается от меня отделаться. Я знала, — сказала она и, пока они молча стояли вокруг нее, продолжила: — Я купила две пары новых туфель. Истратила все свои сбережения. Чтобы было в чем сойти на берег. Думала, ему приятно будет увидеть меня в красивых туфлях.

— Уверен, что туфли действительно красивые, — растерянно пробормотал капеллан.

Затем она обвела комнату душераздирающим взглядом и прошептала:

— Даже не представляю, что мне теперь делать.

С помощью женщины из вспомогательной службы капитан Хайфилд уже отправил радиограмму родителям девушки и связался с Лондоном, который посоветовал высадить ее на Цейлоне, где представитель правительства Австралии возьмет на себя организацию отправки бывшей невесты домой. Радист должен передать соответствующую информацию ее родителям или другим членам семьи. Девушка покинет корабль только тогда, когда они убедятся в том, что все необходимые меры для встречи на родине приняты. Все процедуры были прописаны в недавно присланном из Лондона циркуляре, который лежал наготове на случай экстренной отправки домой жен военнослужащих.

— Мне очень жаль, — грустно улыбнулась она, когда все приготовления были сделаны, она уже успела взять себя в руки и чуть-чуть расправить худенькие плечики. — Я имею в виду, что доставила вам столько хлопот. Мне очень жаль.

— Ничего страшного, миссис... хм... Миллисент.

Женщина-офицер, положив девушке руку на плечо, помогла ей подняться. Трудно сказать, о чем именно свидетельствовал этот жест: то ли о желании приободрить бедняжку, то ли о стремлении поскорее выпроводить из капитанского офиса.

Когда девушка покинула офис, несколько секунд все сидели молча, словно перед лицом такой душевной опустошенности никто не знал, что говорить. У Хайфилда, у которого в ушах до сих пор стоял несчастный голос обманутой невесты, неожиданно разболелась голова.

— Я свяжусь с Красным Крестом на Цейлоне, сэр, — тем временем заявил капеллан. — Постараюсь найти кого-нибудь, кто сможет с ней там немножко побыть. Чуть-чуть поддержать ее.

— Это было бы замечательно, — отозвался Хайфилд. Он машинально что-то чирикал в лежавшем перед ним блокноте. — Полагаю, нам следует также связаться с начальством этого пилота, чтобы узнать, не имеется ли у него каких-то смягчающих обстоятельств. Добсон, можете взять это на себя?

— Да, сэр, — ответил Добсон, который столкнулся с Миллисент на пороге. Сейчас он насвистывал какую-то игривую мелодию, что безумно раздражало Хайфилда.

Хайфилд спрашивал себя, не слишком ли быстро он выпроводил девушку и не пригласить ли ее через офицера женской вспомогательной службы сюда на обед. После такого унижения обед за столом капитана, возможно, немного ее утешит. Хотя он плохо разбирается в подобных вещах.

— С ней все будет в порядке, — заметил Добсон.

— Что? — переспросил Хайфилд.

— Перед тем как покинуть Цейлон, она, скорее всего, найдет себе другого идиота. Такая-то красотка! — ухмыльнулся он. — Не думаю, что эти австралийки уж шибко разборчивы, если есть хоть какой-то шанс найти кого-нибудь, кто сможет увезти их со старой доброй овечьей фермы. — (Хайфилд хранил ледяное молчание.) — К тому же, капитан, баба с возу, кобыле легче, — расхохотался Добсон, явно довольный своей шуткой. — Немного везения — и к тому времени, как доберемся до Плимута, успеем скинуть за борт всех до единой.

Стоявший в углу Ренник встретился с капитаном глазами и тихонько вышел из комнаты.

До этой точки на карте мира, насколько было известно невестам, оставалось все меньше морских миль, а тем временем «Виктория» уже стала их собственным миром, существовавшим совершенно независимо от жизни на суше. Рутина корабля сделалась рутиной всех этих женщин, а мужчины, что ежедневно драили палубу, красили трубы или сваривали швы, — ее неотъемлемой частью. Границы этого нового мира простирались от офиса капитана на одном конце корабля до военторговского магазинчика на другом (поставщика губной помады, стирального порошка, бумаги для письма и прочих необходимых вещей, что продавались не по карточкам), от полетной палубы, откуда открывался вид на бескрайние синие просторы, до самых недр, с их трюмными помпами, пирамидами с оружием и двигателями в машинных отделениях.

Одни женщины писали письма и посещали богослужения, другие ходили на лекции и в кино, гуляли по продуваемой всеми ветрами палубе, иногда играли в бинго. С учетом того, что едой их обеспечивали, а быт был регламентирован строгими правилами, им не требовалось принимать практически никаких решений. Оказавшись на своем плавучем острове, они сделались пассивными, подчинились новому ритму жизни: их по-прежнему окружал безбрежный океан, разве что климат понемногу изменился да закаты стали более красочными. И тут со всей неотвратимостью на них навалился страх перед неизвестностью. Они страшились думать о конечном пункте своего назначения, примерно так же, как беременные женщины боятся представлять себе сами роды.

Однако оглядываться назад было еще тяжелее.

И естественно, в такой застойной атмосфере новости о «НЕ ЖДУ НЕ ПРИЕЗЖАЙ» распространялись со скоростью вирусной инфекции. И коллективное настроение, несколько улучшившееся после того, как морская болезнь немного отступила, резко испортилось, сделавшись удрученным. Буквально во всех разговорах за столом сквозила озабоченность. В судовой лазарет валом повалили девушки с приступами головной боли и учащенного сердцебиения. Резко увеличилось число запросов по поводу времени поступления следующей партии писем. По крайней мере одна невеста призналась на исповеди в том, что подумывает изменить свое решение, будто, озвучив эту мысль и услышав от капеллана заверения в обратном, она рассчитывала отвести от себя удар судьбы.

Всего четыре коротких слова на клочке бумаги вернули их с небес на грешную землю, бесцеремонно продемонстрировав им реальное положение дел. Проинформировали их, что они не хозяева своей судьбы и что другие — невидимые пока — силы уже сейчас определяют, какими будут те месяцы и годы, что ждут их впереди. Напомнили им, что многие вышли замуж слишком поспешно и что, несмотря на их горячие чувства, на все принесенные жертвы, им остается только ждать, словно агнцам на заклание, когда их мужья пожалеют о своем решении.

Несмотря на это, а возможно, именно благодаря этому, в день прибытия бога морей Нептуна со свитой на корабле царила в лучшем случае лихорадочная атмосфера, а в худшем — совершенно безумная.

После ланча Маргарет потащила подруг на полетную палубу. Но Эвис сказала, что предпочитает остаться в каюте, дескать, она слишком слаба, чтобы развлекаться. Фрэнсис заявила своим обычным спокойным холодным тоном, что подобные вещи, как ей кажется, не для нее. Маргарет, от внимания которой не ускользнули натянутые отношения между попутчицами и которую к тому же несколько выбила из колеи утренняя встреча в туалете с рыдающей девушкой, уверенной в том — совершенно безосновательно, — будто она тоже скоро получит радиограмму с отказом, твердо решила, что им всем сейчас не помешает немного развеяться.

Ее мотивы были, если честно, не совсем бескорыстны: ей надоело терпеть резкую смену настроений попутчиц и служить между ними буфером, и вообще она уже была больше не в силах выдержать очередной день бесцельного блуждания между столовой и замкнутым пространством каюты.

Ну, по крайней мере, Джин в уговорах не нуждалась.

Когда они вышли на залитую солнцем полетную палубу — в обычное время пустынную, если не считать чинно восседающих чаек, заблудившихся невест да отдельных моряков, драивших ее, разбившись на пары, — то увидели бурлящую толпу. Люди рассаживались вокруг только что сооруженного брезентового бассейна, их оживленные голоса перекрывали шум двигателей. Маргарет даже не сразу заметила висевший над бассейном стул, что был спущен на грузовой стреле.

— Боже ты мой! Надеюсь, они не заставят нас туда сесть! — воскликнула она.

— Ну, для тебя точно понадобится портальный кран, — заметила Джин, которая, не обращая внимания на ругань и сердитые взгляды, вовсю работала локтями, чтобы протиснуться вперед. — Ну, давайте же, девчонки! Здесь полно места. Поберегись! Беременная дама идет!

Теперь, когда все более-менее расселись, Маргарет заметила, что толпа довольно пестрая. Впервые за все время, что они находились на борту, мужчины формально не были отделены от женщин. Офицеры, в своих белых кителях, все же стояли чуть поодаль. Жара на палубе создавала праздничную, игривую атмосферу. Маргарет отметила голые руки и ноги женщин, привлекавшие откровенные взгляды мужчин.

Неподалеку от нее еще одна беременная женщина в шляпе от солнца искала, куда бы присесть, от жары ее бледная кожа пошла красными пятнами. Женщина понимающе посмотрела на Маргарет и скривилась в сочувственной улыбке. За ее спиной какой-то мужчина в комбинезоне предлагал хохочущей девушке бумажный стаканчик, и Маргарет с некоторой долей зависти вспомнила, как Джо угощал ее лимонадом на местной ярмарке во время одного из первых свиданий.

Она опустилась на палубу — Джин услужливо освободила ей место, — стараясь усесться на жесткой поверхности так, чтобы потом не болели все кости. Минутой позже ей пришлось неуклюже пригнуться, поскольку один из матросов пронес прямо над головами женщин здоровенный ящик, который передал усатому механику, знакомому Маргарет по посиделкам в кубрике Денниса.

— Это вам, миссис, — сказал он. — Присаживайтесь.

— Очень любезно с вашей стороны, — смущенно ответила она, в глубине души ей было неприятно сознавать, что они делают скидку на ее положение.

— Не стоит благодарности, — ответил он. — Мы тут тянули жребий, но никому неохота поднимать вас потом на ноги.

Если учесть, что Маргарет, с ее острым языком, в долгу не осталась бы, механику еще крупно повезло, что в этот самый момент на палубе появился Нептун в парике из расплетенной веревки, лицо выкрашено в ядовито-зеленый цвет. Его окружали не менее причудливо одетые личности, которых представили так: царица Амфитрита (очень волосатая), придворные Врач, Дантист и Цирюльник и царский Ребенок (явно переросток), со слюнявчиком из салфетки, он был щедро обмазан машинным маслом. Затем под приветственные крики зрителей появилась банда раздетых по пояс мужчин в сопровождении рыжеволосого трубача, вероятно стража. Их просто представили как Медведей.

— Эй, вот это да! Эй! Поборись со мной, приятель! — Лицо Джин раскраснелось от волнения. — Ты только посмотри на него! Он силен как бык!

— Ох, Джин, — вздохнула Эвис.

Она по-прежнему сидела с изнемогающим видом, хотя ей явно было гораздо лучше. А иначе стала бы она битых двадцать минут укладывать волосы, несмотря на отсутствие нормального зеркала и лака для волос. А затем так обильно душиться, что Мод Гонн потом целых полчаса не могла прочихаться. И вообще, оказавшись в смешанной компании, Эвис сразу повеселела.

— Посмотрите, да здесь же все звания! — радостно воскликнула она, вытягивая шею, чтобы лучше видеть. —

Вы только взгляните на нашивки! А я-то думала, что будет только кучка жутких старых инженеров.

Маргарет и Фрэнсис многозначительно переглянулись.

— И жены жутких старых механиков? — сухо спросила Маргарет, но Эвис ее не слушала.

— Ох, зря я не надела голубое платье в цветочек, — произнесла она, ни к кому собственно не обращаясь, и критически оглядела свою хлопковую юбку. — Оно гораздо наряднее.

— Ты в порядке? — кивнув на живот Маргарет, поинтересовалась Фрэнсис. Несмотря на шляпу с мягкими полями, Фрэнсис чувствовала себя не в своей тарелке.

— Отлично, — ответила Маргарет.

— Может, принести попить или еще чего?

— Нет, — отмахнулась Маргарет.

— Мне нетрудно догулять до буфетной, — сказала Фрэнсис, которой явно не терпелось уйти.

— Ой, да кончай суетиться, — бросила Эвис, поправляя подол. — Если ей что-нибудь понадобится, она скажет.

— Спасибо, обойдусь как-нибудь без посторонней помощи. У меня все прекрасно, — повернулась Маргарет к Фрэнсис. — Господи боже мой, я ведь не лежачая больная.

— Я просто подумала...

— Много думать вредно. Я вполне способна сама о себе позаботиться. — Маргарет опустила голову, пытаясь справиться с приступом раздражения.

При этих словах Фрэнсис внезапно окаменела, и Маргарет почему-то вспомнила о Летти.

— Слушайте все, слушайте все! — Нептун поднял блеснувший на солнце трезубец.

Шум внезапно стих, превратившись в сдавленное хихиканье, потом по толпе прокатился шепот, словно легкий ветерок по кукурузному полю. Нептун, довольный, что

ему удалось завладеть вниманием женщин, поднял вверх
бумажный свиток.

> Вы, дамы, хоть и под британскою защитой,
> Но моряки чинят вам притесненья и обиды,
> И оскорбленьям их не счесть числа,
> Однако царь морской Нептун отплатит им сполна.
> Матрос, кэп, кочегар — Нептуну все равно,
> Ведь суд на корабле вершить ему дано.
> Кто другу пожалел наполнить кружку брагой,
> Матроса кто презрительно назвал салагой, —
> Братва, что ж, с вами будет долгий разговор,
> Нептуна все услышат строгий приговор.

— Да уж, точно не Вордсворт, — фыркнула Эвис.
— Кто-кто? — переспросила Джин.

> Теперь матросы, кэпы, кочегары, салажата,
> Сжав зубы, будут драться, дьяволята,
> Чтоб звание морского волка заслужить
> И радость ту на дне стакана утопить.
> Матрос, морпех и кочегар — залейте грогом трубы,
> Ведь к дьяволу морскому вы попадете в зубы.
> И вам, о дамы дорогие, отдаю на суд,
> Кого на пьяный стул Нептун посадит тут.

Наконец после громкого улюлюканья и чего-то вроде
небольшой потасовки был вызван первый «салага»: молодой матросик, который отчаянно щурился. Его очки, как
почетный приз, торжественно несли за ним. Его вина, очевидно, состояла в том, что он только во второй раз пересекал экватор, но первый раз еще во время войны, поэтому
он никак не ознаменовался и матросу его не засчитали.
Когда женщины стонами выразили свое одобрение, матросу предъявили обвинение в том, что он «отказался признать территорию, принадлежащую Нептуну», затем стражник поставил его на колени, и Дантист наполнил ему рот
чем-то вроде мыльной пены, отчего парень стал давиться

и кашлять. Его водрузили на стул и по мановению трезубца Нептуна погрузили в бассейн под одобрительные крики женщин.

— Не слишком-то благородно, да? — вытянув шею, чтобы лучше видеть, спросила Эвис.

В эту минуту Медведи принялись прочесывать толпу в поисках женщин с артистическими задатками. Невесты, в свою очередь, с готовностью поднимали визг и прижимались друг к другу, клялись — громко и без особой нужды, — что будут защищать друг друга. Все это выглядело настолько мелодраматично, что у Маргарет от удивления глаза полезли на лоб. А вот Фрэнсис сидела как изваяние. Мужчины ее настолько не интересовали, что Маргарет в очередной раз задалась вопросом, как это Фрэнсис вообще удалось выскочить замуж.

Один из Медведей остановился прямо возле них. Его грудь еще оставалась мокрой после очередной атаки, лицо было устрашающе зеленого цвета, на шее висели бусы из ракушек. Наклонившись, он вглядывался в лица женщин:

— Ну и где там наши грешницы и злодейки, а? Кто из вас заслуживает хорошего наказания?

Но ответом ему был дружный визг невест, расступившихся перед ним, словно воды Красного моря перед Моисеем.

Посторонились все, кроме Фрэнсис. Он остановился перед ней, их взгляды скрестились, он первый отвел глаза, поняв, что здесь ему не светит, и повернулся к Маргарет. Та собралась было с улыбкой сказать, что они не затащат ее на этот чертов стул, но он уже театрально развернулся, точно злодей из пантомимы, к довольной публике.

— Похоже, придется искать другую жертву, — сказал он, махнув рукой в сторону Маргарет. — Потому что, по законам Нептуна, никто не имеет права обидеть кита.

Невесты кругом так и полегли со смеху. Маргарет, которая собралась было срезать наглеца остроумным ответом, вдруг поняла, что потеряла дар речи от возмущения. Над ней жестоко посмеялись. Словно ее беременность могла быть предметом для шуток!

— Да пошел ты! — грубо сказала она.

Но смех вокруг стал только громче.

Медведь отправился на поиски другой жертвы, а у Маргарет от обиды слезы навернулись на глаза. Фрэнсис ничего ей не сказала, только сдвинула шляпу пониже на лоб, а руки сложила на коленях.

— Придурок чертов, — пробормотала Маргарет и уже громче повторила: — Придурок чертов. — Она явно надеялась, что, выплеснув эмоции, сразу почувствует себя лучше.

Солнце палило нещадно, у нее буквально горели щеки и нос. Вперед вывели еще несколько матросов, приговорив их к такому же наказанию. Одни из них извивались и грязно ругались, других вообще приходилось тащить волоком после неудачной попытки спрятаться в различных частях корабля. Все кругом буквально валялись от смеха.

Маргарет завидовала шляпе Фрэнсис. Она поерзала на своем ящике, поднесла руку ко лбу и продолжила следить за представлением, злоключения других заставили ее потихоньку забыть о собственном унижении.

— Ты уже раньше плавала на кораблях. Скажи, это всегда так? — обратилась она к Фрэнсис, успевшей надеть очки от солнца. Похоже, ей была непереносима сама атмосфера праздника.

Фрэнсис выдавила слабую улыбку, и Маргарет неожиданно стало совестно за то, что она так грубо обошлась с подругой.

— Даже и не знаю, — прошептала Фрэнсис. — Я в это время была слишком занята работой.

Неожиданно внимание девушки привлекло что-то справа от нее.

— А кому ты киваешь? — поинтересовалась Маргарет.

— Там наш морпех, — ответила Фрэнсис.

— Разве? — Маргарет, прищурившись, разглядывала стоявшего неподалеку темноволосого мужчину.

Она толком никогда не смотрела ему в лицо, поскольку всегда шла, согнувшись над корзинкой с собакой.

— Вид у него такой, что краше в гроб кладут. Интересно, почему ему не положено днем спать, если он всю ночь стоял на часах?

Фрэнсис не ответила. Морпех их заметил, и она снова потупилась.

— Он тебе кивает, — жизнерадостно махнув рукой, заметила Маргарет. — Смотри! Разве ты не собираешься ему ответить?!

Но Фрэнсис, похоже, ее не слышала.

— Эй, смотрите туда! Ну и дела! Они взяли одного из офицеров.

— Не просто офицера, а старшего офицера! — ахнула Эвис. — Представляете, и очень высокого звания. Ой, боже ты мой! — Она прикрыла ладошкой кривую улыбку, словно считала, что благовоспитанной девушке не пристало так откровенно радоваться.

Офицера — отчаянно ругавшегося и брызгавшего слюной — пронесли мимо капитана и привязали к стулу. Затем Медведи стащили с него рубашку и под одобрительный визг женщин обмазали жиром, а лицо — чем-то вроде разведенного толокна.

Офицер пару раз изогнулся, словно взывая к кому-то стоявшему за его спиной, но ему на голову уже налили сироп, а макушку посыпали перьями. С каждым новым унижением шум вокруг становился сильнее, даже кружившие над палубой чайки не выдержали и пронзительно закричали. И невольно начинало казаться, будто эти женщины, понимающие, что не властны над своей судьбой, получали странное, близкое к катарсису удовольствие, определяя участь других.

— В воду! В воду! В воду! — бесновалась толпа, мужские голоса звучали в унисон с женскими.

Маргарет уже успела забыть о своем унижении. Она ухмылялась и вопила во все горло, все это напоминало ей о шумной жизни в отчем доме, о том, как они с братьями в детстве запихивали друг другу в рот коровий навоз и валяли друг друга в грязи.

Внезапно кто-то легонько постучал по ее плечу. Фрэнсис явно пыталась что-то сказать. Разобрать слова в этом шуме было абсолютно невозможно, но девушка жестами дала понять, что уходит. Она сегодня совсем бледная, подумала Маргарет и снова повернулась в сторону незадачливого офицера.

— Ты только посмотри на него! — восторженно визжала Эвис. — Он просто в ярости!

— Извивается, как уж на сковородке, — заметила Джин. — Не думала, что они смогут сотворить эдакое с важной шишкой.

— Ты в порядке... — начала Маргарет, но Фрэнсис уже рядом не было.

Подстрекаемый ревущей толпой, Цирюльник намылил офицеру голову, взял огромные ножницы и обкорнал ему волосы. Затем какой-то весельчак насильно открыл ему рот, и туда влили нечто, что Нептун торжественно назвал лекарством мореплавателя. И пока офицер давился и плевался — лицо его стало совершенно неузнаваемым, — один из Медведей расхаживал вокруг собравшихся женщин, гордо оглашая список ингредиентов: касторка, уксус, мыльная пена и яичный порошок. В уши офицеру воткнули двух дохлых рыб, шею повязали женским шарфом. Затем после обратного отсчета его макнули в воду, а он, дважды вынырнув, излил на окружающих свою ярость.

— Вы, чертово отродье, мне за это дорого заплатите! — пуская пузыри, орал он. — Я выясню ваши имена и доложу вышестоящему начальству!

— Придержи язык, Доббо! — прикрикнула на него царица Амфитрита. — Если не хочешь, чтобы тебе его намылили!

Женщины засмеялись еще громче.

— Поверить не могу, что они специально так сделали, — захлебывалась от восторга Эвис. — А я-то считала, что высших чинов не трогают. — Неожиданно она, совсем как охотничья собака, унюхавшая дичь, сделала стойку. — Ой, боже ты мой! Айрин Картер! — Мгновенно забыв о Нептуне — и о своих спутницах, — она встала и, придерживая рукой волосы, принялась протискиваться сквозь ликующую толпу. — Айрин! Айрин! Это Эвис!

— Как думаешь, он подаст на них рапорт капитану? — вылупив глаза, поинтересовалась Джин, когда шум немного стих и несчастную жертву отвязали от стула. — Тебе не кажется, что они слегка переборщили, а?

— Понятия не имею, — пожала плечами Маргарет. Она обшарила глазами палубу в поисках Фрэнсис и неожиданно увидела командира корабля. Он стоял возле острова в окружении каких-то людей. К нему подошел мужчина чуть пониже его ростом, с очень морщинистым лицом и, вытянувшись, зашептал что-то ему на ухо. Конечно, на таком расстоянии что-либо разглядеть было сложно — лицо командира корабля скрывала фуражка, и вообще слишком много народу вокруг, — но она могла поклясться, что он смеялся.

Фрэнсис ей удалось найти только часа через два. Шел «Национальный бархат». Фрэнсис сидела в среднем ряду в пустом кинозале, сдвинув очки от солнца на макушку, и внимательно следила за тем, как Микки Руни напивается в салуне.

Маргарет помешкала в проходе, вглядываясь в темноту, чтобы убедиться, что это действительно Фрэнсис, затем протиснулась к ней.

— Ты в порядке? — усаживаясь рядом, спросила она.

— Все прекрасно.

Маргарет еще ни разу в жизни не встречала человека, настолько лишенного эмоций, как Фрэнсис.

— Ужасно забавная церемония, — заявила Маргарет, поставив ноги на переднее сиденье. — Старшего кока обвинили в приготовлении несъедобной еды. Ему на голову положили дохлого кальмара, а потом заставили есть вчерашние помои. По-моему, как-то несправедливо. Я хочу сказать, что моя стряпня не намного лучше. — При тусклом свете экрана Маргарет увидела слабую улыбку Фрэнсис, свидетельствующую о полном отсутствии интереса. Но Маргарет тем не менее упрямо продолжила: — Джин пошла выпить чая с бравым морячком. Ой, и Эвис тоже ушла. Встретила какую-то давнишнюю подружку, и они слились в объятиях, словно любовники после долгой разлуки. Они даже внешне чем-то похожи: идеальная прическа, толстый слой штукатурки, ну и все такое. Зуб даю, теперь она постарается от нас поскорее отделаться. Кажется, мы ее здорово разочаровали. Хотя, возможно, только я, — поспешно добавила Маргарет. — Ну, ты понимаешь, толстомясая доярка с вонючей собачонкой. Словом, явно не ее поля ягода. — Ребенок толкался в животе. Маргарет заерзала на месте, мысленно отругав его. — Я просто... удивилась, почему ты ушла. Я тут подумала... Ну, в общем, я только хотела проверить, все ли у тебя нормально.

В этот момент Фрэнсис наконец поняла, что досмотреть фильм ей точно не удастся. Она села чуть свободнее и повернула голову в сторону Маргарет.

— Не люблю толпу, — сказала она.

— Так ты из-за этого?

— Да.

Элизабет Тейлор одним прыжком грациозно села на лошадь, что говорило о невесомости главной героини и о радости такой простой вещи, как движение. Маргарет смотрела на экран и вспоминала мамину норовистую кобылу. Ведь раньше Маргарет ничего не стоило запрыгнуть ей на спину, а затем, бравируя перед братьями своей смелостью, совсем как гимнастка, развернуться лицом к крупу лошади. А если лошадь была постарше и поспокойнее, то Маргарет могла даже сделать стойку на руках у нее на спине.

— Извини, — пробормотала она. — Там, на палубе, я была немного резкой. — (Фрэнсис не отрывала глаз от экрана.) — Я тут поняла... поняла, что беременность не простая штука. Меня словно подменили. И иногда... я ляпаю что-нибудь, не подумав. — Маргарет положила руки на живот, который плавно поднимался от толчков ребенка внутри. — Это все из-за братьев. Я привыкла рубить правду-матку в лицо. И забываю, что меня могут неправильно понять. — (Фрэнсис опустила глаза, экран на миг залило сияние кинематографического солнца. И Маргарет поняла, что Фрэнсис ее внимательно слушает.) — На самом деле, — продолжила она, темнота и отсутствие лишних ушей позволили ей сказать то, что слишком долго камнем лежало на сердце, — я ненавижу свою беременность. Конечно, нехорошо так говорить, но это чистая правда. Мне не нравится быть такой огромной. Не нравится пыхтеть, как старый хрен, поднявшись всего-то на две треклятые ступеньки. Не нравится смотреть на свое пузо, не нравится то, что не могу сделать самую простую треклятую вещь: есть, пить, гулять на солнце, не подумав при этом о ребенке. — Маргарет нервно теребила подол юбки. Ей уже осточертела эта юбка, осточертело день за днем носить одни и те же вещи. До беременности она вообще не знала, что такое юбка. Она рассеянно разгладила мягкую ткань. И продолжила изливать душу: — Понимаешь, как только мы с Джо поженились, он сразу уехал, а я осталась жить с папой и братьями. Словом, я была замужем чисто теоретически, если можно так выразиться. И естественно, не чувствовала себя замужней женщиной. Но я особо не жаловалась. Ведь мы все в одной лодке, так? Ведь у всех мужья где-то далеко. А потом война закончилась. И я обнаружила... Ну, ты понимаешь... — Маргарет опустила глаза. — Вместо того чтобы просто получить разрешение отправиться к мужу через океан, встретиться с Джо и радоваться тому, что мы наконец вместе, а это именно то, чего мне больше всего хотелось, я теперь должна принимать во внимание будущего ребенка. Никакого тебе медового месяца. Никакой перспективы хоть немного пожить для себя. К тому времени, как он родится, мы с Джо успеем провести вдвоем в общей сложности не больше четырех недель. — Она потерла лицо, радуясь, что Фрэнсис ее не видит. — Ты, возможно, считаешь меня гадкой, раз я говорю подобные вещи. Ты видела столько смертей, болезней и младенцев, что наверняка считаешь, будто я должна быть благодарна судьбе. Но я не могу. Просто не могу. Мне противно думать, что у меня должен проснуться материнский инстинкт, которого я отродясь не чувствовала. — Ее голос сорвался. — А больше всего я ненавижу мысль о том, что, как только он родится, мне уже никогда не бывать свободной.

Глаза у Маргарет наполнились слезами. Она пыталась незаметно от Фрэнсис вытереть мокрые щеки. Нет, это ж надо так разнюниться! Превратиться в глупую плаксивую девчонку. Она высморкалась в мокрый носовой платок. Попыталась устроиться поудобнее и болезненно поморщилась, когда ребенок, видимо в отместку, лягнул ее под ребра. И тут она почувствовала у себя на руке прохладную ладонь.

— Полагаю, этого следовало ожидать, — сказала Фрэнсис. — Что между нами возникнет некоторое напряжение. Я хочу сказать, мы живем в такой тесноте и все такое...

— Я не хотела тебя обидеть. — Маргарет снова высморкалась.

И когда Фрэнсис повернулась к ней, Маргарет неожиданно заметила, какие у той огромные глаза. Фрэнсис тяжело сглотнула, словно то, что она собиралась сказать, требовало от нее определенных усилий.

— А я и не думаю обижаться. — Она буквально на секунду сжала ладонь Маргарет, а затем снова сложила руки на коленях и продолжила смотреть фильм.

Маргарет с Фрэнсис шли обратно к себе в каюту по ангарной палубе. Фильм кончился поздно, и им пришлось обедать не в свою, а во вторую смену. Их просьба перенести часы трапезы вызвала весьма кислую реакцию у женщин-офицеров, неохотно согласившихся пойти на уступки, словно девушки, как выразилась Маргарет, попросили разрешения пообедать нагишом.

— Остывший пирог с солониной вместо теплого. Можно подумать, для этого необходимо наличие международного соглашения!

Фрэнсис улыбнулась уже во второй раз за сегодняшний вечер. Маргарет заметила, что от улыбки лицо Фрэнсис волшебно преображалось. Его фарфоровая неподвижность, выражение меланхолической отрешенности куда-то исчезали, и перед Маргарет возникала прекрасная незнакомка. Маргарет собралась было пройтись по данному поводу, но не решилась, так как, судя по тому, что она успела узнать о Фрэнсис, та непременно снова замкнется. И вообще Маргарет не слишком любила совать нос в чужие дела.

А Фрэнсис тем временем рассказывала о своей жизни на борту плавучего госпиталя. И пока она ровным спокойным голосом описывала сестринские обходы, ранения одного молодого морского пехотинца, за которым ухаживала неподалеку от Соломоновых островов, Маргарет размышляла о тайнах ее улыбки, затем вспомнила о Летти. О том, как странно помолодело, как удивительно похорошло тетино лицо, когда та на какой-то короткий миг поверила в светлое будущее с Марри Донливи. Маргарет вдруг стало безумно стыдно, и она поспешила отогнать непрошеное воспоминание.

В отличие от предыдущих вечеров, температура понизилась не слишком сильно, и теплый воздух напомнил Маргарет о ласковых летних днях на родной ферме, когда она сидела на переднем крыльце, касаясь босыми ногами нагретых досок и прислушиваясь к размеренным хлопкам, знаменующим бесславный конец очередного кровососущего насекомого от руки одного из братьев. Возможно, Дэниел сидел бы рядом и свежевал бы кроликов карманным ножом.

И тут до нее вдруг дошло, что́ говорит ей Фрэнсис. Маргарет остановилась. Заставила Фрэнсис повторить сказанное.

— Ты уверена? Он знает? — спросила она.

Фрэнсис еще глубже засунула руки в карманы.

— Он именно так и сказал. Спросил, чья она.

— А ты ответила?

— Нет.

— И что ты сказала?

— Ничего.

— Что значит «ничего»?

— Я ничего не сказала. Просто закрыла за собой дверь.

Они прижались к трубам на стене, чтобы пропустить двух идущих навстречу офицеров. Один из них дотронулся до козырька фуражки, и Маргарет вежливо улыбнулась. Подождала, пока они спустятся по трапу, и только потом заговорила снова:

— Он сказал тебе, что ему известно о собаке, а ты даже не поинтересовалась, собирается ли он о нас доложить, да? Или как давно ему это известно? Неужели вообще ничего не спросила?

— Ну, ведь он пока о нас не доложил, так?

— Но мы не знаем, что он собирается делать! — Маргарет заметила, что у Фрэнсис застыло лицо.

— Я просто... Я не хотела вступать в дискуссии на данную тему.

— А почему нет? — Маргарет не верила своим ушам.

— Не хотела, чтобы у него возникли какие-нибудь фантазии насчет...

— Фантазии? На тему?

Фрэнсис каким-то образом удалось занять одновременно и наступательную, и оборонительную позицию.

— Мне не хотелось, чтобы он вдруг решил, что может воспользоваться собакой как предметом для торга. — (Пауза затянулась. Маргарет озадаченно нахмурилась.) — Все это достаточно серьезно. И я подумала, что он может захотеть получить что-то... взамен. — Фрэнсис явно было неловко, ведь на слух ее логика воспринималась весьма неоднозначно.

— Ну ты даешь, подруга! У тебя на редкость странные представления об отношениях между людьми!

Они наконец подошли к своей каюте. Маргарет пыталась понять, был ли некий тайный смысл в манере морпеха приветственно махать им рукой и не стоит ли самой завести с ним разговор, когда он заступит на дежурство, но ей пришлось переключить внимание на бегущую к ним по коридору девушку. У девушки были темные волосы до плеч, заколотые у висков невидимками, одна из которых расстегнулась и повисла на волосах. Оказавшись возле них, девушка резко остановилась и принялась изучать цифру на двери:

— Вы здесь живете? Это 3G?

— Да, — пожала плечами Маргарет. — Ну и что?

— Вы знаете девушку по имени Джин? — так и не успев толком отдышаться, спросила темноволосая девушка и, получив утвердительный ответ, добавила: — Может, вам стоит спуститься вниз. Присмотреть за вашей подружкой. Не дай бог, если ее увидит начальство. Она, похоже, влипла в историю.

— Где? — спросила Маргарет.

— В машинном отделении. Вниз и налево. Синяя дверь возле огнетушителя. Все, мне пора бежать. С минуты на минуту появятся морпехи. Вам тоже стоит поспешить.

— Я пойду вперед, — заявила Фрэнсис. — У меня быстрее получится. А ты догоняй.

Она скинула туфли, небрежно бросила сумку и кофту под дверью и помчалась вниз по коридору так, что только пятки засверкали.

Если ты в хорошей компании, то никакие трудности тебе не страшны, думала Эвис. После того как она встретила Айрин Картер и была приглашена на чашку чая в кругу ее друзей, а затем на занятия по домоводству — Айрин сшила несколько восхитительных тряпичных мешочков для кухонных мелочей — и, наконец, на ужин, они так много и оживленно разговаривали, что Эвис забыла не только о времени, но и о своей ненависти к этой старой посудине.

Отец Айрин Картер был владельцем крупнейшего теннисного клуба в Мельбурне. Она была замужем за младшим лейтенантом флота, который только что вернулся из Адриатики, сыном (здесь Эвис сделала глубокий вдох) какой-то шишки из Министерства иностранных дел. И она взяла с собой не меньше одиннадцати шляп, на случай если в Англии таких не достать. Айрин Картер была однозначно представительницей того самого круга. И с рвением, которого у Эвис, как она сама подозревала, явно не хватало, Айрис принялась окружать себя девушками исключительно из высшего общества, причем для достижения своей цели она даже устроила обмен койками, в результате которого смуглая девица в очках была переведена в каюту, где она «будет в компании себе подобных». И Айрин отнюдь не было нужды расшифровывать, что она под этим понимает. Эвис, глядя на Айрин и безупречно красивых девушек из ее окружения, прекрасно видела, что все они похожи как две капли воды, причем это касалось не только манеры поведения и стиля одежды, но и взглядов.

— Ты ведь, конечно, знаешь, что случилось с Лолицией Таррант, да? — осторожно взяв Эвис под руку, говорила Айрин, когда они спускались по трапу в главный ангар. Остальные отстали от них на несколько ступенек.

— Нет.

На Айрин были туфли точь-в-точь такие, как мама Эвис видела в парижском журнале. Вероятно, Айрин доставили их самолетом.

— Ты, наверное, помнишь, что она была помолвлена с тем пилотом? С тем, у которого еще... висячие усы? Нет? Ну так вот... он еще и пяти недель не прослужил в Малайе, а она уже закрутила роман с американским солдатом. — Айрин понизила голос. — Ужасный человек. Такой грубый. Ты только представь себе, что он говорил о Мельбурне! Типа «он вдвое меньше самого большого нью-йоркского кладбища, но такой же мертвый». Уф! И повторял это до бесконечности. Тоже мне оригинал выискался!

— И что случилось? — Эвис округлила глаза, представив Лолицию с этим американцем.

— Слушай дальше. Ее жених вернулся и, как ты понимаешь, не слишком обрадовался, обнаружив, что Лолли повсюду разгуливает с этим янки. Скажем так, американец укрепился не только на Брисбенской линии, но и кое-где еще. Улавливаешь, о чем я?

— Боже мой! — ахнула Эвис.

— И когда отец Лолиции до всего докопался, он тоже не был на седьмом небе от счастья. После тех убийств все как-то остерегались американцев.

Девушки, конечно, помнили о скандале, который разразился, когда рядовой Эдвард Дж. Леонски задушил четырех женщин из Мельбурна. В результате отношение властей и жителей Австралии к американским солдатам резко ухудшилось.

— Но он же не был убийцей...

— Ой, Эвис, какая ты смешная! Нет, конечно. Но он растрепал всем своим друзьям-янки, насколько преуспел с Лолли. Во всех натуралистических подробностях. А его старший офицер все совсем не так понял и отправил отцу Лолли письмо, в котором советовал тому лучше приглядывать за дочерью.

— О господи!

— Репутация Лолли оказалась окончательно испорчена. Жених теперь и знать ее не желает, хотя половина из того, что написал тот офицер, была, конечно, неправдой.

— Ну и как она сейчас?

— Без понятия, — ответила Айрин.

— А мне казалось, вы были подругами, — заметила Эвис.

— После всего, что случилось?! — Айрин слегка скривилась и покачала головой, словно хотела отогнать надоедливое насекомое. В разговоре возникла длинная пауза. — Итак, — продолжила она, — ты собираешься принять участие в конкурсе на звание королевы красоты «Виктории»? К твоему сведению, на следующей неделе они устраивают конкурс «Мисс Самые Красивые Ножки».

И уже на полпути к ангарной палубе они столкнулись с Маргарет, которая стояла, прислонившись к доске объявлений. Одной рукой Маргарет держалась за стенку, словно боялась упасть, а другой — за нижнюю часть своего гигантского живота.

— Ты в порядке? — спросила Эвис.

Она до смерти испугалась, что эта деревенщина начнет рожать прямо у нее на глазах. И тогда ей, Эвис, не удастся остаться в стороне. Придется поучаствовать. И бог его знает, что может подумать Айрин!

— Просто в боку закололо, — ответила Маргарет сквозь стиснутые зубы.

От облегчения Эвис даже почувствовала слабость в ногах.

— Может быть, тебе помочь добраться до каюты? — вежливо спросила Айрин.

— Нет. — Маргарет перевела взгляд с Эвис на ее подругу. Нос у Маргарет, как заметила Эвис, покраснел от солнца. — Мне надо спуститься вниз. Джин попала в небольшую... историю.

— Она тоже из нашей каюты, — объяснила Эвис.

— Помощь нужна? — поинтересовалась Айрин. Слегка согнув колени, она заглянула в пылающее лицо Маргарет.

— Мне надо немного отдышаться.

— Ну, в таком состоянии ты не сможешь помочь своей подруге! Тем более спуститься по трапу! Мы пойдем с тобой!

Эвис пыталась было возражать:

— Нет... Не уверена, что нам стоит... Я хочу сказать, Джин...

Но Айрин, отпустив Эвис, уже протягивала руку Маргарет.

— Ну что, полегчало? Давай держись за мою руку. У нас будет маленькое приключение.

Вперед, девочки, сказала она. Здесь, на борту, такая скука. Давайте пойдем и спасем терпящую бедствие девицу. А у Эвис в ушах стоял неприличный смех Джин, она снова слышала, как та говорит Маргарет типа «кто про что, а вшивый о бане» и так далее. Она уже видела, как Айрин — ее нить Ариадны на пути в порядочное общество на этом жутком корабле — исчезает, окутанная дымкой холодного неодобрения. Эвис закрыла глаза, продумывая будущие извинения и способы дистанцироваться от этой вульгарной Джин.

Но когда они нашли Джин, та вовсе не смеялась. Она даже не стояла на ногах.

Сначала они увидели даже не ее саму, а только ее ноги, странно высовывающиеся из-за груды канистр в раскаленном машинном отделении, носки ее наполовину сползших туфель нелепо смотрели друг на друга. Спускаясь по трапу, они специально старались говорить тише, а когда подошли поближе, то и вовсе лишились дара речи от представшей их глазам картины. Они могли лицезреть только верхнюю часть тела Джин, но и этого было достаточно, чтобы понять: она вдрабадан пьяна — пьяна настолько, что могла издавать лишь нечленораздельные звуки, ни к кому собственно не обращаясь. Пьяна настолько, что наполовину сидела, а наполовину лежала, раскинув ноги, на металлическом полу в масляных лужах. Пьяна настолько, что не обращала внимания на расстегнутую блузку, которая уже не скрывала торчащую из спущенного бюстгальтера маленькую белую грудку.

Над ней склонилась Фрэнсис, ее бледное, мрачное лицо сейчас раскраснелось и оживилось, волосы выбились из туго затянутого узла, она словно вырабатывала электричество. Какой-то мужчина, возможно матрос, тоже явно под хорошим градусом, держась за плечо, отшатнулся от Фрэнсис. Ширинка у него была расстегнута, и в ней виднелось нечто фиолетовое, мясистое и крайне непристойное. Пока вновь прибывшие, онемев от ужаса, смотрели на открывшуюся их глазам картину, еще один мужчина вылез из темного угла за спиной Джин и, бросив на них виноватый взгляд, привел в порядок одежду и кинулся наутек. Джин, что-то бормоча, пошевелилась, волосы слипшимися темными прядями упали ей на лицо. И пока все потрясенно молчали, Маргарет опустилась на колени, пытаясь одернуть на Джин юбку, чтобы прикрыть ее бледные бедра.

— Ты, ублюдок! — орала Фрэнсис на матроса.

Только сейчас они увидели, что Фрэнсис держит в худой руке гаечный ключ. Матрос шарахнулся в сторону, но Фрэнсис уже опустила руку, гаечный ключ коснулся его плеча, раздался характерный хруст. Матрос попытался увернуться, но удары сыпались на него градом с безжалостной, маниакальной силой отбойного молотка. Один из них пришелся на голову, и в воздух взметнулся фонтанчик крови.

Они еще не успели толком переварить происходящее, осмыслить для себя его значение и возможные последствия, как в машинное отделение ворвался Деннис Тимс, от его напружинившегося тела повеяло новой угрозой.

— Что, черт возьми, происходит? — спросил он, в руке у него была зажата сигарета. — Мики сказал... Какого черта?.. Господи Иисусе! — Он наконец увидел и Фрэнсис, и мужика с расстегнутой ширинкой, и сидевшую на полу Джин, которую поддерживала Маргарет. — Господи Иисусе! Господи Иисусе... Томсон, ты грязный... — Он швырнул сигарету на пол и схватил Фрэнсис за руки, а та с искаженным от ярости лицом отчаянно пыталась высвободиться.

— Ты мразь! — орала она. — Поганая мразь!

— Все в порядке, девочка, — сказал Деннис. — Теперь все в порядке. В порядке.

И пока его приятель оттаскивал от нее матроса, он сомкнул мощные руки вокруг плеч Фрэнсис, гаечный ключ беспомощно повис в воздухе.

Приятель Тимса отпустил матроса, который — то ли слишком пьяный, то ли слишком напуганный, чтобы хоть как-то реагировать, — кулем повалился на пол. От шума двигателей, стучавших и гремевших точно литавры, у них заложило уши, но они явственно услышали, с каким тошнотворным, ухающим звуком стукнулась о металл его голова — как будто кто-то уронил на пол арбуз.

Айрин завизжала.

Деннис отпустил Фрэнсис и перевернул матроса на бок, вроде чтобы добавить еще, как им сперва показалось. Но Тимс, бормоча нечто невразумительное себе под нос, просто осматривал рану на голове.

Двое из присутствующих девушек, которые до этого перешептывались между собой, отбежали подальше, закрыв лицо руками.

Эвис всю трясло. Тимс стоял на коленях и орал на матроса, чтобы тот поднимался, поживей поднимался, черт его подери.

Маргарет начала потихоньку оттаскивать Джин в сторону.

Фрэнсис стояла, расставив ноги на ширине плеч, не выпуская из рук бесполезный гаечный ключ, и конвульсивно дергалась. Похоже, она даже не замечала того, что плачет.

— Надо кого-нибудь позвать, — сказала Эвис, обращаясь к Айрин.

Воздух был буквально наэлектризован. Эвис отрывисто дышала, чувствуя выброс адреналина в кровь, хотя и была здесь просто сторонним наблюдателем.

— Я не... Я...

И тут они увидели бежавшую к ним со всех ног женщину-офицера, ее шаги гулко разносились вокруг.

— Что здесь происходит?

Зализанные темные волосы. Внушительная грудь. Она была в двадцати футах от них.

Тимс замер с поднятым кулаком. Один из его дружков что-то прошептал, положив ему руку на плечо, и растворился в темноте. Тимс выпрямился и пригладил коротко стриженные соломенные волосы. Он посмотрел на Маргарет так, будто только сейчас ее заметил, в широко раскрытых глазах читалось невероятное внутреннее напряжение, его рука продолжала рефлекторно двигаться. Он покачал головой, словно хотел что-то сказать, извиниться быть может.

Но вот женщина оказалась совсем близко, прямо перед ними, ее взгляд перескакивал с одного лица на другое. От нее, как плохой парфюмерией, несло начальственным духом.

— Что здесь происходит?

Поначалу она не увидела сидящую на полу Джин, которую Маргарет отчаянно пыталась привести в божеский вид. Чулки на коленях у Джин, как заметила Эвис, были вдрызг порваны.

— Да так, просто несчастный случай, — ответил Тимс, вытирая окровавленные руки о штаны. На женщину он старался не смотреть. — Мы как раз все улаживаем. — Он скорее мямлил, нежели говорил.

Женщина перевела взгляд с его окровавленных рук на Эвис, затем — на Маргарет, пристально посмотрев на ее огромный живот.

— А вы, девушки, что здесь делаете?

Она ждала ответа. Но все как воды в рот набрали. Эвис заметила, что Айрин прижала руку с зажатым в пальцах платочком к груди, точно чахоточная героиня какого-нибудь романа. Ее явно покинула обычная самоуверенность, обусловленная высоким социальным положением, и она стояла, растерянно открыв рот.

Когда женщина-офицер повернулась, Тимс уже испарился. Раненый кособоко сидел на полу, подтянув колени к груди.

— Вы в курсе, что за пребывание в мужской зоне положено суровое наказание?

В воздухе запахло грозой. Офицер наклонилась и пристально посмотрела на мужчину, пытаясь оценить его состояние. А затем она увидела Джин.

— Ну и дела! Только, ради бога, не вздумайте говорить, будто это именно то, что я думаю!

— Нет, конечно, — подала голос Маргарет.

Взгляд женщины снова остановился на ее животе.

— Господи боже мой, придется сообщить капитану.

— Зачем?! Мы тут ни при чем. — Эвис с трудом удалось перекричать шум двигателей. — Мы только пришли забрать Джин.

— Эвис! — С трудом выпрямившись, Фрэнсис заслонила собой Джин. — Предоставьте это дело нам. Мы отведем ее обратно в каюту.

— Не могу. Мне велено докладывать о всех вечеринках, о всех случаях употребления спиртных напитков, о всех... нарушениях порядка. Я хочу знать ваши имена.

— Но при чем здесь мы?! — возмутилась Эвис, бросив взгляд на Айрин. — Это ведь Джин опозорила себя!

— Джин?

— Джин Каслфорт, — в отчаянии сказала Эвис. — Мы не имеем к этому никакого отношения. Мы просто узнали, что она попала в беду, и спустились вниз.

— Значит, Джин Каслфорт, — повторила женщина. — А ваше имя?

— Но я вообще не смотрю на других мужчин! И терпеть не могу алкоголь! — воскликнула Эвис.

— Я ведь вам уже сказала, что мы отведем ее домой, — вмешалась в разговор Фрэнсис. — Я медсестра. И за ней присмотрю.

— Надеюсь, вы не думаете, что я могу оставить все просто так?! Полюбуйтесь на нее!

— Она просто...

— Она просто бесстыжая дрянь. Вот так!

— Как вы смеете?! — Когда Фрэнсис расправила плечи, то оказалась на удивление высокой. Черты ее лица заострились. А руки, как заметила Эвис, были сжаты в кулаки. — Да как вы смеете?!

— Вы что, хотите сказать, будто они насильно затащили ее сюда?! — Женщина сморщила нос, почувствовав исходящий от Джин запах алкоголя.

— Почему бы нам всем не...

Фрэнсис повернулась к Эвис, трясясь от ярости:

— Убирайся отсюда! Чтоб духу твоего здесь не было! И послушайте вы, женщина-офицер, или как вас там, вы не можете доложить о ней, слышите меня? Она не виновата.

— У меня приказ сообщать о всех нарушениях порядка.

— Ей всего шестнадцать лет. Они явно напоили бедняжку и... воспользовались ее состоянием. Ей всего шестнадцать!

— Она достаточно взрослая для того, чтобы отвечать за свои поступки. Она не имела права здесь находиться. Что, впрочем, к вам ко всем относится.

— Они ее напоили! Посмотрите на нее! Она практически без сознания! И вы считаете, что она должна потерять репутацию, а возможно, и мужа только из-за этого?!

— Я не...

— Вы не можете сломать бедной девочке жизнь только из-за того, что она разок напилась! — Фрэнсис уже буквально нависла над женщиной, казалось, она не в состоянии скрыть нечто спрятанное глубоко в груди, но вот только что?

Эвис, потрясенная видом вот такой — незнакомой ей — Фрэнсис, инстинктивно попятилась.

Женщина-офицер тоже что-то заметила, она внутренне собралась, приготовившись дать отпор.

— Как я вам уже говорила, у меня приказ...

— Ой, да заткнитесь вы, ради бога, насчет своих приказов! Вы, официозная...

Трудно сказать, с какой целью Фрэнсис — с пылающими щеками и явно не в себе — подняла руку, но Маргарет уже оттаскивала ее назад.

— Фрэнсис, — шептала она, — остынь. Ладно? Все нормально.

Фрэнсис, казалось, не сразу услышала ее. Она оцепенела и была как натянутая струна.

— Нет, не нормально. Ты должна ей сказать, — сверкнула глазами Фрэнсис.

— Но ты не помогаешь, а только портишь, — заявила Маргарет. — Ты меня слышишь? Осади назад!

И что-то во взгляде Маргарет остановило Фрэнсис. Она растерянно заморгала и судорожно вздохнула.

Рука Айрин — с зажатым в ней платочком — мелко дрожала. Когда Эвис отвернулась от Айрин, то увидела, что женщина повернулась к ним спиной и, словно радуясь возможности улизнуть, размашисто зашагала дальше по коридору.

— Она еще ребенок! — орала Фрэнсис, но офицера уже и след простыл.

Глава 11

Наши поздравления миссис Скиннер и миссис Дилл, отметивших на этой неделе годовщину свадьбы. Миссис Скиннер замужем уже два года, а миссис Дилл — год, и, хотя эти дамы находятся сейчас вдали от своих мужей, мы надеемся, что они в последний раз будут праздновать столь знаменательные даты в разлуке, и желаем им счастья в их дальнейшей жизни.

Время праздновать.
Ежедневные судовые новости.
Из архива военной невесты Эвис Р. Уилсон.
Британский военный музей

Восемнадцатый день плавания

На море очень трудно сказать, когда именно начинает светать, и не потому, что все меняется день от дня и от континента к континенту, а потому, что на море линия горизонта настолько размыта, что сияющая расселина в темноте видна уже за сотни, возможно, тысячи миль, задолго до того, как ее можно заметить на земле, задолго до того, как она действительно станет знамением нового дня. Но скорее всего, потому, что в узких коридорах под палубами, с искусственным освещением, без окон и без дверей, вообще невозможно понять, занялась ли на небе заря.

Именно по этой, хотя и не только, причине Генри Найкол не любил промежуток времени между пятью и шестью утра. Когда-то он радовался ранним дежурствам, но тогда море было ему еще в новинку и таило в себе странное волшебство, тогда — непривычный жить в таком тесном соседстве с другими мужчинами — он наслаждался самыми спокойными часами на борту корабля: последними минутами темноты перед тем, как корабль плавно перейдет в обычный дневной ритм и начнет постепенно просыпаться. В тихие предрассветные часы он чувствовал себя единственным человеком на земле.

Но уже позже, когда он приезжал на побывку домой, а дети были еще совсем маленькими, кто-нибудь из них — а иногда и оба — непременно просыпался именно в это время, и он слышал, как жена тяжело сползает с кровати, видел — если не ленился приоткрыть один глаз, — как она одной рукой машинально поправляет заколотые кудряшки, а другой тянется за халатом со словами: «Держитесь, мамочка уже идет». А он переворачивался на другой бок, словно приклеенный к подушке привычным чувством вины и одновременно раздражения, даже в полудреме осознавая свою неспособность испытывать к этой женщине, шлепающей босыми ногами по линолеуму, то, что обязан был испытывать: благодарность, желание, даже любовь.

И вот теперь 5.00 означало для него не начало нового дня, а только голую цифру, к которой можно приурочить разговор: ведь в Америке сейчас только пять часов вечера предыдущего дня. В Америке здешние 19.00 будут временем подъема для его мальчиков. Но разница в географическом положении — ничто по сравнению с тем фактом, что вся их жизнь будет протекать в разных часовых поясах. Он уже не раз задавался вопросом, как они сумеют его запомнить, если не смогут представить себе его существование даже не на день, а на полдня вперед. И теперь он уже не будет думать о них в настоящем времени, представляя себе, как он, бывало, делал, что сейчас они, должно быть, завтракают. Чистят зубы. Они, наверное, во дворе, играют в мяч или в машинку, которую он смастерил из деревяшки. Теперь он будет думать о них исключительно с точки зрения истории.

Руки чужого мужчины бросают им мяч.

За стальной дверью что-то бормочет во сне женщина, в ее голосе слышатся вопросительные интонации. А потом тишина.

Найкол посмотрел на часы, которые он перевел, когда они вчера вошли в другой часовой пояс. Мои часы идут в никуда, подумал он. Ни дома, ни сыновей, ни героического возвращения. Я растратил впустую свои лучшие годы, наблюдая за тем, как мои товарищи замерзают, тонут и заживо сгорают. Я растратил впустую свою невинность, своих друзей, их жизни, чтобы иметь возможность оплакивать то, чего я в принципе даже не слишком хотел. До тех пор, пока не стало слишком поздно.

Найкол прислонился к стенке, пытаясь отогнать привычные мысли, снять невыносимую тяжесть, что давила на сердце и разрывала легкие. Мечтая, чтобы последний час пролетел как можно быстрее. Мечтая, чтобы наступил рассвет.

— Снять головные уборы!

Кассир даже не поднял головы, когда моряк, стащив пилотку, положил ее перед ним на стол.

Двое мужчин по обеим сторонам от него пересчитывали банкноты, передавая друг другу заполненные от руки полоски бумаги.

— Эндрюс, сэр. Авиамеханик первого класса. Семь два два один девять семь два. Сэр.

Парень выжидающе смотрел на кассира, а тот перелистал бухгалтерскую книгу и провел пальцем по нужной странице:

— Три фунта двенадцать шиллингов.

— Три фунта двенадцать шиллингов, — повторил помощник кассира.

Авиамеханик откашлялся и сказал:

— Сэр, при всем моем уважении, это меньше, чем мы получали до похода в Австралию, сэр.

На лице кассира застыло усталое выражение человека, которому уже тысячу раз приходилось сталкиваться с попытками выклянчить побольше денег.

— Эндрюс, тогда мы были в Тихом океане. И ты получал больше за службу в зоне военных действий. Может, нам организовать тебе визит парочки камикадзе, чтобы ты мог получить свои дополнительные два шиллинга?

— Никак нет, сэр.

— Нет... Не спусти все на берегу. И держись подальше от всех этих баб. Мы ведь не хотим уже через два дня после увольнительной стоять в очереди в лазарет. Ведь так, ребята?

Деньги пересчитали и бросили на стол. Слегка покрасневший механик надел пилотку и вышел, на ходу пересчитывая получку.

— Снять головные уборы!

— Найкол.

Убаюканный неторопливым ритмом очереди, змеившейся по тому, что осталось от ангарной палубы, он лишь на второй раз услышал свое имя. Он плохо соображал после двух бессонных ночей подряд, да к тому же целиком погрузился в невеселые мысли.

Тимс, ладный и широкоплечий, стоял рядом с сигаретой во рту. И только после нескольких затяжек заговорил снова. Найкол знал его как крутого парня, причем явно незаурядного, которому хотелось, чтобы в кубрике его считали своим в доску. Ходили слухи, что он занимался ростовщичеством, и почему-то со всеми, кто с ним конфликтовал, что-нибудь, да случалось. Найкол инстинктивно старался держаться от него подальше, прекрасно понимая, что с такими, как Тимс, лучше не связываться, словом, соблюдать золотое правило: меньше знаешь — крепче спишь. Не дай бог иметь такого врага, как Тимс, или ходить у него в должниках. Подобные люди, со странной харизмой и властными полномочиями, полученными хитрым путем, встречались практически на каждом корабле. Должно быть, это неизбежно в замкнутом сообществе, основанном на круговой поруке и иерархических отношениях.

Правда, сейчас Тимс выглядел несколько подавленно, а когда заговорил, то явно старался взвешивать каждое слово. Может случиться небольшая заварушка между матросами и кочегарами, сказал он. Пару дней назад вышла неприятность с одной женщиной. При этих словах Тимс укоризненно покачал головой, словно сам не мог поверить, какими глупыми могут быть эти австралийки. События, сказал он, немножко вышли из-под контроля.

Столь откровенное признание вины было отнюдь не в характере Тимса. Найкол даже мысленно задал себе вопрос, а не просит ли таким образом Тимс кого-то арестовать. Но прежде чем он успел открыть рот, чтобы спросить, а какое ему, Найколу, собственно, дело до этого, Тимс снова заговорил:

— Здесь замешаны твои женщины.

Твои женщины. В словах Тимса крылся некий намек на почти семейные отношения. Найкол даже представить себе не мог, что сдержанная девушка, которая мило болтала с ним в тот вечер, может стать причиной пьяной ссоры. Ну конечно, с горечью подумал он, такая женщина как раз для тебя. Неспособная оставаться верной мужу — или хотя бы трезвой — даже в течение шести недель плавания.

Но затем Тимс — костяшки пальцев у него были перевязаны окровавленным бинтом — объяснил все поподробнее. Оказывается, это была не высокая девушка, Фрэнсис, а молоденькая дурочка, с которой Найкол разговаривал еще в первое дежурство. Та, что постоянно хихикала. Джин.

И он почувствовал нечто вроде облегчения, все остальное уже не столь сильно шокировало и волновало его. Выходит, Фрэнсис все же не из таких. Чересчур зажатая в компании. Чересчур застенчивая. Найколу, как он сам понимал, просто очень хотелось верить в то, что еще есть на свете хорошие женщины. Женщины, умеющие себя блюсти.

Женщины, которым знакомо такое понятие, как «верность».

— Хочу, чтобы ты оказал мне услугу, морпех. Мне, понятное дело, туда ходу нет. — Тимс ткнул большим пальцем в сторону кают. — Просто удостоверься, что с Мэгги все хорошо, идет? Я о той, что ждет ребенка. Она славная девчонка, но здорово переволновалась. А в ее положении и вообще... Мне не хочется, чтобы с ней что-то случилось.

— Если бы у нее было нервное потрясение, она точно пошла бы к доктору.

— К этому идиоту? — скривился Тимс. — Он не просыхает с самого первого дня, как поднялся на борт. Я не доверил бы ему даже занозу вытащить. — Тимс затушил сигарету. — Нет. Мне кажется, было бы неплохо, чтобы ты за ней присмотрел. А если кто чего скажет, девушки весь вечер были в каюте. Лады?

Вообще-то, не дело, чтобы кочегар так разговаривал с морпехом. И при других обстоятельствах тон Тимса непременно разозлил бы Найкола. Но он подозревал, что такая самонадеянность Тимса была обусловлена галантностью, возможно, даже искренней тревогой за девушку, а потому решил не обращать внимания.

— Нет проблем, — ответил он.

И он вспомнил, что атмосфера в каюте накануне вечером действительно немного изменилась. Из-за двери вместо привычных более или менее оживленных разговоров доносился встревоженный шепот. Он услышал даже шум спора и чей-то плач. Высокая девушка три раза ходила «за водой», едва удостоив его коротким «здрасьте». Он решил, что это просто очередной приступ женской истерики. Их уже предупреждали, что такое может случиться на борту, особенно с женщинами, не привыкшими жить в стесненных условиях.

— Вот что я тебе скажу, — начал Тимс. — Томсону еще сильно повезло, что не я первый взял в руки гаечный ключ.

— Гаечный ключ? — удивился Найкол.

— Одна из девчонок схватила гаечный ключ. Высокая такая. В конечном счете именно она и прогнала ублюдка. Треснула его по плечу, а напоследок чуть было не проломила башку, — невесело рассмеялся Тимс. — Надо отдать должное этим австралийкам. Смелости им не занимать. Прикинь, разве англичанки на такое способны, а? — Тимс сделал глубокую затяжку. — И опять же, ни одна английская девчонка не рискнет спуститься под палубу в компании иностранных мужиков.

— Я бы не зарекался, — пробормотал Найкол, тут же об этом пожалев.

— В любом случае я собираюсь залечь на дно. Кубрик будет на время закрыт для посетителей. Но передай Мэгс, что я сожалею. Если бы я первым добрался до ее подружки... ну, такого точно не случилось бы.

— А где Томсон? — поинтересовался Найкол. — На случай, если они вдруг спросят. В карцере? — (Тимс покачал головой.) — А может, нам туда его все же определить?

— Подумай хорошенько, Найкол. Если мы прижучим его за то, что он сделал, он потянет за собой девчонку, так? Баба из женской вспомогательной службы, которая на них наткнулась, ничего толком не знает. Лишь имя Джин. А малышка Джин никому не расскажет о том, что произошло. Если она, конечно, хочет спокойно добраться до Англии и без лишнего шума встретить своего старика, в чем лично я не сомневаюсь. — Он бросил на пол окурок. — А кроме того, уверен, тебе тоже ни к чему разговоры о том, что твои девчонки попали в беду. Это ведь и на тебя бросит тень. То, что они всем скопом были в машинном отделении незадолго до твоего дежурства... — Он говорил ласково и спокойно, но в словах его явно звучала скрытая угроза. — Я просто хочу дать тебе понять — типа из любезности, — что мы с ребятами сами разберемся с Томсоном и его паршивым дружком. Даже если придется подождать увольнительной на берег.

— Все непременно откроется, — сказал Найкол. — И ты не хуже моего это знаешь.

Тимс оглянулся на длиннющую очередь. А когда снова повернулся к Найколу, тот прочел в глазах кочегара нечто такое, что ему даже стало слегка жаль незнакомого обидчика.

— Нет, если все будут держать рот на замке.

Маргарет перегнулась через перила, насколько позволял ей огромный живот, и принялась подтягивать вверх плетеную корзину, сердито бормоча себе под нос, когда корзина стукалась о борт корабля. А внизу темнокожие мальчишки ныряли с плотика прямо в переливающиеся воды океана за монетками, что бросали им с палубы матросы. Туда-сюда сновали выдолбленные из цельного куска дерева изящные лодки, ими ловко управляли худые загорелые мужчины, которые держали в руках пригоршни безделушек. Портовый город Коломбо, остров Цейлон, состоящий в основном из блестевших на жарком солнце низких строений, кое-где перемежающихся высокими зданиями, был окружен с трех сторон густыми темными лесами.

Поскольку в городе было зарегистрировано несколько случаев оспы, из соображений безопасности женщинам не разрешили сойти на берег. Корабль стоял на якоре в лазурных водах всего в нескольких сотнях футов от города, и им оставалось только любоваться Цейлоном с безопасного расстояния.

Маргарет, много дней мечтавшая покинуть корабль, чтобы наконец ступить на твердую землю, была вне себя от ярости.

— Тот парень из военторговской лавки утверждает, что мужчинам все же разрешат сойти на берег, тогда почему бы нам не попробовать самим подцепить эту чертову оспу? — Она чуть не плакала от такой несправедливости.

— Думаю, мужчины просто привиты от оспы, — ответила Фрэнсис, но Маргарет пропустила ее слова мимо ушей.

Вероятно, чтобы утешить девушек, один из кладовщиков одолжил им канат, к которому Маргарет и привязала корзину. Им оставалось только опустить ее, а потом поднять, чтобы на досуге изучить положенные туда товары. Кладовщик показал им еще два военных корабля, стоящих на якоре, они были облеплены маленькими лодчонками, устанавливающими с командой кораблей товарно-денежные отношения.

«Французский и американский. Вот увидите, в конце концов все торговцы скопятся возле янки. — Он с довольным видом потер большой палец об указательный, ухмыльнулся и хитро поднял бровь. — Если сумеете добросить туда корзинку, то сможете купит пару новых чулок».

— Ну что, девчонки, товар вроде бы ничего. Готовьте кошельки.

Маргарет, пыхтя от напряжения, осторожно подняла корзинку, перекинула ее через перила и поставила возле орудийной башни, где они сидели. Порывшись в корзинке, она достала бусы из ракушек и кораллов и пропустила их через растопыренные пальцы.

— Ну, кому перламутровое ожерелье? Все лучше, чем эта штука из колец для цыплят, а, Джин?

Джин ответила ей вялой улыбкой. Она с самого утра была непривычно притихшей. Маргарет слышала, как Джин еще до сигнала к побудке о чем-то шушукалась с Фрэнсис. Потом они отправились в туалет и долго не возвращались. Фрэнсис зачем-то взяла с собой свою походную аптечку. Никто не обсуждал, чем они там занимались, а Маргарет неохота было спрашивать, да и, наверное, не стоило. И вот теперь Джин молча сидела между ними; бледная и поникшая, она казалась до ужаса юной. И ходила она почему-то очень осторожно.

— Посмотри, Джин, оно здорово подойдет к твоему синему платью. Ой, а как красиво перламутр переливается на свету!

— Миленькое, — сказала Джин. Она закурила очередную сигарету и съежилась, словно от холода, несмотря на тропическую жару.

— Надо будет взять что-нибудь для бедной старушки Эвис. Может, ей чуть-чуть полегчает.

Маргарет прекрасно понимала, что ее голос звучит слишком жизнерадостно, и ответом ей была тишина, которая красноречивей всяких слов говорила, что Фрэнсис, может, вовсе не желает, чтобы Эвис становилось лучше.

Вернувшись в каюту накануне вечером, эти двое здорово поцапались. Фрэнсис, утратив свою обычную сдержанность, орала на Эвис, обзывала ее эгоисткой, предательницей, обвиняла в том, что та думает лишь о своих шкурных интересах. Эвис, с пылающим от стыда лицом, говорила в ответ, что не собирается ставить под удар свое будущее из-за распущенной девицы с повадками подзаборной пьянчужки. И все равно рано или поздно они узнают ее имя. Эвис и так была до крайности раздражена, потому что ее подруга Айрин куда-то испарилась. И единственное, что смогла сделать Маргарет, — не дать им перейти к разборке на кулаках. На следующее утро, когда Эвис покинула каюту, остальные предположили, что до конца дня больше ее не увидят.

Тут до них донеслись голоса торговцев, которые на пальцах показывали, сколько стоит товар.

— Миссис Мельбурн! Миссис Сидней!

Между их лодчонками они увидели показавшуюся на поверхности воды голову маленького мальчика. Он с улыбкой сжимал в руке что-то металлическое. Затем пригляделся поближе, и лицо его сразу помрачнело. Он размахнулся и швырнул в сторону корабля выловленный из воды предмет, который, словно пуля, отскочил от борта.

— Что это значит? — прищурившись, поинтересовалась Маргарет.

— Матросы кидают им старые орехи и болты. А дети думают, что это монеты, и ныряют за ними, — объяснила Фрэнсис. — Такая вот странная манера развлекаться. — Она не стала продолжать. Ведь им самим пришлось кардинально пересмотреть точку зрения на манеру матросов развлекаться.

Но Джин, похоже, ее не слышала. Внимательно изучив небольшое жемчужное ожерелье, она принялась засовывать его в карман.

— Хочешь, чтобы я за тебя заплатила? — спросила Маргарет. — Не беда, если ты забыла кошелек.

Джин подняла на Маргарет глаза с красными кругами вокруг них.

— Не-а, — помотала она головой. — Я не буду платить. Раз уж они такие дураки, что отдали нам товар просто так.

После такого заявления все замолчали. Затем Маргарет, ни слова не говоря, достала из кошелька несколько монет, положила в корзинку к оставшимся безделушкам и спустила корзинку вниз. А затем, чтобы помочь легкомысленной подружке, а возможно, и себе тоже вернуть душевное равновесие, спросила:

— А я тебе когда-нибудь рассказывала, как Джо сделал мне предложение? — Она уселась поудобнее и обняла Джин. — Ты будешь смеяться. Он уже твердо решил попросить моей руки. Получил у папы разрешение. И даже купил кольцо. Ой, сейчас я его не ношу, — объяснила она. — Пальцы слишком распухли. Но так или иначе, он выбирает среду — предпоследний день увольнения на сушу — и появляется у нас: в приподнятом настроении, ботинки начищены до зеркального блеска, волосы прилизаны. И уже представляет себе, как все будет. Он опускается на одно колено и впервые в своей жизни делает романтический жест.

— С тобой это пустая трата сил, — заметила Фрэнсис.

— Ну, теперь-то он и сам знает, — ухмыльнулась Маргарет. — Ну так вот, приезжает он к нам, стучится в дверь, переступает порог, а я в это время благим матом ору на Дэниела, который опять бросил одежду на пол, типа будь я проклята, если буду, как мама, ходить за ним по всему дому и подбирать его вещи. Бедный старина Джо стоит в прихожей, а мы с Дэном вовсю лаемся. А потом в дом вбегает папа, кричит, что коровы выбрались из загона. Джо продолжает стоять, слегка в шоке оттого, что я ругаюсь как сапожник, но папа хватает его и говорит: «Пошли, приятель. Чего стоишь как неживой?!» — и тащит его на задний двор. Словом, сплошной дурдом. Кругом штук сорок коров, они уже успели снести изгородь, а две из них топчут то, что осталось от маминого сада, а папа колотит их палкой, слезы текут у него по щекам, он старается спасти мамины цветочки. И тут появляется Колм на грузовичке, гудит как полоумный, пытается отогнать стадо в сторону дороги. Лиам скачет на лошади, изображает из себя Джона Уэйна[1]. Ну и мы с Джо силимся загнать оставшихся коров в коровник. — Она внимательно оглядела подруг. — Девочки, вы когда-нибудь видели испуганную корову? — Маргарет слегка понизила голос. — Они срут, как не знаю кто. Наматывают круги по двору и повсюду разносят дерьмо. И бедный старина Джо уже с головы до ног в дерьме, и его начищенные ботинки, и все-все.

— Фу, какая гадость! — вяло улыбнулась Джин.

---

1 *Джон Уэйн* — популярный американский киноактер, которого называли королем вестернов.

— И в довершение всего наша самая большая телка решает дать деру и прет прямо на него. Не поймите меня неправильно. Джо нелегко сбить с ног, но она врезается в него так, будто он там вообще не стоял. Бамс! — Маргарет показала, как он падает на спину.

Даже Маргарет, привычной к запахам скотного двора, пришлось зажимать нос, пока она помогала ему подняться и хоть чуть-чуть отряхнуться. Ей показалось, будто он ругается, но на самом деле он все твердил: «Кольцо, кольцо». Им двоим пришлось битых полчаса ползать на карачках в навозной жиже, чтобы отыскать этот символ верности и вечной любви.

— И ты что, согласилась его носить?

— Прямо с коровьим дерьмом. Это ведь тоже своего рода романтика, — сказала Маргарет, но, увидев, что Джин зажала рот рукой, добавила: — Ой, Джин! Ну конечно же, я его помыла, прежде чем надеть. И то же самое пришлось сделать для Джо. Свой первый вечер в качестве официальной невесты я провела, отстирывая и отглаживая его форму, чтобы ему не влетело по первое число, когда он вернется на базу.

— А Стэн сделал мне предложение на танцах, — произнесла Джин. — Зуб даю, я оказалась там самой молодой. Мне только-только исполнилось пятнадцать. Но все прошло очень мило. На мне был голубой чесучовый костюм моей подружки Полли, и он сказал, что я самая красивая девушка в зале. Он там с кем-то еще танцевал, но когда заиграли «You Made Me Love You», повернулся к своему приятелю и сказал: «Я женюсь на этой девушке. Ты понял?» А потом повторил свои слова уже громче. И я жутко застеснялась, но, если честно, мне действительно понравилось.

— Не сомневаюсь, — улыбнулась Фрэнсис.

— Он был первым человеком в моей жизни, который сказал, что любит меня. — Ее глаза наполнились слезами. — Никто никогда мне такого не говорил. Уж точно не мамаша. А своего папашу я отродясь не видела. — Она убрала упавшую на лицо прядь волос. — Никто. У меня там ничего не осталось, ничего. Он лучший человек, которого я когда-либо встречала.

И вот так они просидели, практически не разговаривая, еще полчаса. Маргарет уговаривала торговцев подплыть поближе, забрать это, показать то. Она купила по смешной цене два ожерелья для Летти, уговаривая себя, что бусы — отличный подарок, правда хорошо понимая в душе, что ее вину перед тетей никакими подарками не загладишь. А когда жара начала усиливаться, а солнце, поднимаясь все выше, выгонять их из тени, Маргарет стала подумывать о том, что, пожалуй, пора уходить. Но никаких особых развлечений сегодня не планировалось, поскольку они до последнего рассчитывали сойти на берег, а перспектива снова начать пререкаться в тесной каюте ее не слишком вдохновляла.

Маргарет рассеянно смотрела на идущее к ним моторное суденышко — на шкипере морская фуражка, на борту что-то непонятное: серое и бесформенное, которое по мере приближения вырисовывалось все отчетливее. Потом она услышала радостные крики других женщин, уже успевших сообразить, что это такое.

— Девочки! — заорала Маргарет. — Почта! Нам привезли почту!

И уже час спустя они сидели в столовой, пропахший капустой воздух был наэлектризован радостным предвкушением, и смотрели, как офицер из Красного Креста собирает почту для отправки и раздает маленькие пачки писем, лежавшие на столике в углу. Объявление каждого нового имени сопровождалось восторженным визгом получательницы и ее подружек, словно девушку вызвали, чтобы вручить желанный приз, а не самое обыкновенное письмо.

Иллюминаторы в столовой были открыты, чтобы впустить внутрь свежий морской ветерок. На стеклах играл солнечный свет, словно отражаясь от сияющих вод океана внизу.

Джин пригласили к столу одной из первых: внушительная пачка из семи писем от Стэна несколько вернула ее к жизни. Она передала письма Фрэнсис, которая, пока Джин нервно дымила сигаретой, читала их вслух своим низким, звучным голосом.

— Нет, ты слышала! — перебивала ее Джин. — Он вытатуировал мое имя на правой руке. Двумя красками! Было чертовски больно.

Маргарет переглянулась с Фрэнсис.

— А еще, — продолжила Фрэнсис, — он выиграл четыре фунта в боксерском поединке. Говорит, что у другого парня странная манера драться: блокировать носом удары Стэна.

— Нет, ты слышала?! — Джин обняла Маргарет. — Пытается блокировать носом удары!

Если она и смеялась чуть громче, чем нужно, чтобы поверили в ее искреннюю радость, ни Фрэнсис, ни Маргарет не сказали ни слова. Хорошо хоть, что Джин вообще смеялась.

Уже позже Фрэнсис признается, что опустила несколько абзацев, где Стэн предупреждал Джин, чтобы «вела себя хорошо», и рассказывал о своем приятеле, который бросил возлюбленную, потому что до него дошли слухи, будто она «играет не по правилам».

— Маргарет О'Брайен!

Маргарет вскочила со стула со скоростью, несколько неожиданной для ее грузной фигуры. Задыхаясь, схватила пачку протянутых ей писем и триумфально вернулась на место. Ее досаду, что утром не удалось высадиться на берег, как рукой сняло. Ей не терпелось уйти в каюту, но не хотелось обижать остальных. Маргарет только собралась было открыть рот, чтобы извиниться, как рядом скрипнул стул. Она подняла глаза и увидела Эвис, которая осторожно усаживалась рядом.

В разговоре возникла неловкая пауза. Маргарет, несколько удивленная тем, что Эвис решила присоединиться к ним после вчерашней ссоры, по простоте души решила, что та просто собирается извиниться.

— У меня есть кое-какие новости, — произнесла Эвис.

— И у меня тоже, — перебила ее Джин. — Посмотри. Семь писем. Семь!

— Нет, — помотала головой Эвис. На ее губах играла сдержанная улыбка, словно она хотела поделиться каким-то секретом. Сейчас Эвис меньше всего напоминала ту разъяренную девушку с поджатыми губами, что покинула их каюту несколько часов назад. — У меня настоящие новости, — заявила она, выставив вперед подбородок. — Я в положении.

Все ошарашенно замолчали.

— В каком положении? — удивилась Джин.

— В интересном, естественно. Я была у врача.

— Ты уверена? — спросила Фрэнсис. — Доктор Даксбери не показался мне... слишком знающим... — Она вспомнила, как он пел, глядя пустыми глазами на аптечный шкаф.

— Да неужто теперь медсестры разбираются во всем лучше врачей?

— Нет, я просто...

— Доктор Даксбери взял у меня анализ крови, а затем задал кучу вопросов и тщательно осмотрел. Он абсолютно уверен. — Она пригладила волосы и огляделась по сторонам, очевидно рассчитывая донести столь знаменательные новости до более широкой аудитории.

— Что ж, если хорошенько подумать, теперь все встает на свои места, — заметила Маргарет.

Джин и Фрэнсис переглянулись.

Эвис была больше не в силах сдерживаться. Она вся светилась, щеки порозовели от волнения.

— Ребенок! Подумать только! Я знала, что у меня не может быть морской болезни. Я тысячу раз плавала на яхтах и чувствовала себя прекрасно. Маргарет, ты должна сказать, что надо купить. Как думаете, а в Англии продаются детские вещи? Придется попросить мамочку послать по почте все, что можно.

Маргарет встала со стула и потянулась через стол, чтобы обнять Эвис.

— Эвис, это грандиозные новости. Мои поздравления. Очень рада за вас обоих.

— Вот это да! — вытаращила глаза Джин. — Выходит, тебя тошнило из-за беременности?

Джин выглядела по-настоящему довольной. Значит, Фрэнсис не рассказала ей о предательстве Эвис, подумала Маргарет, и ей внезапно стало жалко малышку.

— Он считает, что у меня срок девять-десять недель. Когда он мне это сказал, я так и отпала. Но теперь я в восторге. Иэн будет просто счастлив. Он станет прекрасным отцом, — положив руку на плоский живот, тараторила Эвис, она уже представляла себе будущую семейную жизнь.

Маргарет собрала всю свою волю в кулак, чтобы стереть из памяти события прошлого вечера.

— Стэн сделал на руке наколку с моим именем, — сообщила Джин, но Эвис ее не слушала.

— Полагаю, стоит обратиться к капитану, чтобы он сообщил новости моей семье. Жду не дождусь, когда мы приедем в Англию. — Но тут в столовой прозвучало ее имя, произнесенное весьма резким тоном. — Письма! — вскочила с места Эвис. — Письма! Со всеми этими треволнениями я совсем и забыла... О, вы двое уже получили. — Она посмотрела на Фрэнсис так, словно внезапно вспомнила нечто важное, и больше ничего не сказала.

— Мои поздравления, — пробормотала Фрэнсис. На Эвис она даже не взглянула.

Имя Фрэнсис выкрикнули одним из последних, спустя час, оно эхом пронеслось по опустевшей столовой. Маргарет уже несколько раз порывалась уйти, чтобы в одиночестве насладиться письмами Джо, а потом снова перечесть их, но отношения между остальными девушками были настолько взрывоопасными, а Джин — еще так ранима, что Маргарет почувствовала себя обязанной подождать подруг.

Эвис получила два письма от родителей и два, правда давнишних, от Иэна, которые он послал через несколько дней после того, как покинул Сидней.

— Нет, вы только посмотрите, какая на них дата! — раздраженно воскликнула она. Похоже, она восприняла как личное оскорбление тот факт, что Джин и Маргарет получили больше писем, чем она. — Написаны шесть недель назад. Если честно, самое малое, что может сделать для нас военно-морской флот, — обеспечить своевременную доставку корреспонденции. Как, ради всего святого, я сообщу ему о ребенке, если он получит мое письмо уже тогда, когда я буду в Плимуте! — С недовольным видом она внимательно изучила марку. — Уверена, это не все. Должно было прийти гораздо больше. Наверняка они оставили бо́льшую часть корреспонденции в каком-то богом забытом месте.

— А мне кажется, Эвис, что тебе просто не повезло, — рассеянно заметила Маргарет.

Она уже успела несколько раз перечитать первое письмо от Джо. И предусмотрительно пронумеровала письма, чтобы читать их в нужном порядке.

«Привет, любимая, — писал он. — Надеюсь, что это письмо застанет тебя уже на „Виктории“. Я даже не сразу поверил, когда ты сообщила, что будешь на борту этой старушки. Поищи там Арчи Литлджона. Он радист. Мы были вместе на учениях еще в 44-м. Хороший малый. Он за тобой присмотрит. И вообще, могу поклясться, что все парни на борту с удовольствием приглядят за вами, девушками. А на „Вик“ вас там целый букет».

Маргарет упивалась каждым словом, она, казалось, слышала голос Джо, ее умиляла его святая вера в окружавших их мужчин. Она украдкой посмотрела на Джин, которая внимательно разглядывала письма от Стэна.

— Хочешь, я тебя научу? — спросила Маргарет. — Пока мы на борту? Зуб даю, к концу плавания ты уже будешь вовсю читать.

— Правда?

— А почему нет? — ответила Маргарет. — Часок-другой в день — и ты у нас станешь настоящим книжным червем.

— Стэн не знает... что я не умею читать. Я всегда просила свою подружку Нэнси писать за меня. Понятно? — сказала она. — Но уже на корабле вспомнила, что если попрошу кого-то еще за меня писать, то будет совсем другой почерк.

— Тем более стоит начать учиться, — заявила Маргарет. — Сможешь писать сама. Уверена, твой Стэн даже не заметит разницы.

Джин пришла в такой телячий восторг, что у нее сразу улучшилось настроение.

— А ты действительно считаешь, что я смогу? — то и дело спрашивала она, радостно ухмыляясь, когда Маргарет отвечала утвердительно. Ее мамаша всегда твердила, что она тупая, призналась Джин, ее глаза беспокойно бегали по сторонам. — Прикинь, она сама типа тупая. Застряла на своей крекерной фабрике, а я вот плыву на корабле в Англию. Так?

— Так, — твердо сказала Маргарет. — Ладно, давай сюда свой конверт. Напишу тебе алфавит.

Тем временем к их столу вернулась Фрэнсис. Оторвавшись от своих писем, Эвис подняла на нее глаза.

— Что, только одно? — громко спросила она, не в силах скрыть торжествующую улыбку.

— Это от одного из пациентов, — невозмутимо, с застенчивой гордостью ответила Фрэнсис. — Он уже дома и снова на ногах.

— Как мило, — похлопала ее по руке Маргарет.

— И ничего от твоего мужа?!

— Эвис... — одернула ее Маргарет.

— Что, и спросить уже нельзя?

Все смущенно замолчали.

Маргарет собралась было что-то сказать, но ничего умного в голову не приходило.

— Ну да. Он, наверное, себя не помнит от радости, что скоро тебя увидит, вот и забыл обо всем на свете, — наконец произнесла она.

Эвис многозначительно подняла брови, молча поднялась и вышла из столовой.

Поскольку я не дождалась от тебя ответа ни на письма, ни на телеграммы, то пишу исключительно из любезности, чтобы сообщить, что подала на развод на основании твоего трехлетнего отсутствия. И хотя мы оба знаем, что это не вполне корректно, надеюсь, ты не станешь чинить мне препятствий. Антон оплачивает наш проезд, мой и детей, до Америки, чтобы мы могли наконец воссоединиться. Мы выезжаем из Саутгемптона 25-го числа. Конечно, мне хотелось бы сделать это более цивилизованно, скорее, даже ради детей, но ты, несомненно, намерен продемонстрировать такое же равнодушие, что выказывал мне все то время, что тебя не было.

И вообще, где твое человеколюбие? Ты теперь, вероятно, понимаешь язык исключительно приказов и регламентов. Конечно, тебе сейчас нелегко. Тебе наверняка пришлось увидеть своими глазами и пережить всевозможные ужасы. Но мы здесь просто живем. И могли бы стать твоей путеводной звездой, если бы ты дал нам такую возможность.

И теперь я не чувствую себя виноватой за то, что просто хочу другой жизни, лучшей жизни, для себя и своих детей...

— Что стряслось, Найкол? Ты какой-то бледный. Получил телеграмму «НЕ ЖДУ НЕ ПРИЕЗЖАЙ»? — Валлиец Джонс лежал в гамаке с дюжиной или около того писем, которые он небрежно просматривал. Должно быть, от дюжины женщин.

Найкол посмотрел на него невидящими глазами. Смял письмо и сунул в карман.

— Нет, — сказал он. Прокашлялся, чтобы справиться с внезапной хрипотой, и добавил: — Нет... Просто кое-какие новости из дома.

Мужчины, что были рядом, переглянулись.

— Никто не заболел? — поинтересовался Джонс.

— Нет, — отрезал Найкол, отбив всякую охоту продолжать расспросы.

— Ну, видок у тебя хуже некуда. Если честно, ты уже несколько недель выглядишь довольно паршиво. Похоже, это все ночные вахты. Правда, парни? Знаешь, что тебе нужно, приятель? — стукнул он Найкола по руке. — Увольнительная. И срочно. Ты ведь свободен сегодня вечером, да? Пошли с нами на берег.

— А... Нет, я лучше посплю.

— Это внеплановая увольнительная, приятель. Хочешь — верь, хочешь — нет, Найкол, но даже ты время от времени должен сменяться.

— Нет, я останусь здесь. Надо кое-что подлатать.

— Прости, старина, но так не пойдет. У тебя полный карман бабок, а вот лицо — как помятая задница. Доктор Джонс считает, что единственное лекарство — облегчить карманы и промыть мозги. Сейчас тебе надо пару часиков покемарить. А потом ты пойдешь с нами. И мы погудим так, что чертям тошно станет.

Найкол принялся отказываться, хотя от добродушного подначивания Джонса его немного отпустило. Он представил еще одну ночь под треклятой железной дверью наедине со своими мыслями, и ему стало не по себе.

— Ладно, — сказал он, расправил гамак и легко запрыгнул в него. — Твоя взяла. Разбуди меня за полчаса до ухода.

Они по-прежнему ели за одним столом, причем, как догадывалась Маргарет, вовсе не из желания Эвис продолжать делить с ними трапезу, а скорее потому, что Айрин и ее друзья однозначно дали понять — шушуканьем и холодными взглядами, — что исключили Эвис из своего круга. Маргарет увидела, как Эвис собралась было направиться к их столу, чтобы сообщить радостные новости, но неожиданно обнаружила, что новости уже обсуждаются — и не слишком доброжелательно. Эвис явно была уязвлена, при каждом новом смешке за соседним столом она бросала в сторону компании Айрин сердитые взгляды. Затем пригладила волосы и уселась напротив Маргарет.

— Понимаете, — беззаботно сказала она, — я только сейчас вспомнила, что именно меня всегда раздражало в этой Айрин Картер. Она ужасно заносчивая. И что только я раньше в ней находила?!

— Очень приятно для разнообразия поесть всем вместе, — не обращая внимания на молчание Фрэнсис, ровным тоном произнесла Маргарет.

— Скажи, Фрэнсис, они действительно что-то напутали с твоей почтой или ты и вправду получила только одно письмо? — поинтересовалась Эвис.

— Послушай, Эвис, — громко сказала Маргарет, отставив в сторону тарелку. — Мы тут очень мило болтали о том, как наши мужья сделали нам предложение. Не сомневаюсь, тебе будет приятно рассказать о вас с Иэном, правда?

Маргарет поймала взгляд Фрэнсис и прочла в нем благодарность, а может, нечто совсем другое.

— А разве я вам не рассказывала? Да неужели? Ой, это был лучший день в моей жизни. Не считая свадьбы, естественно. Для всех девушек это лучший день в жизни. Ведь так? Хотя в нашем случае мы не могли устроить такую свадьбу, о которой я мечтала с детства... Учитывая положение в обществе моей семьи и вообще... Нет, все было гораздо интимнее. Ой, я о том, как Иэн сделал мне предложение... О да... — Она закрыла глаза. — Представляете, я помню как сейчас, словно аромат...

— Ну, почти как у Маргарет, — заметила Джин.

— Я с первого взгляда поняла, что это он, мой единственный. И он сказал мне то же самое. Ой, девочки, он такой душка. И мы так давно не виделись, что я уже вся извелась. Он самый романтичный мужчина на свете. Хотя, понимаете, я никогда не думала, что выйду за военнослужащего. Меня никогда не привлекали бравые военные и никогда не пробирала дрожь при виде белоснежной формы. Но я помогала разносить чай на одном благотворительном вечере, — возможно, вы бывали на таких, да? — увидела его и пропала. Я сразу поняла, что должна стать миссис Рэдли.

— И что он сделал? — раскуривая сигарету, спросила Джин.

— Ну, он всегда вел себя по-джентльменски. Мы знали, что любим друг друга, — он постоянно твердил, что буквально околдован мной, представляете? — однако его очень беспокоило, смогу ли я справиться с ролью жены военнослужащего. Я имею в виду бесконечные расставания и вечную неопределенность... Он сказал, что считает нечестным подвергать меня подобным испытаниям. А я ответила: «Возможно, я и похожа на нежный бутон — папа называл меня своим маленьким цветком жасмина, — но на самом деле я сильная. Правда. И очень целеустремленная». И мне кажется, даже Иэн под конец это понял.

— Итак, что случилось потом? — посасывая чайную ложку, спросила Маргарет.

— Ну, мы оба испытывали чуть ли не крестные муки. Папочка говорил, что надо подождать. А Иэн не хотел его расстраивать и согласился. Но мне непереносима была сама мысль о том, что мы расстанемся, будучи всего лишь помолвленными.

— Небось, боялась, что он спутается с другой? — вставила Джин.

— Так вот, Иэн получил разрешение у командира своего корабля, мы просто сбежали, и нас поженил мировой судья. Вот такие дела. Это было страшно романтично.

— Какая милая история, Эвис, — сказала Маргарет. — Пожалуй, схожу за чаем. Кому-нибудь принести чашечку?

А небо за окном тем временем почернело. Солнце здесь уходило за горизонт так внезапно, словно ночи не терпелось поскорее сменить день. И корабль, несмотря на наличие шести сотен женщин, казался необычно притихшим, как будто отсутствие мужчин действовало угнетающе.

— Пойду узнаю, не покажут ли нам какое-нибудь кино, — сказала Джин.

— Возможно, что-нибудь и покажут, раз уж мы все остались здесь.

— Нет, там пусто, — заметила Эвис. — А на двери объявление, что следующий сеанс только завтра днем.

— Мужчины уже, наверное, на берегу, — мечтательно произнесла Маргарет. — Везет же некоторым!

— А как насчет твоего парня, Фрэнсис? — Джин положила подбородок на сложенные руки и слегка наклонила голову. — Как он сделал тебе предложение?

Фрэнсис поднялась с места и принялась составлять тарелки на поднос.

— О, тут нет ничего интересного, — сказала она.

— Не сомневаюсь, что твоя история должна быть весьма увлекательной, — возразила Эвис.

Фрэнсис наградила ее тяжелым взглядом.

Маргарет решила было перевести разговор в другое русло, но природное любопытство взяло верх.

Итак, все ждали ответа. И Фрэнсис, после секундного колебания, снова села, перед ней горой высились грязные тарелки. Спокойным, лишенным эмоций голосом она произнесла слова, отличавшиеся, как день от ночи, от любовных излияний, которые они только что услышали из уст Эвис. Она встретилась с ним в Малайе, когда работала в госпитале медсестрой. Рядовой инженерных войск Чоки Маккензи, двадцати восьми лет, родом из города под названием Челтенхем. У него были множественные ранения от шрапнели, осложненные инфекцией из-за влажного климата. Она несколько недель выхаживала его, и в результате он стал испытывать к ней нежные чувства.

— Иногда, когда его лихорадило, он впадал в беспамятство и в бреду говорил, что мы уже женаты. Нам не разрешалось завязывать близкие отношения с мужчинами, но его командир — он лежал на соседней койке — сделал для него исключение. Обычая практика. Мы всегда шли на уступки, если это было на пользу нашим пациентам.

— И когда же он предложил тебе выйти за него замуж? — поинтересовалась Джин. Над ее головой внезапно зажглись неоновые огни, осветив лица женщин.

— Ну... на самом деле он много раз просил меня выйти за него замуж. Не то чтобы только однажды и неожиданно для меня. Наверное, ему пришлось раз шестнадцать предлагать мне руку и сердце, прежде чем я согласилась.

— Шестнадцать раз! — воскликнула Эвис с таким видом, словно не могла поверить, что Фрэнсис способна подвигнуть кого-то на столь упорную осаду.

— И что заставило тебя сказать «да»? — поинтересовалась Маргарет. — Я хочу сказать, в конце концов.

— Что заставило его так упорствовать? — пробурчала Эвис.

Но Фрэнсис уже поднялась и бросила взгляд на часы:

— Боже мой, Мэгги! Посмотри, как поздно! Твоя бедная собачка, должно быть, уже совсем извелась. Ее давно пора вывести на прогулку.

— Вот черт! Ты права. Нам лучше поторопиться, — сказала Маргарет.

И, кивнув оставшимся девушкам, они с Фрэнсис выскочили из столовой.

Девушки целовались. Поцеловавшись, они повернулись к нему и, не заметив никакой реакции, рассмеялись. Та, что пониже, откинулась на спинку барного стула, окинула его ленивым взглядом и вытянула голую ногу. Вторая, в зеленом платье, явно великоватом для ее субтильной фигуры, пробормотала что-то непонятное и, наклонившись вперед, взъерошила ему волосы.

— Два два. — Она подняла вверх два пальца. — Хорошее время. Два два.

В результате он заказал им еще по напитку. Ему понадобилось несколько минут, чтобы понять, что́ именно они предлагают. Он покачал головой, даже когда они втрое сбросили цену.

— Больше нет денег, — сказал он, почему-то не узнав собственный голос. — Все вышли.

— Нет-нет, — запротестовала девушка в зеленом. Похоже, они привыкли к отказам. — Два два. Очень хорошее время.

В ходе вечера он уже успел где-то посеять часы и теперь вообще потерял счет времени. На улице свистели матросы, время от времени устраивавшие потасовки. Девушки периодически исчезали наверху, снова спускались и оставались сидеть, весело болтая или беззлобно ругаясь. Снаружи неоновая вывеска бара прорезывала синим светом тусклый серый рассвет.

На стене за спиной у девушек висел портрет Эйзенхауэра, возможно подарок американского солдата. Интересно, который сейчас час в Америке? Найкол попытался вспомнить, как надо подсчитывать разницу во времени.

Напротив, в другом конце зала, Валлиец Джонс, развалившись на диванчике у стены, засовывал в рот одной из девушек сигареты, а та давилась дымом и кашляла.

— Постарайся сильно не вдыхать, — говорил он, а она шутливо шлепала его по руке маленькой ладошкой. — Так недолго и заболеть. — Он поймал взгляд Найкола. — Ах... нет... Только не вздумай сказать, что тебе тоже нравится Энни! — крикнул он. — Жадный сукин сын! У тебя ведь уже две свои есть.

Найкол попытался сформулировать ответ, но язык почему-то не слушался.

— За жен и возлюбленных! — провозгласил Валлиец Джонс. — Чтобы им никогда не встречаться!

Найкол поднял в ответ стакан и сделал глоток.

— И на помойках не валяться, — пробормотал Найкол.

Джонс разразился одобрительным смехом.

Во время последнего посещения Цейлона они не отдыхали, а несли службу, патрулировали улицы, отлавливая пьяных, например рядовых с полными карманами денег, но без сдерживающих центров, которые желали использовать на полную катушку несколько часов свободы, чтобы напиться до поросячьего визга, естественно, с самыми печальными последствиями. Незадолго до рассвета они с Джонсом, зачистив парочку местных борделей, обнаружили несколько первогодков, лежавших в коматозном состоянии на местной мусорной свалке. В ходе этой разгульной ночи их последовательно освободили от денег, часов, расчетных книжек, даже удостоверений личности, более того, моряки потеряли способность думать или даже говорить. Не имея возможности — из-за отсутствия документов — установить личность молодняка, они с Джонсом погрузили их — грязных и вонючих — на ближайший корабль союзников. Там они точно получат двойную порцию звездюлей: от командира приютившего их корабля и от своего непосредственного начальства.

— Твоя правда. Никаких помоек, кореш, — поднял стакан Джонс. — Ты только не забывай говорить «Вайсрой». Единственное, что тебе надо знать, — это название своего корабля. «Вайсрой». — И он снова загоготал.

— Ты, пойдем. — Девушка в зеленом тянула его за рукав.

Вторая куда-то испарилась. Девушка, совсем как ребенок, доверчиво вложила руку в его широкую ладонь и повела наверх. Ему пришлось оторвать ее от себя, чтобы покрепче держаться за перила, потому что деревянные ступеньки ходили ходуном, совсем как палуба во время шторма.

Дверь оказалась не толще листа бумаги, а перегородки — совсем тонкими: он слышал все, что происходило в соседней комнате.

— Хорошо сидим, да? — Девушка проследила направление его взгляда и захихикала.

Внезапно на него навалилась страшная усталость, он тяжело опустился на кровать и стал смотреть, как девушка расстегивает платье. Из-под бледной кожи выпирали острые позвонки. И он почему-то вспомнил о Фрэнсис, о ее тонких пальцах, в которых она держала фотографию его мальчиков.

— Ты мне помочь? — спросила девушка и, грациозно изогнувшись, показала на молнию на платье.

Кровать была аккуратно застелена тончайшим покрывалом. Колченогий столик украшала бутылка с изящно поставленными цветами. Эти две мелкие детали, свидетельствующие о стремлении к домашнему очагу даже в этой обители порока, вызвали у него слезы на глазах.

— Прости, — сказал он. — Не уверен, что...

Она повернулась к нему и посмотрела на него глазами раненой лани.

— Да-да, — сказала она, снова надев на лицо улыбку. — Ты будешь счастливым. Я тебя раньше видеть? Ты меня знаешь. Я сделаю тебя счастливым.

— Прости, — повторил он.

Тогда, с неожиданной для такого тщедушного существа силой, она снова схватила его за руку. Испуганно посмотрела на дверь, и он подумал, что, должно быть, у нее есть свои резоны не отпускать его.

— Ты подождать здесь чуть-чуть, — взмолилась она.

— Я просто хотел...

— Только чуть-чуть здесь.

И он понял, что она кажется старше из-за выражения глаз. Ее взгляд был потухшим и покорным, несмотря на то что она старалась беззаботно улыбаться и хлопать ресницами, точно молоденькая девушка. При более внимательном рассмотрении грудь ее оказалась поразительно неразвитой, будто еще не успела созреть. А ногти были обкусаны до мяса, совсем как когда-то у его сестры, и смотрелись по-детски неухоженными. Найкол закрыл глаза, ему вдруг стало безумно стыдно, словно он занимался совращением малолетней. Вот что делает с нами война, подумал он. Даже с теми, кому удалось выжить. Она все равно нас всех достает.

Неожиданно он почувствовал на себе вес ее тела, ее тонкие руки гладили его по лицу.

— Пожалуйста, ты чуть-чуть подождать, — прошептала она ему на ухо.

Он вдыхал запах ее духов, очень сладких и слегка тошнотворных, совсем не подходящих для юной девушки с неразвитыми формами.

Она обняла его за шею и потянула вниз:

— Ты подождать чуть-чуть со мной.

Проворными пальчиками она пробежалась вниз по его животу и, когда он отстранился, что-то приглушенно воскликнула, уткнувшись ему в шею.

— У меня внутри ничего не осталось, — сказал он. — Я совершенно пустой.

Тогда она легла рядом с ним, впившись темными глазами в его лицо, пытаясь угадать его мысли, а он устало опустил голову на подушку. Снизу в комнату проникал запах подгорелого масла, резкий и пряный.

— Ты должна мне что-то сказать. — Он взял девушку за руку.

Ее дыхание, легкое, осторожное, щекотало шею, и он понял, что проваливается в сон.

— Сейчас ты счастливый? — прошептала она.

Он не решался открыть рот, понимая, что сегодня вечером это будут его последние слова.

— Который час сейчас в Америке? — наконец спросил он.

Глава 12

У корабля был сеанс радиотелефонной связи с Лондоном! Что было обеспечено за счет связи с Сиднеем по Ти-би-эс[1]. Микрофон УКВ-приемника в Сиднее подключили к телефонной линии Лондон — Сидней... Это огромный шаг вперед в сфере коммуникаций, открывающий в будущем самые широкие возможности.

Из личного дневника мичмана Генри Стемпера.
13 января 1946 года

Двадцать первый день плавания

Такого с ней прежде не случалось. И у нее и в мыслях ничего такого не было. Но Фрэнсис вынуждена была признаться, что начинает влюбляться.

Каждый вечер она говорила себе, что должна быть осторожнее, что так и до беды недалеко, что ее действия могут поставить под угрозу безопасность ее плавания. И несмотря на это, каждый вечер, практически ничего не объясняя своим спутницам, исчезала за металлической дверью. Воровато оглядевшись по сторонам, осторожно пробиралась мимо других кают, взлетала по трапу, пересекала ангарную палубу и открывала тяжелую стальную дверь, ведущую на полетную палубу.

Когда, оглядываясь назад, Фрэнсис размышляла о том, что подвигло ее на такое безумие, она понимала, что отчасти именно то, что слишком уж здесь все стало привычным: женщины, моряки, рутина судовой жизни, тяжелая атмосфера неуверенности и ожидания. Она привыкла просыпаться по утрам, не имея четкой задачи на день, растеряла

1   *Ти-би-эс* (TBS, Talk Between Ships) — система межкорабельной радиотелефонной связи на ультракоротких волнах (УКВ).

часть своей изначальной строгости, которая многие годы защищала ее, словно броня. Ей стало легче общаться с людьми. Она даже готова была признаться, что начинает немного симпатизировать некоторым. Например, Маргарет. К ней невозможно было не привязаться.

Но больше всего ей нравился корабль: нравилось, что он огромный, будто левиафан, слишком большой, чтобы быть творением человеческих рук, нравились его шрамы, нравились пятна ржавчины — ее не могли скрыть даже несколько слоев краски, — следы неумолимого времени, проведенного в море. Фрэнсис нравились открывающиеся с полетной палубы бескрайние просторы, по мере того как они медленно, но верно продвигались на запад. Нравились те возможности, что давал ей корабль. Морские мили и бесконечные морские сажени, которые все больше отделяли Фрэнсис от ее прошлого.

Если бы по ночам не было слишком холодно, она часами сидела бы на полетной палубе, читая книжку или журнал, время от времени поднимая глаза, чтобы проверить, не видно ли ее с мостика. Но там привыкли смотреть только на море, и Фрэнсис удавалось оставаться незамеченной. Теперь устойчиво теплый ночной воздух приносил ей сладостное облегчение. Она занимала свое любимое место под брюхом самолета и в одиночестве наслаждалась ласковым морским ветерком, нескончаемым шумом волн внизу, вкусом соли на полураскрытых губах. Она любила определять по состоянию неба характер погоды за много миль от нее, наблюдать, как там, вдалеке, стихает ярость далекого шторма. Ну и конечно, нравились закаты, с их первобытным буйством оранжевых и синих красок, стекавших за горизонт так, что невозможно было отличить, где кончается небо и начинается море.

Иногда, когда ей улыбалась удача, она видела стаю морских свиней и смеялась над их маневрами. Казалось, они вступили в некий заговор с кораблем и слаженно следовали его движению. Но чаще всего она просто лежала возле одного из шасси самолета, сдвинув на затылок широкополую шляпу, и смотрела в небо. В небо, свободное от завывающих вражеских самолетов, от бесшумных, беспощадных бомб, от надрывных криков раненых. От суровых суждений тех, кто считал, что знает ее. Между ней и пунктом ее назначения не было абсолютно ничего — ни гор, ни деревьев, ни зданий. Ни людей.

Ночью, в полном одиночестве, она могла стряхнуть с себя, хотя бы временно, и прошлое и будущее. Могла просто сидеть, радуясь тому, что здесь она просто Фрэнсис, чувствуя себя крошечной песчинкой между небом, морем и звездами.

— Ну и как там твой корабль невест?

Линкор «Александра» стал первым британским кораблем, оказавшимся в зоне радиосвязи «Виктории» с момента отплытия из Сиднея. Однако Хайфилд отнесся к вызову командира линкора Эдварда Бакстера с меньшим энтузиазмом, чем если бы он был сделан при несколько иных обстоятельствах, поскольку у него имелось нехорошее подозрение насчет того, в каком именно ключе будет вестись разговор.

— И как проходит день спортивных мероприятий? Добсон говорит, что ты разрешаешь девушкам подпрыгивать, подскакивать и бегать вприпрыжку. Или я что-то не так понимаю?

Хайфилд закрыл глаза, прислушиваясь к отдаленным раскатам смеха.

Невзирая на приложенные усилия, день спортивных мероприятий, согласно всеобщему мнению, нельзя было считать безоговорочным успехом. Несмотря на зеркальную гладь поверхности моря, которую «Виктория» рассекала настолько спокойно, что, наверное, можно было бы удержать пенни на носу корабля чуть ли не до самого Тринкомали, с идеей хоккея на палубе пришлось расстаться после того, как три шайбы подряд улетели за борт. Та же печальная участь постигла эстафетную палочку во время эстафетного бега, который закончился горькими слезами одной из невест, освистанной за эту досадную оплошность. Другая ободрала ноги, поскольку слишком поздно затормозила и едва не свалилась с палубы, и ее пришлось волоком тащить обратно. И офицеры пришли к единодушному мнению, что девушки не обладают специальными навыками, необходимыми для занятий спортом на корабле, даже таком большом, как «Виктория».

Женщины-офицеры, уже совсем одуревшие от жары, попытались увеличить игровую зону до места дислокации истребителей. Но на практике оказалось невозможно без риска для жизни устраивать бег в мешках вокруг самолетов, и, даже когда их слегка отодвинули с помощью подъемных кранов или просто руками палубных матросов, женщины то и дело врезались в крылья или натыкались на пропеллеры. А так как ангары теперь были заняты, истребители вообще невозможно было убрать. Более того, здесь, в Индийском океане, корабль оказался в эпицентре волны тепла, и просторная полетная палуба нагрелась от солнца настолько, что во время бега девушки обжигали ноги, а вода в питьевых фонтанчиках становилась непригодной для питья, поэтому с течением дня число соревнующихся неумолимо уменьшалось. Они выбывали из игры под предлогом усталости, солнечных ожогов и головной боли. От невыносимой духоты в каютах и хронического недосыпа женщины были страшно раздражительными. И в довершение всего две девушки — к несчастью, одна из них оказалась основательницей Библейского клуба невест — после соревнований решили помочь подруге, повредившей лодыжку, доковылять до лазарета. А там доктор Даксбери, в облаке алкогольных паров, с головой углубился в чтение того, что — будь он в состоянии оправдываться —

с некоторой натяжкой можно было бы назвать медицинской информацией. Растянутая лодыжка оказалась мигом забытой, и потрясенные до глубины души невесты рванули прямо к начальнице Красного Креста, дабы подать официальную жалобу.

— Я решил, что мне необходимо получше ознакомиться с женской анатомией, — сказал капитану Хайфилду доктор Даксбери.

— Сомневаюсь, что журнал «Голливудские старлетки» может служить полноценным учебником анатомии, — ответил капитан.

И капитан решил, что он, конечно, не ортодокс, но, пожалуй, будет полезно на время забрать у доктора ключи от лазарета.

А потом две девицы чуть было не перешли к рукоприкладству из-за ложки с яйцом (и совершенно напрасно, ибо яйцо было деревянным). Гонки с девушками на спине тоже закончились скандалом, поскольку одна из них обвинила тащившего ее матроса, что он заглядывал ей под юбку. На этом день спортивных мероприятий официально закончился.

— Похоже, все наши парни хотят знать, как у вас дела с расходом воды.

— Прекрасно, — ответил Хайфилд, тут же вспомнив утренний рапорт.

Возникли проблемы с одним из опреснительных узлов, но старший механик доложил, что сейчас все уже работает в штатном режиме.

Бакстер разговаривал слишком громко, словно рассчитывая на благодарных слушателей вокруг.

— Ходят слухи, что ты там у себя организовал парикмахерский салон, и вот нам всем интересно узнать, как твои ребята выглядят после мытья головы с шампунем и укладки... — Он грубо загоготал, и Хайфилду показалось, будто он слышит кругом отголоски его наглого смеха.

Он был один в метеорубке, расположенной над мерцающей палубой. Ужасно болела нога, она горячо пульсировала практически весь день. Когда это началось, у Хайфилда возникло смутное ощущение, будто его предали: ведь уже несколько дней нога практически его не беспокоила, и он уж было решил, что она заживет сама по себе и нет нужды обращаться за медицинской помощью.

— Пока меня пытались с тобой связать, я успел поговорить с Добсоном. Он утверждает, что эти австралийские девчонки уже дают вам прикурить.

— Что ты имеешь в виду?

— Доставляют лишние хлопоты. Заставляют мужчин волноваться. Тебе не позавидуешь, старина. Женщины, да еще в таком количестве, на корабле, с их стираным бельишком, лаком для ногтей, рюшечками, оборочками и прочей ерундистикой. Расхаживают повсюду в неглиже, отвлекая экипаж от работы. Мои ребята уже начинают делать ставки, сколько маленьких Викторов и Викторий появится через девять месяцев.

Хайфилд не мог не отметить, что после окончания войны стиль общения старшего офицерского состава стал гораздо развязнее. Теперь все явно были настроены на игривый лад, на разные там хиханьки да хаханьки. И Хайфилд поймал себя на том, что уже который раз тоскует о прежних временах. Однако он постарался, чтобы в его тоне не сквозили обиженные нотки.

— Мои люди ведут себя должным образом.

— Джордж, я имею в виду не твоих ребят, а этих австралиек. Девицы из колоний далеко не такие сдержанные, как их английские сестры, если в том, что я слышал о ночных гулянках в Сиднее, есть хоть доля правды...

— Мои девушки ведут себя образцово. Все под контролем.

И капитан с содроганием вспомнил инцидент, о котором на прошлой неделе доложила ему офицер из женской вспомогательной службы. Бакстер и ему подобные непременно об этом прознают.

— Ну ладно. Но мой тебе совет держать их по возможности взаперти. У нас у самих было полно неприятностей из-за того, что молодые парни крутили шашни с женщинами. Всего-то один-два случая, причем это были не просто пассажирки, а офицеры вспомогательной службы. А шестьсот баб на борту — такое даже страшно представить. И осмелюсь предположить, некоторые из них наверняка потеряли голову при мысли, что едут домой.

Однако Хайфилд промолчал, дав собеседнику ясно понять, что на ответ, который тот хочет получить, можно не рассчитывать. Тем временем Хайфилд задрал штанину и посмотрел на рану. Возможно, это всего лишь плод больного воображения, но ему показалось, что кожа вокруг шва покраснела и воспалилась. Он опустил штанину и стиснул зубы, как будто одним усилием воли можно было исцелить треклятую болячку.

— Да... мысль о тебе и парикмахерском салоне нас изрядно повеселила. Из всех кораблей... из всех капитанов, а? И тем не менее... приятно знать, что старушка еще может послужить после ухода на заслуженный отдых. Ты сможешь организовать на ней первый в мире плавучий салон красоты.

Хайфилд мгновенно забыл о больной ноге.

— Уход на заслуженный отдых?

— Когда «Викторию» выведут из боевого состава флота.

— «Викторию» выведут из боевого состава?!

В разговоре возникла длинная пауза.

— Я полагал, что ты в курсе, старина. Она выработала свой ресурс. Инженеры обследовали ее в Вуллумулу и решили, что нет смысла ее больше латать. Она завершит свой славный путь в Англии. Теперь, когда война закончилась, решено сосредоточиться на создании авианосцев нового поколения. Надеюсь, это тебя не слишком расстроило?

Хайфилд устало опустился на стул. Со всех сторон на него молча смотрели метеорологические карты и круговые шкалы, пребывающие пока в неведении относительно того, что их скоро спишут за ненадобностью. Вот как, мысленно обратился капитан к кораблю, значит, и тебя и меня, нас обоих. Хайфилд уже не слышал, что говорит ему Бакстер.

— Ну ладно, шутки в сторону. А вообще, как поживаешь, старина? Я слышал, история с «Индомитеблом» стала для тебя тяжелым ударом. Об этом только и говорили, хотя и недолго. Кое-кто за тебя беспокоится.

— У меня все прекрасно.

— Ну да, ну да. Тяжело вспоминать об этом, а? Какой ужас. Молодой Харт служил под моим началом пару лет назад. Я был потрясен, когда узнал. Замечательный молодой человек. Здорово выделялся на фоне остальных.

— Да. Да, это так.

— Однажды, когда мы были в Сингапуре, я познакомился с его женой. Славная крошка. Кажется, она тогда только-только родила близнецов. Кстати, это напомнило мне о цели моего звонка. Утром я получил радиограмму из Лондона. Они говорят, у тебя на борту есть несколько дамочек, которые замужем за моими парнями. Мы день-два пойдем рядом, поэтому там, в Лондоне, решили сделать красивый жест и дать им пообщаться с помощью радиотелефона.

— Я, право, не знаю...

— Ну, не стоит решать с кондачка. Насколько я понял, в любом случае их там совсем немного. Не думаю, что толпы девиц будут в истерике биться о твою дверь. Но для моих ребят это крайне важно. Поможет им держаться подальше от неприятностей. Через пару дней мы встаем на якорь в Адене, так что будет совсем невредно напомнить парням, прежде чем они сойдут на берег, об их обязательствах. — Он рассмеялся низким утробным смехом человека, не сомневающегося, что его правильно поймут.

А внизу на палубе матросы в тропической форме наводили порядок на палубе, убирали оставшиеся после дня спортивных мероприятий веревки и стулья, время от времени утирая пот со лба. Мимо них прошли две девушки, направлявшиеся в столовую, их безупречно уложенные волосы сияли на солнце. Они дружно нырнули под крыло самолета, одна из них мимоходом коснулась его изящными пальчиками и тут же отдернула руку, воскликнув что-то вроде «ой, как горячо». Она рассмеялась над ответом подруги и тут же прикрыла ладошкой рот.

А за их спиной вдоль палубы вытянулись истребители, их гладкие бока блестели от жары. Списанные за ненужностью, как и сам корабль.

— Хайфилд?

— Пусть твои люди поговорят с моим старпомом, — произнес Хайфилд, не сводя глаз с палубы. — Мы передадим тебе список пассажиров, и ты сообщишь мне, с кем именно хотят побеседовать твои ребята. А мы подумаем, как это лучше организовать.

Он снял наушники, прошел в радиорубку и сказал радисту:

— Соедините меня с главнокомандующим Британским Тихоокеанским флотом. И с тем, кто занимается договором по ленд-лизу.

В тот вечер в каюте, кроме Фрэнсис, никого не осталось. Эвис отправилась на занятия по изготовлению тряпичных цветов, что было одним из этапов подготовки к конкурсу на звание королевы красоты «Виктории». Теперь, когда Айрин Картер стала ее заклятым врагом, Эвис решила во что бы то ни стало уложить ее на обе лопатки.

Изнемогающая от духоты Джин, устав от урока чтения, ушла смотреть фильм в компании двух невест из верхней каюты.

Фрэнсис, насладившись часом одиночества, немного поиграла с собакой, но затем почувствовала странное беспокойство, возможно из-за жары. В безвоздушном пространстве каюты блузка прилипала к спине, а простыни — к матрасу. Тогда она пошла в уборную и сполоснула лицо холодной водой.

Она уже собралась было пойти на полетную палубу, как в каюту ворвалась Маргарет, раскрасневшаяся и запыхавшаяся.

— Господи боже мой! — твердила она, прижав пухлую руку к горлу. — Господи боже мой!

— С тобой все в порядке? — бросилась к ней Фрэнсис.

Маргарет с явным трудом вернула себе осмысленное выражение лица. Ее грудь и шея покраснели от внезапного прилива крови. Она тяжело опустилась на койку.

— Маргарет?

— Меня вызвали в радиорубку. Ни за что не догадаешься — я буду говорить с Джо!

— Что?

У Маргарет глаза стали круглыми, как блюдца.

— Сегодня вечером! Представляешь себе?! «Александра» сейчас находится неподалеку, и мы имеем возможность связаться по радио. Я и еще пять невест, как они сказали. Мы сумеем поговорить с нашими мужьями. Мне повезло! Нет, ты только представь! Да?! — Она схватила в охапку собаку и бурно ее расцеловала. — Ой, Моди, а ты можешь в это поверить? Я буду разговаривать с Джо! Сегодня! — Затем она бросила взгляд на свое отражение в зеркале, которое Эвис повесила около двери, и застонала. — Ой, нет! Ты только посмотри, на кого я похожа! У меня от влажности на голове всегда черт-те что творится. — Она пропустила между пальцами непослушные пряди.

— Не думаю, что он увидит тебя во время радиосвязи, — рискнула заметить Фрэнсис.

— Но мне все равно хочется ему нравиться. — Маргарет схватила щетку Эвис и с остервенением накинулась на свою непокорную шевелюру. Наэлектризованные волосы встали дыбом в молчаливом протесте. Маргарет обиженно надула губы. — А ты со мной сходишь? Меня ноги не держат, и мне не хочется выставить себя дурой у всех на глазах. Ты не против? — Она закусила губу. — Последний раз я говорила с ним почти три месяца назад. И нужно, чтобы кто-нибудь напоминал мне, что нехорошо ругаться в присутствии капитана. — (Фрэнсис стояла, уставившись в пол.) — Ой, вот черт, прости, ради бога. Какая я бестактная! Я вовсе не собиралась сыпать соль на твои раны. Конечно, тебе тоже хотелось бы поговорить со своим мужем. Я просто подумала, что в такой момент хочу видеть рядом именно тебя.

Фрэнсис взяла Маргарет за руку, рука был влажной от жары и нервного возбуждения.

— С превеликим удовольствием, — сказала Фрэнсис.

— Джо?

Свет вокруг нее словно потускнел. Маргарет, которая неуклюже топталась на месте, спросила, там ли она встала. Радист, с наушниками на голове, поколдовал над расположенными перед ним наборными дисками. А затем, явно удовлетворенный полученной серией свистков и непонятного стрекотания, поставил перед ней микрофон.

— Лицо немного поближе. Сюда, — сказал он, осторожно положив свою руку Маргарет на спину, чтобы немного ее приободрить. — Вот так. А теперь попытайтесь еще раз.

— Джо?

В маленькой комнатке, спрятанной под мостиком, кучка отобранных невест, некоторые в сопровождении друзей, возбужденно пихали друг друга в бок. Радиорубка была слишком тесной для такого количества народу, и девушки стояли очень прямо, стараясь держать руки по швам, правда, некоторые, с блестевшими от пота лицами, все же обмахивались журналами. Небо за окном почернело, но они знали, что объект их вожделений плывет сейчас в темноте, за много миль от них.

— Мэгс? — Голос казался очень далеким и каким-то ломким. Но, судя по выражению лица Маргарет, это был, без сомнения, голос Джо.

Все судорожно вздохнули в едином порыве, точно дети при виде рождественской елки. Маргарет вызвали первой, и, казалось, только получив такое наглядное подтверждение своих чаяний, они смогли поверить в то, что это не сон, что их мужья близко и что после многих месяцев молчания они получат наконец возможность обменяться с ними несколькими драгоценными словами. Теперь девушки сияли от счастья, словно заразившись общей радостью.

Маргарет протянула руку к микрофону. И со смущенной улыбкой сказала:

— Джо, это я. Как поживаешь?

— Отлично, любимая. У тебя все в порядке? За тобой хорошо присматривают? — Его далекий голос прорезал тишину.

Маргарет еще крепче сжала микрофон:

— У меня все прекрасно. У меня и Джо-младшего. Как... приятно снова слышать тебя, — начала она и запнулась, видимо только сейчас осознав, что ее окружают посторонние люди, как, впрочем, наверное, и его. И никому из женщин не хотелось конфузить своих мужей на глазах у начальства и сослуживцев.

— Тебя там хорошо кормят? — снова послышался голос Джо, и все находившиеся в комнате дружно рассмеялись. Маргарет покосилась на капитана, который, скрестив руки на груди, стоял сзади. На его губах играла благосклонная улыбка.

— За нами замечательно ухаживают.

— Хорошо. Ты... там береги себя на этой жаре. И пей побольше воды.

— О, я пью...

— Все, дорогая, тут уже следующий на очереди. Но ты, главное, береги себя.

— И ты себя. — Маргарет наклонилась к микрофону, словно тем самым могла хоть как-то приблизиться к мужу.

— Увидимся в Плимуте. Уже недолго осталось.

Голос Маргарет дрогнул.

— Совсем недолго, — сказала она. — Пока, Джо.

Она отвернулась от микрофона, по ее лицу текли слезы. Заметив, что Маргарет вот-вот упадет, Фрэнсис поспешила ее подхватить. Слишком уж скупой обмен словами, подумала она. Маргарет должны были дать хотя бы еще несколько минут, причем в более приватной обстановке, чтобы она могла выразить свои чувства. Ведь ей так много надо было сказать своему Джо: о свободе, о материнстве, о том, что значит быть женой.

Но когда Фрэнсис снова посмотрела на Маргарет, та ответила ей сияющей улыбкой, способной, казалось, осветить кромешную тьму.

— Ой, Фрэнсис, это было чудесно, — прошептала она.

В ее голосе звучала неприкрытая любовь и целая гамма глубоких чувств, рожденных такой малостью. Фрэнсис на короткую минуту прижала к себе подругу и стала рассеянно слушать, с некоторым смятением в душе, как та шепотом пытается воспроизвести разговор с Джо, сокрушаясь по поводу того, что совершенно ничего не соображала, а когда услышала его голос, вообще растерялась.

— Но ведь это все не имеет значения, правда? Ой, Фрэнсис, я очень надеюсь, что и ты скоро сможешь поговорить со своим мужем. Ты даже не представляешь, насколько мне полегчало. А ты слышала Джо? Лучше его никого нет. Правда?

Все взгляды были прикованы к смуглой девице в синем платье. При звуках голоса своего мужа она громко разрыдалась, и теперь ее успокаивала офицер из Красного Креста. Поэтому только капитану удалось заметить выражение лица стоявшей в углу высокой девушки, которая до того шутливо представилась как «неофициальная повитуха». Он старался не смотреть слишком открыто на кого-либо из женщин из боязни, что его могут неправильно понять. Но в ее напряженной позе было нечто интригующее. А в глазах таилось безмерное страдание человека, понесшего тяжелую утрату. И капитан безотчетно понял, что в его взгляде можно прочесть то же самое.

Найкол шел по нижней галерейной палубе, мимо кают-компании младших офицеров и склада боеприпасов, мимо ангара, где при обычных условиях можно было бы увидеть не ряд дверей, а несколько самолетов и непременные контейнеры с запчастями. Большинство дверей сейчас были слегка приоткрыты в тщетной попытке обеспечить доступ свежего воздуха в тесные каюты, из которых слышались приглушенные женские голоса, шлепанье карт об импровизированные столы или шелест журнальных страниц. Стараясь смотреть прямо перед с собой, он наконец достиг трапа и поднялся наверх, чувствуя, как от малейшего напряжения шорты буквально прилипают к коже. Кивнув капеллану, он прошел по плохо освещенному проходу в сторону холла и осторожно пробрался мимо капитанской каюты. Наконец, быстро оглядевшись по сторонам, он открыл дверь рядом с офисом старпома и оказался на темной палубе.

Ему уже сказали, где он сможет ее найти. Он смущенно постучался в дверь (ему было неловко вторгаться в это женское царство), чтобы сообщить о принятом решении. Чтобы они, как и все остальные, смогли подготовиться. Возможно, он предупредил их первыми, потому что хотел дать им возможность выбрать самое удобное место. В ответ они недоверчиво рассмеялись. Заставили его повторить сообщение дважды и только тогда наконец поверили. Затем Маргарет, все еще сиявшая после сеанса радиосвязи, под давлением Эвис и Джин шепотом подтвердила ему то, о чем он и так догадывался.

На затянутом облаками небе виднелась едва ли пригоршня звезд, поэтому ему потребовалось несколько минут, чтобы найти ее. Поначалу он решил, что понапрасну тратит время, и уже собрался развернуться, чтобы уйти. Строго говоря, он вообще не имел права покидать свой пост. Но внезапно тьма расступилась, луна вышла из-за облаков, залила призрачным светом палубу, и он различил ее угловатый силуэт под одним из «корсаров». Она сидела, обняв руками колени.

Он на мгновение замер, гадая про себя, заметила она его или нет и не поставит ли он ее в неудобное положение тем, что сумел определить, где она в данный момент находится. Но затем, когда он подошел поближе и она повернулась к нему, у него сразу отлегло от души. Как будто сам факт ее присутствия мог его в чем-то убедить. Последовательность, подумал он. Возможно, некое проявление скрытой доброты. Неожиданно он вспомнил окровавленное лицо Томсона, который лежал распростершись на палубе несколько дней назад. Должно быть, ввязался в пьяную драку, сказал парень из его кубрика. Глупый мальчишка оторвался от своих. А ведь морякам с самого начала велели зарубить себе на носу, что в незнакомом порту следует держаться вместе.

Найкол заметил, что она плакала. Он увидел, как она, утерев глаза, расправляет плечи, и его радость от встречи несколько омрачилась чувством неловкости.

— Простите, что помешал. Ваша подруга сказала, что вы здесь.

Она собралась подняться, но он махнул ей рукой, чтобы не вставала.

— Что-то случилось, да?

Она казалась ужасно встревоженной, наверное, решила, что его внезапное появление связано с неприятными известиями из дому, и он выругал себя за толстокожесть.

— Нет, все в порядке. Пожалуйста! — Он снова жестом попросил ее не вставать. — Я просто хотел сказать вам... Предупредить вас... что вы недолго будете в одиночестве...

Но тут случилось нечто еще более странное. Она явно пришла в смятение.

— Что? — спросила она. — Что вы имеете в виду?

— Приказ командира корабля. В шахтах элеватора... Я хочу сказать, в ваших каютах слишком жарко. И он распорядился, чтобы сегодня все спали здесь. Одним словом, все девушки.

Она слегка расслабилась:

— Спать здесь? На палубе? Вы уверены?

И он неожиданно для себя улыбнулся. Ему и самому идея показалась, мягко говоря, довольно странной. Старпом сообщил ему об этом, очень аккуратно подбирая слова, из чего стало ясно, что и он решил, будто капитан окончательно рехнулся.

— Мы не можем позволить вам свариться внизу. Там и так уже все раскалилось до предела. Один из наших механиков сегодня вечером потерял сознание в машинном отделении, поэтому капитан Хайфилд распорядился, чтобы невесты перенесли постельные принадлежности на палубу. Вы можете спать в купальниках. Так вам будет гораздо удобнее.

Она отвернулась и задумчиво посмотрела на черный океан.

— Полагаю, теперь мне придется держаться отсюда подальше, — тоскливо произнесла она.

А он не мог отвести глаз от ее нежного профиля. Ее кожа в белесом свете луны казалась молочно-белой. И когда он начал говорить, голос ему изменил. Пришлось прокашляться, чтобы скрыть предательскую хрипотцу.

— Но я здесь ни при чем, — сказал он. — И вы отнюдь не единственная, кому надо хоть несколько минут побыть наедине с морем.

Наедине с морем? И откуда что взялось? Он никогда так не говорил. Она непременно примет его за претенциозного дурака. В ее отстраненности было нечто такое, что заставляло его совершенно по-идиотски заикаться.

Но она, похоже, ничего не заметила. А когда повернулась к нему, он увидел, что в глазах у нее стоят слезы.

— Не важно, — тусклым голосом произнесла она. — Сегодня в любом случае оно не работало.

Ему хотелось спросить: что не работало? Но он только поспешно сказал:

— Вы в порядке?

— У меня все прекрасно, — ответила она и резко поднялась, стряхнув с юбки воображаемые пылинки.

Облака тем временем опять затянули луну, и ее лицо снова скрылось от его взгляда.

Надо было видеть лицо Добсона, когда на палубе со спальником под мышкой появилась первая девушка в ярко-розовом раздельном купальнике с оборочками, хотя, случись такое чуть раньше, Хайфилд и сам потерял бы дар речи от возмущения. Девушка остановилась у двери, опасливо покосилась на капитана, а когда тот кивнул, махнула рукой подружкам, чтобы не отставали. Она на цыпочках пробралась на палубу, расположившись там, где ей указал морпех.

К ней тут же присоединились еще две. Они хихикали и толкали друг друга в бок под лучами включенного по сему случаю прожектора. И очень скоро отовсюду стали появляться девушки. Те, что покрупнее, были в просторных ночных рубашках из хлопка, поскольку явно стеснялись появляться на людях в неглиже. Ранее капитан сказал, что желающие могут остаться в своих спальнях, однако жара была настолько удушающей, что капитан не сомневался: большинство невест предпочтут духоте кают ласковый морской ветерок, пробивающийся сквозь неподвижный воздух на палубу. Так оно и вышло. Девушки все шли и шли, весело болтая или выражая недовольство, обнаружив, что им негде разложить постель. Их фигура, рост, прическа и манера поведения служили еще одним подтверждением бесконечного разнообразия представительниц женского пола.

За ними должны были присматривать морские пехотинцы. Как ни странно, но это был один из тех редких случаев, когда мужчины не стали возражать против внеочередного дежурства. Хайфилд наблюдал за морпехами, рассредоточившимися по палубе. Их обычно непроницаемые лица светились улыбками, они смеялись и шутили с женщинами по поводу столь немыслимого поворота событий.

— Какого черта? — бормотал себе под нос Хайфилд, чувствуя, как у него самого невольно приподнимаются уголки губ. — Какого черта?

В сопровождении Добсона появилась офицер из женской вспомогательной службы.

— Ну что, все собрались? — спросил Хайфилд.

— Полагаю, что так, капитан. Но нельзя ли поместить хоть кого-то поближе к самолетам? Боюсь, что всем просто не хватит места. Ведь нашим парням надо совершать обход периметра, а девушкам — иметь возможность вытянуть ноги...

— Нет, — отрезал Хайфилд. — Пусть держатся от самолетов подальше.

Добсон слегка замялся, словно в ожидании объяснений. И, не получив их, раздраженно отправил женщину-офицера разбираться с двумя невестами, поссорившимися из-за простыни. Хайфилд не сомневался, тот непременно скажет остальным, что все это, возможно, из-за Харта, а история с «Индомитеблом» заставила капитана идти на неоправданный риск. Пусть думает что хочет, решил для себя Хайфилд.

Последняя невеста появилась на палубе уже около десяти часов вечера, после чего все каюты тщательно прочесали, дабы удостовериться, что больше никого не будет. Хайфилд встал перед женщинами, освещенными неверным светом прожекторов, и знаком велел им замолчать. Толпа постепенно успокоилась, и он слышал только отдаленный шум двигателей да глухой рокот волн внизу.

— Я собирался ознакомить вас с новыми правилами, — произнес капитан, переминаясь с ноги на ногу. Он внимательно оглядел морских пехотинцев, выстроившихся в ряд слева от него. — Кое-что прояснить насчет сегодняшнего вечера. Но решил, что слишком жарко для длинных разговоров. И если у вас не хватит здравого смысла не свалиться за борт, то это будет только пустая трата слов. Поэтому единственное, чего я хочу просить, — не отвлекать мужчин от работы. И очень надеюсь, что здесь вам будет спаться гораздо лучше.

Его слова были встречены оживленными возгласами и взрывом аплодисментов. Он видел кругом благодарные лица, и в его душе родилось неведомое доселе чувство. Его рот невольно растянулся в улыбке.

— Обеспечьте, чтобы, кроме морских пехотинцев, здесь не было других членов экипажа, — обратился он к Добсону.

И, забыв на волне приподнятого настроения о боли в ноге, бодро прошествовал в свою каюту.

Эта ночь, как уже гораздо позже поняла Фрэнсис, стала кульминацией плавания. И не только для нее, но и для абсолютного большинства. Возможно, небывалый душевный подъем объяснялся возможностью собраться вместе, а еще ощущением свободы и сладкой вольницы бескрайнего моря и звездного неба после долгих дней давящей жары и плохого настроения. Открытая палуба на короткое время сделала их равными, лишив возможности разбиться на группировки — явление сколь неприятное, столь и типичное для большого скопления женщин.

Эвис, игнорировавшая Фрэнсис всю прошлую неделю, потратила несколько часов, чтобы, пользуясь своим новым статусом дамы в интересном положении, подружиться с окружающими ее девушками. Маргарет — поначалу она немного волновалась из-за Мод Гонн, но сразу успокоилась, когда Фрэнсис, воспользовавшись этим предлогом, проскользнула в каюту и обнаружила, что собака безмятежно спит, — отключилась уже минут через двадцать после того, как все улеглись. Облаченная в тонкую мужскую рубашку, она мирно похрапывала на левом боку, положив живот на подушку Фрэнсис.

Фрэнсис было приятно это видеть: она искренне жалела Маргарет — неуклюжую и распухшую, ужасно мучавшуюся от жары и беспокойно ворочавшуюся с боку на бок на узкой койке, чтобы найти удобное положение.

Поначалу Фрэнсис чувствовала себя немного неловко в купальнике, но, увидев вокруг обнаженные конечности и выставленные напоказ оголенные талии женщин всех мастей и размеров — некоторые демонстрировали новомодные минималистские бикини, — поняла, что подобная стыдливость просто нелепа. А когда морские пехотинцы оправились от первоначального шока при виде тех, кого им предстояло охранять, они тоже потеряли интерес к происходящему. Одни уже играли в карты на деревянных ящиках возле мостика, другие мирно болтали, не обращая никакого внимания на пленительные женские формы за их спиной.

Интересно, а их действительно это не волнует? — подумала Фрэнсис. Способен ли хоть один мужчина оставаться бесстрастным при таком обилии обнаженной женской плоти? Но, как ни старалась, она не смогла найти ни единого подтверждения своим сомнениям. Наконец она позволила себе отбросить простыню и устроиться полулежа, чтобы подставить ветру как можно большую поверхность тела. И когда все-таки увидела, как один из мужчин — в полной тропической экипировке — тоскливо посмотрел в их направлении, то обнаружила, что в его взгляде таится вовсе не вожделение, а самая натуральная зависть.

После полуночи она, должно быть, ненадолго задремала. Большинство девушек уже спали без задних ног. Несмотря на романтическую обстановку, при других обстоятельствах определенно не позволившую бы им уснуть, несколько бессонных ночей накануне все же сыграли свою решающую роль. Но она ничего не могла с собой поделать: ей было страшно неуютно среди такого количества людей. Наконец она сдалась и снова приняла сидячее положение, решив, что будет просто наслаждаться возможностью дышать свежим воздухом на законных основаниях. Накинув на плечи простыню, она осторожно пробралась к краю палубы, чтобы посмотреть на пенный след корабля в океане. В конце концов она сумела найти свободное место подальше от других и теперь сидела, бездумно глядя вдаль.

— У вас все в порядке? — раздался рядом тихий — слышный только ей одной — голос.

Морской пехотинец находился в нескольких футах от нее, он старательно смотрел прямо перед собой.

— У меня все прекрасно, — прошептала она.

Она тоже не отрывала глаз от моря, словно они оба договорились делать вид, будто не общаются.

Он остался стоять рядом с ней. Она остро ощущала неподвижность его слегка расставленных ног, готовых противостоять внезапной волне.

— Вам ведь нравится здесь, наверху, да? — спросил он.

— Очень. Возможно, мои слова звучат глупо. Но я поняла, что море делает меня... счастливой.

— Ну, раньше вы не выглядели слишком счастливой.

Она не ожидала, что сможет с ним вот так запросто общаться.

— Мне кажется, бескрайние морские просторы плохо на меня действуют, — сказала она. — Я не чувствую себя спокойной... как обычно.

— А... — Она поняла, что он кивнул. — Ну, корабль редко оправдывает ожидания.

Какое-то время они молчали. Фрэнсис ощущала смутное беспокойство, ведь их больше не разделяла металлическая дверь. Сначала она завернулась в простыню чуть ли не до подбородка. Но затем решила, что глупо устраивать демонстрацию, и позволила простыне свободно упасть с плеч. И сразу покраснела от собственной смелости.

— Когда вы здесь, у вас даже лицо меняется, — сказал он, и она бросила на него быстрый взгляд. Вероятно, он догадался, что переступил некую черту, поскольку опять смотрел прямо перед собой. — Я понимаю, каково это, — добавил он. — Вот почему мне так нравится находиться в море.

А как же ваши дети? — вертелось у нее на кончике языка, но она не знала, как правильно сформулировать вопрос, чтобы он не прозвучал как обвинение. Поэтому она просто осторожно покосилась на него. Ей хотелось спросить, почему он всегда выглядит таким грустным, если ему есть для кого жить и к кому возвращаться. Но он неожиданно повернулся, их глаза встретились. Она непроизвольно поднесла руку к лицу, словно желая защититься.

— Хотите, чтобы я вас оставил? — спокойно спросил он.

— Нет, — машинально ответила она.

И оба замолчали, ее ответ явно смутил его. Они задумчиво смотрели на темную воду, он стоял рядом, словно ее личный часовой.

Незадолго до пяти утра на горизонте за тысячи миль от них появились первые — яростные и неистовые — серебристые сполохи. Он рассказал ей, как в зависимости от положения корабля на экваторе может изменяться картина рассветов: иногда они медленно и неторопливо заливают небо молочно-синим светом, а иногда — это бурное и почти агрессивное сияние, мгновенно перерастающее в полноценную зарю. Рассказал, что, еще будучи неопытным новобранцем, мог перечислить практически все созвездия и даже немного гордился этим, что любил следить, как они медленно тают в утреннем небе, и радовался, когда с наступлением вечера они появлялись снова, но потом началась война и на ночное небо невозможно было смотреть дольше минуты, не услышав гула вражеских самолетов.

— Они все испортили, — сказал он. — И теперь мне проще туда не глядеть.

А она в свою очередь поведала ему, что рвущиеся в Тихом океане снаряды словно воспроизводили цвета рассвета, и еще о том, как она наблюдала за этим явлением из окна медицинской палатки, удивляясь способности человека ниспровергать законы природы. Но даже в таких диких красках была своеобразная красота, сказала она. Война — или, возможно, работа медсестры — научила видеть ее практически во всем.

— Все вернется. Нужно набраться терпения и подождать. — Ее голос был тихим и успокаивающим.

Он подумал, что, наверное, именно так она шептала слова утешения раненым, которых выхаживала, и, как это ни парадоксально, ему захотелось оказаться среди них.

— Вы уже давно служите на «Виктории»?

Ему потребовалась целая минута, чтобы сосредоточиться на ее словах.

— Нет, — ответил он. — Большинство из нас раньше были на «Индомитебле». Но его в конце войны потопили[1]. И те, кому удалось выбраться, в результате оказались на «Виктории».

Всего несколько заученных аккуратных слов. Они абсолютно ничего не говорили о хаосе и ужасе последних часов корабля, о превратившихся в огненные ловушки трюмах, о разрывах бомб и криках раненых.

Она повернулась к нему лицом:

— Вы многих тогда потеряли?

— Порядочно. Командир корабля — своего племянника.

Она посмотрела туда, где несколько часов назад под мостиком, изучая карту, стоял капитан Хайфилд, безупречно подтянутый и аккуратный в своей тропической форме.

— Каждый из нас кого-то потерял, — сказала она скорее даже не ему, а себе.

Тогда он спросил ее о бывших военнопленных и очень внимательно выслушал нудный перечень ранений и паци-

---

1   *Авианосец «Индомитебл»* — реально существовавший корабль, принятый в состав Британских ВМС в 1941 году. В 1942 году был поврежден двумя бронебойными бомбами, пробившими полетную палубу в носовой и кормовой части, а также близким разрывом, который сделал пробоину в 30 футах ниже ватерлинии. В 1955 году продан и разобран в Фаслейне, Шотландия.

ентов, которые умерли. Он не стал допытываться, как ей удалось пережить ужасы войны. Те, кто прошел через такое, так и не сумели оправиться, заметила она. Хотя все это не важно по сравнению с тем, что ты смог остаться в живых или заслужить чью-то безмерную благодарность.

— Да уж, нелегкий выбор, — произнес он.

— А вы действительно полагаете, что у каждого из нас есть выбор?

Именно в эту секунду, посмотрев на ее бледное серьезное лицо и услышав в ее ответе полное нежелание представлять себя в выгодном свете на фоне страданий других людей, он понял, что его чувства к ней ни в коей мере нельзя назвать подобающими.

— Я... я... не... — Его открытие настолько потрясло его, что у него пропал голос, и он остолбенело покачал головой.

Неожиданно, очень некстати, он вспомнил свое последнее увольнение на берег и почувствовал себя страшно беззащитным, его захлестнула волна стыда.

— Мы все должны найти способ, — начала она, — загладить свою вину.

Ему хотелось крикнуть: и ты тоже?! Не ты начинала эту войну. Не ты несешь ответственность за ущерб, за оторванные конечности, за страдания людей. Ты здесь единственное светлое пятно. Ты заставляешь нас двигаться дальше. Из всех людей, из всех этих женщин, лежащих на палубе, тебе единственной не за что извиняться.

Возможно, дело было в неурочном часе или в ее обнаженных плечах, испускавших неземное сияние в тусклом утреннем свете. А возможно, в том, что он уже забыл, что такое нормальное человеческое общение, поскольку привык к казарменному юмору и напускной браваде. Ему хотелось открыться ей, распахнуть перед ней душу, чтобы она своим теплом и пониманием очистила его от грехов. А еще — крикнуть ее мужу, наверняка тупому и желчному человеку, который, должно быть, прямо сейчас, пока они разговаривают, подтягивая штаны, выходит с приятелями из какого-нибудь ближневосточного борделя: «Ты знаешь, каким сокровищем обладаешь?! Ты понимаешь?!»

У него в голове промелькнула сумасшедшая мысль облечь все свои мысли в слова. Но неожиданно краешком глаза он заметил появившегося на мостике капитана Хайфилда. Проследив направление его взгляда, она повернулась и увидела, что капитан отдает распоряжения двум офицерам. Хайфилд махнул рукой в сторону самолетов и выпрямился, когда они начали что-то быстро говорить ему в ответ. Судя по тому, что беседа велась на повышенных тонах, произошло нечто чрезвычайное.

Он непроизвольно отпрянул от Фрэнсис.

— Пожалуй, пойду выясню, что происходит, — сказал он.

И пока он шел, сделав целых двадцать четыре шага, чтобы присоединиться к остальным, он хранил тепло ее ответной улыбки.

Через несколько минут он вернулся.

— Они все пойдут за борт, — сказал он.

— Что?

— Самолеты. Капитан решил, что нам не хватает места. Он только что получил разрешение из Лондона сбросить их за борт.

— Но ведь самолеты в полном порядке!

Его голос вдруг прозвучал непривычно громко. Эта долгая-долгая ночь поймала его в свои сети, задушила в объятиях, а теперь, отпустив, переполнила эмоциями.

— Важные шишки, которые следят за выполнением договора по ленд-лизу, согласны. Но он... не из тех капитанов, что легко принимают подобные решения. — Он недоверчиво покачал головой.

— Но капитан абсолютно прав, — подумав, сказала она. — Все кончилось. И пусть их примет море.

И когда первые бледные лучи солнца омыли холодным голубым светом полуобнаженные тела женщин, те немногие из них, что успели проснуться, закутавшись в простыни, безмолвно наблюдали слипающимися глазами, как механики один за другим выталкивают самолеты к краю палубы. Очень тихо, чтобы не разбудить спящих, самолеты в последний раз повернули носом к небу — крылья подняты вверх, некоторые еще хранили шрамы и ожоги как регалии за воздушные победы. Они терпеливо ждали, пока зачитывали их технические характеристики и ставили в нужном месте галочку. А затем, покачавшись на краю палубы, совершали последний полет — самый короткий в своей жизни — и с тихим всплеском, подхваченные течениями Индийского океана, беззвучно уходили вниз, к месту своей конечной посадки на невидимом и незнакомом морском ложе.

Глава 13

Мой брат вернулся домой с английской невестой. Он превозносил ее до небес, расписывал как умницу и красавицу — словом, само совершенство... Но вместо этого мы увидели безобразную, чумазую, краснолицую, ленивую потаскушку, у которой не нашлось ни единого доброго слова о ком-то или о чем-то в нашей стране... И лично для меня день, когда иностранная шлюха вошла в нашу семью, стал днем скорби.

Письмо в мельбурнскую газету «The Truth». 1919 год

Двадцать второй день плавания

Дорогая мамочка!

Мне крайне тяжело писать это письмо, и я очень долго не могла к нему приступить. Но ты и без моих объяснений наверняка знаешь, что я думаю о своем поступке и как тяжело жить с такой тяжестью на сердце. Мамочка, я вовсе не горжусь собой. Я пыталась убедить себя, что все сделала правильно. Однако я до сих пор не уверена, кого в результате защищала: тебя или себя...

Мой любимый!

Пишу тебе это письмо со странным чувством в душе, поскольку понимаю, что, скорее всего, ты получишь его уже тогда, когда мы будем держать друг друга в объятиях. Но наше плавание затягивается, и вот теперь, застряв посреди бескрайнего океана, я отчаянно хочу установить с тобой хоть какую-то связь. Попытаться поговорить с тобой, несмотря на то что ты не можешь меня услышать. Наверное, по сравнению с теми невестами, которые легче переносят долгие дни абсолютной пустоты, мне не хватает самодостаточности. Но для меня каждая минута, проведенная вдали от тебя, кажется впустую потраченным временем...

Мысленные беседы, имевшие место на «Виктории», становились насущной потребностью. Сейчас, на середине пути, атмосфера на корабле сделалась густой и тяжелой от одностороннего обмена эмоциями, когда невесты перечитывали письма или составляли послания, в которых делились страхами и сомнениями с далекой семьей или бранили своих мужей за слишком скупое проявление чувств. В каюте 3G сидевшие на своих койках невесты погрузились в глубокую задумчивость, нацелив авторучки на тончайшие листы бумаги, выпускаемой специально для военно-морского флота.

Из-за полуоткрытой двери время от времени доносились звуки шагов, взрывы смеха или приглушенный разговор с вкраплениями удивленных возгласов. Жара предыдущих дней немного спала с приходом небольшого шторма, и обитательницы кают для невест снова вернулись к жизни, многие из них дышали сейчас на палубе свежим воздухом. Но оставшимся в каюте 3G девушкам было не до них, они с головой ушли в монолог, рассчитанный на тех, кто сейчас находился далеко за пределами «Виктории».

...дорогой, в сложившихся обстоятельствах, мне кажется, глупо писать подобные слова. Тогда, возможно, я использую их, чтобы просто сказать, как сильно я тебя люблю и как счастлива, что у нас будет ребенок. Что мы сможем растить его вместе, не будучи разделенными необозримыми водными просторами. Что я не могу себе представить лучшего отца для своего ребенка, чем ты.

Иногда человеку так тяжело на душе и он настолько погружен в свои несчастья, что уже не может отличить хорошее от плохого. Тем более поступить правильно.

И все же прошлой ночью я кое-что поняла: даже после всего случившегося ты никогда не поступила бы так, как я. Ведь по большому счету ты всегда считала, что люди имеют право на счастье. И сейчас, когда я пишу эти строки, мне очень ~~стыдно~~ *жаль.*

— Эвис, — сказала Маргарет. — У тебя, случайно, не найдется промокательной бумаги?

— Вот, — свесившись вниз, ответила Эвис. — Можешь взять один лист. У меня ее много. — Расправив юбку, она уселась поудобнее и свободной рукой рассеянно погладила себя по животу.

...поэтому я собираюсь написать Летти и сказать ей правду. Что папа, хоть он никогда и никого не любил так, как тебя, имеет право на женское общество. Имеет право на то, чтобы за ним ухаживали. Я наконец поняла, что не должна была защищать тот идеальный образ вас обоих, который сама для себя создала. И не должна была сердиться на нее за то, что она любила его все это время. Ведь она, бедняжка, свои лучшие годы потратила на того, кого не могла получить. О ком не смела даже мечтать.

Не сомневаюсь, мамочка, что ты с этим согласишься. И считаю, что Летти после стольких лет одиночества имеет право на счастье.

— Я собираюсь посидеть немного на палубе. Ничего, если Моди останется с тобой?

Эвис бросила взгляд на стоявшую с законченным письмом в руке Маргарет. Интересно, почему у нее такие красные глаза, подумала Эвис. Хотя, справедливости ради, если взять это ужасное синее платье, которое Маргарет не снимая носила последние десять дней, и эти распухшие лодыжки, то покрасневшие глаза можно считать наименьшим из ее огорчений.

— Конечно, — сказала Эвис.

— Сейчас, когда жара немножко спала, наверху очень даже неплохо.

Эвис кивнула и, когда за Маргарет закрылась дверь, продолжила письмо.

Это, конечно, очень странно, и, возможно, ты сочтешь меня глупой, но знаешь что, Иэн, я почему-то боялась сообщить тебе свою новость. Понимаю, ты не слишком любишь сюрпризы, но ведь этот сюрприз совершенно особенный, так? Конечно, очень хотелось бы немного пожить для себя, но, когда ребенок родится, мы сразу найдем для него подходящую няню, и у нас с тобой все будет по-прежнему, как тогда в Австралии, просто нас станет трое: ты, я и наш обожаемый малыш. Я слышала, многие мужчины жалуются, что после рождения ребенка жены уделяют им меньше внимания, но, смею тебя заверить, Я НЕ ОТНОШУСЬ К ИХ ЧИСЛУ. Ребенок никогда не встанет между нами. Мое сердце принадлежит в первую очередь тебе, и только тебе. Самое главное, чтобы мы были вместе. Ведь ты именно так всегда говорил. Я бережно храню в сердце твои слова. Вспоминаю их каждый божий день и каждую минуту. Самое главное, чтобы мы были вместе.

Твоя Эвис

Эвис легла на койку и прислушалась к отдаленному шуму двигателей, периодическому треску переговорного устройства и радостному визгу девушек, занимавшихся чем-то увлекательным наверху. Она положила запечатанное письмо на грудь, прижала его к себе обеими руками и предалась воспоминаниям.

Освобождать номер было положено в одиннадцать утра, но шла война, а жизнь продолжалась, и она знала, что даже в четверть третьего горничная вряд ли их потревожит. Мельбурнский отель «Флауэр гарден», подобно многим местным заведениям, в эти дни делал неплохие деньги на том, что называлось «продленным пребыванием в номере». По правде говоря, настолько продленным, что в результате парочки могли оставаться в отеле до ночи. Вполне возможно, что многие из них не были женаты. А иначе зачем им тогда номер в отеле? Объяснения «жен», специально приехавших в город, чтобы встретить корабль «мужа», звучали не слишком убедительно даже для самых наивных. Но с учетом количества войск в городе и того факта, что жизнь есть жизнь, хозяин отеля, проявив гибкость, закрыл на формальности глаза — и фунты потекли рекой.

Эвис прикинула, сколько времени у нее есть в запасе до возвращения домой. Если они покинут отель через час, то еще успеют заглянуть в зоопарк, и тогда ей не придется лгать относительно того, где она была. Мама непременно спросит о суматранских тиграх или типа того.

Иэн дремал, придавив ее к кровати тяжелой рукой.

— О чем ты думаешь? — приоткрыв один глаз, спросил он.

Она медленно повернула голову, и теперь их лица разделяло всего несколько дюймов.

— О том, что, наверное, нехорошо заниматься этим до свадьбы.

— Не смей так говорить, моя красавица. Я просто не смог бы так долго ждать.

— Неужели это было бы настолько тяжело?

— Любимая, у меня увольнительная всего на сорок восемь часов. Разве то, что мы делали, не приятнее пустой суеты по поводу цветов, подружек невесты, ну и прочей ерунды?

Эвис про себя подумала, что ей, возможно, было бы приятно суетиться по поводу цветов и подружек невесты, но ужасно не хотелось портить ему настроение, поэтому она только загадочно улыбнулась.

— Боже правый, я люблю тебя.

Она буквально кожей чувствовала его слова, словно он с дыханием отдавал ей частичку себя. Она закрыла глаза, смакуя сладостное ощущение.

— Я тоже тебя люблю, дорогой.

— Но ты ведь не жалеешь, да?

— О том, что выхожу за тебя замуж?

— О том, что ты сделала... Ну, ты понимаешь. Тебе не было больно?

Если честно, то да. Немножко больно. Но не настолько, чтобы ей захотелось остановиться. Она зарделась, поскольку не ожидала, что сможет вытворять нечто подобное... и вообще так легко ему отдастся. Она всегда подозревала, исходя из маминых наставлений, что надо оттягивать решительный момент до последнего. Спящий Зверь, так называла это мама. «Лучше дать ему поспать как можно дольше», — глубокомысленно советовала она.

— Ты не стал обо мне хуже думать... — прошептала она, — из-за того, что я позволила тебе... — Она сглотнула ком в горле. — Я хочу сказать, что, наверное, не должна была так явно наслаждаться...

— О, моя дорогая девочка, конечно же нет! Господи, нет, просто чудесно, что ты получила удовольствие. Эвис, на самом деле именно это мне в тебе и нравится. — Иэн притянул ее к себе и уткнулся ей в волосы. — Ты очень чувственное создание. Независимая и раскованная. Не то что зажатые английские девицы!

Независимая и раскованная. Она обнаружила, что начинает смотреть на себя глазами Иэна и даже верить в свой новый образ. Чуть раньше, когда она поняла, что лежит перед ним обнаженная, в полуобморочном состоянии, он начал говорить, что она богиня, самое соблазнительное создание, которое он когда-либо видел, и что-то еще, вогнавшее ее в краску, его глаза затуманились от восхищения, и она обнаружила — когда потянулась было за халатом, — что действительно ощущает себя соблазнительной и божественной.

Значит, он видит меня именно такой, сказала она себе. В нем есть нечто, благодаря чему я становлюсь лучше, чем на самом деле.

На улице возобновилось оживленное движение. Она услышала, как под их открытым окном хлопнула дверь машины и какой-то мужчина стал орать: «Дейви! Дейви!» — правда, безрезультатно.

— Итак, — наклонившись над ним, сказала Эвис, она пока так и не смогла привыкнуть к прикосновению его обнаженного тела. — Ты правда меня любишь, да?

Он улыбнулся ей, его волосы слегка примялись от подушки. Она подумала, что никогда в жизни не встречала такого красивого мужчину.

— И ты еще спрашиваешь!

— И тебе все во мне нравится, да? Я тебя ничем не раздражаю?

— Нет, конечно, — произнес он, потянувшись к прикроватному столику за сигаретой. — Это невозможно.

— А ты хочешь навсегда остаться со мной?

— Не только навсегда, но и навечно!

Она сделала глубокий вдох:

— Тогда я тебе кое-то скажу. Только обещай не сердиться!

Ровными белыми зубами он вытащил сигарету из пачки, зажег спичку, прикрыв пламя ладонью руки, которой обнимал ее за шею.

— Ммм? — произнес он, окутав ее мягким облаком сизого дыма.

— Мы поженимся.

Он бросил на нее быстрый взгляд. Затем поднял глаза к потолку:

— Конечно поженимся, мой утеночек.

— Завтра.

Она не очень любила вспоминать о том, что было дальше. Черты его лица заострились, а взгляд стал жестче.

Словно Не Такой Уж Спящий Зверь снова стал спящим.

— Что?

— Я уже обо всем договорилась. С мировым судьей. Мы поженимся завтра. В бюро регистраций на Коллинз-стрит. Там будут только мама, папа и Дина, а еще Хендерсоны — в качестве наших свидетелей. — Не дождавшись от него ответа, она продолжила: — Ох, дорогой, только, ради бога, не сердись на меня! Я не переживу, если ты снова уйдешь в плавание, а я так и останусь на положении твоей невесты. Я тут подумала: ведь ты любишь меня, я люблю тебя и мы оба действительно хотим быть вместе, тогда какой смысл ждать долгие-долгие месяцы? И ты ведь сам говорил, что получил разрешение у своего начальства.

Иэн так резко сел, что она невольно упала на подушки. Тогда она прислонилась к изголовью кровати, стыдливо прикрыв грудь простыней.

Повернувшись к ней спиной, Иэн наклонился вперед. Возможно, это всего лишь игра воображения, но ей показалось, что он курит сигарету с какой-то мрачной решимостью.

— Ну вот, дорогой, — игриво сказала она. — Ты не должен сердиться. Я этого не потерплю!

Он не шелохнулся.

Она ждала ответа, наверное, целую вечность и, не получив, была несколько обескуражена. Игриво-неодобрительное выражение лица постепенно сменилось растерянным. Наконец, поняв, что больше не в силах сдерживаться, она осторожно прикоснулась к нему. Его кожа, казалось, хранила воспоминания об упоительных мгновениях.

— Ты что, правда на меня сердишься?

Он не ответил. Затем вынул изо рта сигарету, повернулся к ней и машинально пригладил волосы:

— Не люблю, когда ты действуешь через мою голову... особенно когда речь идет... о таких важных вещах.

Тогда она уронила простыню, наклонилась вперед и обвила обнаженными руками его шею.

— Прости, дорогой, — прошептала она, уткнувшись носом ему в ухо. — Я думала, ты обрадуешься.

Что, собственно говоря, лишь отчасти было правдой: ведь когда она обо всем договаривалась, то прекрасно понимала, что сосущее чувство под ложечкой объяснялось не только предвкушением знаменательного события.

— Ну и вообще организация подобных вещей — мужская прерогатива. Из-за тебя я чувствую себя как... Ну, я не знаю, Эвис. Кто из нас носит брюки — ты или я? Его лицо еще больше помрачнело.

— Ну конечно ты! — ответила она и, откинув простыню, закинула на него стройную ногу.

— Так это не шутка? Все решено, да? Гости и все остальное?

Она оторвала губы от его шеи:

— Только Хендерсоны. Я хочу сказать, не считая членов семьи. Не думай, что я организовала без твоего ведома такое уж грандиозное мероприятие!

Он закрыл лицо ладонью:

— Поверить не могу, что ты это сделала!

— Иэн, любимый, ради бога, не надо...

— Поверить не могу, что ты...

— Дорогой, ведь ты все еще хочешь меня, да? — В ее голосе — слегка дрожащем и умоляющем, — пожалуй, было больше сомнения, чем она на самом деле чувствовала. Ей даже в голову не могло прийти, что Иэн вдруг изменит свое решение.

— Ты прекрасно знаешь, что да... Просто...

— Значит, ты желаешь убедиться, что останешься хозяином в доме. Конечно да! А ты, оказывается, самый настоящий деспот! Но если бы у нас было побольше времени, я никогда бы не стала спешить! О Иэн, дорогой! Не сердись на меня, пожалуйста! Просто мне ужасно не терпелось поскорее стать миссис Рэдли. — Она потерлась носом о его нос, распахнула голубые глаза — и он сразу утонул в них. — О Иэн, я ведь так тебя люблю!

В результате он ничего не сказал, а просто отдал себя во власть ее поцелуев, ее умоляющего шепота, ее настойчивых рук. Наконец она поняла, что он немного оттаял.

— Это все потому, что я слишком люблю тебя, дорогой, — промурлыкала она, и он сдался на милость победительницы.

Она поняла, что, по мере того как просыпается Спящий Зверь, восстанавливается ее контроль над его телом, и где-то в глубине души с удовлетворением отметила, что терпение и труд все перетрут, словом, немножечко ума, очарования, удачи — и Эвис Причард, как всегда, добьется своего.

На церемонии бракосочетания он вел себя немного странно. Она знала, мама именно так и подумала. Он был каким-то рассеянным, слушал вполуха, грыз ногти — привычка, не подобающая взрослому мужчине. С учетом того, что присутствовали всего восемь человек, а он к тому же морской офицер, она находила его нервозность несколько избыточной.

— Вот глупышка, — сказал ей папа. — Все женихи выглядят точно приговоренные к смертной казни.

А ее мама игриво шлепнула его по руке и ободряюще улыбнулась накрашенными губами.

Дина пребывала в дурном настроении. Она надела темно-синий, почти черный костюм, и Эвис, естественно, пожаловалась на нее маме, но та посоветовала не кипятиться.

— Ей, конечно, очень неприятно, что ты первая выходишь замуж, — прошептала мама. — Ты ведь понимаешь?

Эвис понимала. И даже слишком хорошо.

— Ты все еще любишь меня? — уже потом спросила она его.

Ее родители оплатили праздничный обед и номер в «Гранд-отеле» Мельбурна. Ее мама за столом всхлипывала, а когда они с Иэном собрались подняться наверх, сказала театральным шепотом, что все было вполне на уровне и Эвис не помешает немного выпить для смелости. Эвис в ответ только улыбнулась. Ее улыбка успокоила маму и до чертиков разозлила сестру, поскольку словно говорила: «Я собираюсь сделать ЭТО. Я стану женщиной раньше тебя». Эвис так и подмывало сообщить сестре, что уже сделала ЭТО накануне вечером, но в последнее время Дина стала ужасно вредной, она только и ждала удобного случая, чтобы заложить ее маме.

— Иэн? Теперь, когда я стала миссис Рэдли, ты все еще любишь меня?

Они наконец вошли в свой номер. Он закрыл за ней дверь, глотнул бренди и расстегнул воротничок.

— Конечно люблю, — ответил он. Сейчас он уже, похоже, пришел в себя. Он прижал Эвис к себе и стал шарить горячей рукой по ее бедру. — Безумно люблю, моя дорогая девочка.

— И как, ты меня простил?

Но ему уже было не до чего.

— Конечно. — Он легонько куснул ее в шею. — Я ведь тебе говорил. Просто не люблю сюрпризов.

— Чувствую, что надвигается шторм. — Валлиец Джонс проверил барометр возле двери в кубрик, закурил очередную сигарету и передернул плечами. — Я его нутром чувствую. Такое давление обязательно даст о себе знать.

— А что, по-твоему, было утром? Просто туман с дождем?

— И ты считаешь это штормом? Будто в лужу пернули! Я, парни, говорю о настоящем шторме. О шторме, похожем на разъяренную женщину. Когда волосы встают дыбом, сводит челюсти и штаны трещат по всем швам, а ты еще даже не успел сказать: «Ой, да брось, любимая. Я назвал тебя ее именем просто в шутку».

В ответ из гамаков раздался дружный взрыв смеха. Найкол слышал угрюмый шум волн, предвещающий грозовые тучи. Джонс был прав. Будет шторм. Он напрягся, на душе стало тревожно, словно он выпил слишком много черного кофе. Это всего лишь шторм, сказал он себе.

Перед его мысленным взором снова возникло бледное лицо в лунном свете. Ее взгляд не был призывным или кокетливым. Она не из тех женщин, кто флиртом компенсирует себе ограничения, накладываемые статусом замужней дамы. Правда, было в ее взгляде что-то особенное. Нечто такое, что говорило ему о наличии взаимопонимания между ними. И какой-то странной связи. Она действительно *узнала* его. Именно это он и почувствовал.

— Ох, господи боже ты мой! — громко воскликнул он, вылезая из гамака.

Он вовсе не собирался ничего говорить и, когда его ноги коснулись пола, сразу пришел в себя.

— Найкол, любовь моя, в чем дело? — отложил свое письмо Валлиец Джонс. — Тебе что, слишком туго затянули корсет? Или слишком мало салаг удалось в карцер посадить?

Найкол зажмурился. Глаза были как песком засыпаны. Но несмотря на усталость, он почти не спал. А если и спал, то урывками в дневные часы. Когда ему удавалось немного расслабиться, тревожное состояние потихоньку исчезало, оставляя после себя лишь свинцовую тяжесть век. И боль в душе. Как я могу так думать? Почему из всех людей именно я?

— Голова раскалывается, — потер он лоб. — Ты был прав. Это давление.

Он убеждал себя, что уже не способен на проявление эмоций. После всех ужасов войны, после потери товарищей он окончательно замкнулся в себе. И вот теперь, беспристрастно посмотрев на себя со стороны, он понял, что, наверное, никогда не любил жену, а женился просто потому, что так было надо. У него не оставалось иного выхода после того, как она призналась ему, к каким последствиям привели их шалости. И вот ты женился, обзавелся детишками и постарел. Твоя жена тоже постарела и поблекла в одиночестве, а ты стал желчным и замкнутым из-за несбывшихся надежд. Дети выросли и выпорхнули из родного гнезда, дав себе зарок не повторять родительских ошибок. В душе уже не осталось места для желаний или жажды перемен. И ТЫ СМИРИЛСЯ. Возможно, думал он в самые черные минуты, просто трудно признаться себе в том, что война освободила тебя от этого.

— Слушай сюда, Найкол! Кочегары собираются сегодня вечером закатить вечеринку. Самое время, раз уж на нашей старушке все устаканилось. — Джонс задумчиво постучал по переборке. — Хочу сказать, довольно всем этим женщинам впустую растрачивать свои таланты, должны же они отведать старого доброго морского гостеприимства. Думаю заглянуть к ним в кубрик чуть погодя.

Найкол взял ботинок и принялся его полировать.

— Ну ты, сукин сын, и ловкач! — бросил он.

Валлиец Джонс шутливо зарычал.

— А что здесь плохого? — спросил он. — Та, что не захочет отведать моего гренка по-валлийски, значит, и вправду любит своего мужа. И это прекрасно. А те, кто находят, что морской воздух... — многозначительно поднял он бровь, — пробуждает у них аппетит, вероятно, и не собирались держаться до конца.

— Джонс, ты не можешь так поступать. Видит бог, они замужние женщины.

— А я вот на все сто уверен: многие из тех, что садились на корабль замужними дамочками, уже пересмотрели свой взгляд на замужество. Ты ведь уже слышал о случае, что произошел на палубе В, да? Прошлой ночью я дежурил у каюты 6Е. Так, прикинь, блондиночка из той каюты вообще не давала мне покоя. Шастала туда-сюда, туда-сюда... «Ой, мне буквально на секундочку в уборную», а у самой халат нараспашку. Так вот, я считаю, что здесь настоящие жертвы — именно мы, мужчины. — Он театрально похлопал ресницами. (Найкол снова взялся за ботинок, который полировал.) — Ох, да брось, Найкол! Не стоит так рьяно защищать замужних женщин и судить нас слишком строго. Если тебе нравится жить по уставу, это еще не значит, что остальные не могут получить хоть толику удовольствия.

— По-моему, тебе стоит оставить их в покое, — произнес Найкол, стараясь не слышать одобрительного гула в ответ на слова Джонса. Ему было неприятно сознавать, что среди членов экипажа, как ползучая зараза, постепенно распространяется неуважительное отношение к женщинам.

— А вот я считаю, что тебе не мешает немного встряхнуться. Вот Лиддер тоже идет, да, парень? А еще Брент и Фартинг. Пошли с нами, а там сам посмотришь, как мы себя ведем.

— Я сегодня дежурю.

— Конечно дежуришь. Прижав ухо к двери их спальни, чтобы послушать, как они тяжело дышат от неудовлетворенных желаний. — Хмыкнув, Джонс залез в свой гамак. — Ой, Найкол, кончай валять дурака! Морпехам тоже невредно иногда развлечься. Послушай... Ладно, постарайся посмотреть на то, что мы делаем, как на своего рода службу. Развлечение жен военнослужащих Британской империи. Словом, как на работу во благо нации.

И, шутливо отдав честь, Джонс улегся в гамаке. И к тому времени, как Найкол сумел придумать достойный ответ, тот уже крепко спал с тлеющей сигаретой «Синьор сервис»[1] в руке.

Мужчины боксировали на полетной палубе. Там, где раньше стояли «корсары», устроили импровизированный ринг, на котором Деннис Тимс прямо сейчас делал котлету из другого моряка. Его обнаженный торс представлял собой гору мускулов, а сам он двигался по рингу тяжело и не слишком ритмично. Не человек, а автомат, машина для разрушения. Его тяжелые кулаки тупо молотили противника, молодого матросика. В результате, практически бездыханный, он упал на канаты, и его уволокли прочь. Уже четыре раунда подряд в победах Тимса была такая жуткая неотвратимость, что у собравшихся зрителей — женщин и моряков — едва хватало энтузиазма на бурные аплодисменты.

Фрэнсис, которая не могла себя заставить наблюдать за побоищем, стояла, повернувшись к ним спиной. Тимс, кулачная расправа... Слишком живы оказались воспоминания о той роковой ночи, когда произошел «инцидент» с Джин. Было нечто такое в этом человеке, в его мощном замахе, в его свирепо выпяченном подбородке, в том, как он обрабатывал отданную ему на растерзание бледную человеческую плоть, что Фрэнсис похолодела, несмотря на жару. И девушка уж начала было подумывать увести сидевшую рядом Джин от греха подальше. Но неподдельный интерес Джин к поединку свидетельствовал о том, что она

_____

1 *«Синьор сервис»* — фирменное название сигарет компании «Галлахер», на пачке изображен моряк.

не помнила ни Тимса, ни других непосредственных участников рокового события, поскольку была в стельку пьяна.

— Надеюсь, что они все-таки не слишком разгорячатся, — заявила Джин, устроившись рядом с Маргарет. Похоже, ей явно не сиделось на месте: последний час она только и делала, что курсировала между рингом и шезлонгами, на которых расположились Маргарет с Фрэнсис. — Вы слышали? Вода кончилась.

— Что? — удивленно посмотрела на нее Маргарет.

— Нет, слава богу, не питьевая, но насосы не справляются, и теперь никакого мытья или стирки — волос, одежды и остального, — пока они их не наладят. Только неприкосновенный запас. Можете себе представить? Это в такую-то погоду! — Она картинно обмахнулась рукой. — Должна вам сказать, в уборных черт знает что творится! Эта Айрин Картер корчит из себя благородную, но вы бы слышали, как она выражалась, когда из душа перестала литься вода. Она даже старину Денниса вогнала бы в краску! — За последнюю неделю к Джин вернулась обычная жизнерадостность, ее бессвязная речь приобрела новый импульс и теперь лилась нескончаемым потоком. — А вы в курсе, что Эвис будет соревноваться с Айрин Картер на звание королевы красоты «Виктории»? А сегодня днем конкурс «Мисс Самые Красивые Ножки». Эвис сейчас у шкафчиков с нашими вещами, уговаривает офицершу разрешить ей взять из чемодана лучшую пару лодочек. Четырехдюймовый каблук, темно-зеленый атлас, как раз в тон ее купальника.

— О...

Тимс сделал апперкот, сопроводив его хуком слева. Затем снова. Еще и еще.

— Мэгги, с тобой все в порядке?

Маргарет мыслями была где-то далеко и не замечала протянутого Фрэнсис мороженого. Фрэнсис удивленно переглянулась с Джин.

— У меня все прекрасно. Честно, — сказала Маргарет, старательно отводя глаза.

— Ой, Деннис снова на ринге. Пойду посмотрю, захочет ли кто-нибудь заключить со мной пари. Хотя что-то не вижу желающих. Тем более при таких ставках. — Джин резво вскочила, одернула юбку и присоединилась к остальным зевакам.

Маргарет с Фрэнсис остались есть мороженое. Где-то вдалеке, у самого горизонта, шел танкер, и они молча следили за ним до тех пор, пока он не растворился в туманной дымке.

— Это что у тебя? — Маргарет посмотрела на письмо, которое держала в руке. Неожиданно она поняла, что имя адресата очень хорошо видно. Фрэнсис больше ничего не сказала, но в ее глазах был немой вопрос. — Ты... собираешься кинуть его в море, да? — (Маргарет бросила взгляд на лазурную воду.) — Что ж, может быть, и правильно. Однажды у меня был пациент, его любимая погибла в Германии во время бомбежки. Он написал ей прощальное письмо, мы положили письмо в бутылку, а бутылку выбросили за борт нашего плавучего госпиталя.

— Я собиралась его отправить, — сказала Маргарет.

Фрэнсис снова посмотрела на конверт, словно желая проверить, правильно ли она прочла имя. Затем с озадаченным видом повернулась к Маргарет. За ее спиной зрители, окружившие ринг, что-то возмущенно кричали, но Фрэнсис не сводила взгляда с подруги.

— Я солгала, — сказала Маргарет. — Позволила всем думать, что она умерла, но это не так. Она нас бросила. Уехала два с половиной года назад.

— Твоя мать?

— Угу. — Маргарет помахала письмом. — Сама не понимаю, зачем я его сюда принесла!

Затем Маргарет начала говорить, уже не заботясь, услышит ее кто-нибудь или нет.

Это стало для них самым настоящим потрясением. Так велико было непонимание того, что произошло. В один прекрасный день, когда они вернулись домой, на плите, как обычно, варился обед, выглаженные рубашки аккуратно висели в ряд, полы были вымыты и натерты, а на столе — записка. Она иссякла и больше не может, написала она. Она дождалась, пока братья Маргарет вернутся с войны, а Дэниелу исполнится четырнадцать и он возмужает, и теперь твердо решила, что выполнила свою миссию. Она любила их всех, но хотела хоть немножко пожить для себя, пока у нее еще есть силы. Она надеялась, что они ее поймут, но предвидела, что нет.

Она попросила Фреда Бриджмена подбросить ее до станции и уехала, взяв с собой только чемодан с одеждой, отложенные двадцать два фунта и две фотографии детей, стоявшие в гостиной.

— Мистер Лайдер из билетной кассы сказал, что она села на поезд до Сиднея. А оттуда она могла отправиться куда угодно. Мы надеялись, что она вернется домой, когда будет готова. Но она так и не вернулась. Дэниел перенес ее отъезд тяжелее других. — (Фрэнсис взяла Маргарет за руку.) — Уже гораздо позже я поняла, что мы должны были заметить признаки надвигающейся беды. Но ведь никто никогда не приглядывается. Разве не так? Матери по определению всегда измучены и сыты по горло такой жизнью. Они по определению сперва орут, а потом извиняются. У них по определению вечно болит голова. Мне кажется, мы все относились к ней как к предмету обстановки.

— А ты с тех пор что-нибудь о ней слышала?

— Она пару раз нам писала, и папа писал в ответ, умолял вернуться, но она не вернулась, и он перестал. Вообще-то, довольно быстро. Он не смог смириться с мыслью, что она его больше не любит. А когда мальчики поняли, что она не вернется, тоже перестали писать. Словом, он... они... вели себя так, будто она умерла. Это было легче, чем принять правду. — Маргарет ненадолго замолчала. — В нынешнем году она написала только один раз. Возможно, я напоминаю ей о чем-то таком, что она хочет забыть. Возможно, я вызываю у нее чувство вины. Иногда мне кажется, что с моей стороны будет гуманнее просто взять и отпустить ее. — Маргарет повертела в свободной руке конверт.

— Я уверена, она не хотела причинять тебе боль, — тихо произнесла Фрэнсис.

— И тем не менее причинила. И боль эта не проходит.

— Но ты хотя бы можешь с ней связаться. Пути Господни неисповедимы. Когда она узнает, что ты переехала, возможно, будет писать чаще.

— Дело не только в письмах. — Маргарет швырнула конверт на палубу.

Фрэнсис с трудом поборола желание прижать письмо чем-то тяжелым, чтобы его не унесло случайным порывом ветра.

— Все так запуталось. Дело в ней, то есть в ней и во мне.

— Но она же сказала, что любит тебя...

— Ты не понимаешь. Я ведь ее дочь, так?

— Да... но...

— Тогда что я должна сейчас чувствовать, если материнство настолько плохая штука и моей матери отчаянно хотелось сбежать? — Маргарет потерла глаза распухшими пальцами. — Фрэнсис, а что, если... что, если, когда это существо родится, когда ребенок появится на свет... я буду испытывать то же самое, что и мама?

Погода испортилась ровно в половине пятого, как раз когда закончился боксерский матч или, вернее сказать, когда Тимсу надоел весь этот цирк. Первые тяжелые капли дождя упали на палубу, и женщины стали разбегаться, испуганно кудахча из-под полей шляп от солнца, прикрывая головы сложенными журналами и запихивая вещи в сумки. Они, точно муравьи, мгновенно расползлись по ангарной палубе.

Маргарет поспешила в каюту проведать Мод Гонн, а Фрэнсис с Джин остались сидеть в буфетной, наблюдая за тем, как струйки воды размывают пятна соли на стеклах, просачиваясь сквозь ржавые рамы. Кроме них, только несколько невест предпочли остаться на палубе, укрывшись в относительно надежных стенах буфетной. С моря шторм выглядел совсем не так, как с суши, и они чувствовали себя совсем беззащитными посреди бушующих сизых волн и потоков дождя, который извергали неумолимо надвигающиеся с юга свинцовые тучи.

После того как Маргарет выговорилась, у нее явно отлегло от сердца. Она немного поплакала, побранила за это ребенка в животе, а затем, улыбаясь, принялась без конца извиняться. Фрэнсис было страшно неловко. Ей хотелось рассказать Маргарет хоть немного о собственной семье, но она понимала, что подобный рассказ повлечет за собой необходимость дальнейших откровений, к чему она была совершенно не готова. Фрэнсис очень ценила дружеские отношения с Маргарет, что делало ее еще более уязвимой. Более того, она боялась накликать беду. Поигрывая металлической ложечкой в пустой чашке, она прислушивалась к натужному кряхтенью корабля. Снаружи жалобно звякали цепи, а дождь барабанил по палубе.

Интересно, где он сейчас? — подумала она. Спит или нет? Или просто мечтает о своих ребятишках? Или о жене? И если мысли о дружбе с Маргарет наполняли ее душу новыми — радостными — эмоциями, то размышления о семье морпеха будили в ней нечто такое, отчего ей становилось безумно стыдно.

Она завидовала. Она поняла это в тот вечер, когда Маргарет общалась со своим Джо по радио. Слыша их разговор, видя, как Маргарет буквально светится от надежды услышать всего несколько ласковых слов, Фрэнсис еще острее ощутила свое одиночество и зияющую пустоту собственной жизни. Она почувствовала острый приступ печали, которую — наверное, впервые за время плавания — не могло унять даже созерцание океана. А от тягостных мыслей о морпехе и его семье ощущение потери стало еще сильнее. Она думала о нем как о близком человеке, о родственной душе. Она еще никогда не испытывала ничего подобного к мужчине. И теперь обнаружила, что все это переросло в нечто не поддающееся точному определению, но очень похожее на горечь разлуки.

Она подумала о своем муже — Чоки Маккензи. Он никогда не будил в ней подобных чувств. Оставив в покое ложку, она заставила себя посмотреть на свою соседку. Я этого не сделаю, сказала она себе. Что толку мечтать о невозможном? О том, чего ты никогда не сможешь иметь. Она вспомнила первые дни на борту. Тогда ей было вполне достаточно осознания того, что впереди дальняя дорога. Она ведь была вполне счастлива, разве нет?

— Кок говорит, что это еще не самый сильный шторм, — с разочарованием в голосе произнесла Джин, вернувшаяся к столу с двумя чашками чая. — Похоже, он уже набрал силу. Ужасно обидно. Когда мы шли через Большой Австралийский залив, я была не против качки. По крайней мере, когда меня перестало выворачивать наизнанку. Он, правда, говорит, что, когда мы пройдем Суэцкий канал, следует ждать очередной непогоды.

Фрэнсис уже успела привыкнуть к полному отсутствию у Джин элементарной логики, а также к ее приступам энтузиазма по самым нелепым поводам.

— По-моему, большинство пассажиров вовсе не жаждут ухудшения погоды.

— А вот я действительно этого хочу. Хочу всамделишного шторма, по высшему разряду. Чтобы было о чем рассказать Стэну. Ой, конечно, наша старушка такая большая, что мы толком ничего и не почувствуем, но я обязательно останусь здесь, чтобы лучше видеть. Для острых ощущений, понимаешь? Все как в кино, только взаправду. А то, если честно, здесь становится скучновато.

Фрэнсис посмотрела в иллюминатор. Где-то далеко-далеко небо прорезали молнии, осветив его неземным светом. Дождь зарядил сильнее, он стучал по металлической крыше, и девушкам пришлось перейти на крик, чтобы слышать друг друга. Несколько невест, сгрудившихся в другом конце буфетной, тыкали пальцем в сторону далекого горизонта.

— Ой да ладно тебе, Фрэнсис! Ты ведь тоже любишь острые ощущения. Только посмотри на молнию! И ты еще будешь говорить, будто это тебя нисколечко не трогает! Ну знаешь! — Джин поерзала на месте. — Я хочу сказать, ты только посмотри!

И Фрэнсис на секунду позволила себе взглянуть на шквал глазами Джин, пропустить через себя его могучую энергию, осветить себя изнутри, подзарядить себя на полную мощность. Однако сила многолетней привычки возобладала, и когда она повернулась к Джин, то снова стала прежней Фрэнсис, сдержанной и рассудительной.

— Ты там поосторожнее со своими желаниями. Иногда они исполняются, — сказала она, не сводя глаз с ярящихся волн.

Они уже собирались уходить и стояли у дверей буфетной, ожидая, когда дождь чуть утихнет, чтобы можно было пробраться на ведущий к каютам трап, как на пороге откуда ни возьмись появился насквозь промокший матрос. Он вошел внутрь, и в буфетной сразу пахнуло холодом и сыростью.

— Я ищу Джин Каслфорт, — заглянув в бумажку, сказал он. — Джин Каслфорт. — Его тон не предвещал ничего хорошего.

— Это я. — Джин схватила матроса за руку. — А в чем дело?

Лицо матроса было непроницаемым.

— Мэм, вас приглашают в командирскую рубку, — сказал он и, увидев, что Джин с окаменевшим лицом стоит столбом, обратился к Фрэнсис, словно Джин там и не было: — Она одна из самых молодых, да? Мне сказали, что будет лучше, если кто-нибудь пойдет вместе с ней.

Эти слова сразу отбили охоту к дальнейшим расспросам. Он повел их коротким путем — самым длинным коротким путем в ее жизни, как уже после вспоминала Фрэнсис. Не обращая внимания на дождь, они пересекли ангарную палубу, миновали торпедный погреб, поднялись по какому-то трапу и оказались перед незнакомой дверью. Матрос отрывисто постучался. Услышав: «Войдите», он открыл дверь и придержал ее, чтобы пропустить девушек. Джин, которая еще по дороге схватила Фрэнсис за руку, теперь вцепилась в нее мертвой хваткой.

Просторная комната, с большими иллюминаторами с трех сторон, оказалась намного светлее полутемного коридора, и девушки заморгали с непривычки. Возле одного из иллюминаторов вырисовывались силуэты трех человек, еще двое сидели лицом к ним. Фрэнсис рассеянно заметила, что, в отличие от других помещений корабля, на полу лежит ковер.

Она увидела судового капеллана, что ее сразу насторожило, а потом — женщину-офицера, которая наткнулась на них в машинном отделении в тот злополучный вечер. Ей вдруг стало холодно, и она зябко поежилась.

Джин нервно обшаривала взглядом лица присутствующих, ее буквально колотило от страха.

— С ним ничего не случилось, да? — спросила она. — Боже мой, вы хотите мне сообщить, что с ним произошла беда! Он в порядке? Скажите, он в порядке?

Переглянувшись с капелланом, капитан Хайфилд выступил вперед и протянул Джин радиограмму.

— Мне очень жаль, моя дорогая.

Джин посмотрела на радиограмму, затем — снова на капитана.

— М... Н... Это буква Н? — Джин водила пальцем по строчкам. — Буква А? Прочти за меня. — Она протянула телеграмму Фрэнсис. Бумага шелестела в ее дрожащей руке.

Фрэнсис, которая продолжала крепко держать Джин, свободной рукой взяла радиограмму. Джин так сильно вцепилась в ладонь Фрэнсис, что у той покраснели кончики пальцев.

Она поняла содержание радиограммы, даже еще не успев ее прочитать. Слова падали у нее изо рта, словно булыжники.

— «Наслышан о твоем поведении на борту. У нас нет будущего. — Фрэнсис тяжело сглотнула. — НЕ ЖДУ НЕ ПРИЕЗЖАЙ».

Джин посмотрела на радиограмму, затем — на Фрэнсис. В комнате стояла гробовая тишина.

— Что?! — воскликнула Джин и попросила: — Прочти снова.

Точно от повторения эти слова будут звучать менее безжалостно, подумала Фрэнсис.

— Я не понимаю, — сказала Джин.

— На море новости распространяются быстро, — тихо произнесла женщина-офицер. — Наверняка кто-то что-то сказал почтальону во время стоянки на Цейлоне.

— Но ведь никто ничего не знал. Кроме вас...

— Когда мы разговаривали с начальством вашего мужа, чтобы подтвердить подлинность радиограммы, нам сообщили, что его чрезвычайно взволновали слухи о вашей беременности. — Она сделала паузу. — Насколько я понимаю, если верить названному вами сроку, то он никак не может быть отцом ребенка.

Фрэнсис подумала, что слова женщины звучали чересчур жестоко, как будто ей было приятно вбить в гроб Джин еще один гвоздь. Как будто ей было мало «НЕ ЖДУ НЕ ПРИЕЗЖАЙ».

Джин побелела как полотно:

— Но я вовсе не беременна. Просто...

— Мне кажется, в свете открывшихся обстоятельств он, возможно, счел ваш приезд неуместным.

— Но у меня даже не было возможности ему объяснить. Мне надо с ним поговорить. Он все не так понял.

В разговор вступила Фрэнсис:

— Она не виновата. Честное слово. Произошло досадное недоразумение.

Судя по выражению лица женщины, ей было не привыкать: она уже тысячу раз слышала такое. А вот мужчины явно чувствовали себя неловко.

— Мне очень жаль, — сказал капитан Хайфилд. — Мы уже переговорили с представителями Красного Креста. Они позаботятся о том, чтобы отправить вас обратно в Австралию. Вас высадят...

Джин сжала кулаки и, как ураган, налетела на женщину из вспомогательной службы.

— Ты, сука поганая! Мерзкая старая сука! — И прежде чем Фрэнсис успела ее остановить, пару раз ударила женщину по голове. — Мстительная старая потаскуха! И все потому, что на тебя ни у кого не стоит! — визжала Джин. Она не обращала внимания ни на мужчин, пытавшихся ее оттащить, ни на увещевавшую ее Фрэнсис. — Я ничего такого не сделала! — орала она, захлебываясь слезами, а Фрэнсис с капелланом — красные от натуги — пытались оторвать ее от тетки из вспомогательной службы. — Я ничего не сделала! Вы обязаны сказать Стэну!

Атмосфера в комнате сгустилась настолько, что нечем было дышать. Даже капитан выглядел шокированным.

— Мне отвести их назад, сэр?

Фрэнсис увидела краем глаза, что в комнату вошел доставивший их сюда матрос.

Джин, похоже, иссякла и сдалась.

— Да, так будет разумнее, — кивнул капитан. — Я пришлю кого-нибудь обсудить необходимые приготовления... чуть позже. Когда страсти... немного улягутся.

— Сэр, — выступила вперед Фрэнсис, обняв дрожащую Джин. — При всем моем уважении к вам, хочу заметить, что вы оказываете ей плохую услугу. — От такой несправедливости у Фрэнсис потемнело в глазах. — В этой истории она была жертвой.

— Вы медсестра, а не адвокат, — приложив руку к окровавленной голове, прошипела тетка из вспомогательной службы. — Я свидетель. Или вы забыли?

Все было кончено. И когда Фрэнсис с помощью матроса выводила из командирской рубки находящуюся в невменяемом состоянии Джин, то сквозь всхлипывания подруги она услышала, как женщина-офицер, словно оправдываясь, говорит:

— Должна сказать, что я отнюдь не удивлена, сэр. Меня предупреждали. Эти австралийки одним миром мазаны.

Глава 14

Если вы получили вещмешок родственника или друга, служащего в вооруженных силах, это не означает, что он обязательно убит или пропал без вести... Тысячи мужчин, прежде чем отправиться для участия в боевых действиях за рубеж, упаковывают свои личные вещи и просят отправить их домой. Вот официальный совет: «Вручение такой посылки еще не повод для волнений, если близкие родственники не получили извещения письмом или телеграммой от официальных структур».

Дейли мейл. Понедельник, 12 июня 1944 года

Двадцать третий день плавания

Джин сняли с корабля во время короткой незапланированной стоянки в Кочине. Больше никому не разрешили высадиться на берег, но несколько невест наблюдали за тем, как Джин залезает с сумкой и чемоданом в руках в шлюпку и, не оглядываясь назад, плывет к берегу в сопровождении офицера из Красного Креста. Она даже никому не помахала на прощание.

Фрэнсис, которая в первый вечер помогала Джин справиться со слезами и истерикой, а когда та погрузилась в мрачную задумчивость, просто сидела рядом, отчаянно пыталась найти способ исправить ситуацию, но не смогла. Маргарет пошла еще дальше и добилась встречи с командиром корабля. Он принял ее весьма любезно, рассказывала она потом, но объяснил, что если муж отказывается от Джин, то он, командир корабля, здесь бессилен. Конечно, он не сказал: «Приказ есть приказ», хотя явно имел это в виду. Так бы и удавила эту чертову бабу из вспомогательной службы, заявила Маргарет.

— Мы можем написать ее мужу, — предложила Фрэнсис.

Но тогда пришлось бы вдаваться в объяснения, чего они не могли сделать, не погрешив против истины. И как много можно ему рассказать?

Пока Джин спала, Маргарет с Фрэнсис составили письмо — относительно правдивое и одновременно дипломатичное, — которое они собирались отправить во время следующей почтовой стоянки. Конечно, обе прекрасно понимали, хотя и не говорили об этом вслух, что письмо вряд ли поможет. Поэтому им ничего не оставалось делать, как, заслонив глаза рукой от солнца, следить за причаливающей к пристани шлюпкой. На пристани они увидели каких-то двух людей под зонтиком. Один из них взял вещи Джин, а другой помог ей высадиться на сушу. Больше ничего разглядеть было попросту невозможно.

— Я не виновата, — нарушила Эвис тягостную тишину. — И нечего на меня так смотреть.

Маргарет вытерла глаза и, тяжело ступая, вошла в каюту.

— Все это чертовски печально, — сказала она.

Фрэнсис промолчала.

Она даже не была особенно хорошенькой или такой уж обаятельной. Но капитан Хайфилд обнаружил, что прошло уже несколько дней, а перед его мысленным взором по-прежнему стоит лицо Джин Каслфорт. Ему было почти так же неприятно высаживать ее на берег и передавать под опеку официальных лиц, как и тогда, когда он имел дело с военнопленными. Он не мог забыть ее взгляд — полный бессильной ярости, отчаяния и, наконец, тупого смирения.

Несколько раз Хайфилд спрашивал себя, правильно ли он сделал. Невесты оказались с характером, и его до сих пор преследовали полные тихого негодования слова той медсестры: «Вы оказываете ей плохую услугу». Но что еще он мог сделать?! Женщина-офицер утверждала, что видела все собственными глазами. Он должен был доверять своим подчиненным, которых строго предупредил, что не потерпит нарушения порядка на борту. И если офицер говорит, будто муж не желает ее видеть, то неужели ему, командиру корабля, больше всех надо!

И все же, вспоминая их лица — страстное лицо высокой тоненькой девушки и расстроенное — малышки Джин, он постоянно спрашивал себя, а не слишком ли много они хотят от женщин, которых везут неведомо куда, не предоставляя при этом никаких гарантий. Подвергая такому соблазну. И вообще, может, все дело именно в соблазне...

История с девушкой — уже второй, снятой с корабля при подобных обстоятельствах, — способствовала возникновению на борту некоторого напряжения. Капитан Хайфилд мог точно сказать, что невесты стали чувствовать себя еще более неуверенно. Во время регулярных обходов палуб он ловил на себе косые взгляды, видел, как они жмутся друг к другу в дверях, словно из опасения, что он, капитан, обречет их на подобную участь. Капеллан сделал робкую попытку успокоить страхи девушек с помощью нескольких очень аккуратно подобранных слов во время проповедей, но они только усилили растущее беспокойство. Тем временем женщин-офицеров подвергли остракизму. Невесты, наслышанные о том, как обошлись с Джин, предпочли выразить свое презрение самыми различными способами, иногда с использованием ненормативной лексики, и теперь некоторые женщины-офицеры приходили к капитану Хайфилду, обливаясь слезами.

Несколько недель назад Хайфилд, наверное, велел бы девушкам взять себя в руки. Но сейчас он испытывал к ним безотчетную жалость. Ведь для них это плавание не такое уж и увлекательное приключение. Они были не властны над своей судьбой. А подобная беспомощность может порождать непривычные эмоции как у самих девушек, так и у тех, кто за ними присматривает.

Помимо всего прочего, у капитана Хайфилда имелись и другие поводы для беспокойства. Корабль, словно узнав о своей незавидной участи, постоянно ломался то в одном, то в другом месте. Заклинило руль, в результате чего пришлось переключиться на аварийную схему управления. Хронически не хватало воды, поскольку механики так и не сумели выяснить причину постоянных поломок опреснительных насосов. В Адене Хайфилду предстояло взять на борт еще четырнадцать гражданских лиц, включая губернатора Гибралтара с супругой, и капитан Хайфилд не был уверен, смогут ли условия на корабле удовлетворять их высоким требованиям. И в довершение всего ему становилось все труднее скрывать свою хромоту. Накануне Добсон демонстративно поинтересовался, как он себя чувствует, и Хайфилду пришлось перенести вес тела на раненую ногу, которая так сильно пульсировала, что он чуть ли не до крови закусил щеку, чтобы не выдать себя. Он решил сходить в лазарет, чтобы поискать лекарство, ведь ключи-то остались у него. Но он понятия не имел, какое лекарство ему нужно, и боялся навредить еще больше. Еще три недели, говорил он себе. Еще три недели, если, конечно, я сумею продержаться.

Совокупность всех этих факторов заставила его принять решение устроить танцы. Хороший капитан должен делать все возможное, чтобы пассажиры были довольны и счастливы. Немного музыки и дозированного общения лиц противоположного пола точно не повредят. А он — как никто другой — понимал, что иногда просто необходимо отвлечься.

Мод Гонн захандрила. Возможно, дело было в гнетущей обстановке маленькой спальни, опустевшей без непоседы Джин. А возможно, в том, что она вот уже несколько недель кое-как питалась и сидела взаперти в душной каюте. Она плохо ела, была вялой и апатичной. Ее не радовали походы в туалет и короткие прогулки по палубе, она не принюхивалась к соленому воздуху и не пыталась идти по незнакомому следу. Она сильно похудела и казалась до ужаса легкой — кожа да кости.

Фрэнсис сидела на койке, поглаживая собачку между ушами, а та, прикрыв подслеповатые глазки, медленно засыпала. Правда, иногда Мод Гонн вспоминала о присутствии Фрэнсис и вяло виляла хвостом, выражая тем самым свою благодарность.

Маргарет на чем свет стоит ругала себя. Не стоило брать с собой собаку, сказала она Фрэнсис. Надо было подумать о жаре, о необходимости держать Моди взаперти и оставить ее с папиными собаками в единственном знакомом ей доме, в окружении зеленых просторов, где она была счастлива. Фрэнсис понимала, что нехарактерная для Маргарет нервозность является отражением ее невысказанных мыслей: если уж она не справилась с уходом за маленькой собачкой, что тогда говорить о...

— Давай выгуляем ее наверху, — предложила Фрэнсис.

— Что? — удивилась Маргарет.

— Положим ее в твою корзинку, а сверху накроем шарфом. За туалетом есть орудийная башня, где никого никогда не бывает. Почему бы нам там немного не посидеть, чтобы Моди могла подышать днем воздухом?

От внимания Фрэнсис не ускользнуло, что Маргарет слегка пугает эта идея, хотя, в общем-то, выбора у нее не было.

— Послушай, если хочешь, я могу сама ее выгулять, — сказала Фрэнсис, она видела, что у Маргарет после нескольких бессонных ночей измученный вид.

— Правда? Тогда я немного вздремну.

— Постараюсь погулять с ней подольше.

Фрэнсис стремительно прошла на палубу С. Если она будет вести себя уверенно, то ее вряд ли кто-нибудь остановит. Тем более что часть невест уже нашла себе работу на корабле: помогали в канцелярии и на камбузе. Некоторые даже присоединились к недавно организованной малярной бригаде невест. Поэтому к появлению женщины на палубе — вотчине членов экипажа — теперь относились гораздо спокойнее, чем две недели назад.

Фрэнсис открыла люк, нырнула в него и подперла, чтобы он не закрылся. День выдался на редкость ярким, и даже жара не казалась удушающей. Шаловливый морской ветерок приподнял легкий шарф, и из корзинки тут же показался черный блестящий носик.

— Вот так, старушка, — прошептала Фрэнсис. — А ну-ка, поглядим, а вдруг тебе полегчает.

И уже несколько минут спустя Мод Гонн съела пресную лепешку и кусочек бекона, впервые за два дня проявив хоть какой-то интерес к еде.

Фрэнсис сидела с собакой на коленях, смотрела на бушующие волны внизу, прислушивалась к доносившимся с полетной палубы обрывкам разговора и взрывам смеха, которые перемежались командами по громкой связи. И хотя ее одежда явно нуждалась в стирке и плохо пахла, а при каждом движении в нос шибал такой запах, что она начинала мечтать о ванной, Фрэнсис понимала: она будет скучать по этому кораблю. Его шум сделался настолько привычным, что действовал успокаивающе. Она даже не была вполне уверена, так ли ей, в отличие от остальных, хочется сойти на берег в Адене.

Она уже два дня не видела морпеха.

Накануне под их дверью дежурил совсем другой морской пехотинец, и хотя она непривычно много времени провела, прохаживаясь туда-сюда по палубе, ее морпех так и не материализовался. Она не на шутку заволновалась, не заболел ли он, ведь тогда ему придется лечиться у доктора

Даксбери, а подобная перспектива ее пугала. Затем она приказала себе не глупить. Может, это и к лучшему, что она его больше не видит. Она и так перенервничала из-за истории с Джин. Вдобавок ко всем неприятностям не хватало еще влюбиться, как школьнице!

Но уже через час, когда Фрэнсис собралась было вернуться в каюту, она неожиданно увидела его и резко отскочила назад. Он казался очень бледным, хотя многие его товарищи демонстрировали южный загар, под глазами залегли тени — свидетельство бессонных ночей, и тем не менее это был он. Свободный разворот широких плеч, обтянутых форменной рубашкой цвета хаки, свидетельствовал о недюжинной силе, которую невозможно было заметить, когда он неподвижно стоял под дверью. Через плечо у него был перекинут вещевой мешок, и она с ужасом подумала, что он собирается покинуть корабль.

Фрэнсис машинально вжалась в стенку, положив руку на грудь, и прислушалась к его шагам. Наверное, на полпути вниз шаги внезапно замерли. Фрэнсис затаила дыхание. Кажется, он остановился. Дверь приоткрылась, и оттуда — совсем близко от нее — показалось его улыбающееся лицо. Улыбка была искренней, черты лица стали мягче, острые углы каким-то чудом сгладились.

— Вы в порядке? — спросил он.

Она так растерялась, что слова разом вылетели из головы. Зардевшись, она попыталась все объяснить, но лишь молча кивнула.

Он пристально на нее посмотрел и перевел взгляд на корзинку.

— Здесь то, о чем я думаю? — прошептал он, и от звука его голоса у нее мурашки поползли по спине.

— Ей нездоровится, — ответила она. — И я решила, что свежий воздух точно не повредит.

— Тогда постарайтесь держаться подальше от палубы D. Там сейчас проводят инспекцию. — Он оглянулся, словно желая удостовериться, что поблизости никого нет. — Мне очень жаль вашу подругу. По-моему, с ней обошлись несправедливо.

— Конечно несправедливо, — ответила она. — В этом не было ни капли ее вины. Она, в сущности, еще ребенок.

— Военно-морской флот иногда бывает не слишком гостеприимным хозяином. — Он легко коснулся ее плеча. — Но с вами, надеюсь, все хорошо? — Увидев, что она покраснела, он поспешно поправился: — Я имею в виду остальных. Вы в порядке?

— О... Чудесно, — сказала она.

— Быть может, вам что-нибудь нужно? Питьевая вода? Крекеры?

В уголках его глаз она заметила лучики морщинок, свидетельствовавших о долгих годах пребывания на соленом воздухе, возможно, о привычке щуриться на солнце. И когда он начинал говорить, они сразу становились глубже.

— Вы куда-то собрались? — показала она на вещмешок. Что угодно, лишь бы не пялиться на него так открыто!

— Я? Нет... Здесь просто моя парадная форма.

— О...

— Сегодня вечером я свободен. — Он улыбнулся ей так, словно был чрезвычайно рад этому обстоятельству. — Как насчет танцев?

— Простите?

— Разве вы не слышали?! Сегодня вечером на полетной палубе танцы. Приказ капитана.

— Ой! — воскликнула она чуть громче, чем надо. — Ой! Вот здорово!

— Надеюсь, что для всех вас даже ненадолго включат воду, — ухмыльнулся он. — Так что вам, девочки, придется потерпеть наших воняющих пóтом матросов.

Она бросила взгляд на его помятые брюки, но он уже отвернулся, заметив кого-то вдалеке.

— Встретимся там, — бросил он, и его лицо снова стало бесстрастным.

Он отрывисто кивнул, будто отдал честь, и быстро ушел.

Оркестр Королевской морской пехоты Великобритании, расположившийся на самодельном помосте возле буфетной на полетной палубе, неподалеку от острова корабля, начал с песни «I've Got You Under My Skin». Судовые двигатели были выключены для проведения ремонтных работ, и «Виктория» мирно покачивалась на легкой волне. По палубе кружились несколько сот невест в своих лучших нарядах, по крайней мере лучших из тех, к которым они получили доступ. Некоторые с мужчинами, некоторые с хихикающими подружками. Вокруг острова стояли столы и стулья для девушек, кто не хотел или не мог танцевать. А над их головой в тропическом небе, окутывая море пеленой серебристого света, сияли звезды, совсем как лампочки на танцплощадке. И если немножко напрячь воображение, забыть о пушках, обшарпанной палубе, колченогих столах и стульях, то можно легко представить себе, что ты в шикарном бальном зале. Капитан Хайфилд наслаждался этим действом, полагая — следует признать, не без доли сентиментальности, — что старушка тоже имеет право отметить свое последнее плавание. С шиком и блеском. Словом, подарить ей на прощание немного праздника.

Моряки, в парадной форме, уже давно не выглядели такими счастливыми, тогда как невесты — взбунтовавшиеся из-за временного закрытия парикмахерского салона, — после включения аварийных душевых установок с соленой водой явно воспряли духом. Да, возможность немного принарядиться по приятному поводу, безусловно, пошла им на пользу, решил капитан. Даже моряки с удовольствием щеголяли в парадной тропической форме.

Теперь, разбившись на группы, они весело болтали, временно забыв о званиях и знаках различия. Какого черта, подумал Хайфилд, когда одна из офицеров женской вспомогательной службы поинтересовалась, следует ли обеспечить «должное» разделение полов. Ведь это плавание и так оказалось из ряда вон выходящим.

— Капитан Хайфилд, сколько времени потребуется для заправки «Виктории» топливом?

Рядом с ним сидела одна из новых пассажирок, военнослужащая из женских вспомогательных сил, которую Добсон представил ему полчаса назад. Эта миниатюрная, темноволосая и чрезвычайно серьезная женщина так долго расспрашивала его о характеристиках корабля, что у него невольно возникло желание спросить: а не работает ли она, случайно, на японцев? Но он сдержался. Она явно не относилась к числу людей с чувством юмора.

— Не уверен, что могу сказать вам заранее, — солгал он.

— Немного больше, чем уходит на вас, баб, у ваших парней, — пробормотал доктор Даксбери, донельзя довольный своей шуткой.

В благодарность за проявленную стойкость в ситуации с нехваткой воды капитан Хайфилд обещал всем дополнительную порцию рома. Просто для разогрева, чтобы немного взбодриться, сообщил он. Правда, теперь его терзали смутные подозрения, что доктор Даксбери каким-то образом умудрился принять на грудь гораздо больше положенной нормы.

Какого черта, выругался про себя он. Этот человек скоро уйдет. Нога сегодня так сильно разболелась, что он и сам начал было подумывать о лишней рюмке-другой. Если бы не критическое положение с водоснабжением, он непременно опустил бы ногу в ванну с холодной водой, что обычно приносило некоторое облегчение, однако вместо этого его ждала, похоже, еще одна бессонная ночь.

— А вы участвовали в совместных операциях с американскими авианосцами? — поинтересовалась женщина из вспомогательной службы. — В Персидском заливе мы встретили их авианосец «Индиана», и, хочу заметить, эти американские корабли значительно превосходят наши.

— Выходит, вы все знаете о кораблях, да? — вмешался в разговор доктор Даксбери.

— Надеюсь, что так. Я уже четыре года служу в подразделениях женской вспомогательной службы.

Но доктор Даксбери, похоже, не слушал.

— В вас что-то есть от Джуди Гарланд. Вам кто-нибудь об этом говорил? А вы видели ее в «Для меня и моей девочки»?

— Боюсь, что нет.

Ну вот, приплыли, мысленно произнес капитан Хайфилд. Он уже имел счастье обедать в обществе исполняющего обязанности судового врача, и чаще всего дело кончалось тем, что доктор начинал петь свои чудовищные песенки. Он так много говорил о музыке и так мало о медицине, что Хайфилд подумал о том, что флотскому начальству следовало бы хорошенько проверить его документы, прежде чем нанимать на службу. Несмотря на дурные предчувствия, Хайфилд не стал просить, чтобы корабль обеспечили вторым врачом, как во время предыдущих походов. Капитан понимал, с некоторой долей вины, что легкомысленность Даксбери ему на руку: он не хотел, чтобы кто-то более опытный задавал вопросы о его ноге.

Хайфилд бросил прощальный взгляд на палубу, где вовсю шло веселье. Оркестр заиграл рил, и девушки, с раскрасневшимися, счастливыми лицами, весело ухая, закружились в танце. Затем он бросил взгляд в сторону Добсона и капитана морской пехоты, которые разговаривали со стоявшим возле шлюпок летчиком. Ладно, он, Хайфилд, сделал все, что мог. Теперь они спокойно обойдутся и без него. Вечеринки все же не по его части.

— Прошу прощения. — Поморщившись от боли, он встал со стула. — Мне надо уладить еще одно дело. — И с этими словами отправился к себе.

———

— Джин точно понравилось бы, — сказала Маргарет.

Накинув на плечи легкую шаль, она сидела в удобном кресле, которое Деннис Тимс специально для нее принес из офицерской кают-компании, и прямо-таки светилась от счастья. Мод Гонн пошла на поправку, а она сама наконец-то выспалась, что сразу подняло ей настроение.

— Бедная Джин, — вздохнула Фрэнсис. — Интересно, как-то она сейчас?

Эвис неподалеку от них танцевала с офицером в белом кителе. Тщательно уложенные в парикмахерском салоне волосы цвета меда отливали золотом в свете прожекторов, тонкую талию подчеркивала хорошо продуманная юбка, и абсолютно ничего не выдавало ее беременности.

— А вот твоей заклятой подруге, похоже, вообще на все наплевать, — кивнула в ее сторону Маргарет.

Буквально через два часа после изгнания Джин Эвис оккупировала ее койку, разложив там одежду и обувь, которые достала из чемодана.

Фрэнсис пришла в такую ярость, что с трудом поборола желание скинуть все на пол.

«А что такого? — возмутилась Эвис. — Ей эта койка теперь уже точно не понадобится».

Эвис пребывала в приподнятом настроении, поскольку выиграла конкурс «Сделай сам», представив на него сшитую собственными руками вечернюю сумочку. Не то чтобы она собиралась взять ее на предстоящий вечер, говорила она потом другим девушкам. Нет, для нее главным было щелкнуть по носу эту задаваку Айрин Картер. Теперь в конкурсе на звание королевы красоты «Виктории» она опережала Айрин на два очка.

— Не уверена, что она вообще хоть о чем-то может беспокоиться, — начала Фрэнсис, но вовремя остановилась.

— Давай постараемся сегодня об этом не думать. Слезами горю не поможешь.

— Да, — согласилась Фрэнсис.

Ее никогда особо не интересовали модные тряпки, и сколько она себя помнила, то всегда с облегчением переодевалась в форменную одежду. Не хотелось привлекать к себе лишнего внимания. Она машинально разгладила на коленях юбку. На фоне павлиньих нарядов других женщин платье, которое она считала красивым, теперь казалось убогим. Поддавшись внезапному порыву, она распустила тугой узел на затылке и, посмотрев на себя в маленькое зеркало, заметила, что падающие на плечи волосы несколько смягчили резкие черты лица. Но теперь при виде замысловатых причесок других девушек — результат многочасового хождения в бигуди и нещадного опрыскивания лаком для волос — она чувствовала себя совершенной простушкой, и ей страшно не хватало спасительных заколок. Фрэнсис собралась было поделиться своими сомнениями с Маргарет, но, увидев потное лицо подруги и ее расплывшуюся фигуру, втиснутую в клетчатое хлопчатобумажное платье, которое та носила уже четвертый день, поняла, что лучше промолчать.

— Давай принесу тебе чего-нибудь попить, — в результате сказала она.

— Ты просто красавица! Я так и знала, что ты постесняешься спросить! — по-дружески попеняла ей Маргарет. — Я бы и сама принесла, но меня с этого кресла разве что подъемным краном можно поднять.

— Содовая устроит?

— Храни тебя бог. А ты разве не хочешь потанцевать?

— Что? — остановилась Фрэнсис.

— Тебе совершенно необязательно как пришитой сидеть возле меня. Я уже большая девочка. Иди развлекайся!

— Мне приятнее наблюдать со стороны. — Фрэнсис сморщила нос, и Маргарет, кивнув, махнула рукой.

Хотя это было не совсем так. Оказавшись под защитой полутьмы, которая позволяла незаметно от посторонних глаз наслаждаться атмосферой вечера и звуками музыки, Фрэнсис почувствовала смутное желание оказаться в числе девушек, кружившихся на импровизированном танцполе. Ведь никто ее не осудит. Никто не обратит на нее внимания. Похоже, все относились к происходившему чисто философски: как к невинному разнообразию корабельной рутины, к безобидным шалостям при свете луны.

Фрэнсис взяла два стакана с содовой и вернулась к Маргарет, которая наблюдала за танцующими парами.

— По части танцев я всегда была слабовата, — сказала Маргарет. — Но сейчас, кажется, отдала бы что угодно, лишь бы оказаться там.

— Потерпи. Теперь уже недолго осталось, — кивнула Фрэнсис на живот Маргарет. — А потом сможешь хоть пол-Англии пройти в ритме фокстрота.

Она говорила себе: ничего страшного, что его здесь нет. А учитывая, как она выглядит, может, оно и к лучшему. Он наверняка затерялся в этой толпе, танцует с какой-нибудь хорошенькой девушкой в ярком платье и атласных туфельках. Так или иначе, она настолько привыкла отталкивать мужчин, что просто не умела вести себя по-другому.

Единственные танцы, на которые она ходила во взрослой жизни, устраивались в госпитальных палатах, и там все было просто. Она танцевала либо с коллегами, уже успевшими стать друзьями и державшимися на почтительном расстоянии, либо с пациентами, для которых она была чемто вроде матери и которые, как правило, относились крайне почтительно ко всему, связанному с медициной. А потому она или советовала им «не перетруждать больную ногу», или останавливала излишне ретивых, которым вообще нельзя было вставать с кровати. Старшая медсестра Одри Маршалл обычно шутила, что Фрэнсис не танцует, а выводит больных на прогулку в профилактических целях. А вот здесь она не знала, как держать себя с этими весёлыми, нахальными и совершено неотразимыми в парадной форме мужчинами. Не знала, как вести непринужденную беседу или заниматься безобидным флиртом. И вообще она страшно стеснялась своего унылого голубого платья, которое по сравнению с шикарными нарядами других девушек выглядело линялой тряпкой.

— Всем привет, — сказал он, усаживаясь рядом с ней. — А я вас уже обыскался!

Слова сразу застряли у нее в горле. Он смотрел на нее в упор, при вечернем освещении его лицо казалось гораздо мягче. От его кожи немного пахло карболкой — характерный запах ткани, из которой сшита военная форма. Его рука небрежно лежала на столе перед ней, и Фрэнсис с трудом поборола в себе желание дотронуться до нее.

— Можно пригласить вас на танец? — спросил он.

Она представила, как он, обняв ее за талию, прижмется к ней всем телом, и внезапно почувствовала приступ паники.

— Нет, — отрывисто ответила она. — На самом деле я... я уже ухожу.

— Все верно, — немного помолчав, согласился он. — Никак не удалось вырваться пораньше. На камбузе произошел небольшой инцидент, и нам велели разобраться.

— В любом случае спасибо, — сказала она. — Желаю вам хорошо провести остаток вечера. — В горле у нее стоял ком.

Она собрала вещи, и он поднялся, чтобы пропустить ее.

— Фрэнсис, не уходи! — остановила ее Маргарет. — И ради бога, женщина, не вздумай ломаться. Ты просидела со мной весь этот треклятый вечер, а сейчас почему-то отказываешься от возможности сделать круг по танцплощадке. Я хочу видеть, что теряю.

— Прости, Маргарет, но я...

— Что значит твое «прости»? Ай, да ладно тебе, Фрэнсис! Какой смысл нам обеим подпирать стенку! Танцуй, пока молодой, как сказала бы наша дорогая подружка. Ну, давай! Ради Джин!

Фрэнсис посмотрела на него, затем — на скопление людей на палубе, на этот черно-белый водоворот, сама толком не понимая, чего, собственно, больше боится: невероятной толчеи или того, что окажется от него слишком близко.

— Вперед, женщина, не тушуйся!

Он по-прежнему стоял рядом.

— Ну что, быстрый танец? — Он протянул ей руку. — Мне будет очень приятно.

Не решаясь открыть рот, она молча оперлась о его руку.

Сегодня ночью она решила не думать о том, что все это невозможно. А еще о том, что испытывает те чувства, которые давным-давно запретила себе испытывать. О том, что последствия могут оказаться весьма болезненными. Нет, она просто закрыла глаза, вытянулась на койке и позволила себе предаться воспоминаниям, спрятанным глубоко в сердце: четыре танца, во время которых он был совсем близко, — одна рука в ее руке, другая покоится у нее на талии; его горячее дыхание на ее обнаженной шее, хотя он честно соблюдал дистанцию и вел себя вполне корректно.

Она вспоминала о том, как он посмотрел на нее, когда она решила уйти. О том, как он медленно и — если, конечно, ей не померещилось — неохотно выпустил ее руку. Но она тут же задалась вопросом: не причинит ли кому-нибудь вреда своими пустыми фантазиями? Он наклонился к ней и очень тихо сказал: «Благодарю вас». Но был ли в этом какой-то скрытый смысл?

Она испытывала к нему нечто такое, что пугало ее и заставляло краснеть от стыда. И все же ей хотелось петь от радости, что она сохранила способность чувствовать. В тот вечер у нее в душе родилась целая гамма самых разнообразных эмоций, и это невольно наводило на мысль: а не подцепила ли она, случайно, какой-то передающийся морским путем неведомый вирус? Она еще никогда не замечала за собой такого лихорадочного состояния и неспособности собраться с мыслями. Она даже слегка прикусила руку, чтобы прекратить истерику, грозящую перерасти бог знает во что. Она заставила себя дышать глубоко и ровно в бесполезной попытке восстановить тот душевный покой, который помогал ей держаться последние шесть лет.

— Это всего лишь танец, — прошептала она, натягивая на голову простыню. — Так почему ты не можешь быть благодарна хотя бы за такую малость?

Неожиданно она услышала шаги под дверью, затем — мужские голоса. Кто-то разговаривал с дежурившим у их каюты морпехом — молодым парнем с рыжими волосами и сонными глазами. Она не стала особенно прислушиваться к их разговору, решив, что, наверное, наступило время смены караула. Но затем резко села на койке.

Это был он. Она замерла на минуту, желая убедиться, что не ошиблась, затем с бьющимся сердцем тихонько соскользнула с койки. Почему-то подумала о Джин и похолодела. Возможно, она была слишком ослеплена новыми ощущениями, а потому не обратила внимания на то, что было до нее.

Она приложила ухо к двери.

— Ну, что скажешь? — спросил он.

— Уже целый час прошел, — ответил часовой. — Но похоже, у тебя нет выбора.

— Мне все это не нравится, — сказал он. — Ужасно не хочется этого делать.

Не успела она отойти к койке, как дверная ручка едва слышно повернулась и дверь приоткрылась. В образовавшейся щели показалось его лицо, лишь отдаленно напоминающее лицо того человека, что недавно был с ней на палубе. Он застал ее врасплох: дрожа как осиновый лист, она стояла в узкой полоске падающего из коридора света.

— Я услышала голоса, — произнесла она, только сейчас осознав, что не одета. Схватив шаль, она набросила ее на плечи и стянула на груди.

— Простите за беспокойство. — Он говорил очень тихо, но в его голосе сквозило явное волнение. — Но внизу произошел несчастный случай, и я подумал... Послушайте, нам срочно нужна ваша помощь.

Танцы завершились неофициальными сборищами в разных отсеках корабля. Одно из них происходило в левом заднем углу раскаленной утробы машинного отделения, и именно там кочегар решил повальсировать с одной из невест на узком настиле над главным двигателем. Его отчет о случившемся оказался довольно сбивчивым, но, так или иначе, они свалились вниз. Кочегар лежал без сознания, а невеста поранила лицо.

— По очевидным причинам мы не можем позвать судового врача. Но нам необходимо извлечь их оттуда до смены караула, — сказал он и, замявшись, добавил: — Мы тут подумали... Я тут подумал, что вы можете помочь.

Она зябко поежилась и обхватила себя обеими руками.

— Простите, — прошептала она, — но я не могу спуститься в машинное отделение. Придется вам поискать кого-нибудь другого.

— Я тоже пойду. И останусь с вами.

— Дело не в этом...

— Вам нечего бояться, обещаю. Они знают, что вы медсестра. — (Она заглянула ему в глаза и поняла, что он имел в виду.) — Нам больше некого позвать на помощь, — произнес он, бросив взгляд на часы. — У нас на все про все не больше двадцати минут. Фрэнсис, пожалуйста!

Раньше он еще никогда не называл ее по имени. Она даже не была уверена, что он знает, что ее зовут Фрэнсис.

Внезапно из темноты послышался торопливый шепот Маргарет:

— Я пойду с тобой. Если тебе так будет легче.

Но она продолжала мучиться сомнениями, ее сбивало с толку его присутствие.

— Пожалуйста, просто осмотрите их. Если дела действительно плохи, разбудим доктора.

— Я возьму аптечку, — сказала она, пошарив рукой под койкой в поисках жестяной коробки.

Маргарет тяжело поднялась и надела халат, едва сходившийся на животе. Она осторожно стиснула руку подруги.

— А куда это вы собрались? — спросила Эвис. Она включила свет и теперь сидела, сонно моргая.

— Подышать свежим воздухом, — ответила Маргарет.

— Не делай из меня дуру. Я не вчера родилась.

— Нас ждут внизу. Там кое-кто немного ушибся, — заявила Маргарет. — Если хочешь, пошли с нами.

Эвис внимательно посмотрела на них, прикидывая в уме, стоит идти или нет.

— Это самое малое, что ты можешь сделать, — добавила Маргарет.

Эвис соскользнула с койки, накинула шелковый халат персикового цвета, прошла мимо морпеха, услужливо придерживающего дверь, и пошла вслед за попутчицами в сторону лестницы.

А тем временем рыжий морпех снова заступил на пост у двери каюты, в которой, кроме спящей собаки, теперь некого было сторожить.

Сперва они услышали только голоса, доносившиеся из самого чрева корабля, куда вел трап с нескончаемым, как показалось Маргарет, числом пролетов. По бесконечным узким коридорам они прошли наконец в левое машинное отделение. Было адски жарко. Стараясь не отставать от остальных, Маргарет то и дело утирала рукавом пот со лба. Во рту стоял противный привкус машинного масла. Затем они услышали пронзительные рыдания, перемежающиеся приглушенными звуками голосов — мужских и женских, кто-то с кем-то спорил, кто-то кого-то упрашивал, и все это на фоне глухих ударов и грохота — биения гигантского сердца этого зверя. Фрэнсис тут же ускорила шаг, а затем пустилась бежать вслед за морпехом по узкому настилу.

Маргарет вошла в машинное отделение на несколько секунд позже остальных. Когда она наконец открыла дверь, на нее дохнуло нестерпимым жаром, и ей пришлось остановиться, чтобы хоть немного привыкнуть.

Она сделала шаг по настилу и посмотрела вниз — туда, откуда доносился шум. Примерно пятнадцатью футами ниже, в углублении, похожем на утопленный в пол боксерский ринг, прислонившись спиной к стене, полусидел-полулежал молодой моряк, с одной стороны его поддерживала рыдающая девушка, с другой — приятель. На перевернутом ящике лежали забытые карты, на полу валялись пустые стаканы. В центре помещения гигантский двигатель, своими трубами напоминающий орган, оглушительно стучал и лязгал железными деталями, а из-под вентилей доносилось злобное шипение пара, периодически выводившего инфернальную мелодию. Под настилом, в дальнем углу, прижав руки к лицу, сидела перепуганная молодая женщина.

— И что он теперь скажет? Что он обо мне подумает? — всхлипывала она.

Фрэнсис тем временем уже мчалась к трапу, который вел в недра машинного отделения, металлический настил заглушал шум ее шагов. Протиснувшись сквозь нетрезвую толпу, она встала на колени и сняла с руки пострадавшего окровавленную грязную тряпку, чтобы осмотреть рану.

Маргарет облокотилась на металлический леер, служивший защитным ограждением, и принялась наблюдать за тем, как одна из девушек заставила рыдающую женщину убрать от лица руку и промокнула багровые порезы мокрой тряпочкой. На заднем плане маячили несколько матросов, по-прежнему в парадной форме. Они оттаскивали в сторону огромные баллоны с кислородом и куски ограждения. Еще двое нервно курили в сторонке. По стенам тянулось множество труб, тускло блестевших при свете лампочек.

— Он хотел пройти вперед, и на него упали кислородные баллоны, — прокричал один из присутствующих. — Трудно сказать, куда они его ударили. Нам еще крупно повезло, что мы все не взлетели на воздух.

— Как долго он находится без сознания? — Фрэнсис пришлось повысить голос, чтобы перекричать шум двигателей. — Кто еще пострадал? — Ее привычную сдержанность как рукой сняло, она была словно наэлектризована.

Рядом с ней морской пехотинец, расстегнув воротничок парадной формы, послушно выполнял ее указания и доставал из аптечки все необходимое. По ходу дела он инструктировал оставшихся моряков, двое из которых с явным облегчением стрелой взлетели по трапу, радуясь возможности убраться от греха подальше.

Эвис стояла на настиле, прижавшись спиной к стене. По напряженному выражению ее лица Маргарет поняла, что та предпочла бы сейчас оказаться подальше отсюда. Маргарет внезапно вспомнила о Джин и мысленно задала себе вопрос: не слишком ли они подставляются, если учесть то, как сурово наказали Джин? Но затем она посмотрела на Фрэнсис, склонившуюся над потерявшим сознание моряком — одной рукой та поднимала ему веки, другой рылась в аптечке, — и поняла, что не имеет права уйти.

— Он начинает приходить в себя. Надо наклонить ему голову набок и зафиксировать в таком положении. Пусть кто-нибудь мне поможет. Как его зовут? Кеннет? Кеннет! — позвала она. — Ты можешь сказать мне, где болит? — Она подняла его руку, пощупала каждый палец и, обратившись к морпеху, попросила: — Откройте это, пожалуйста.

Морпех достал из коробки нечто напоминающее набор для починки обмундирования. Маргарет отвернулась. Настил под ногами вибрировал от работы двигателя.

— В котором часу, они говорили, смена караула? — нервно спросила Эвис.

— Через четырнадцать минут, — ответила Маргарет.

Она даже подумала было спуститься вниз, чтобы поторопить их, но они и так работали не покладая рук.

И когда она отвернулась, ее внимание привлек еще один морпех. Он сидел в углу на полу и, как заметила Маргарет, не сводил глаз с Фрэнсис. Маргарет даже задалась вопросом: а не слишком ли у Фрэнсис откровенный халат? Однако уже через пару минут она поняла, что во взгляде мужчины не было похоти, правда, особой доброты тоже не было. У него был такой вид, будто он знает что-то такое, чего не знают другие. Маргарет стало неуютно, и она поближе придвинулась к Эвис.

— Мне кажется, нам пора уходить, — заявила Эвис.

— Она быстро справится, — ответила Маргарет.

В душе она была абсолютно с ней согласна: место просто ужасное. Оно чем-то напоминало ад, подпадая под общепринятое представление о нем. И все же Фрэнсис явно чувствовала себя здесь как дома.

— Прости, Найкол, что впутал тебя в историю. Но я не мог его здесь бросить. По крайней мере, не в таком состоянии. — Валлиец Джонс оттянул воротничок формы, затем посмотрел на заляпанные машинным маслом брюки. — Все, Дакворт в последний раз втягивает меня во внеплановые развлечения. Больше я на его удочку не попадусь. Придурок хренов! Моя форма окончательно испорчена. — Не обращая внимания на висящие на стене знаки, что курить запрещено, он со вкусом затянулся сигаретой. — Так или иначе, кореш, я по-любому твой должник.

— Мне кажется, что ты должен не мне, а кому-то другому, — заметил Найкол и, посмотрев на часы, воскликнул: — Господи! Фрэнсис, у нас в запасе всего восемь минут, после этого надо срочно уводить отсюда людей.

Фрэнсис, сидя рядом с ним на полу, заканчивала обрабатывать глубокую рану на лице пострадавшей девушки. Девушка перестала рыдать и теперь пребывала в состоянии шока, что еще больше усугубило, как подозревал Найкол, количество выпитого ею до этого алкоголя. Волосы Фрэнсис взмокли от пота и спутанными прядями обрамляли лицо. Ее светлый хлопчатобумажный халат, весь в масляных пятнах, прилип к телу.

— Будьте добры, передайте мне морфий, — сказала Фрэнсис. Найкол достал ампулу с коричневой жидкостью. Она взяла ампулу и приложила его руку к марлевой повязке на лице девушки. — Прижмите как можно плотнее и держите, — сказала она. — И пожалуйста, пусть кто-нибудь присмотрит за Кеннетом. Надо проследить, чтобы ему снова не стало плохо.

Опытной рукой она отломила головку ампулы и наполнила шприц.

— Тебе сразу полегчает, — сказала она раненой девушке и, когда Найкол отодвинулся, ввела иглу под кожу. — Придется наложить швы, но обещаю, они будут совсем крошечными. И под волосами будет почти не видно.

Девушка молча кивнула.

— Обязательно накладывать швы прямо здесь? — спросил Найкол. — А нельзя отнести ее наверх и сделать все там?

— Ангарную палубу патрулирует офицер из женской вспомогательной службы, — сообщил один из матросов.

— Просто дайте мне закончить свою работу, — с металлом в голосе произнесла Фрэнсис. — Я постараюсь управиться как можно скорее.

Они уже несли Кеннета по лестнице, предостерегая друг друга быть осторожнее с его головой и ногой.

— Твоя подруга умеет держать язык за зубами? — задумчиво почесав голову, поинтересовался Джонс. — Я хочу сказать, можно ли ей доверять?

Найкол кивнул. Ей не сразу удалось вдеть нитку в иголку. Он заметил, как дрожат ее пальцы.

Он отчаянно пытался найти способ поблагодарить ее, выразить ей свое восхищение. Обнимая ее во время танца, он заметил, что эта обычно скованная девушка постепенно расслаблялась и буквально светилась изнутри. И вот теперь, в такой достаточно странной обстановке, она изменилась прямо на глазах. Он еще никогда в жизни не встречал такой профессиональной женщины и сейчас с неожиданной гордостью понял, что рядом с ним человек, ничем не уступающий ему, Найколу:

— Время? — спросила Фрэнсис.

— Четыре минуты, — ответил он.

Она тряхнула головой, словно столкнувшись с невыполнимой задачей. А затем он вообще перестал что-либо соображать, поскольку после первого стежка одна из подружек девушки потеряла сознание. Поэтому Фрэнсис велела унести ее отсюда и хорошенько ущипнуть, чтобы привести в чувство. Процесс зашивания раны снова прервался, когда неожиданно двое матросов сцепились между собой так, что Найколу и Джонсу пришлось их разнимать. Время утекало сквозь пальцы, стрелка часов неумолимо двигалась вперед.

В какой-то момент Найкол непроизвольно вскочил на ноги, напряженно прислушиваясь сквозь оглушающий рев двигателей к шагам за дверью.

А затем она повернула к нему раскрасневшееся от жары лицо сплошь в грязных потеках.

— У нас все в порядке, — улыбнулась она. — Мы закончили.

— Опаздываем на полторы минуты. Вперед, пора выбираться отсюда, — сказал Найкол и крикнул занимавшимся заграждением матросам: — Оставьте это в покое, нет времени. Лучше помогите мне поднять ее наверх.

Маргарет с Эвис уже стояли у двери, Фрэнсис знаком показала им, что они могут идти. Но Маргарет только отмахнулась, явно намереваясь ждать.

Он поднялся и протянул ей руку, чтобы помочь встать. Убрав упавшие на лоб волосы, она после некоторого колебания все же приняла его руку. Он старался не смотреть на ее прилипший к спине халат, подчеркивавший безупречные линии тела. Ее взмокшее лицо блестело от пота, который грязными струйками стекал в ложбинку между грудей. Господи помилуй, подумал Найкол. И как я теперь смогу выкинуть из головы ее образ?!

— Шов ни в коем случае нельзя мочить, — сказала девушке Фрэнсис. — Несколько дней никакого мытья головы.

— А я уже и забыла, когда вообще в последний раз ее мыла, — пробурчала та.

— Погоди-ка, — произнес Валлиец Джонс, стоявший за спиной у Найкола. — Скажите, а мы, случайно, не знакомы?

Сперва она, похоже, решила, будто он обращается к пострадавшей девушке. Но затем поняла, что он спрашивает именно ее, и сразу замкнулась.

— Ты же никогда не был на Моротае, — заметил Найкол.

— На Моротае? Не-а, — покачал головой Джонс. — Это было не там. Но у меня прекрасная память на лица. Я вас откуда-то знаю.

Найкол заметил, что Фрэнсис резко побледнела.

— Не думаю, — спокойно сказала она и начала собирать аптечку.

— Да-да-да... да... Рано или поздно я обязательно вспомню. У меня прекрасная память на лица.

Она поднесла руку ко лбу, словно у нее внезапно разболелась голова.

— Я лучше пойду, — бросила она Найколу, избегая встречаться с ним глазами. — С ними все будет в порядке.

— Я с вами, — произнес он.

— Нет, — отрезала она. — Нет, я в порядке. Спасибо. Кусочки бинта и хирургический шелк выпали из аптечки, но ей явно было не до того. Поплотнее запахнув халат, с аптечкой под мышкой, она направилась в обход двигателя к трапу.

— Ой, нет...

Найкол перевел взгляд с Фрэнсис на Валлийца Джонса. Тот смотрел ей вслед и озадаченно качал головой. Затем скривил рот в лукавой ухмылке.

— Что? — спросил Найкол.

Он шел за ней к лестнице и остановился, чтобы взять куртку, которую бросил на ящик с инструментами.

— Нет... Не может быть... Никогда... — Джонс оглянулся и неожиданно обнаружил именно того, с кем хотел поговорить. — Эй, Дакворт! Скажи, ты думаешь о том же, о чем и я? Квинсленд? Да?

Фрэнсис уже поднялась по лестнице и теперь, опустив голову, шла к своим попутчицам.

— Я сразу смекнул, что к чему, — послышался голос с ярко выраженным акцентом типичного кокни. — Старое доброе заведение «Сладкие сны». Которому точно нельзя доверять.

— Что происходит? — заинтересовалась Эвис. — О чем это он?

— Поверить не могу! — расхохотался Джонс. — Медсестра! Надо будет непременно сказать старине Кенни. Медсестра!

— Джонс, что за херню ты несешь?!

Джонс посмотрел на Найкола, на лице его появилось знакомое насмешливое выражение, с которым он обычно встречал все те сюрпризы, что преподносила ему жизнь: дополнительные порции выпивки, победа в морском бою или выигрыш в карты благодаря тузу в рукаве.

— Найкол, твоя медсестричка, — сказал он, — в свое время была проституткой.

— Что?

— Дакворт подтвердит. Мы встретили ее в квинслендском борделе, наверное, лет пять назад.

Его раскатистый смех и перекрывший шум двигателя голос донеслись до ушей моряков и невест, устало бредущих по мосткам. Некоторые даже остановились и прислушались.

— Не смеши меня. — Найкол поднял глаза на Фрэнсис, которая уже была у самой двери.

Она смотрела прямо перед собой, но затем, очевидно после тяжелой внутренней борьбы, позволила себе посмотреть на него. В ее глазах он увидел покорность судьбе. И похолодел.

— Но она же замужем!

— За кем? За своим сутенером? Она была лучшей девочкой менеджера борделя. А теперь — только прикинь! Нет, разве в такое можно поверить? Превратилась во Флоренс Найтингейл!

Его раскатистый смех застал Фрэнсис уже в дверях и преследовал ее всю обратную дорогу по коридору.

Глава 15

Одну девчонку Пегги сослали на двадцать лет.
Ей, как и прочим, домой возврата нет.
Женился на ней плантатор в начале февраля, —
Вот ей пошла на пользу Ван-Димена земля[1].

Из австралийской народной песни
«Земля Ван-Димена»[2]

Австралия, 1939 год

До прихода мистера Рэдклиффа Фрэнсис успела уже четыре раза проверить жестяную коробку из-под печенья. Она проверила также ящик для столовых приборов, стоявший за сетчатой дверью горшок, пошарила под матрасами там, где когда-то, много лет тому назад, была родительская спальня. Она несколько раз спрашивала маму, где деньги, но мама лишь бессмысленно мычала, дыша перегаром, и Фрэнсис все стало ясно.

Но не мистеру Рэдклиффу.

— Ну так где же? — улыбаясь, спросил он. Так, наверное, улыбается акула, открывая пасть, чтобы растерзать жертву.

— Мне правда очень жаль. Понятия не имею, куда она дела деньги.

Фрэнсис придерживала ногой дверь, чтобы мистер Рэдклифф не мог заглянуть внутрь, но он наклонился и заглянул через сетчатую дверь в комнату, где растеклась в кресле мама.

1 Перевод Галины Усовой.
2 *Земля Ван-Димена* — неофициальное название острова Тасмания. В 1803 году здесь появилась британская колония, представлявшая собой каторжное поселение.

— Нет, — сказал он. — Нет, конечно.

— Она неважно себя чувствует, — смущенно одергивая юбку, прошептала она. — Быть может, когда проснется, сможет сказать.

Она увидела у него за спиной двух соседей, проходивших мимо. Соседи шептались, не сводя с нее глаз. Ей не надо было слышать, о чем они говорят, чтобы узнать тему их разговора.

— Если не возражаете, я могу сама занести. Чуть позже.

— Что? Как твоя мать на прошлой неделе? И на позапрошлой? — Он разгладил идеально отутюженные брюки. — Сдается мне, на то, что осталось у нее в кошельке, она не сможет купить тебе даже буханку хлеба.

Она ничего не сказала. А он упорно продолжал стоять на пороге, явно ожидая приглашения зайти. Однако ей очень не хотелось, чтобы мистер Рэдклифф, в своей дорогой одежде и начищенных до блеска ботинках, сидел в их убогой гостиной. По крайней мере, пока она немного не приберется.

Они стояли лицом к лицу на крыльце, словно играя в гляделки.

— Тебя что-то давненько не было видно. — Его слова прозвучали отнюдь не как вопрос.

— Я была у своей тети Мэй.

— О да. Она ведь скончалась. Не так ли? От рака, если не ошибаюсь.

Теперь Фрэнсис не могла уже отвечать без слез на глазах.

— Да... Я была там... чтобы немного помочь.

— Прими мои соболезнования. Ты, возможно, в курсе, что в твое отсутствие дела у твоей матери шли не ахти как. — Мистер Рэдклифф снова заглянул в дверь, и Фрэнсис с трудом подавила желание прикрыть ее чуть плотнее. — Она... задерживает платежи. И не только мне. Вам теперь ничего не дадут в долг ни у Грина, ни у Мэйхью.

ДЖОДЖО МОЙЕС

— Я все улажу, — сказала Фрэнсис.

Он повернулся к своему блестящему автомобилю, припаркованному на обочине. Двое местных сорванцов гляделись в боковое зеркало.

— В свое время, когда твоя мать работала на меня, она была прехорошенькой. Вот что делает с людьми любовь к выпивке. — (Она отвела взгляд.) — Полагаю, я не открыл тебе ничего нового. — Видя, что она продолжает молчать, мистер Рэдклифф переступил с ноги на ногу и посмотрел на часы. — Фрэнсис, сколько тебе лет?

— Пятнадцать.

Он окинул ее оценивающим взглядом. Затем тяжело вздохнул, словно понимая, что собирается поступить вопреки здравому смыслу.

— Послушай, что я скажу. Я дам тебе работу в отеле. Будешь мыть посуду. Ну и делать кое-какую уборку. Сомневаюсь, что твоя мать сможет тебя содержать. И запомни: если ты меня подведешь, вы с ней в два счета окажетесь на улице.

И не успела она открыть рот, чтобы поблагодарить его, как он уже подошел к машине, шуганув вертевшихся рядом мальчишек.

Она знала мистера Рэдклиффа чуть ли не с рождения. Большинство жителей Айнсвилла его знали: он был владельцем единственного отеля в городе, а также сдававшихся в аренду дешевых деревянных домов. Она помнила те времена, когда мама, еще не попавшая в алкогольные сети, прислуживала по вечерам в баре отеля, а за Фрэнсис присматривала тетя Мэй. Уже позже тетя Мэй проклинала тот день, когда посоветовала матери Фрэнсис устроиться в отель, но «в таких захолустных городишках, как этот, дорогая, приходится брать то, что дают, разве нет?».

Хотя сама Фрэнсис на работу в отеле не жаловалась. По крайней мере, в первый год. Каждый день, сразу после девяти, она являлась на кухню, где трудилась под надзором молчаливого китайца, который сердито хмурился или замахивался на нее огромным кухонным ножом, если она плохо мыла или резала овощи. Она убирала кухню, надраивая полы шваброй с черной щетиной, до четырех помогала готовить еду, затем приступала к мытью посуды. Ее руки покраснели и загрубели от горячей воды, а спина и шея болели от стояния внаклонку над раковиной. Она научилась проходить, не поднимая глаз, мимо появлявшихся после полудня женщин, которые только и умели, что пить да грызться между собой. Но она была счастлива возможности зарабатывать деньги и хоть как-то упорядочить хаос их с матерью жизни.

Мистер Рэдклифф удерживал квартирную плату и давал ей немного сверх того, ровно столько, чтобы хватало на еду и домашние расходы. Она купила себе новые туфли, а маме — кремовую блузку с бледно-голубой вышивкой. Именно такие блузки, в ее представлении, носили порядочные матери. Ее мать даже растроганно всплакнула, сказала, что дай только срок — и она снова встанет на ноги. И тогда Фрэнсис сможет уехать учиться в колледж, как в свое время обещала ей тетя Мэй. Подальше от этой вонючей дыры.

Но когда Фрэнсис сняла с матери заботы о доме и деньгах, взвалив их на свои худенькие плечи, та вообще запила горькую. Время от времени она приходила в бар в сильно декольтированном платье и стояла, облокотившись на стойку. А потом, естественно, начинала заговаривать с мужчинами в баре и с работавшими там девушками, пыталась прихлопнуть несуществующих мух и орала на Фрэнсис дурным голосом, в котором чувствовались злость и безмерная жалость к себе. И в результате мать заваливалась на кухню, чтобы предъявить дочери накопившиеся претензии: что та слишком хорошо одевается, что зарабатывает себе на жизнь, что вообще появилась на свет, тем самым разрушив ей жизнь, — и так до тех пор, пока Хун Ли не вышвыривал ее вон, сграбастав мощными руками. После чего сердито зыркал на Фрэнсис, словно она виновата в том, что у нее такая мать. А Фрэнсис и не пыталась защищать ее: она уже давным-давно поняла, что это совершенно бесполезное занятие.

Фрэнсис только одного не могла взять в толк: откуда при их бедности у мамы деньги, чтобы каждый день напиваться в хлам.

А потом в один прекрасный день мама исчезла — со всей вечерней выручкой.

Позволив себе пятиминутный перерыв, Фрэнсис сидела на перевернутой бадье в подсобке и ела намазанный маргарином хлеб, что оставил для нее Хун Ли, но внезапно услышала взволнованные голоса. Не успела она поставить тарелку и встать, как в подсобку ворвался мистер Рэдклифф.

— Где она? Где эта вороватая шлюха?

Фрэнсис так и замерла с вытаращенными глазами. Она уже знала, по привычной пустоте внизу живота, о ком он говорит.

— Она испарилась! А вместе с ней и вся моя треклятая касса! Ну и где она может быть?

— Я... не знаю, — запинаясь, прошептала Фрэнсис.

Мистер Рэдклифф, обычно весьма вежливый и обходительный, превратился в разъяренного дикаря с багровым лицом, его грудь выпятилась вперед так, что казалось, накрахмаленная рубашка вот-вот лопнет, его огромные руки сжались в кулаки, словно он с трудом сдерживался. Он смотрел ей в глаза, наверное, целую вечность, явно прикидывая, врет она ему или нет. И ей показалось, что еще немного — и она описается со страху. Но затем он ушел, громко хлопнув дверью.

Они нашли ее два дня спустя, в бессознательном состоянии, за лавкой мясника. Денег при ней не оказалось, только пустые бутылки. Туфли тоже куда-то подевались. И вот как-то вечером на той же неделе мистер Рэдклифф зашел к ней, чтобы «потолковать», затем вернулся в отель и сообщил Фрэнсис, что они с ее матерью решили: будет лучше, если та на время уедет из города. С ней невозможно вести дела. И Льюкам теперь вряд ли хоть кто-нибудь поверит в кредит. Он лично проводил ее.

— Только до тех пор, пока она немного не выправится, — сказал он. — Хотя бог его знает, сколько это займет времени.

Фрэнсис была так потрясена, что не могла говорить. А когда она в тот вечер вернулась домой и ее встретили гнетущее молчание их маленького дома, куча счетов на кухонном столе и сумбурная записка, из которой совершенно невозможно было понять, куда уехала мать, Фрэнсис уронила голову на сложенные руки и просидела так до тех пор, пока ее не сморил сон.

И вот почти три месяца спустя ее вызвал к себе мистер Рэдклифф. К этому времени мрачная тень матери уж больше не нависала над ней. Люди, завидев ее, перестали шушукаться, некоторые даже говорили «привет». Хун Ли всячески старался ее утешить: следил за тем, чтобы в ее обеде непременно были кусочки говядины и баранины, а еще чтобы она делала перерывы на отдых. Как-то он даже оставил ей два апельсина, хотя и не захотел в этом признаться, а когда она его уличила, шутливо замахнулся на нее мясницким ножом. Девушки из бара справлялись о ее делах и по-сестрински дергали за косички. Одна даже предложила выпить после окончания смены. Она, естественно, отказалась, хотя и была благодарна. И когда уже другая девушка, сунув голову в дверь кухни, сказала, что Фрэнсис вызывают в кабинет хозяина, она испугалась, что ее тоже могут обвинить в краже. Яблоко от яблони недалеко падает — так говорили в городе. Дурная кровь непременно даст о се-

бе знать. Но, когда она постучалась и вошла, мистер Рэдклифф вовсе не выглядел сердитым.

— Присаживайся, — сказал он, посмотрев на нее вполне благожелательно. Она села. — Я собираюсь попросить тебя освободить дом. — И, не дав ей открыть рта, продолжил: — В Квинсленде из-за войны скоро все изменится. Здесь появятся войска, и жизнь в нашем городе закипит. Мне сказали, что вот-вот приедут люди, которые смогут платить за дом гораздо больше. В любом случае, Фрэнсис, не дело такой юной девушке жить в одиночестве.

— Но я же вовремя вношу арендную плату, — запротестовала Фрэнсис. — И еще ни разу вас не подвела.

— Я прекрасно знаю об этом, моя дорогая, и я не из тех, кто способен вышвырнуть тебя на улицу. Ты переедешь сюда. Ты можешь жить в комнате наверху, где обычно ночевал Мо Хаскинс. Ну, ты знаешь. И я уменьшу арендную плату, у тебя останется больше карманных денег. Ну как, по рукам?

Его уверенность в том, что она обрадуется такому щедрому предложению, была столь велика, что у нее не хватило духу сказать, что хибара на Ридли-стрит была ее единственным домом. Что после отъезда матери она уже начала получать удовольствие от своей независимости, что она уже не чувствует, будто балансирует на краю пропасти. И что она не нуждается в его одолжениях.

— Пожалуй, я лучше останусь дома, мистер Рэдклифф. Я... я отработаю. Возьму лишнюю смену, чтобы оплатить квартирную плату.

Мистер Рэдклифф тяжело вздохнул:

— Фрэнсис, мне очень хотелось бы тебе помочь, святая правда. Но когда твоя мать умыкнула кассу, она проделала очень большую дыру в моем бюджете. Очень... большую... дыру. Дыру, которую мне надо каким-то образом залатать. — Он встал и подошел к ней. Его рука тяжело легла ей на плечо. — Но вот что мне нравится в тебе, Фрэнсис. Ты труженица, не то что твоя пропащая мамаша.

Решено: ты переезжаешь сюда. Такая девушка, как ты, не должна тратить свои лучшие годы на заботы об арендной плате. Тебе надо выйти в люди, принарядиться, немного повеселиться. И вообще, негоже молодой девушке жить одной... — Он сжал ее плечо. Она была не в силах пошевельнуться. — Нет. Значит, так. Ты перевезешь свои вещи в субботу, а все остальное я возьму на себя. Пришлю тебе в помощь одного из своих ребят.

Уже потом она поняла, что, возможно, девушки из бара знали что-то такое, о чем она и не подозревала. А следовательно, их внимание, дружелюбие и, только в одном случае, враждебность объяснялись не тем, что они жили под одной крышей, как она предполагала, а тем, что они прекрасно понимали, на каком положении она здесь находится.

И когда Мириам, миниатюрная еврейка с волосами до талии, объявила, что после полудня поможет ей навести красоту, она сделала это вовсе не по дружбе, а выполняя чьи-то строгие указания. И таким образом, когда Мириам уложила ей волосы, затянула потуже корсаж подогнанного по ее фигуре темно-синего платья и продемонстрировала мистеру Рэдклиффу результаты своих трудов, приведших к столь волшебному преображению, Фрэнсис предположила, что она должна быть благодарна.

— Нет, вы только посмотрите, — пыхтя сигаретой, произнес мистер Рэдклифф. — Кто бы мог подумать, а, Мириам?

— Ну как, неплохо я ее отмыла?

Фрэнсис почувствовала, что под их пристальными взглядами у нее, несмотря на толстый слой косметики, горят щеки. Она с трудом преодолела желание сложить руки на груди, чтобы прикрыться.

— Вполне съедобно. По-моему, наша малышка Фрэнсис слишком хороша для Хун Ли, да? Не сомневаюсь, мы можем подобрать ей более эффектное занятие, чем мытье грязных бутылок.

— Нет, я вполне довольна, — сказала Фрэнсис. — Правда-правда. Мне нравится работать с мистером Хуном.

— Не сомневаюсь в этом, дорогуша, и ты очень хорошо работаешь. Но, увидев, какая ты красотка, я понял, что в баре от тебя будет гораздо больше пользы. Итак, начиная с сегодняшнего дня будешь разносить напитки. Мириам введет тебя в курс дела.

Она почувствовала, причем не в первый раз, что ее обвели вокруг пальца. Несмотря на то что она вполне взрослый, самостоятельный человек, решения за нее постоянно принимает кто-то другой. И даже если она и поймала во взгляде Мириам нечто странное, ставящее ее в тупик, она все равно не смогла бы четко сформулировать, что это было.

Она должна была быть благодарна. Она должна была быть благодарна за то, что мистер Рэдклифф предоставил в ее распоряжение симпатичную мансардную комнатку, причем по той цене, которую она могла себе позволить. Она должна была быть благодарна за то, что он заботится о ней, в то время как ни у одного из ее родителей в свое время не хватило здравого смысла это сделать. Она должна была быть благодарна за то, что он уделяет ей столько внимания — и даже заказал два новых платья, поскольку она совершенно обносилась, — что раз в неделю приглашает ее на обед, что не позволяет никому плохо отзываться при ней о ее матери, что оберегает ее от назойливого внимания заполонивших город солдат. Она должна была быть благодарна за то, что он считает ее такой хорошенькой.

Поэтому она не стала обращать внимания на Хун Ли, который как-то вечером отвел ее в сторонку и на ломаном английском сказал, что ей надо уезжать. Прямо сейчас. Что бы там ни говорили люди, она вовсе не была такой лопухой.

Итак, в первый же вечер, когда мистер Рэдклифф, вместо того чтобы пожелать ей спокойной ночи, после обеда пригласил ее зайти в свои апартаменты, ей было трудно ответить «нет». Она попробовала сослаться на усталость, но он сделал жалобное лицо и сказал, что она не вправе оставить его одного, после того как он весь вечер ее развлекал, разве нет? Он, похоже, страшно гордился каким-то особенным импортным вином, поэтому ему казалось жизненно важным, чтобы она выпила с ним хотя бы бокал. А потом второй. А когда он настоятельно попросил, чтобы она пересела с очень удобного стула к нему на диван, ей казалось неприличным ему отказать.

— Знаешь, Фрэнсис, ты действительно очень красивая девушка, — сказал он тогда.

Было нечто гипнотическое в том, как он что-то едва слышно нашептывал ей на ухо. И в его широкой ладони, которой он — незаметно для нее — поглаживал ей, точно ребенку, спину. И в том, как платье незаметно соскользнуло с обнаженных плеч. И уже потом, вспоминая об этом, она ясно осознавала, что даже и не пыталась ему помешать, потому что до самого конца не понимала — пока не стало слишком поздно, — чему именно она должна помешать. И все было не так уж страшно, разве нет? Мистер Рэдклифф ухаживал за ней. Как никто другой. Мистер Рэдклифф непременно о ней позаботится.

Возможно, она была не вполне уверена, что на самом деле к нему испытывала. Но она точно знала, что должна быть благодарна.

Фрэнсис провела в отеле «Сладкие сны» три месяца. И в течение двух из них мистер Рэдклифф — он так и не предложил ей обращаться к нему по имени — строго соблюдал установленный им режим ночных «визитов» дважды в неделю. Иногда он водил ее пообедать, а после этого приглашал к себе в апартаменты. Изредка он являлся без приглашения в ее комнату. Но ей это очень не нравилось: как правило, он приходил пьяный, а однажды, вообще не сказав ни слова, распахнул дверь и рухнул на нее прямо с порога, заставив ее почувствовать себя сливным отверстием, в самом прямом смысле этого слова. Потом она долго-долго отмывалась, пытаясь смыть с кожи его запах.

Очень скоро она поняла, что не любит его, как бы он там ее ни обхаживал. Теперь она точно знала, почему у него работает так много женщин. И заметила — без тени удивления, — что ни одна из них не завидует ее положению его подружки, хотя он явно выделял ее — это и высокая зарплата, и платья, и максимум внимания — из всех остальных.

Но в тот день, когда он предложил ей немного «развлечь» его друга, она все поняла.

— Простите, — сказала она, нерешительно глядя на мужчин. — Кажется, я не расслышала.

Он положил ей руку на плечо:

— Невилл к тебе неровно дышит, моя милая. Окажи мне любезность. Доставь ему удовольствие.

— Я не понимаю, — сказала она.

Его пальцы впились в ее нежную кожу. Ночь выдалась жаркой, пальцы были липкими от пота.

— Думаю, ты все прекрасно понимаешь, моя милая. Ты же не дурочка.

Она отказалась, покраснела до корней волос, ее потрясло, что он оказался способен на такое. Она снова отказалась и гневно посмотрела на него, чтобы показать, как сильно он обидел ее своим предложением. Она опрометью кинулась к лестнице, слезы унижения застилали глаза. Она чувствовала на себе взгляды других девушек, слышала несущееся ей вслед улюлюканье солдат, постоянно ошивавшихся в отеле. А затем за ее спиной раздались его тяжелые шаги. И у самой двери в ее комнату он ее догнал.

— Что ты себе позволяешь?! — развернув ее лицом к себе, заорал он. Его лицо было такого же цвета, как и тогда, когда он обвинил маму в воровстве.

— Убирайся от меня! — взвизгнула она. — Поверить не могу, что ты мог попросить меня о таком!

— А как ты смеешь меня позорить?! После всего, что я для тебя сделал! Я заботился о тебе, забыл о деньгах, что украла твоя мамаша, покупал тебе платья, выводил тебя в люди, а мне ведь со всех сторон советовали за километр обходить всех представителей семейства Льюк.

Она уже сидела, закрыв лицо руками, словно хотела отгородиться от него. Внизу кто-то затянул песню, в ответ раздались радостные возгласы.

— Невилл — мой хороший друг, ты это понимаешь, глупышка? Очень близкий друг. Его сын ушел на войну, Невилл совсем раскис, и я хочу помочь ему хоть немного развеяться — и вот здрасте вам, мы втроем так хорошо сидим, словно добрые друзья, а ты начинаешь вести себя точно избалованный ребенок! Ну и что, по-твоему, должен чувствовать Невилл? — (Она попыталась возразить, но он заткнул ей рот.) — Фрэнсис, я был о тебе лучшего мнения. — Его голос сделался тише и теперь звучал почти успокаивающе. — Мне всегда нравилось в тебе то, что ты очень отзывчивая девочка. И переживаешь, когда людям плохо. Ведь я не так уж много прошу, да? Только помочь кому-то, чей сын ушел на фронт, чтобы, быть может, погибнуть в бою.

— Но я... — Она не знала, что и сказать. И она заплакала, закрыв лицо руками.

Он отвел ее руки и сжал в своих широких ладонях:

— Посуди сама, я ведь никогда ничего не заставлял тебя делать насильно, ведь так?

— Да.

— Послушай, дорогуша, ведь Невилл — приятный человек, да?

Маленький, седой, усатый человек, похожий на мышь. Он весь вечер ухмылялся ей. А она-то думала, что ему просто интересно с ней разговаривать!

— И я ведь тебе небезразличен, да? — (Она молча кивнула.) — А для него это очень важно. И для меня тоже. Да ладно тебе, дорогуша, пустячная просьба. Ну что, лады? — Взяв ее за подбородок, он приблизил ее лицо к своему. Заставил открыть глаза.

— Я не хочу, — прошептала она. — Только не это.

— Всего-то каких-нибудь полчаса! И тебе ведь это тоже нравится, а?

Она не знала, что отвечать. Ведь каждый раз она была не настолько трезвой, чтобы хоть что-то запомнить.

Похоже, он принял ее молчание за знак согласия. Подвел к зеркалу.

— Знаешь, что я тебе скажу, — произнес он. — Тебе надо немного собраться. Неужели ты думаешь, что кому-нибудь приятно видеть зареванные лица?! Я распоряжусь, чтобы тебе принесли чего-нибудь выпить — например, бренди, что тебе так нравится, — и пошлю сюда Невилла. Вы двое прекрасно поладите. — И он, не оглядываясь, вышел из комнаты.

А потом она уже устала считать, сколько раз делала это. Она знала только то, что каждый раз напивалась все больше, а однажды ее совсем развезло, и мужчина попросил деньги обратно. Мистер Рэдклифф становился все более грубым, поэтому она по возможности пряталась в ванной, где так сильно оттирала кожу губкой, что та шла красными полосами, и девушки даже вздрагивали, когда она проходила мимо.

И вот как-то раз, когда шум в баре стал громче, а по лестнице туда-сюда сновали гости, Хун Ли заловил ее на пороге кладовки, где она спрятала бутылку рома. В преддверии встречи с двумя получившими увольнительную военными, которым мистер Рэдклифф намекнул, что у них имеется хороший шанс провести с ней время, она стояла между бочками пива «Каслмейн» и «Маккракен» и пила прямо из горлышка бутылки, уже успев осушить ее наполовину.

— Фрэнсис!

Она, как ужаленная, подскочила на месте. Будучи под хорошим градусом, она была не в состоянии сфокусироваться и узнала его только по синей рубашке, обтягивавшей мощные плечи.

— Ничего не говори, — произнесла она заплетающимся языком, оставив бутылку. — Я потом положу деньги в кассу.

Он подошел поближе, остановившись прямо под голой лампочкой на потолке, и она подумала, что он тоже хочет ее облапать.

— Ты должна уходить, — сказал он, прихлопнув вившегося около лица мотылька.

— Что?

— Ты должна отсюда уходить. Нехорошее место.

Это была самая длинная речь, которую она слышала из его уст почти за восемнадцать месяцев. И она рассмеялась горьким, сердитым смехом, перешедшим в рыдания. А потом наклонилась вперед, держась за бока, не в силах отдышаться.

Он неловко топтался перед ней, затем осторожно шагнул вперед, словно не решаясь дотронуться до нее.

— Я достал это для тебя, — сказал он.

Она уж было решила, что он собирается дать ей сэндвич. Но затем заметила деньги, зажатые у него в кулаке, — большую грязную пачку денег.

— Что это? — прошептала она.

— Тот мужчина на прошлой неделе. Тот, что... — Он запнулся, не зная, как лучше описать последнего «друга» мистера Рэдклиффа. — Ну, тот, в блестящем костюме. Он держит игорное заведение. Я украл это из его машины. — Хун Ли протянул ей зажатые в кулаке деньги. — Возьми их. Уезжай завтра. Заплатишь мистеру Масгроуву, чтобы подвез тебя до станции. — Она стояла не двигаясь, а он все совал кулак с деньгами ей под нос. — Бери. Ты заработала.

Она тупо смотрела на деньги, спрашивая себя, не померещилось ли ей это по пьяной лавочке. Тогда она потрогала деньги, они были вполне материальные.

— А ты не боишься, что он скажет мистеру Рэдклиффу?

— Ну и что с того? Тебя уже здесь не будет. Завтра уходит поезд. Иди. Ты иди. — И, когда она промолчала, он в шутку состроил злобную гримасу. — Фрэнсис, здесь нет ничего хорошего для тебя. А ты хорошая девушка.

Хорошая девушка. Она удивленно смотрела на китайца. Оказывается, он не только может связно говорить, но и способен на проявление доброты. Она взяла деньги и положила в карман. На ощупь бумажки были мягкими от его потной ладони. Затем потянулась к его руке, чтобы сказать спасибо.

Но когда Хун Ли поспешно отстранился, до нее внезапно дошло, что его жалость имела привкус того, о чем ей даже не хотелось думать. Выходит, всего за три месяца «профессия» уже наложила на нее неизгладимый отпечаток.

Он кивнул ей, словно внезапно устыдившись своей немногословности.

— А как же ты? — спросила она.

— Что — я?

— Разве тебе не нужны деньги? — Ей не хотелось задавать этот вопрос, ведь в кармане у нее теперь лежало целое богатство.

Его лицо оставалось непроницаемым.

— Тебе они нужнее, — произнес он, резко развернулся, и его широкая спина исчезла в темноте.

Глава 16

Стирка белья: для стирки белья на борту корабля имеется ряд ограничений...

Запрещается вывешивать белье для просушки из иллюминаторов или в любом другом месте, где белье будет портить внешний вид корабля.

Инструкция для пассажиров женского пола,
авианосец «Викториес»

Двадцать пятый день плавания

—Бедная моя старушка. Хоть ты и не заслуживаешь столь тяжелой участи, но чему быть, того не миновать. — Он положил руку на холодный металл, на котором, как ему показалось, оставили отпечаток годы ожесточенных сражений.

Он выпрямился и оглянулся проверить, не слышал ли случайно Добсон, как он разговаривает с кораблем. Добсона совершенно выбили из колеи те изменения, что капитан Хайфилд внес в судовую рутину, и хотя капитану нравилось дразнить своего старпома, он понимал, что если зайдет со своими новшествами слишком далеко, то рано или поздно его призовут к ответу.

Хайфилд знал буквально каждый квадратный дюйм «Индомитебла», знал от и до историю славного авианосца. Он стал свидетелем того, как корабль медленно погрузился в воды Адриатики, а его корпус сплющило, как утлую лодчонку в шторм. Он провел корабль через арктические воды зимой 1941-го, тогда палубу покрыл слой снега толщиной шесть дюймов, а орудийные башни настолько обледенели, что двадцати матросам пришлось потратить не один час, чтобы с помощью ломов и лопат привести их в рабочее состояние. Он смог удержать его на плаву после налета бомбардировщиков, базировавшихся на островах Сакисима, после того как самолет-камикадзе скатился с полетной палубы, которую в результате захлестнуло приливной волной и залило авиационным топливом. Он плыл на нем по водам Атлантики, прислушиваясь в тишине к зловещему эху, говорившему о присутствии вражеских подлодок. Он видел в начале войны огромную воронку на полетной палубе, после того как в нее врезалось по меньшей мере три столкнувшиеся в воздухе «барракуды». Теперь он уже, наверное, не мог точно сказать, сколько людей они потеряли и сколько тел во время морских похорон было предано воде. Он был с кораблем до самого конца. Смотрел, как его палуба накренилась и ушла под воду, забрав с собой тех из его людей, кто, согласно докладам, был уже мертв, а вместе с ними и его незабвенного мальчика — его тело сгорело в адском пламени погребального костра, распространявшего клубы вонючего дыма. А когда нос корабля затонул и хладные воды безмолвно сомкнулись над ним, не осталось ни единого признака того, что авианосец вообще когда-либо существовал.

«Виктория» была сконструирована точно так же, как и ее брат-близнец; и когда он впервые взошел на ее борт, ему почудилось в этом нечто зловещее. Вот почему он так долго привыкал к новому кораблю. Но теперь, как ни странно, испытывал к нему какую-то извращенную благодарность.

Они связались с ним этим утром. Командующий Британским Тихоокеанским флотом лично отправил ему радиограмму. В шутливой форме он сообщил Хайфилду, что тот может распустить бригады маляров до конца плавания: нет смысла изнурять людей лишними ремонтными работами. «Викторию» обследуют в сухом доке в Плимуте, а затем модифицируют и продадут какой-нибудь торговой судоходной компании или пустят на металлолом. «Со старушкой все в порядке, — послал он ответную радиограмму. — Настоятельно советую следовать прежним курсом».

Он ничего не сказал экипажу корабля, поскольку подозревал, что большинство людей сам корабль волновал меньше всего: лишь бы кубрики были просторными, еда — более или менее съедобной, а денежное довольствие — регулярным. Война закончилась, и многие собирались покинуть военно-морской флот. Так что он, Хайфилд, и его старый корабль в ближайшем будущем станут только темой для разговоров о войне за обеденным столом.

Хайфилд вздохнул и осторожно оперся на больную ногу. На следующий день они должны прибыть в Бомбей. И скорее всего, он проигнорирует инструкции командующего. Уже несколько дней бригады маляров и рядовые матросы подкрашивали и надраивали корабль. На флоте прекрасно знали, что единственная возможность удержать моряков от неприятностей — загрузить их работой, а с учетом столь специфического груза это было более чем актуально. На корабле не должно было остаться ни одного латунного болта, который не будет блестеть точно зеркало.

Члены его экипажа, похоже, догадывались, что с ним творится что-то неладное. Не исключено, что и губернатор Гибралтара тоже кое-что заметит. Он далеко не дурак. Будь я проклят, если покину тебя раньше времени, молча обратился Хайфилд к кораблю, крепко сжимая перила. Будем держаться друг друга до тех пор, пока моя треклятая нога вообще не отвалится.

— Значит, так, дамы, вам надо смешать одну столовую ложку яичного порошка с двумя столовыми ложками воды. Дайте возможность порошку впитать в себя воду, а затем разомните комочки деревянной ложкой. Размешивать надо достаточно энергично... Словом, придется немного попотеть, — сказала женщина из вспомогательной службы и, увидев непонимающие лица, добавила: — Как говорят у нас в Англии, терпенье и труд все перетрут.

Маргарет сидела, положив тетрадь на колени, пишущая ручка безвольно повисла в воздухе. Она бросила записывать рецепты, поскольку ее внимание привлекло шушуканье у нее за спиной.

— Проститутка? Не может быть! Флотское начальство никогда бы такого не допустило, с учетом всех этих матросов.

— Ну, они оказались не в теме, разве нет? Откуда им было знать?!

— С помощью яичного порошка можно выпекать самые различные вещи. Добавьте немного петрушки или кресс-салата, и вы сможете сделать некоторое... подобие яичницы. Поэтому не следует считать, что ваши возможности ограничены только потому, что под рукой нет продуктов, к которым вы привыкли дома. По правде говоря, у вас наверняка не будет ингредиентов, к которым вы привыкли дома.

— Господи боже мой, но кто мог согласиться на ней жениться?! А вам не приходило в голову, что это мог быть один из ее... клиентов?

— А что, если он не знает? И, как думаете, разве флотские не должны ему сообщить?

То же самое происходило сейчас повсеместно. За несколько дней Фрэнсис Маккензи из самой неприметной пассажирки, которую когда-либо перевозила «Виктория», превратилась в самую печально известную. Те, кто ее хоть немного знал, были в восторге оттого, что столь скромная с виду молодая женщина имеет за плечами такой багаж. Другие были заинтригованы историей ее прошлой карьеры и сочли своим долгом приукрасить ее подробностями, которые никто из пассажирок не имел возможности опровергнуть. И как ни парадоксально, складывалось впечатление, что любая из них в свое время могла оказаться на ее месте; следующая стоянка была еще не скоро, и вообще ни у кого не вызывало сомнения, что это было самое захватывающее происшествие за все плавание.

— Я слышала, она ездила на поезде. Ну, знаете, на специальном таком, который они посылают в войсковые части. В этом поезде было полно... падших женщин.

— А как вам кажется, ее надо было обследовать на предмет различных заболеваний? На американских транспортах они обязательно это делают, я точно знаю. Я хочу сказать, что мы же пользуемся с ней одной душевой, прости господи.

Маргарет с трудом поборола желание прервать их, сообщить всем этим тупым балаболкам, что они не понимают того, о чем говорят. Но как она могла, если сама не знала правды!

Но было непохоже, чтобы Фрэнсис хотела все объяснить. В ту роковую ночь она сразу легла, а утром специально притворилась спящей, явно дожидаясь, чтобы они с Эвис ушли из каюты, но, когда они вернулись, выкинула тот же номер. Она практически не разговаривала, сведя все темы для разговора к необходимому минимуму. Она дала собаке попить. Оставила дверь приоткрытой. Словно им этого было достаточно. Она перестала посещать главную столовую. И Маргарет не была уверена, ест ли она вообще хоть что-нибудь.

Эвис демонстративно попросила перевести ее в другую каюту, но поскольку ей решительно не подошла единственная предложенная ей койка, во всеуслышание объявила, что не желает иметь с Фрэнсис ничего общего. Маргарет велела Эвис не валять дурака и не слушать все эти треклятые сплетни. В них нет ни капли правды.

Но очень трудно сохранять силу духа, если Фрэнсис и не думала защищаться.

И даже Маргарет, которая обычно за словом в карман не лезла, не находила, что сказать Фрэнсис. Маргарет знала, что иногда бывает слишком наивной, и тем не менее у нее просто в голове не укладывалось, как такая строго одетая, чопорная молодая женщина может быть «одной из этих». Она видела падших женщин только на плакате в кубрике у Денниса Тимса с угрожающей надписью: «Венерические заболевания — молчаливый убийца» — да еще в вестернах, что смотрела с братьями. В кино дамочки легкого поведения обычно кучковались в каком-нибудь салуне. Интересно, надевала ли Фрэнсис платья с тугим корсажем, красила ли губы в алый цвет, чтобы завлечь мужчин? Приглашала ли их подняться наверх и раздвигала ли перед ними ноги, чтобы они могли бог знает что с ней сделать? Подобные мысли преследовали Маргарет, невольно накладывая отпечаток на стиль общения с Фрэнсис, которая всегда была так добра к ней. Маргарет это прекрасно понимала, и ей было безумно стыдно за себя. Она подозревала, что Фрэнсис тоже все понимает.

— Ну, по-моему, история просто отвратительная. Откровенно говоря, если бы мои бедные родители знали, что мне придется путешествовать с такой особой, они ни за что не разрешили бы мне подняться на борт корабля. — Сидевшая перед ней девушка передернула плечами в праведном гневе.

Маргарет бросила взгляд на записанный неразборчивым почерком рецепт употребления яичного порошка.

— Век живи, век учись! — заметила соседка Маргарет.

Маргарет сунула тетрадь в корзинку и вышла из комнаты.

Дорогая Дина!

У меня нет слов, чтобы описать, как весело я провожу время на борту корабля. Честно говоря, с учетом всех обстоятельств я этого не ожидала. Сама не знаю как, но я попала в число участниц конкурса на звание королевы красоты «Виктории», там будут вручать приз невесте, которая по своим женским достоинствам превзошла всех остальных. Будет очень приятно показать Иэну, что я для него весьма ценное приобретение, в том числе с точки зрения его карьеры. Я уже набрала достаточно очков за рукоделие, шитье и музыкальные способности (я пела «Shenandoah», публика была в восторге) и — никогда не догадаешься — выиграла конкурс «Мисс Самые Красивые Ножки»! Я надела свой зеленый купальник и атласные туфли в тон. Надеюсь, ты не против, что я их взяла? Ты ведь так редко их надевала, и глупо оставлять их «до лучших времен», ведь союзные войска покидают Мельбурн, и у вас, бедняжек, теперь практически нет светской жизни.

А как твои дела? Мамочка сообщила мне, что ты больше не переписываешься с тем славным молодым человеком из Уэйверли. Она как-то слишком туманно объяснила, что произошло. У меня просто в голове не укладывается, как можно вот так взять и бросить девушку. Очень жестоко. Если, конечно, он не нашел себе другую.

Мужчины — загадочные существа, разве нет? Я каждый день благодарю судьбу, что Иэн — такая преданная душа.

Все, моя дорогая сестрица, мне пора бежать. Нам разрешили искупаться, а мне безумно хочется поплавать. Я отправлю это письмо в ближайшем порту и непременно расскажу тебе о своих приключениях там!

Твоя любящая сестра Эвис

За все это время невестам впервые разрешили искупаться, и мало кто из них — при сохраняющемся дефиците воды — отказался воспользоваться такой возможностью. Когда Эвис, закончив свое письмо, появилась на передней палубе, она увидела вокруг сотни женщин, резвящихся в прозрачных водах и с визгом плещущихся возле спасательных шлюпок, а также матросов и офицеров, которые с сигаретой во рту наблюдали за ними, перегнувшись через борт.

Ее беременность пока была совершенно незаметна. Эвис с некоторой долей гордости обследовала свое тело: по-прежнему плоский живот и красиво налившуюся грудь. Нет, она точно не станет похожа на расплывшегося кита, в отличие от Маргарет, которая, со своими безобразно распухшими лодыжками и икрами, теперь предпочитала сидеть — пыхтя и потея — где-нибудь в уголке. Она, Эвис, уж точно постарается до конца оставаться стройной и привлекательной. А когда живот станет слишком большим, она засядет дома, займется обустройством детской и покажется на людях только тогда, когда ребенок появится на свет. Вот так поступают настоящие леди.

Теперь, когда ее перестали мучить приступы тошноты, она определенно решила, что беременность пошла ей на пользу: ее кожа сияла здоровьем, чему, несомненно, в значительной степени помогло пребывание на солнце, а белокурые волосы стали еще светлее. Где бы она ни появлялась, она везде привлекала к себе внимание. Поэтому она постоянно задавала себе вопрос: не следует ли теперь, когда ее интересное положение сделалось достоянием гласности, немного прикрыться, чтобы выглядеть чуть-чуть скромнее? Однако до захода в европейские воды осталось так мало времени, что просто грех было растрачивать его впустую. Эвис сбросила сарафан и навела красоту, дабы во всем блеске появиться на палубе, а потом лечь немного позагорать. Если забыть о неприятной истории с Фрэнсис (прямо как в романе!) и учесть, что она медленно, но верно продвигается к званию королевы красоты «Виктории», плавание вполне можно назвать удачным.

А тем временем Найкол стоял на баке, прислонившись спиной к стене. Обычно он не курил на палубе, тем более на дежурстве, но последние дни он, преисполненный мрачной решимости, дымил как паровоз, словно рассчитывал, что это механическое действие поможет ему собраться с мыслями.

— Ну как, присоединишься к нам попозже? — Рядом возник один из моряков, с которым он частенько играл в лудо[1].

Мужчинам тоже разрешили искупаться, но только после женщин.

— Нет, — затушив сигарету, ответил Найкол.

— А я — да. Мне уже невмоготу. — Моряк ткнул пальцем в сторону женщин, а когда Найкол из вежливости изобразил интерес, добавил: — Я об этих. Не могу видеть, как они развлекаются. Сразу вспоминаю своих девочек в Англии.

— О...

— Мимо нашего сада протекает речка. Когда мои девчонки были маленькие, в погожий денек мы брали их на речку, учили плавать. — Погрузившись в воспоминания, он пару раз развел руками, будто плавал брассом. — Коли живешь у воды, надо знать, как на ней держаться. Типа для безопасности. — (Найкол неопределенно кивнул в знак согласия.) — Временами мне казалось, что я никогда их больше не увижу. И, честно говоря, довольно часто. А вот ты, парень, наверняка не позволял себе так распускаться. — (Услышав подобную оценку старшего товарища, Найкол невольно улыбнулся.) — Да... грехи наши тяжкие. Подождем до лучших времен. — Моряк затянулся сигаретой и выкинул окурок в воду. — Удивляюсь, как это старина Хайфилд пошел на такое. А мне почему-то казалось, что для него вид такого количества женской плоти одновременно — как серпом по яйцам.

День шел своим чередом, все как всегда. Внизу в прозрачной воде какие-то две женщины, дергаясь и извиваясь,

---

1 *Лудо* — настольная игра с кубиками и фишками на разграфленной доске.

плыли в сторону спасательной шлюпки, а стоявшие на палубе подбадривали их криками. Кто-то из девиц истерически визжал оттого, что подруга плескала ей в лицо водой.

Знакомый Найкола бросил на них одобрительный взгляд:

— У этого Хайфилда рыбья кровь. Такое мое мнение. А что еще скажешь о человеке, который всегда сам по себе. — (Найкол промолчал.) — В свое время я, наверное, любому бы глотку перегрыз, кто сказал бы, что он плохой командир. Ведь когда он участвовал в конвое, мы все гордились им. Что правда, то правда. Но сейчас он уже не тот. Нет былой уверенности. Ведь так? После «Индомитебла». — Старший товарищ Найкола явно нарушил достигнутую между моряками негласную договоренность не вспоминать о том, что случилось тогда, а тем более не искать виноватых. Найкол ничего не ответил, только покачал головой. — Не хочет ни с кем делиться полномочиями. Я не имею в виду серьезные решения. Уж я-то навидался таких, которые считают, что они сами с усами, черт бы их всех побрал. А поэтому не видят ситуацию в целом. Ведь самое главное в командире корабля — чтобы он мог видеть ситуацию в целом. — (Если бы за каждого «кабинетного стратега», что встречались на его пути, платили по шиллингу, он уже давно разбогател бы, мрачно подумал Найкол.) — Я тут грешным делом подумал, что шишки из морского ведомства решили слегка над ним подшутить, отправив домой на корабле, который один в один, как его бывший... Нет... Узнать человека можно, только увидев его в кругу родных... А я за пять лет, что служил под его началом, ни от кого доброго слова о нем не слышал. — Они молча постояли еще немного. Поняв наконец, что их общение носит несколько односторонний характер, собеседник Найкола спросил: — Ты, небось, тоже до смерти рад снова увидеть свою семью, а?

Найкол закурил еще одну сигарету.

Ее среди купальщиц не было. Да он особо и не рассчитывал на это.

В ту ночь он так и не сумел сомкнуть глаз, его преследовали слова Джонса, а еще мучил стыд за свое предательство. Но по мере того, как день исподволь приходил на смену ночи, его сомнения потихоньку рассеивались, складывались воедино все элементы головоломки, становились понятными странности ее поведения. Там, во чреве корабля, он ждал, что она с негодованием отвергнет инсинуации, возмутится возведенным на нее поклепом. И теперь он жаждал объяснений, словно она каким-то образом смогла обвести его вокруг пальца.

Однако у него вовсе не было нужды задавать дальнейшие вопросы, чтобы прояснить ситуацию, по крайней мере не Фрэнсис. Когда он вернулся в кубрик, она по-прежнему оставалась темой самого горячего обсуждения.

— Совсем дурочка, малышка с широко распахнутыми глазами, — говорил Валлиец Джонс, свесившись с гамака, чтобы взять сигарету. — Тонны косметики, точно ее разукрасили шутки ради.

Найкол замер в дверях, его первым порывом было развернуться и уйти. Он и сам толком не знал, что заставило его остаться.

Похоже, Джонс тогда положил на нее глаз, но его отвергли. Она выделялась своей фигурой.

— Такая худышка. Точно ребенок, — продолжал Джонс. — А сисек вообще нет. И все потому, что она здорово набралась, — сказал он, брезгливо выпятив нижнюю губу.

Хозяин послал ее наверх с одним из его корешей, но на лестнице она навернулась. Они чуть было не уписались со смеха: тощая девчонка, пьяная в хлам, все ляжки наружу.

— На самом деле, — уже более серьезно сказал Джонс, — я решил, что она малолетка, понимаете, о чем я? В тюрьму, что ли, из-за нее садиться?!

Дакворт, дока в подобных делах, согласился с ним:

— Мать твою за ногу! Никогда б не догадался, разве нет? Выглядит такой тихоней, воды не замутит.

Да уж, подумал Дакворт. Если бы они ее не опознали, никто так бы ничего и не узнал.

Найкол принялся доставать свой гамак. Он надеялся успеть хоть немного поспать до следующей смены.

— Так-так-так, Найкол, — услышал он сзади голос Джонса. — Надеюсь, ты не собираешься перепихнуться с ней по-быстрому? Лучше побереги деньги для своей миссис, — загоготал он. — А кроме того, она сейчас выглядит гораздо лучше. Вся такая из себя цаца. Обойдется тебе теперь в целое состояние.

Он тогда чуть было не ударил его. Потому что, как это ни абсурдно, ему очень хотелось ударить ее. Но он лишь сухо улыбнулся, в глубине души прекрасно понимая, что в какой-то степени совершает акт предательства по отношению к ней, и вышел в умывальню.

На море опустилась ночь. «Виктория» шла вперед. Она разрезала черные воды, безразличная ко времени года, смене настроения и капризам своих пассажиров, огромные двигатели послушно работали в ее недрах. Фрэнсис лежала на койке, прислушиваясь к привычным звукам: скворчанию труб, приглушенным разговорам, легким шагам, которые свидетельствовали о том, что пассажиры потихоньку укладываются спать. Мирное посапывание и похрапывание в каюте подсказывали ей, что ее товарки уже видят десятый сон. Звуки тишины, звуки одиночества, звуки, говорившие, что она наконец может вдохнуть полной грудью. Звуки, в ожидании которых она провела добрую часть своей жизни.

А снаружи слышная только натренированному уху поступь человека, дежурившего под дверью.

Он появился в четыре утра. Она услышала, как он пробормотал что-то другому морпеху при смене караула, а затем — шаги первого часового, который наверняка отправился спать к себе в кубрик. Она прислушалась к движениям мужчины под дверью, как прислушивалась, казалось, сотни ночей подряд.

В конце концов, не в силах больше терпеть, она встала с койки. Осторожно, чтобы не разбудить соседок по каюте, она, легко ступая, на цыпочках прокралась к стальной двери. Уже на пороге она застыла, закрыв глаза, точно от боли.

Затем она шагнула вперед и осторожно приникла лицом к холодной поверхности. Очень медленно прижалась всем телом — бедрами, животом, грудью — к двери, упершись в нее обеими руками. Сквозь тонкую ночную сорочку она чувствовала холод металла, его основательность и неподвижность.

И если бы она повернула голову и приложила ухо к двери, то, наверное, могла бы услышать его дыхание.

Она стояла в темноте, потеряв счет времени. По ее щеке скатилась слеза. Затем еще одна...

А за дверью, если не считать рокота двигателя, стояла мертвая тишина.

Глава 17

Среди трехсот наименований, размещенных на борту Красным Крестом, имеется постельное белье, полотенца, канцелярские принадлежности, лекарства, предметы ухода за лицом и телом, а также тонны консервированных фруктов, крема, печенья, мяса и шоколада. Кроме того, Красный Крест доставил 500 матерчатых складных кресел и книгу по акушерству и гинекологии.

Сидней монинг геральд. 3 июля 1946 года

Двадцать шестой день плавания

Через ворота главного порта, особенно того, что имел важное стратегическое значение во время войны, шли основные грузы. Пушки, военное снаряжение, продовольствие, шелка, специи, войска, торговцы, Библии и вонючие бытовые отходы — все проходило через них, не вызывая лишних вопросов.

Старожилы еще помнят кошмарный рев запертых в клетках шести белых тигров, которых везли в дом американского киномагната, или сияющий золотом купол храма, предназначенного для тщеславного главы одного из европейских государств. А совсем недавно над портом в течение нескольких недель витали сладкие ароматы: это крановщик, переносивший с помощью подъемного крана коробки с пятью тысячами флаконов духов, уронил драгоценный груз прямо в доки.

Однако при виде шестисот женщин, ожидающих возможности высадиться на берег в Бомбее, весь транспорт в Александра-доке остановился. Выстроившиеся на палубе женщины в ярких летних платьях махали шляпками и сумочками, после более чем трехнедельного пребывания в море их голоса были полны радостного предвкушения. По доку к кораблю устремились сотни ребятишек. Они призывно тянули руки вверх, выпрашивая монетки, как можно больше монеток. Маленькие буксирные катера, окружившие нос судна, с шумом разворачивали «Викторию» параллельно причалу. И когда корабль грациозно встал на место, женщины раскололись на две группы: одни ахали от удивления, что такая махина могла втиснуться в док, другие же, почувствовав портовую вонь, фыркали и демонстративно прижимали к разгоряченным лицам белые платочки. А на причале все глаза были устремлены на авианосец, который больше не нес на себе самолетов. Мужчины в комбинезонах, женщины в ярких сари, военные, портовые рабочие, торговцы — все замерли, изумленно наблюдая за тем, как в порт медленно входит корабль невест.

— Вы должны держаться вместе и стараться ходить только по главным улицам. — Офицер из женской вспомогательной службы пыталась пробиться сквозь гул голосов девушек, жаждущих поскорее сойти на берег. — И вернуться следует к двадцати двум часам, не позже. Капитан Хайфилд ясно дал понять, что не потерпит опозданий. Вам понятно?

Всего несколько месяцев назад в гавани произошло самое настоящее восстание индийских моряков, они протестовали против тяжелых жизненных условий. Развитие событий по-прежнему оставалось предметом оживленных дебатов, но никто не пытался оспаривать тот факт, что противостояние обернулось продолжавшейся несколько дней яростной перестрелкой между английскими войсками и моряками. Поэтому развернулась жаркая дискуссия по поводу того, разумно ли разрешать женщинам выходить в город, но, поскольку они оставались на корабле во время стоянок в Коломбо и Кочине, было бы несправедливо держать их на борту. В одной руке офицер из вспомогательной службы сжимала планшет, другой утирала пот со лба.

— Дежурный будет записывать фамилии всех женщин, вернувшихся на корабль. Удостоверьтесь, что ваше имя внесено в список.

Жара стояла просто адская, и Маргарет, прижатая толпой к борту, хотела только одного: найти, где бы присесть. Стоявшая рядом с ней Эвис, заслонив ладонью глаза от солнца, приподнималась на цыпочки и докладывала о том, что происходит вокруг.

— Мы должны увидеть Ворота в Индию[1]. Так все делают. А еще говорят, стоит побывать в клубе «Виллингдон», но он находится в нескольких милях от города. Там есть теннисные корты и бассейн. Может, нам стоит взять такси?

— Больше всего на свете я хочу найти какой-нибудь милый отель и хотя бы полчаса посидеть, задрав ноги, — сказала Маргарет.

Пока «Виктория» бросала якорь, они уже два часа провели на ногах, и от жары у Маргарет страшно распухли щиколотки.

— Маргарет, у нас в запасе куча времени. Мы, женщины в интересном положении, должны быть более активными. Ой, посмотри! Кажется, нас скоро выпустят.

К запряженным лошадьми повозкам, которые должны были вывезти женщин из порта через Красные ворота, выстроилась длинная очередь. В ее хвост становились девушки, успевшие спуститься с трапа. Они возбужденно проверяли, а потом перепроверяли сумочки и шляпы от солнца, время от времени указывая рукой в сторону города.

Через ворота Маргарет могла видеть трехполосные широкие магистрали, большие гостиницы, дома и магазины, запруженные народом тротуары и мостовые. У Маргарет

---

1 *Ворота в Индию* — массивная арка типа триумфальной, установленная на берегу моря, на том месте, где раньше высаживались пассажиры.

даже закружилась голова, когда она почувствовала наконец твердую почву под ногами: ее качало из стороны в сторону, то ли от жары, то ли от долгого пребывания в море.

Мимо них прошли две женщины с корзинками на голове, они несли их легко и непринужденно, словно головной убор. Женщины оживленно перешептывались, прикрывая рты унизанными перстнями пальцами. Затем одна из них увидела на земле что-то интересное. Не сгибая спины, она вытянула босую ногу, подняла искомый предмет пальцами ног, взяла его в руку и положила в карман.

— Ух ты! — воскликнула Маргарет, которая и забыла, как выглядят собственные ноги.

— В отеле «Грин», вероятно, будет обед, а после него танцы. — Эвис внимательно изучила свою записную книжку. — Девушки из каюты 8D собираются туда чуть попозже. Я сказала, что мы сможем встретиться там за чаем. Но мне не терпится отправиться за покупками. Ведь в военторговской лавке я уже скупила что могла.

— Черт, сил моих нет стоять! — пробормотала Маргарет. — В гробу я видала твои магазины и достопримечательности. Мне нужна твердая почва под ногами и возможность хоть ненадолго присесть.

— Неужели тебе необходимо постоянно сквернословить? — прошептала Эвис. — Очень неприятно слышать подобные слова из уст женщины... в твоем...

И в тот момент, когда Эвис, запнувшись, замолчала, Маргарет вдруг услышала странное шушуканье. Повернувшись, чтобы узнать, в чем дело, она увидела, что по трапу спускается Фрэнсис, одетая в голубую, наглухо застегнутую блузку и брюки цвета хаки. На голове у нее, как всегда, красовалась широкополая шляпа, глаза скрывали темные очки, и тем не менее ее выдавали золотисто-рыжие волосы и длинные ноги.

Оказавшись внизу, Фрэнсис замялась, возможно, ее насторожила внезапно притихшая толпа. Заметив, что Маргарет машет ей рукой, Фрэнсис принялась протискиваться к ней сквозь строй женщин. Она шла, а девушки расступались, испуганно шарахаясь в сторону.

— Ну что, выходит, все-таки передумала? — спросила Маргарет, в наступившей тишине ее голос звучал пугающе громко.

— Да, — ответила Фрэнсис.

— Если безвылазно сидеть на корабле, так и свихнуться недолго. — Маргарет посмотрела на Эвис. — Особенно на этой жаре.

Фрэнсис стояла неподвижно, не сводя глаз с Маргарет.

— Наверное, да, — согласилась Фрэнсис.

— Ну, я за то, чтобы найти какой-нибудь бар или отель, где мы могли бы...

— Она с нами не пойдет.

— Эвис!

— Начнутся разговоры. И один Бог знает, что может произойти... если ее бывшие клиенты сейчас разгуливают по улице. Они могут принять нас за одних из этих...

— Не мели ерунды! Фрэнсис пойдет с нами.

Маргарет заметила, что женщины вокруг напряженно прислушиваются к их разговору. Свора мерзких сплетниц, вот что сказал бы о них ее папа. Каким бы там ни было прошлое Фрэнсис, она вовсе не заслужила подобного обращения, разве нет?

— Если хочешь, ради бога! — заявила Эвис. — Я найду с кем пойти.

— Фрэнсис! — Маргарет единственная из всех рискнула открыть рот. — Составь мне компанию. Я буду только рада. — (За темными стеклами очков глаз Фрэнсис было не видно, но, похоже, она обвела взглядом море окруживших ее замкнутых лиц.) — Ты поможешь найти мне симпатичное местечко, чтобы присесть.

— Берегись, а не то она найдет местечко, чтобы прилечь!

Фрэнсис резко вскинула голову, ее пальцы сжали сумочку.

— Ладно тебе! — потянула ее за руку Маргарет. — Устроим набег на старые добрые Ворота в Индию.

— Знаешь, я передумала.

— Ой, да брось ты! Может, это первая и последняя возможность посмотреть Индию!

— Нет. Спасибо. Я... Встретимся позже. — И, не дав Маргарет даже слова сказать, она исчезла в толпе.

Женщины, пылая праведным гневом, снова сомкнули ряды. Маргарет оглянулась и увидела высокую, тоненькую фигурку девушки, поднимающейся по трапу. Она проводила ее глазами и повернулась к Эвис:

— Это просто свинство с твоей стороны.

— Маргарет, не делай из меня чудовище. И не смотри на меня так! Я поступила честно. Я не позволю какой-то там девке испортить мне удовольствие. Ведь другой возможности сойти на берег больше не будет. — Она пригладила волосы, поправила шляпу от солнца. — И вообще, в нашем положении не стоит волноваться по пустякам. Нам это вредно.

Очередь потихоньку двигалась. Эвис взяла Маргарет под руку и поспешно подвела к повозке.

Маргарет знала, что ей следует вернуться к Фрэнсис. Ведь своим участием в прогулке она, словно по умолчанию, принимает сторону тех, кто третирует Фрэнсис. Но ей безумно хотелось почувствовать под ногами твердую землю. И вообще она не знала, что в таких случаях положено говорить.

Поскольку на борту осталась лишь горстка невест, на корабле развернули бешеную деятельность. Бригады матросов шныряли по палубам, там, куда раньше мужчинам вход был заказан, они драили, красили и скребли. Несколько человек ползали на коленках на полетной палубе, пытаясь с помощью деревянных щеток и мыльной пены смыть радужные потоки авиационного топлива. Ящики со свежими фруктами и овощами, доставленными на буксирных суденышках, принимали через люки. Тем временем подошедшие с другой стороны танкеры заправляли корабль.

Наверное, при несколько других обстоятельствах Фрэнсис было бы приятно видеть, как на корабле, входящем в обычный ритм жизни, вовсю кипит работа. Но теперь она не могла не обратить внимания на ухмылку дежурного офицера у трапа, его многозначительный взгляд, которым он обменялся со своим приятелем, когда она, поднявшись на борт, протянула ему свою карточку. Заметила она и долгие взгляды маляров, опущенные глаза и невнятное приветствие офицера, еще утром желавшего ей хорошего дня.

За последние несколько дней она прекрасно поняла, что такое одиночество в толпе.

Она была уже в нескольких шагах от двери своей каюты, когда неожиданно увидела его. Конечно, она говорила себе, будто ее вечерние вылазки на полетную палубу объясняются исключительно желанием вырваться из душной спальни, чтобы подышать свежим воздухом. Но теперь, узнав идущего ей навстречу мужчину, она поняла, что занималась самообманом.

Она машинально проверила, в порядке ли одежда — привычка, сохранившаяся еще со времени работы медсестрой, — чувствуя, как кожа от волнения и в предвкушении чего-то важного покрывается мурашками. Она даже толком не знала, что сможет ему сказать. Но не сомневалась, что для соблюдения приличий ему в любом случае придется начать разговор.

Они остановились. Посмотрели друг на друга и смущенно отвели глаза.

— Собираетесь на берег, да? — поинтересовался он.

Его лицо было абсолютно непроницаемо. Интересно, должна ли я испытывать благодарность за то, что он хотя бы со мной заговорил, подумала она.

— Нет... Я... я решила остаться здесь.

— Наслаждаться тишиной и спокойствием?

— Типа того.

Возможно, ему вовсе не хотелось разговаривать с ней, но он был слишком хорошо воспитан, чтобы задеть ее чувства.

— Ну... если... это не помешает вам обрести спокойствие... — Он махнул рукой в сторону механиков, которые с шутками и прибаутками чинили наверху какое-то оборудование.

— Да, — ответила она, ничего лучшего ей просто не пришло в голову.

— Тогда постарайтесь получить максимум удовольствия, — заметил он. — На борту корабля... трудно найти для себя личное пространство. Я хочу сказать, настоящее пространство...

Быть может, он понимает гораздо больше, чем может выразить словами, твердила она себе.

— Да, — ответила она. — Да-да, конечно.

— Я...

— Эй, морпех! — К ним подошел матрос в лихо сдвинутой набок бескозырке, в руке он держал записку. — Тебе надлежит зайти перед дежурством в диспетчерскую. Инструктаж по случаю визита губернатора.

Вручив Найколу записку, матрос бросил на нее такой взгляд, что она вздрогнула. Выходит, и он знает, кто она такая.

— Прошу прощения, — покраснев, сказала она.

Она отвернулась от них, в глубине душе надеясь, что сейчас он ее остановит. И хоть что-нибудь скажет, тем самым дав ей понять, что — в отличие от остальных — видит в ней человека. Скажет именно то, что она от него ждет. Что угодно.

Но уже через несколько секунд она с силой захлопнула за собой дверь каюты. До боли стиснула зубы и осталась стоять, прислонившись спиной к равнодушному металлу. До этой минуты она как-то не задумывалась о несправедливости жизни, по крайней мере применительно к себе. Она видела страдания своих пациентов и нередко задавалась вопросом: почему Бог прибирает одних и оставляет мучиться других? Но она никогда не задумывалась в этом контексте о собственной судьбе, поскольку давным-давно поняла, что не стоит вспоминать свои юные годы. Однако сейчас, когда в ее душе кипела дьявольская смесь самых разных эмоций, она вдруг почувствовала, что маятник качнулся в другую сторону и тупое отчаяние сменилось слепой яростью по отношению к тому, как обошлась с ней жизнь. Разве она недостаточно страдала? А что, если именно теперешняя ситуация, а вовсе не работа во время войны является настоящим испытанием на прочность? И как долго ей еще предстоит расплачиваться?

Мод Гонн, которая, возможно, догадывалась, что Маргарет сошла на берег, беспокойно скреблась в дверь. Фрэнсис взяла собаку на руки и, опустившись на койку, посадила на колени.

Однако Мод Гонн продолжала вести себя крайне беспокойно. По правде говоря, она вообще не реагировала на Фрэнсис. А та, глядя в затянутые белой пеленой подслеповатые глаза собаки, гладила ее по дрожащей спине, хотя прекрасно знала, что той сейчас нужна лишь любимая хозяйка.

Фрэнсис сочувственно прижала Мод Гонн к груди, положив подбородок на ее мохнатую голову.

— Я все понимаю, — прошептала она. — Поверь мне, я все понимаю.

Привычные к бомбейской жаре официанты из отеля «Грин» были все в мыле, несмотря на работавшие под потолком вентиляторы. Пот блестел на их глянцевых лицах, потихоньку стекая за воротник белоснежных форменных курток. Правда, их дискомфорт был вызван отнюдь не жарой — температура воздуха в тот вечер была вполне умеренной, — а нескончаемым потоком требований, предъявляемых примерно сотней невест, которые выбрали бар отеля в качестве конечного пункта программы посещения Бомбея.

— Если мне придется еще хоть минуту ждать напитка, то, клянусь, этому официанту не поздоровится, — заявила Эвис; обмахиваясь купленным днем веером, она наблюдала за несчастным официантом, который с подносом над головой лавировал в толпе. — Умираю от жажды, — сказала она, обращаясь к его согнутой спине.

— Он и так старается изо всех сил, — ответила Маргарет.

Она медленно потягивала свой напиток, так как по количеству народу в баре сразу догадалась, что на быстрое обслуживание рассчитывать не приходится.

Маргарет чувствовала себя вполне отдохнувшей, ей даже удалось на полчаса вытянуть ноги, и вот теперь она сидела, откинувшись на спинку кресла, и наслаждалась легким ветерком от перегретого вентилятора.

Одна и та же картина наблюдалась сейчас повсеместно: в отеле «Грин», в гранд-отеле «Тадж-Махал» и в «Бристоль грилл». В результате одновременного прибытия «Виктории» и нескольких военных транспортных судов район гавани заполонили гуляки. Война закончилась, и перспектива скорого возвращения домой кружила мужчинам головы, делая их совершенно бесшабашными. Девушкам пришлось обойти несколько мест, прежде чем они остановили свой выбор на отеле «Грин». Они устроились на террасе, откуда через арку хорошо просматривался танцпол, заполненный муж-

чинами и женщинами, которые бросали заинтересован-
ные — а иногда и откровенно завистливые — взгляды в
сторону столиков. Некоторые невесты взялись за «Джон
Коллинз»[1] и ромовый пунш уже за ланчем и теперь страдали от похмелья. Они сидели вялые, хмурые, с растрепанны-
ми волосами и потеками размазавшейся косметики на лице.

Маргарет совершенно не мучило чувство вины из-за того, что она оккупировала место за столиком. Наплевав на
пыль и жару, на время забыв даже о своем интересном положении, Эвис целый день таскала ее по городу. Они обошли все европейские магазины, не меньше часа провели в
армейском магазине, а потом еще в одном и еще в одном,
где отчаянно торговались с какими-то мужчинами и маленькими мальчиками, со всех сторон осаждавшими их,
предлагая выгодную сделку. Маргарет довольно быстро на-
доела эта бодяга: перед лицом столь вопиющей бедности
продавцов ей казалось нечестно стараться выторговать у
них лишнюю рупию. Однако Эвис вошла во вкус и прояви-
ла редкий энтузиазм, а потом до конца вечера хвасталась
своими многочисленными приобретениями и ценой, которую за них заплатила.

Даже того немногого, что они успели увидеть в Бомбее,
Маргарет хватило с лихвой. Ее потрясло, что некоторые
индийцы спят прямо на улице, проявляя полное безразли-
чие к бытовым условиям. А еще их страшная худоба —
особенно на фоне ее молочной сдобности, — увечность и
рахитичность полуголых ребятишек. Маргарет вдруг стало
безумно стыдно, что она еще имела наглость жаловаться
на неудобную койку.

Ей принесли еще один напиток, и она наконец сумела
переключить официанта на Эвис. А когда он ушел, устре-
мила взор на безмятежно покачивающуюся на волнах «Викторию» и с некоторой долей вины подумала о Фрэнсис,

---

1 *«Джон Коллинз»* — алкогольный коктейль.

гадая, спит ли она сейчас. Корабль сиял огнями, что придавало ему праздничный вид, но без самолетов и людей полетная палуба выглядела пустынной, словно голая равнина.

— Надо же, свободное место! Ничего, если я к вам присоединюсь?

Маргарет оглянулась и увидела Айрин Картер в сопровождении подружки, они усаживалась напротив. Айрин растянула в улыбке накрашенный рот, но глаза оставались холодными. Несмотря на жару, от нее веяло прохладой и ароматом лилий.

— Айрин, — сказала Эвис, ее улыбка напоминала оскал, — как мило.

— Мы еле живые, — заявила Айрин, бросив пакеты под стол и подняв руку, чтобы подозвать официанта, который, как ни странно, появился немедленно. — И все эти ужасные туземцы, что ходят за тобой по пятам. Пришлось попросить одного из офицеров сказать им, чтобы оставили меня в покое. Наверняка они даже не понимают, насколько они жалкие.

— Мы видели безногого калеку, — с похоронным видом сообщила ее подружка, весьма пухленькая особа.

— Просто сидел на коврике! Представляете?!

— Полагаю, его там бросили, — вставила пухленькая девушка. — Его там посадили, а потом ушли.

— Я как-то не обратила внимания. Нам было не до того. Мы ходили по магазинам, правда, Маргарет? — Эвис ткнула пальцем в свои покупки.

— Ходили, — отозвалась Маргарет.

— Ну и как, купили что-нибудь хорошенькое? — поинтересовалась Айрин, и Маргарет могла поклясться, что заметила в ее глазах стальной блеск.

— Ой, ничего такого, что могло бы тебя заинтересовать, — сказала Эвис, снова приклеив дежурную улыбку.

— Неужели? А я слышала, будто ты кое-что приобрела для финала конкурса красоты.

— Нэтти Джонсон видела тебя в армейском магазине, — сообщила пухленькая девушка.

— Ах, там! Не думаю, что буду это носить. Положа руку на сердце, я еще не решила, что надену.

Маргарет только тихо фыркнула. Эвис не меньше часа провела перед зеркалом, примеряя различные наряды. «Хотела бы я знать, что наденет Айрин Картер, — бормотала она. — Я собираюсь сделать все возможное и невозможное, чтобы утереть ей нос». На три новых платья она потратила денег больше, чем уходило у отца Маргарет на годовой запас корма для скота.

— Ой, а я решила, что просто пороюсь в своем чемодане, — заявила Айрин. — Это ведь всего-навсего небольшое развлечение, разве нет?

— Ну да, конечно.

Черт бы их всех побрал, думала Маргарет, глядя на фальшивую улыбку, игравшую на губах Эвис.

— Абсолютно с тобой согласна, — кивнула Айрин. — Знаешь что, Эвис? Пожалуй, я скажу всем нашим девушкам, которые ехидничают по поводу того, будто ты относишься к конкурсу слишком серьезно, что они заблуждаются. Вот так. — Она сделала выразительную паузу. — Скажу, что у меня информация из первых уст. — И она торжественно подняла свой стакан.

Надо было видеть лицо Эвис! Маргарет даже пришлось закусить губу, чтобы не рассмеяться.

И вот битых полтора часа эти четыре совершенно разные женщины провели вместе, но отнюдь не из приязненных чувств, а скорее из-за отсутствия свободных мест в зале. Они заказали рыбное карри. Маргарет блюдо чрезвычайно понравилось, хотя она не сомневалась, что потом придется расплачиваться несварением желудка. Остальные девушки объявили карри совершенно несъедобным и устроили настоящий цирк, демонстративно обмахивая рот ладонью.

— Надеюсь, это не навредит ребенку, — сказала Эвис, положив руку на абсолютно плоский живот.

— Я уже слышала новости. Мои поздравления, — отозвалась Айрин. — А муж знает? Ребенок, конечно, от *мужа*? — добавила она и звонко расхохоталась, чтобы показать, будто просто шутит.

— Надеюсь, мы сможем получить завтра нашу почту, — с натянутой улыбкой произнесла Эвис. — Он уже наверняка успел со всеми поделиться своей радостью. А когда приедем в Лондон, непременно устроим званый вечер. У меня такое чувство, что из-за этой войны жизнь словно прошла мимо. Придется срочно наверстывать упущенное и устраивать нечто грандиозное. Возможно, в «Савое». Тем более теперь у нас целых два повода для празднования. — (Должно быть, «Савой» и вправду неплохое местечко. Вид у Айрин был раздосадованный.) — На самом деле, Айрин, если хочешь, можешь тоже прийти. Мамочка и папочка прилетят из Австралии — новой авиакомпанией «Квантас» — и, не сомневаюсь, будут рады тебя видеть. У тебя ведь в Лондоне никого нет, и ты, наверное, будешь рада любой возможности хоть с кем-то пообщаться. — Эвис доверительно наклонилась вперед. — Светская жизнь — штука непредсказуемая, всегда приятно иметь в запасе хоть одно приглашение.

Бабах! — подумала Маргарет, искренне наслаждавшаяся их словесной дуэлью. Даже ее братья никогда так грязно не играли.

— Я буду счастлива посетить твою чисто семейную вечеринку, если смогу, — вытирая уголки рта, сказала Айрин. — Хотя сперва надо будет проверить наши планы на этот день.

— Конечно-конечно. — Эвис с тонкой улыбкой на губах потягивала воду со льдом.

— Я очень рада, что ты сможешь хоть чуть-чуть отвлечься и забыть о своих неприятностях. — (Эвис удивленно подняла бровь.) — О, я о том, что тебя угораздило подружиться с проституткой. Боже мой, и откуда тебе было знать?! Надо же, и это сразу после того, как твою вторую подружку — ту самую малолетку — застукали с грязным матросом.

— Со спущенными штанишками, — вставила пухленькая девушка.

— Ну, можно представить дело и так, — вздохнула Айрин.

— Я едва... — начала Эвис.

В голосе Айрин появились озабоченные нотки.

— Я так переживаю за тебя. Ведь ты, бедняжка, даже не можешь быть уверена, что кто-нибудь не скажет у тебя за спиной, будто вы все одним миром мазаны... Я имею в виду вашу каюту и то, что там происходит... Мы потрясены твоей стойкостью. Нет, если честно, твоя маленькая вечеринка — прекрасная идея. Поможет тебе отвлечься от неприятных мыслей.

Полдень плавно перешел в вечер, и с наступлением темноты ее мысли стали еще более мрачными. Не в силах оставаться больше в тесной каюте, она стала подумывать о том, чтобы покинуть корабль. Но пойти ей было не с кем, а для того, чтобы в одиночку гулять по Бомбею, требовалась определенная сила духа, которой на данный момент она в себе не находила. Тогда она выскользнула в коридор и направилась на шлюпочную палубу, туда, куда неделю назад выводила дышать свежим воздухом Мод Гонн.

Она глядела на иссиня-черную воду, на поверхности которой мерцали огни гавани, время от времени исчезающие в тени проходивших барж и буксиров. В застывшем воздухе стояло странное смешение запахов — специй, машинного масла, духов, гнилого мяса, — одновременно и завораживающих, и отталкивающих. Она немного успокоилась и привела в порядок мысли. Она будет делать то же, что и всегда. Она пробьется. До Англии осталось плыть всего пару недель, а она уже давным-давно усвоила, что терпенье и труд все перетрут. И не стоит гадать, если бы да кабы. В свое время она заметила, что на войне выживают те солдаты, которые живут сегодняшним днем и любую малость почитают за подарок свыше. Она достала пачку сигарет, купленных в военторговской лавке, и закурила, прекрасно понимая, что вредит своему здоровью, но с удовольствием вдыхая ароматный дым. Над водой разносились чьи-то крики и звуки заунывной, монотонной индийской музыки.

— Вы тут поосторожней. Вам нельзя здесь находиться.

Она даже подпрыгнула от неожиданности.

— О-о... — протянула она. — Это вы.

— Да, я, — ответил он, затушив сигарету. — А Мэгги, случайно, не с вами?

— Она на берегу.

— А... Значит, со всеми остальными.

Она мучительно искала вежливый способ попросить его оставить ее в покое.

На нем был рабочий комбинезон. В темноте масляных пятен не было видно, но едкий запах пробивался даже сквозь сигаретный дым. Она ненавидела запах машинного масла: слишком уж много обожженных солдат прошло через ее руки. У нее в носу до сих пор стояла вонь промасленной ткани, которую приходилось с мясом отрывать от их тела.

В Англии я снова стану медсестрой, говорила она себе. Одри Маршалл снабдила ее рекомендательным письмом. И с ее послужным списком проблем с работой не должно быть.

— А вы раньше бывали в Индии?

— Нет. — Она была раздосадована тем, что он нарушил ход ее мыслей.

— Но наверное, много стран повидали, да?

— Несколько, — ответила она. — В основном военные базы.

— Выходит, вы бывалый путешественник.

Это все потому, что Маргарет здесь нет, подумала она. Ведь он один из тех мужчин, кому нужна аудитория. Она выдавила слабую улыбку:

— Полагаю, так же, как и все, кто был на военной службе.

Он прикурил следующую сигарету и задумчиво пустил в небо колечко дыма.

— Но спорим, вы сможете ответить мне на один вопрос, — заявил он и, поймав ее внимательный взгляд, продолжил: — Скажите, а есть ли какая-нибудь разница?

Она нахмурилась. На берегу два автомобиля не смогли разъехаться и теперь отчаянно сигналили. Пронзительный звук эхом разносился по гавани, заглушая музыку.

— Извините? — Ей даже пришлось наклониться к нему поближе, чтобы лучше слышать.

— Я имею в виду мужчин. — Он широко улыбнулся, блеснув в темноте белыми зубами. — Одним словом, какую национальность вы предпочитаете?

По выражению его лица она поняла, что не ослышалась.

— Прошу прощения, — сказала она.

С горящими щеками она быстро прошла мимо него, но, когда потянулась к ручке двери, он преградил ей дорогу.

— Уж передо мной точно не стоит разыгрывать из себя скромницу, — заявил он.

— Вы оставите меня в покое или нет?

— Мы все знаем, что ты из себя представляешь. Так что нечего ходить вокруг да около. — Он говорил немного нараспев, и она не сразу поняла, сколько скрытой злобы в его словах.

— Будьте добры, пропустите меня!

— Знаешь, а я ведь тебя так с ходу и не раскусил, — покачал головой Деннис Тимс. — Между собой мы звали тебя Мисс Фриджидейр[1]. Мисс Фриджидейр. Нам было даже трудно поверить в то, что ты замужем. Думали, что ты жена одного из этих сумасшедших проповедников, этакая вечная девственница. Надо же, как жестоко мы ошибались, а?

Она стояла с тяжело бьющимся сердцем, судорожно прикидывая, как убрать его с дороги. Его ладонь небрежно лежала на ручке двери. В нем чувствовалась спокойная уверенность человека, привыкшего всего добиваться силой.

— Такая добродетельная и правильная, блузка застегнута на все пуговицы. А на самом деле просто дешевая потаскуха, уговорившая какого-то салагу надеть ей кольцо на палец. Интересно, и как это тебе удалось? Небось, обещала беречь себя для него, а? Говорила, что он для тебя один-единственный?

Он потянулся к ее груди, но она ударила его по руке.

— Выпустите меня, — сказала она.

— А что такое, Мисс Простигосподи? Правда глаза колет? — Он схватил ее за руки, прижал к ограждению, навалившись на нее всем телом.

Она слышала, как из отеля в гавани доносится чей-то смех.

— Сейчас же отпустите меня!

— Ой, да будет тебе ломаться! Неужто ты думаешь, я поверю, что и здесь ты не погуливаешь на стороне...

— Пожалуйста...

— Отвали, Тимс, — послышался откуда-то справа знакомый голос. Тимс поднял голову, и она бросила взгляд

---

1 *«Фриджидейр»* — американская марка бытовой техники, под которой выпускались первые холодильники и кондиционеры.

через его плечо. Да, это был он. В тусклом свете его глаза напоминали черные угли. — Отвали, Тимс, — повторил он ледяным тоном.

Тимс тоже узнал мужчину и улыбнулся так, словно не был уверен, стоит ли проявить дружелюбие.

— Да так, маленько не сошлись в цене. — Он попятился от нее и демонстративно одернул штаны. — Ничего такого, из-за чего тебе стоило бы беспокоиться. Ты же знаешь этих девиц!

Она закрыла глаза, чтобы не видеть лицо морпеха. Ее трясло как в лихорадке.

— Ступай отсюда, — медленно произнес морпех.

Ни один мускул не дрогнул на лице у Тимса.

— Я ведь сказал, морпех, мы просто не сошлись в цене. Она запросила вдвое больше обычного. Небось, думает, что у нас, матросов, денег куры не клюют. Сечешь, о чем я?

— Ступай отсюда, — повторил Найкол.

Она прижалась к стене, стараясь не попасть в поле зрения Тимса.

— Давай все порешим полюбовно. Тихо и мирно. Ты же не хочешь, чтобы капитан узнал, что у него на корабле проститутка? И кто ее друзья?

— Если я еще раз увижу, что ты хотя бы смотришь в сторону миссис Маккензи, я тебя урою.

— Ты?

— Возможно, не на борту. Возможно, даже не во время этого плавания. Но я тебя урою.

— Морпех, ты ведь не хочешь, чтобы я стал твоим врагом. — Тимс был уже у люка. Его глаза блестели в темноте.

— Похоже, ты меня не слушаешь.

На минуту на палубе воцарилась мертвая тишина. Затем, окинув их тяжелым взглядом, Тимс попятился к люку. Она уже собралась было облегченно вздохнуть, но тут его огромная, коротко стриженная голова появилась снова.

— Она что, согласилась отдаться тебе по сходной цене? — хохотнул он. — Смотри у меня, я все расскажу твоей жене...

Они молча стояли, прислушиваясь к удаляющимся по направлению к кубрику шагам Тимса.

— Вы в порядке? — спросил он.

Она пригладила волосы и тяжело сглотнула:

— У меня все отлично.

— Мне очень жаль. Но вам не следовало... — начал он и замолчал, словно сам не знал, что хотел сказать.

Она сомневалась, хватит ли у нее смелости посмотреть на него.

— Благодарю вас, — наконец прошептала она и стремительно убежала прочь.

Когда он вернулся в кубрик, то застал там только одного морского пехотинца: молодого горниста Эмметта, который, закинув руки за голову, спал безмятежно, точно ребенок. В тесном, раскаленном кубрике стоял затхлый запах: пахло окурками и грязными носками. Найкол снял форму, умылся, но вытираться не стал, а затем, повесив полотенце на шею, достал из шкафчика лист бумаги и уселся поудобнее.

Он был не мастер писать письма. Много лет назад, попробовав сочинить свое первое письмо, он обнаружил, что перо его не слушается, спотыкается о слова, а равнодушная бумага не передает всех тех чувств, что бушуют внутри. Однако сейчас он излагал свои мысли легко и свободно. Он отпускал *ее*.

«На борту есть пассажирка, — писал он, — девушка с нехорошим прошлым. И вот теперь, увидев, что ей приходится пережить, я понял, что каждый из нас заслуживает второго шанса, особенно если есть кто-то, кто готов его предоставить, невзирая на груз прошлого, который ты несешь».

Он раскурил сигарету, уставившись невидящими глазами прямо перед собой. Он потерял счет времени, не слышал, что в коридоре ссорятся матросы, в умывальне кто-то играет на трубе и что моряки начинают потихоньку занимать свои гамаки.

Наконец кончик его пера снова коснулся бумаги. Завтра он отнесет составленный текст на берег и пошлет телеграммой. И плевать, во сколько это ему встанет.

«Наверное, я пытаюсь сказать, что мне очень жаль и что я прошу прощения. Я очень рад, что ты смогла найти любимого человека. Фэй, надеюсь, он будет хорошо к тебе относиться. И ты получишь еще один шанс стать счастливой, чего по праву заслуживаешь».

И только дважды перечитав свое послание, он обнаружил, что написал имя Фрэнсис.

Глава 18

Теперь вы понимаете, почему британские солдаты уважают женщин в форме. Эти женщины по праву заслуживают уважения. Когда вы видите девушку в хаки или в голубой форме ВВС с нашивкой на рукаве, запомните: она получила ее вовсе не за то, что связала больше носков, чем кто-либо в Ипсуиче.

Краткий путеводитель по Великобритании.
Военное и морское ведомства, Вашингтон, округ Колумбия

Двадцать третий день плавания

Губернатор Гибралтара слыл среди представителей не только ВМФ, но и гражданских служащих необычайно умным человеком. Еще во время Первой мировой он завоевал репутацию выдающегося стратега, и дипломатическая карьера этого чиновника стала наглядным подтверждением того, что его аналитические способности и последовательная приверженность жесткому курсу были оценены по достоинству. Но даже он, глядя на бывшую шахту элеватора, не сразу понял, что именно предстало его глазам.

Капитан Хайфилд, сопровождавший важного гостя на полетную палубу, где должна была состояться приветственная церемония с участием оркестра Королевской морской пехоты Великобритании, проклинал себя за то, что заранее не проверил путь, по которому предстоит провести губернатора. Шахта элеватора — она и есть шахта элеватора. Но капитану даже в голову не могло прийти, что они отважатся развесить там нижнее белье для просушки. Белое, телесного цвета, серое от старости или, наоборот, тонкое, как паутина, и отделанное французским кружевом:

бюстгальтеры и грации весело полоскались над зияющей дырой, словно подражая знамени, приветствовавшему великого человека на борту корабля. И вот пожалуйста, на военном корабле под командованием Хайфилда сливки британской дипломатической службы в сопровождении безупречно одетых моряков должны лицезреть такое безобразие.

Добсон. Он наверняка знал, но не счел нужным предупредить его, Хайфилда. Капитан проклинал свою треклятую ногу, из-за которой все утро просидел в офисе, дав тем самым старпому такой шанс ему нагадить. Он неважно себя чувствовал и решил отдохнуть в преддверии долгого и трудного дня, а потому доверил Добсону проследить за тем, чтобы все было на высшем уровне. А ведь он, командир корабля, не вчера родился и вполне мог предвидеть, что Добсон устроит ему какую-нибудь подставу.

— Я... Вы, должно быть, немного удивлены... — начал капитан Хайфилд, когда обрел наконец дар речи. — Боюсь, нам пришлось применить более... прагматичный подход, на время забыв о формальностях. — (Губернатор стоял с открытым ртом, благородная бледность сменилась едва заметным румянцем. Безмятежное лицо Добсона под фуражкой оставалось непроницаемым.) — Хотелось бы добавить, ваше превосходительство, что это ни в коем случае не является показателем степени нашего уважения. — Капитан пытался добавить в свою речь нотку юмора, но безуспешно.

Супруга губернатора, прикрывшись сумочкой, незаметно пихнула мужа в бок и слегка склонила голову.

— Капитан, здесь нет ничего такого, чего мы не видели бы раньше, — любезно сказала она, ее губы изогнулись в лукавой улыбке. — И мне кажется, за время войны нам пришлось повидать гораздо более ужасные вещи.

— Действительно, — с сомнением в голосе произнес губернатор. — Действительно.

— Я в полном восторге оттого, что ради удобства пассажиров вы рискнули зайти настолько далеко. — Она положила узкую ладонь на его рукав и бросила на него проницательный взгляд. — Ну что, продолжим осмотр корабля?

На полетной палубе дела пошли уже лучше. Взяв в Адене на борт губернатора и других пассажиров, «Виктория» начала медленно продвигаться на север по Суэцкому каналу — прожилке серебристой воды в обрамлении песчаных дюн, так ярко блестевших под лучами палящего солнца, что находившимся на полетной палубе пришлось прикрыть глаза рукой. Несмотря на жару, невесты, надевшие шляпы от солнца и вооружившиеся зонтиками, веселились вовсю, а нещадно потевшие даже в тропической форме оркестранты были на высоте.

Тем временем экипаж вернулся к исполнению своих обязанностей. Губернатор с супругой любезно согласились судить конкурс на лучшее исполнение чечетки — один из заключительных этапов борьбы за титул королевы красоты «Виктории». Конкурс был организован специально для того, чтобы как-то занять женщин. В конце концов губернатор, удобно устроившийся под большим зонтиком со стаканом ледяного джина с тоником, при виде строя хихикающих девушек немного оттаял. Его супруга нашла время поболтать с каждой конкурсанткой, а по окончании конкурса вручила приз завоевавшей всеобщие симпатии хорошенькой блондиночке, которую тепло поздравили остальные невесты. Уже потом супруга губернатора призналась Хайфилду, что эти австралийки «ужасно милые. И очень смелые. Ведь им пришлось не только оставить всех, кого они любили, но и проделать столь нелегкий путь».

А потом все снова пошло наперекосяк. Капитан Хайфилд уже собирался объявить, что мероприятие закончено, и предложить почетным гостям спуститься вниз, где для них был организован поздний ланч, но неожиданно заметил необычный всплеск активности по правому борту. «Виктория» степенно плыла мимо военного лагеря, и невесты, заметив множество мужчин европеоидного типа, высыпали гурьбой на полетную палубу. Подолы их ярких платьев раздувал игривый морской ветерок. Выкрикивая приветствия, они весело махали загорелым молодым людям, ради такого случая бросившим работу. Наклонившись, капитан Хайфилд услышал возбужденный визг женщин и увидел по пояс голых мужчин, которые, яростно жестикулируя, облепили по всему периметру ограждение из колючей проволоки.

Хайфилд молча взирал на эту безобразную сцену, желая убедиться, что его подозрения не беспочвенны. Затем с тяжелым сердцем включил систему громкой связи.

— Я хочу выразить вам свою благодарность за чрезвычайно теплый прием, оказанный нашим гостям, губернатору и его супруге, — произнес он, наблюдая за напрягшейся спиной губернатора, который в данный момент явно наблюдал ту же картину. — Для тех, кто желает немного освежиться, на ангарной палубе организовано чаепитие. Между тем вас, должно быть, заинтересует тот факт, что молодые люди, которым вы так усердно машете, — немецкие военнопленные.

Айрин Картер подошла к ней после конкурса, чтобы сказать, что очень рада, что она, Эвис, победила: «Лучше извлечь максимум из своих ножек, пока их не испортило это противное варикозное расширение вен, а?» — и похвастаться своей почтой. Она получила семь писем, из них четыре — от мужа.

— Ты непременно должна прочесть нам свои письма, — заявила Айрин; ее глаза были скрыты за солнцезащитными очками. — Представляешь, мама, узнав, что мы плывем на одном пароходе, начала приглашать твоих родителей на чай. Им, наверное, не терпится узнать, чем мы тут занимаемся. — (И, зуб даю, ты уже обо всем ей радостно доложила, подумала Эвис.) — Ура! Я собираюсь попить чая и прочесть письма от Гарольда. А ты много получила?

— Целую кучу! — воскликнула Эвис, помахав пачкой писем у Айрин перед носом. Из них от Иэна было только одно. Но она специально засунула его между мамиными, чтобы Айрин ни о чем не догадалась. — В любом случае желаю удачи на следующем конкурсе, — сказала она. — Кажется, на лучший маскарадный костюм, поэтому я не сомневаюсь, что тут ты справишься намного лучше. Ведь ты настолько загорела, что если завяжешь вместо лифа шарф, то вполне сойдешь за туземку. — И с этими словами Эвис сжала в руке свой «сертификат» и с высоко поднятой головой пошла прочь.

Фрэнсис в спальне не оказалось. Теперь она старалась бывать там как можно реже. Наверное, прячется где-нибудь, решила Эвис. Маргарет пошла на лекцию, посвященную английским достопримечательностям. Эвис скинула туфли и приготовилась читать письмо от Иэна в обстановке так редко выпадающего одиночества.

Она пробежала глазами письма от папы (бизнес, деньги, гольф), от мамы (походы в гости и платья), от сестры («очень хорошо одной, спасибо тебе, бла-бла-бла») и наконец вскрыла послание от Иэна. Посмотрела на его почерк, удивляясь про себя, что в случае Иэна даже чернила и бумага имеют значение. Мама любила говорить, что в мужчинах с плохим почерком есть нечто незрелое. Это, дескать, свидетельствует о том, что их характер еще до конца не сформировался.

Она посмотрела на часики. До ланча оставалось еще десять минут. Достаточно времени, чтобы прочитать письмо. Она вытащила письмо из конверта и блаженно вздохнула в предвкушении удовольствия.

Спустя четверть часа она уже не читала, а просто тупо смотрела на листок бумаги, что держала в руках.

Пришедший матрос нашел Маргарет и Фрэнсис в буфетной. Они ели мороженое. Фрэнсис уже притерпелась к неизменному шушуканью за своей спиной, когда она осмеливалась показаться на людях. Маргарет с мрачной решимостью болтала без умолку. Пару раз она даже интересовалась у самых беспардонных зевак, с какого перепугу они смотрят ей в рот, считают, что ли, сколько она съела мороженого, и тихо чертыхалась себе под нос, когда те, краснея, отворачивались.

— Миссис Фрэнсис Маккензи? — спросил матрос.

Она кивнула. Она уже несколько дней ждала его появления.

— Мэм, капитан ждет вас в своем офисе. Я вас туда отведу.

Столовая разом притихла.

А Маргарет побледнела.

— Думаешь, это из-за собаки? — прошептала она.

— Нет, — тусклым голосом ответила Фрэнсис. — Я абсолютно уверена, что нет.

По лицам женщин вокруг она видела, что те тоже абсолютно уверены. НЕ ЖДУ НЕ ПРИЕЗЖАЙ, шептали вокруг. Только на сей раз невесты не выказывали никаких признаков беспокойства.

— Не задерживайся, — услышала она чей-то голос уже на выходе из столовой. — Если не хочешь, чтобы люди начали болтать.

Эвис пластом лежала на койке. Она услышала доносившийся откуда-то странный низкий звук — скорее, утробный стон — и с удивлением поняла, что звук этот исходит из ее собственного горла.

Она посмотрела на зажатое в руке письмо, потом — на кольцо на своем тонком пальце. Комната плыла перед глазами. Внезапно она, как ужаленная, соскочила с койки, упала на колени, и ее вырвало в тазик, который остался стоять еще с тех пор, когда ее постоянно тошнило. Обхватив себя руками, словно это был единственный способ не дать себе окончательно вывернуться наизнанку, она содрогалась в рвотных позывах до тех пор, пока не заболели ребра, а горло не начало жечь огнем. И сквозь приступы кашля она слышала собственный голос, твердящий: «Нет! Нет! Нет!» — словно она отказывалась принимать реальность этого ужаса.

Наконец она в изнеможении привалилась к койке, волосы повисли мокрыми прядями, косметика размазалась, платье измялось, все тело ныло от лежания на жестком полу. Она мельком подумала, что, может, все происходящее просто дурной сон. Возможно, и письма-то никакого нет. Наверное, море на нее так действует. Она сотни раз слышала об этом от моряков. Но нет, вот оно — на ее подушке. И почерк Иэна. Его красивый почерк. Его красивый, ужасный, дьявольский почерк.

Она слышала, как по коридору, цокая каблучками, идет компания женщин. Мод Гонн, лежавшая под дверью, навострила уши, словно ожидая услышать знакомый голос, а затем разочарованно положила голову между лап.

Эвис тоже прислушалась, голова шла кругом, точно у пьяной. Все кругом вдруг показалось ей страшно далеким. У нее не осталось желаний. Хотелось просто лежать. Тяжелая голова буквально раскалывалась от боли. Эвис была не в состоянии ничего делать. Разве только смотреть на рифленый металлический пол.

Она снова засунула тазик под койку. И, не обращая внимания на отвратительный запах, холодный металл под собой, абсолютно мокрые волосы, легла прямо на пол, устремив глаза еще на одно открытое письмо, что лежало подле нее. Ее мать писала:

Я уже всем сообщила, что торжество состоится в «Савое». Папочка получил хорошую скидку благодаря своим связям в гостиничном бизнесе. И, Эвис, дорогая, — никогда не догадаешься — Дарли-Хендерсоны включили это мероприятие в программу своего кругосветного путешествия, ну и бери еще выше: губернатор с супругой сказали, что тоже будут. Теперь, когда война закончилась, все с удовольствием начали путешествовать. И нам обещали, что твою фотографию поместят в журнале «Татлер». Дорогая, если раньше у меня и были сомнения насчет твоей свадьбы, то сейчас я безмерно счастлива. Мы устроим такой вечер, о котором много месяцев потом будет говорить не только весь Мельбурн, но и пол-Англии!

Твоя любящая мама

P. S. Не обращай внимания на сестру. Она сейчас немного куксится. Подозреваю, что из-за этого зеленоглазого чудовища.

P. P. S. Мы так и не получили никаких известий от родителей Иэна, что достойно сожаления. Не могла бы ты попросить его дать нам их адрес, чтобы мы связались с ними сами? Мне хотелось бы получить список их гостей.

* * *

День выдался длинным и утомительным, и, когда девушка вошла в комнату, капитану Хайфилду с трудом удалось встать, в результате он решил остаться за письменным столом, дабы в случае чего облокотиться на него. Визит губернатора и необходимость его повсюду сопровождать окончательно вымотали Хайфилда, именно поэтому, а возможно, чтобы пощадить чувства девушки, капитан решил не приглашать ни капеллана, ни офицера женской вспомогательной службы.

Когда матрос объявил о ее приходе, она возникла в дверях, сжимая в руках сумочку, а затем так и осталась там стоять. Он уже во второй раз видел ее вблизи, и ее внешность снова поразила его. Если бы не строгая манера поведения, девушка была бы совершенно неотразимой. Она явно предпочитала держаться в тени, и теперь, заглянув в ее личное дело, капитан Хайфилд понял почему.

Он жестом предложил ей сесть. Несколько минут он внимательно изучал пол, не зная, как подступиться к предмету разговора, и первый раз в жизни жалея, что не может на время передать кому-нибудь свое звание капитана. Дисциплинарные вопросы с членами экипажа решались достаточно просто, по обкатанной процедуре, ну и в случае необходимости всегда можно было устроить им разнос. Но женщины — это совсем другое дело, раздраженно думал он, остро ощущая ее присутствие, присутствие всех женщин, что были здесь до нее. Вместе с тоннами багажа они захватили на борт все свои проблемы, а вдобавок создали новые, заставляя чувствовать себя без вины виноватым только потому, что ты неукоснительно следуешь правилам.

Он услышал, как по громкой связи прозвучала команда «Вольно!». Значит, морякам пора идти в столовую. Он подождал, пока все стихнет.

— Вы знаете, по какому поводу я вызвал вас к себе? — спросил он.

Она не ответила. Просто моргала распахнутыми глазами, словно возлагая на него все бремя ответственности.

Ну давай, не тушуйся, старина, говорил он себе. Не тяни резину. Покончи поскорей со всем этим — и сможешь с чистой совестью опрокинуть стаканчик.

— До моего сведения дошло, что несколько дней назад вы стали участницей произошедшего внизу инцидента. И в процессе рассмотрения дела мне стали известны вещи, вызвавшие у меня... некоторое беспокойство.

О том, что произошло, ему доложил Ренник еще накануне вечером. К Реннику подошел один из кочегаров, шепнул на ушко о котле с неприятностями, который вовсю кипит и булькает, а еще о разговорах, что идут о той девушке. Ренник, естественно, тут же сообщил Хайфилду: ведь кочегар явно хотел через стюарда донести информацию до капитана.

— Это касается вас... Одним словом, вашей жизни до того, как вы оказались на борту моего корабля. Боюсь, я обязан поднять этот неприятный для вас вопрос. Ради блага своих людей и поддержания дисциплины на корабле я должен знать, соответствуют ли данные... данные слухи действительности. — (Она промолчала.) — Могу ли я расценить ваше молчание как знак согласия?

Когда она не ответила уже в третий раз, капитан почувствовал себя крайне неловко. Что, вдобавок к плохому самочувствию, переполнило чашу его терпения. Он встал, возможно, чтобы казаться внушительнее, и обошел вокруг письменного стола.

— Я вовсе не хочу подвергать вас гонениям, мисс...

— Миссис, — поправила она капитана. — Миссис Маккензи.

— Но закон есть закон, и при подобном положении вещей я не могу позволить женщине... вашего сорта путешествовать на корабле, где полно мужчин.

— Моего сорта.

— Вы прекрасно понимаете, что я имею в виду. Держать взаперти такое количество женщин уже достаточно сложно. Я изучил подробности вашего... вашего дела и считаю, что ваше присутствие на корабле может дестабилизировать его работу.

Одному Богу известно, что скажет губернатор Гибралтара, если узнает о такой пассажирке. Не говоря уже о его супруге. Они только-только успели прийти в себя после инцидента с немецкими военнопленными.

Она долго рассматривала носки своих туфель. Затем подняла голову:

— Капитан Хайфилд, вы что, собираетесь ссадить меня с корабля? — Ее голос звучал тихо и очень спокойно.

Когда она это сказала, он сразу почувствовал облегчение.

— Простите, — ответил он. — Боюсь, у меня просто нет другого выхода.

Она явно о чем-то напряженно думала. Судя по ее поведению, его слова ее не слишком удивили. Но в прищуренных глазах сквозило презрение.

А вот этого он как раз меньше всего ожидал. Возможно, приступа гнева. Истерики, как и у тех двух бедняжек. Именно на этот случай капитан оставил матроса дежурить под дверью.

— Вы вправе что-нибудь сказать, — произнес капитан, когда молчание уже начало угнетать его. — Я имею в виду, в свое оправдание.

В разговоре снова возникла длинная пауза. Затем она сложила руки на коленях:

— Значит, в свое оправдание... Я сиделка. А если точнее, медицинская сестра. Я четыре с половиной года проработала медсестрой. За это время я выходила несколько тысяч мужчин, а некоторым из них спасла жизнь.

— Это замечательно... что вы сумели...

— Стать достойным членом общества? — Ее тон сделался резким.

— Я совсем не то...

— Но ведь я им не стала, разве нет? Потому что мне никогда не позволят забыть мое так называемое прошлое. Даже когда его отделяет от меня несколько тысяч миль.

— Я совсем не то хотел сказать...

Она посмотрела ему прямо в глаза. И, как ему показалось, расправила плечи.

— Капитан, я прекрасно понимаю, что именно вы хотели сказать. Что в моем случае послужной список не имеет никакого значения. Как и большинство тех, кто находится на вашем корабле, вы предпочитаете судить обо мне, основываясь исключительно на слухах. Ну и соответствующим образом поступать. — Она разгладила брюки на коленях и сделала глубокий вдох, явно пытаясь взять себя в руки. — Капитан Хайфилд, вы не дали мне договорить, а я хотела сказать следующее. Так вот, за время службы я выходила несколько тысяч мужчин, причем некоторые из них пострадали не только физически, но и морально. Некоторые из них были моими врагами. Большинство из них находились между жизнью и смертью. Но ни один из них, — сделала она паузу, — ни один из них не проявил ко мне такого вопиющего неуважения, какое вы только что изволили продемонстрировать, капитан.

Он не ожидал, что она настолько владеет собой. И настолько аргументированно излагает свою точку зрения.

А еще он не ожидал, что окажется в роли обвиняемого.

— Послушайте, — примирительно начал он. — Я не могу делать вид, будто ничего о вас не знаю.

— Нет, конечно. Так же как, очевидно, и я. Но я пытаюсь вести общественно полезную жизнь и стараться не думать о вещах, которые не в состоянии изменить.

В комнате повисла напряженная тишина. Капитан лихорадочно искал выход из нештатной ситуации. За дверью кто-то приглушенно переговаривался, и он понизил голос, пытаясь отыскать способ с честью выйти из сложившегося положения.

— Послушайте, вы, наверное, хотите сказать, что ни в чем не виноваты, да? Что вы, возможно, даже в некотором роде жертва?

Если она начнет его умолять, пообещает, что в дальнейшем ее поведение будет образцовым, тогда, быть может...

— Я хочу сказать, что в любом случае это не ваше дело. — Костяшки ее пальцев побелели от едва сдерживаемых эмоций. — Единственное, что вас касается, капитан, — это моя работа медсестрой, которая, как вам должно быть известно из списка пассажиров, а также из моего послужного списка, если бы вы взяли на себя труд его изучить, состоит в уходе за больными. Мой статус замужней женщины и мое поведение на борту вашего корабля, а оно — и вы это знаете — соответствует всем вашим требованиям о соблюдении внешних приличий.

Ее голос неожиданно окреп. Бледные мочки ушей порозовели — единственное свидетельство того, что она начинает терять терпение.

И капитан, к своему удивлению, обнаружил, что из них двоих именно он почему-то чувствует себя виноватым.

Он посмотрел на бумаги, регламентирующие процедуры высадки невест на берег.

«Ссадите ее в Порт-Саиде, — посоветовала ему дама из австралийского Красного Креста. — Возможно, ей придется немного подождать судна, идущего обратно. И опять же, как правило, большинство из них исчезает в Египте». И это ее «из *них*» прозвучало с нескрываемым презрением.

Боже, угораздило же попасть в такую передрягу! В такую треклятую передрягу! Он уже сто раз пожалел, что затеял этот разговор, создав кучу проблем на свою голову. Но система уже начала работать. И у него были связаны руки.

Словно прочитав его мысли, она резко поднялась со стула. Ее гладко зачесанные назад волосы еще больше подчеркивали высокие, почти славянские, скулы и тени под глазами. Капитан невольно задался вопросом, не вздумает ли она наброситься на него, как та малышка, но сразу устыдился подобных мыслей.

— Послушайте, миссис Маккензи, я...

— Я понимаю. Вы хотите, чтобы я покинула корабль.

Он мучительно искал нужные слова — слова, говорившие о том, что он сожалеет, но долг превыше всего.

И вот уже у самой двери она внезапно повернулась и спросила:

— А вы не хотите, чтобы я осмотрела вашу ногу? — (Капитан поперхнулся и удивленно заморгал.) — Я заметила, что вы хромаете. Когда вам казалось, что вас никто не видит. Возможно, вы также в курсе, что ночью я обычно сидела на полетной палубе.

Теперь Хайфилд был окончательно сбит с толку. Он даже машинально выдвинул вперед здоровую ногу.

— Не уверен, что...

— Если вы стесняетесь, я даже не буду до вас дотрагиваться.

— У меня все в порядке с ногой.

— Тогда вам не будет больно.

Они стояли напротив друг друга. Абсолютно неподвижно. В ее взгляде даже не было намека на приглашение.

— Я никому... Я никому об этом не говорил, — неожиданно для себя произнес капитан.

— Что ж, я умею хранить секреты, — не сводя с него глаз, сказала она.

Капитан тяжело опустился на стул и задрал штанину. Последние несколько дней он старался не смотреть на свою ногу.

Ее враждебность сразу пропала. Она отступила назад, затем подошла поближе и осмотрела рану.

— Рана определенно инфицирована. — Она показала на его ногу, словно спрашивая, не возражает ли он, а затем осторожно пощупала покрасневшую кожу вокруг. — И как насчет температуры? По-моему, она повышенная.

— Раньше я чувствовал себя лучше, — признался он.

Она еще несколько минут изучала пораженную поверхность. И он заметил — испытывая при этом нечто похожее на стыд, — что даже не вздрогнул при ее прикосновении.

— По-моему, у вас остеомиелит. Инфекция проникла в кость. Необходимо откачать из раны жидкость и провести курс пенициллина.

— А у вас он есть?

— Нет, но у доктора Даксбери должен быть.

— Не хочу впутывать его в это дело.

Она не выказала ни капли удивления. И он подумал о том, что есть в этой ситуации нечто сюрреалистическое. Более того, он не мог забыть ошеломленное выражение, появившееся на ее лице, когда она увидела его ногу. И то, как она тут же постаралась скрыть свои чувства.

— Вам необходима медицинская помощь, — заявила она.

— Не хочу ставить в известность доктора Даксбери, — повторил он.

— Что ж, капитан, я высказала вам мнение специалиста, но считаю, что вы имеете полное право проигнорировать его.

Она встала и вытерла руки о брюки. Попросив ее обождать, он открыл дверь и пригласил дежурного матроса.

Парень вошел в офис, его глаза метались между капитаном и стоявшей рядом женщиной.

— Отведите миссис Маккензи в амбулаторию, ей надо взять кое-какие принадлежности, — сказал Хайфилд.

Она колебалась, явно ожидая, что он поставит ей какие-то условия. Но нет, он промолчал.

Он протянул ей руку с ключом, она взяла ключ, постаравшись избежать прямого контакта.

Игла вошла в его ногу, она двигалась туда и обратно, откачивая образовавшуюся жидкость. Несмотря на болезненность процедуры, Хайфилд почувствовал, что мучавшее его так долго беспокойство постепенно исчезает.

— Примерно через шесть часов вам надо будет сделать еще один укол пенициллина. Затем следует делать укол раз в день. Для начала введем двойную дозу, чтобы подавить инфекцию. Но когда вы прибудете в Англию, вам следует немедленно показаться врачу. Возможно, он будет настаивать на срочной госпитализации. — Она снова осмотрела рану. — Но вам повезло. Не думаю, что у вас гангрена.

Она говорила тихим, размеренным голосом, избегая смотреть ему в лицо. Наконец она наложила на рану марлевую салфетку и откинулась назад, чтобы дать ему возможность опустить штанину. На ней были те же самые брюки цвета хаки и белая блузка, что и в тот день, когда она приходила в его офис в качестве сопровождающей своей непутевой подружки.

Он вздохнул с облегчением, надеясь, что ночью уже не будет так мучиться от боли. Она собирала медицинские принадлежности, которые принесла из амбулатории.

— Кое-что из этого вам придется держать здесь, — не отрывая глаз от пола, произнесла она. — А завтра надо будет сменить повязку. — Она накорябала инструкции на листке бумаги. — При каждом удобном случае старайтесь держать ногу кверху. И следите за тем, чтобы она не намокала. Особенно в условиях повышенной влажности. Можете принимать по две болеутоляющие таблетки зараз. — Она положила ему на стол марлевые салфетки и клейкую ленту, а затем закрыла колпачок его ручки. — При первых признаках ухудшения покажитесь хирургу. На сей раз промедление смерти подобно.

— Я хочу сказать, что произошло недоразумение. — (Она подняла голову.) — Ошибочная идентификация. Если вы сможете найти время, чтобы до конца плавания провести мне курс пенициллина, я буду вам чрезвычайно признателен.

Она пристально посмотрела на него, затем поднялась на ноги. Впервые за время разговора она выглядела слегка ошарашенной.

— Я сделала это вовсе не потому, — тяжело сглотнув, сказала она.

— Ну да, я знаю. — Он тоже поднялся, осторожно перенеся вес тела на больную ногу, и протянул ей руку. — Спасибо, миссис Маккензи... Сестра Маккензи.

Она не меньше минуты недоуменно смотрела на его руку. И когда она все-таки ответила на его рукопожатие, он был потрясен стоявшими в ее глазах слезами — ведь до сих пор она умудрялась проявлять завидную выдержку.

Глава 19

У других это суровое испытание оставило незаживающие шрамы — ледяной холод, постоянный страх и ощущение неизбежности безвременной и бессмысленной смерти наряду со стремительным ухудшением условий жизни на потрепанном непогодой небольшом военном корабле, — тем самым породив в их душах жгучую ненависть к войне.
Ричард Вудмен. Арктические конвои 1941–1945

*Тридцать пятый день плавания
(за неделю до прибытия в Плимут)*

В задней части лекционной комнаты Джо-младший беспокойно ворочался в своем убежище, возможно протестуя против столь несправедливого ограничения свободы. И Маргарет, которая смотрела на свой похожий на купол живот и видела, как, подобно плоту в океане, подпрыгивает ее затрепанная тетрадь на исходящих изнутри сейсмических волнах, считала, что она понимает, о чем сейчас думает младенец в ее утробе. В эти последние недели время на корабле, казалось, замерло. Маргарет уже не могла дождаться встречи с Джо и была страшно разочарована тем, как медленно тянутся дни. Но теперь, когда они наконец вошли в европейские воды, время вдруг полетело стрелой, вызвав в ее душе самое настоящее смятение чувств.

Ну и уродина, думала она. Живот буквально лезет на нос, бледная кожа вся в красных прожилках. Ноги настолько распухли, что она могла втиснуться только в старые разношенные босоножки. Из зеркала в душевой на нее теперь смотрело какое-то лунообразное лицо, лишь отдаленно напоминающее ее собственное, которое, впрочем, никогда не было особо худым. Маргарет постоянно мучил вопрос:

как сможет Джо захотеть такую женщину? Он женился на гибкой, подвижной девчонке, что бегала с ним наперегонки, катала его на своей лошади по бескрайним зеленым лугам и полям. Девчонке, чье обнаженное тело — налитое и сбитое — сводило его с ума.

И вот теперь получается, что он навеки связан с жирной, неповоротливой свиноматкой, которая пыхтит как паровоз, поднявшись на пару ступенек. Со свиноматкой, у которой обвисла и покрылась прожилками вен когда-то упругая грудь. Со свиноматкой, которая сама себе отвратительна. Теперь ее даже не успокаивало то, что всего пару недель назад муж во время сеанса радиосвязи подтвердил ей свою нежную привязанность. Да и как она могла быть спокойной? Он ведь не видел, во что она превратилась.

Беспокойно поерзав на узком деревянном сиденье, она грустно вздохнула. Сегодняшняя лекция носила название «То, что, вероятно, пришлось повидать вашим мужьям». Несмотря на название, лекция содержала лишь постоянные ссылки на «всякие ужасы, о которых не говорят» и о которых лектор — офицер по бытовому обслуживанию — действительно предпочитал не говорить. Самое главное, сказал он, не пытаться расспрашивать мужа о том, что с ним произошло. История учит, что большинство мужчин предпочитают не останавливаться на неприятных моментах, а ЖИТЬ С ЭТИМ ДАЛЬШЕ. И они не любят, когда женщины пристают к ним с ножом к горлу, требуя рассказать, как все было. Мужчинам, наоборот, необходимо, чтобы рядом был кто-то веселый, напоминающий им о радостях жизни, за которые они сражались.

Прослушав его выступление, Маргарет впервые за все это время поняла, что они с Джо вовсе не партнеры, как ей казалось, и более того, поскольку она женщина, к тому же не имеющая за плечами его опыта, между ними лежит огромная пропасть. Джо только однажды намекнул о своих критериях ужасов войны: его друг Эди был убит в Тихом океане, когда стоял на палубе всего в футе от Джо, и она увидела, что Джо отчаянно моргает, чтобы смахнуть непрошеную слезу. Она не стала выпытывать у него подробности не потому, что это все очень личное и он должен переживать в одиночестве, а потому, что она была австралийкой. Хорошей фермерской закваски. И ей было немножко странно видеть слезы на глазах у мужчины, даже если мужчина этот и ирландец, а ирландцы славятся своей сентиментальностью.

Могут возникнуть дополнительные острые моменты, сказал лектор, так как женщины прибыли из совершенно другой страны. Не приходится сомневаться, что они испытают на себе некоторое давление, независимо от того, насколько тепло их встретит новая родня. Возможно, девушки обретут друга в семейном кругу. Но в любом случае им стоит обменяться адресами с невестами, с которыми успели подружиться на корабле, чтобы было с кем обсудить возникшие проблемы.

С течением времени они могут обнаружить, что их мужья стали грубить и выходить из себя. Не судите их слишком строго, а лучше сядьте и подумайте о том, что, может быть, причина раздражения кроется в чем-то ином. Может быть, на вашего мужа давит груз воспоминаний, которые он не хочет взваливать на ваши слабые плечи. Не спешите огрызаться, лучше подумайте о себе и о том, что сделал ваш муж на службе родины. У нас в Англии есть хорошее выражение. Тут лектор сделал паузу и обвел многозначительным взглядом аудиторию. «Стиснуть зубы». Что означает настоящий английский характер, благодаря которому наша империя и стала такой сильной. И очень советую вам почаще вспоминать об этом.

Адъютант капитана морской пехоты уже во второй раз подал ему знак помочь убрать офицерскую кают-компанию. И только слова Джонса «Давай, приятель, пошевеливайся» вывели Найкола из задумчивости.

Офицеры только что откушали и теперь собирались пойти выкурить трубку или почитать письма и старые газеты. Во время ланча все то и дело шутили насчет состояния двигателей «Виктории» и гадали, протянут ли они до Плимута. Еще одна шутка, уже менее пристойная, касалась трех рядовых, которым сообщили, что им надлежит предстать перед комиссией Адмиралтейства для решения вопроса о присвоении им офицерского звания, и возможных ответов на вопросы одного из них, обладавшего интеллектом и упрямством осла.

— Ты что, спишь на ходу, приятель? — Джонс буквально впихнул его в предбанник кают-компании. — Пока они произносили тосты, старпом не спускал с тебя глаз. Ты стоял там точно мешок с картошкой. В какой-то момент мне даже показалось, что еще немножко — и ты засунешь руки в свои чертовы карманы.

Найкол не знал, что сказать. Стоять руки по швам во время провозглашения тостов было для него на уровне рефлекса. Так же, как начищать до блеска ботинки или совершать обходы вне очереди. Но последнее время с его чувством ответственности стали происходить странные вещи.

Он уже представлял себе, как она сойдет с корабля, а он за ней следом. А во время ланча позволил себе предаться мечтам о том, чтобы ее муж прислал ей «НЕ ЖДУ НЕ ПРИЕЗЖАЙ», но затем страшно ругал себя за то, что желает навлечь позор на ее голову.

Но он ничего не мог с собой поделать. Всякий раз, как он закрывал глаза, Найкол видел ее слегка замкнутое лицо. Мимолетную, но ослепительную улыбку, которой она наградила его во время танца. Ее тонкую талию, которую он обнимал, легкие пальцы на его плече.

Интересно, кто ее муж? Рассказала ли она ему о своем прошлом? И что еще хуже, не является ли муж частью того самого прошлого? Но не было абсолютно никакой возможности спросить ее об этом, поскольку тогда она могла бы решить, будто он — как и все остальные — уже успел вынести ей свой вердикт. Вправе ли он задавать подобные вопросы?

Он пытался покрепче зажмурить глаза, чтобы прогнать непрошеные образы. В его кубрике моряки, привычные к визитам демонов войны, старательно обходили его стороной. Демоны эти время от времени возвращались, чтобы хорошенько помучить человека, гудели в ухо, выносили мозг, окутывали черной пеленой. А что, если сказать ей? Открыть свои чувства. Объяснить, что ему надо просто спустить пар. Ей не придется ничего делать в ответ.

Но он прекрасно понимал, что даже если и подберет нужные слова, то никогда не осмелится произнести их вслух. Она уже нашла свое будущее, обрела некоторую стабильность. И он не имеет никакого права ей мешать.

Прошлой ночью он смотрел на созвездия, что в свое время так привлекали его, и проклинал неудачное расположение планет, из-за которого их жизненные пути не пересеклись тогда, когда они оба еще были свободны. И разве ее муж способен на столь образное мышление? А может, просто его, Найкола, эгоистичное внутреннее «я» хочет, чтобы он выступил в роли ее спасителя, тем самым притупив собственное чувство вины?

И это снизошедшее на него откровение внезапно привело к решению поменяться с Эмметтом сменами, чтобы следующие несколько дней быть от нее подальше.

Теперь его волновало уже не ее прошлое, а то, как она сумела вырваться.

«Старший матрос все еще лежал в своей треклятой постели и в десять, и в одиннадцать утра. Эх, надо было слышать нашего капитана! „Любая из этих треклятых девчонок внизу и то больше достойна звания старшего матроса, чем ты!“ А ты разве не знаешь, где он был? Старшина корабельной полиции считает, что в лазарете с американцем. Исследовал целительные свойства... алкоголя».

Раздался взрыв смеха. Он посмотрел на портрет короля, занимавший почетное место на стене, и, встав рядом с Джонсом, приготовился убирать кают-компанию. Через четыре дня после того, как он отправил телеграмму, ему пришла ответная радиограмма. Только слово «Спасибо!» — и все. Но, увидев многозначительный знак восклицания, он невольно вздрогнул.

Когда Маргарет открыла дверь, собака неожиданно завыла. Маргарет тут же зажала ей пасть и шагнула к койке, приговаривая:

— Ш-ш-ш, Моди! Успокойся сейчас же! — Собака дважды тявкнула, и Маргарет с трудом преодолела желание отшлепать ее как следует. — Немедленно заткнись! — прикрикнула на нее девушка, не сводя испуганных глаз с двери. — Да будет тебе, успокойся, — прошептала Маргарет, и собака свернулась тугим клубочком на койке.

Маргарет виновато посмотрела на часы, гадая, когда ей удастся выгулять бедное животное. За это время Мод Гонн уже пару раз пыталась убежать. Совсем как Джо-младший, подумала Маргарет. На Моди тоже плохо действует замкнутое пространство.

— Ну ладно, потерпи немножко, — сказала она. — Совсем недолго осталось, обещаю.

И только сейчас она вдруг поняла, что в каюте еще кто-то есть.

Эвис неподвижно лежала на койке, лицом к стене, в позе эмбриона.

Маргарет уставилась на нее во все глаза, а собака тем временем соскочила на пол и принялась скрести когтями дверь. Получается, прикинула Маргарет, что Эвис уже четвертый день так лежит. В тех редких случаях, когда Эвис вставала с постели, чтобы поесть, она без разбору съедала все, что лежало на тарелке, и сразу уходила. Морская болезнь, отвечала она на расспросы. Но море было абсолютно спокойным.

Маргарет шагнула вперед и наклонилась над скрюченной фигурой Эвис, словно пытаясь найти разгадку в выражении ее лица. Однажды она пыталась такое сделать, будучи уверенной, что Эвис спит. Нагнулась к ее койке и испуганно отпрянула, увидев, что та лежит с открытыми глазами. Маргарет даже собралась было поговорить с Фрэнсис: а что, если Эвис серьезно заболела и нуждается в медицинской помощи? Но они до сих пор были на ножах, и Маргарет решила, что это будет некорректно по отношении к ним обеим.

А кроме того, Фрэнсис редко бывала в каюте. По каким-то непонятным для всех причинам она теперь помогала в лазарете, тем более что доктор Даксбери с восторгом возложил на себя обязанности организатора финала конкурса красоты. Более того, Фрэнсис каждый день исчезала на несколько часов, не удосужившись объяснить куда и зачем. По идее, Маргарет должна была бы радоваться, что Фрэнсис немного оправилась, но ей ужасно не хватало общества подруги. В одиночестве в голову лезли всякие глупые мысли. А ведь папа был абсолютно прав, когда говорил, что слишком много думать вредно.

— Эвис! — прошептала она. — Ты не спишь?

Та ответила только со второго раза.

— Не сплю, — сказала она.

Маргарет неловко топталась посреди каюты, на время даже забыв о переживаниях по поводу своего деформировавшегося тела. Она отчаянно пыталась сообразить, что лучше сделать.

— Может, тебе что-нибудь... принести?

— Нет.

Мертвая тишина в каюте угнетала Маргарет. Вот мама наверняка знала бы, как поступать в подобных случаях, думала она. Мама подошла бы к Эвис, по-матерински обняла бы ее и сказала уверенным тоном: «Ну, давай выкладывай, что случилось!» И Эвис непременно поведала бы ей о своих тревогах, или о проблемах со здоровьем, или о тоске по дому, или о чем-то еще, что камнем лежит у нее на сердце.

Но вот только мамы здесь не было. А для Маргарет обнять Эвис было так же нереально, как, например, вплавь добраться до этой чертовой Англии.

— Если хочешь, я принесу тебе чашечку чая, — предприняла она следующую попытку.

Эвис не ответила.

Маргарет почти час пролежала на кровати с журналом в руках. Она боялась оставить и Эвис, и собаку, которая наверняка не сможет сидеть смирно.

Корабль несколько ускорил ход: значит, вошел в более холодные и неспокойные воды. Сейчас, после стольких недель на борту «Виктории», Маргарет уже притерпелась к постоянной вибрации, шуму двигателей, к раздающимся каждые четверть часа командам.

Она принялась было за письмо отцу, но обнаружила, что не может написать ничего нового о жизни на борту. Доверить бумаге события последнего времени она не рискнула, а так ничего особо интересного больше не происходило — терпение, терпение и еще раз терпение. Словно ты живешь в коридоре в ожидании новой жизни.

Тогда она решила написать Дэниелу и засыпала его вопросами о своей кобыле, а также настоятельными советами освежевать как можно больше проклятых кроликов, с тем чтобы он мог поскорее приехать к ней в Англию. Дэниел написал ей только одно письмо — она получила его в Бомбее. Всего несколько строчек: о состоянии коров, о погоде и о фильме, который он смотрел в городе. Но у нее сразу отлегло от сердца. Эти короткие строчки говорили о том, что он ее простил. Ведь если бы папа стоял у него над душой с ремнем в руке, Дэниел просто вложил бы в конверт чистый лист — и все дела. В дверь отрывисто постучали, и она поспешно прикрыла собой собаку, чтобы та не залаяла. Чтобы скрыть посторонний шум, она даже сделала вид, будто закашлялась.

— Потерпи, — сказала она, положив широкую ладонь на собачью мордочку. — Уже идем.

— Миссис Рэдли здесь?

Маргарет повернулась в сторону Эвис. Та, растерянно моргая, села на койке. Ее платье помялось, лицо было бледным и невыразительным. Она медленно соскользнула вниз, машинально поправив волосы.

— Эвис Рэдли, — слегка приоткрыв дверь, сказала она.

Перед ней стоял молодой матрос.

— Вам радиограмма. Зайдите в радиорубку.

Выпустив собаку, Маргарет шагнула вперед и взяла Эвис за руку.

— Боже мой! — невольно вырвалось у нее.

Увидев две пары расширенных от ужаса глаз, матрос сунул Эвис листок бумаги.

— Успокойтесь, миссис. Это хорошие новости.

— Что? — спросила Маргарет.

Но матрос не обратил на нее никакого внимания. Дождавшись, когда Эвис посмотрит на листок, он прочувственно произнес с ликованием в голосе:

— Радиограмма от вашей семьи. Ваши предки собираются в Плимут, чтобы встретить вас там по прибытии корабля.

Эвис рыдала почти двадцать минут. Сперва Маргарет подумала, что это явный перебор, а потом не на шутку испугалась. Отбросив в сторону сомнения, она забралась к Эвис и теперь сидела рядом, стараясь не думать об угрожающем скрипе ремней под тяжестью ее тела.

— Эвис, все хорошо, — твердила она. — Он в порядке. Иэн в порядке. Просто тебя немного напугала чертова радиограмма.

Капитан был не слишком доволен, радостно сообщил матрос. Поскольку собирался находиться в радиорубке, чтобы передать список покупок. Но все же разрешил принять радиограмму.

— Им не следовало вот так, с бухты-барахты, посылать к нам человека! — кипятилась Маргарет. — Они ведь должны понимать, что могут напугать тебя до полусмерти. Особенно принимая во внимание твое положение! — Маргарет изо всех сил старалась развеселить Эвис.

Но Эвис была не в состоянии говорить. Рыдания, правда, постепенно стихли и перешли в судорожные всхлипывания, булькавшие где-то в горле. Наконец Маргарет поняла, что худшее уже позади, и тяжело спустилась вниз.

— Ну вот и все, — сказала она в пустоту. — А теперь тебе надо немного отдохнуть. Чуть-чуть успокоиться. — Она легла на свою койку и принялась весело болтать о планах на последние несколько дней: о лекциях, на которые стоит сходить, о подготовке Эвис к финалу конкурса красоты — словом, о чем угодно, лишь бы вывести Эвис из депрессии. — Ты должна непременно надеть эти зеленые атласные туфельки, — тараторила она без остановки. — Эвис, ты не поверишь, но большинство девушек буквально готовы отдаться за них! Девушка из каюты 11F говорила, что видела такие в австралийском женском еженедельнике.

Глаза у Эвис припухли и покраснели. Ты не понимаешь, думала она, прислушиваясь к идущему снизу нескончаемому словесному потоку. Просто на какую-то секунду мне показалось, что все будет в порядке и мое положение не настолько безвыходное.

Она лежала совершенно неподвижно, словно хотела превратиться в камень.

Просто на какую-то секунду мне показалось, будто они пришли сюда сообщить о том, что он умер.

— И вот, значит, сижу я по уши в грязной воде, кастрюли плавают по всему камбузу, крен на сорок пять градусов на левый борт, и тут входит этот старикан, оглядывает меня с головы до ног, выливает из фуражки несколько пинт морской воды и говорит: «Надеюсь, Хайфилд, на вас парные носки? Я не допущу расхлябанности на своем корабле». — Капитан вытянул вперед ногу. — Не самое пикантное, что он оказался абсолютно прав. Бог его знает, как ему удалось разглядеть это под четырехфутовым слоем воды, но он оказался прав.

Фрэнсис выпрямилась и улыбнулась:

— Я знавала таких старших сестер. И могу поклясться, они знали точное число таблеток в каждой склянке. — Она принялась складывать инструменты в саквояж.

— Угу, — поддакнул Хайфилд и прочистил горло. — Значит, так. Сорок один торпедный взрыватель, два корпуса торпеды, тридцать две бомбы, четыре ящика патронов для 4,5-дюймового магазина, девять ящиков боеприпасов, магазины для стрелкового оружия и пом-помов. Ой, и двадцать два магазина для автоматов. Все это заперто в моих личных погребах.

— У меня имеется сильное подозрение, что вы еще не готовы уйти в отставку, — заметила Фрэнсис.

Из иллюминатора было видно, как заходит солнце. Оно неторопливо скрывалось за горизонтом, гораздо медленнее, чем в тропиках. Вокруг них простирал свои воды океан, серый цвет которых таил в себе разгадку наступившего похолодания. Теперь за кораблем следовали стаи чаек, охотившихся за помоями, что кок выливал за борт, или кусочками печенья, что бросали им девушки, которым ужасно нравилось смотреть, как птицы ловят крошки прямо в воздухе.

Хайфилд наклонился вперед: мягкие ткани вокруг шва напоминали расплавленный воск.

— Ну как?..

— Замечательно, — ответила она. — Но вы, наверное, и сами успели почувствовать?

— Мне гораздо лучше, — согласился он и, поймав ее взгляд, добавил: — Конечно, еще болит, но уже меньше.

— И температура нормализовалась.

— А мне, старому дураку, казалось, что это тропическая жара заставляет меня попотеть.

— Возможно, она тоже сыграла свою роль.

Она поняла, что ему стало гораздо лучше. Исчезла его обычная мрачная сдержанность. Теперь в его глазах зажглись лукавые искорки, и он стал охотнее улыбаться. И когда командир корабля стоял выпрямившись, то делал это с гордостью, а не с желанием доказать, что он еще о-го-го какой.

А он тем временем начал травить очередную байку насчет того, как потерял корпус торпеды. Она закончила процедуру и теперь могла позволить себе просто сидеть напротив него и слушать. Он уже рассказывал эту историю два дня назад, впрочем, она не возражала, поскольку чувствовала, что он не из тех, кого легко разговорить. Несчастный, одинокий человек, решила она. Хотя она уже давно поняла, что чем выше ответственность, лежащая на плечах человека, тем он более одинок.

Ну а кроме того, учитывая, что большинство невест по-прежнему оказывали ей самый холодный прием, Эвис лежала на койке в приступе жестокой меланхолии, а морпех давно не появлялся, она получала самое настоящее удовольствие от общества капитана.

— ...а этот негодяй, оказывается, приспособил его для приготовления рыбы. «Уж больно он походит на котелок для рыбы, а ничего лучшего я не нашел», — заявил он. И вот что я вам скажу, мы еще были рады, что он не догадался использовать торпедный взрыватель.

Хайфилд зашелся в приступе лающего смеха, словно сам себе удивляясь, и она снова улыбнулась, стараясь не подавать виду, что его шутка с бородой. После очередной байки он бросал на нее быстрые взгляды. Казалось бы, такая малость, но она поняла, что ему неловко в обществе женщин и он явно боится ей наскучить. И она не могла позволить себе дать ему повод считать, что его опасения небезосновательны.

— Сестра Маккензи... А что, если нам выпить по маленькой? В это время дня я всегда пропускаю стаканчик.

— Благодарю вас, но я не пью.

— Вы очень здравомыслящая девушка.

Капитан вышел из-за письменного стола, который она только сейчас толком рассмотрела. Стол был очень элегантным, красновато-коричневого цвета, со вставкой из темно-зеленой кожи. Каюта капитана, с ковром, картинами на стенах и удобными стульями, вполне могла бы стать частью интерьера какого-нибудь богатого дома. И она почему-то сразу подумала о тесных кубриках, гамаках, узких шкафчиках и облезлых столах. Нигде, кроме Британского военно-морского флота, она не видела такого разительного контраста между условиями жизни начальства и рядовых, что заставило ее задуматься о стране, в которую она ехала.

— Как это случилось? — спросила она, когда он налил себе выпить.

— Что именно?

— Я о вашей ноге. Вы никогда не рассказывали. — (Он стоял, отвернувшись от нее, и по тому, как у него внезапно напряглась спина, она поняла, что вопрос был не настолько безобидным, как ей казалось.) — Вы вовсе не обязаны отвечать. Простите, я не хотела лезть не в свое дело.

Но он, похоже, не слышал ее. Заткнул графин и снова сел. Сделал большой глоток янтарной жидкости и начал говорить. «Виктория», сказал он, не его корабль.

— Я служил на авианосце «Индомитебл». С тридцать девятого года. Незадолго до окончания войны с Японией нас атаковали. Нас прикрывали шесть «альбакоров», четыре «свордфиша» и бог знает сколько еще других самолетов. Мои люди вели огонь из всех орудий, но японцы оставались неуязвимы. Я с самого начала понял, что нам конец. Мой племянник был летчиком. Роберт Харт. Сын моей младшей сестры Молли... Он был... Мы были очень близки. Славный парень.

Его рассказ был прерван стуком в дверь. На лице Хайфилда промелькнула тень раздражения. Он поднялся и, тяжело ступая, подошел к двери. Взял протянутые ему молодым радистом бумаги и коротко кивнул.

— Очень хорошо, — пробормотал он.

Фрэнсис, увлеченная рассказом капитана, не обратила на радиста никакого внимания.

Капитан снова сел за письменный стол, бросив бумаги перед собой. В комнате повисла напряженная тишина.

— Его что... подстрелили? — спросила она.

— Нет, — сделав очередной глоток, ответил он. — Нет, хотя мне кажется, что он предпочел бы именно это. Одна из бомб пробила несколько палуб от офицерского кубрика до центрального машинного отделения. После первого взрыва я потерял шестнадцать человек личного состава.

Фрэнсис живо представила себе эту страшную сцену. У нее в носу как будто стоял запах дыма и мазута, а в ушах — отчаянный крик попавших в огненную ловушку людей.

— Включая и вашего племянника...

— Нет... Нет, самое страшное было еще впереди. Я слишком поздно вывел их наружу. Вы понимаете? Меня накрыло взрывной волной, и я был точно в тумане. И не сразу понял, что взрыв произошел недалеко от погреба с боеприпасами. Огонь разрушил несколько внутренних трубопроводов, повредил румпель, рулевой механизм, адмиральский погреб и пробрался под транспортер для боеприпасов. Через пятнадцать минут после первого взрыва внутренняя часть корабля была наполовину уничтожена. — Капитан покачал головой. — Стоял такой грохот... такой грохот. Мне показалось, что небеса разверзлись и обрушились на нас. Конечно, надо было действовать более оперативно: задраить все люки, помешать распространению огня.

— Но тогда вы могли бы потерять еще больше людей.

— Пятьдесят восемь человек, в общем и целом. Мой племянник находился на посту управления. — Капитан Хайфилд замялся. — Мне было до него не добраться.

Фрэнсис сидела не шелохнувшись.

— Мне очень жаль, — сказала она.

— Они заставили меня сойти с корабля, — быстро проговорил он, словно застрявшим в горле словам не терпелось поскорее вырваться наружу. — Корабль тонул, а мои люди — те, кто еще держался на ногах, — уже спустили шлюпки, которые, если смотреть сверху, чем-то напоминали листья кувшинок в пруду, ведь море было до ужаса спокойным. Я стоял и смотрел, как в залитые кровью и мазутом шлюпки затаскивают раненых. Там было самое настоящее адское пекло. Те, кто оставался еще на борту, поливали себя из шлангов, чтобы хоть немного продержаться. И пока мы пытались среди бушующего пламени и обломков корабля добраться до раненых, проклятые япошки продолжали над нами кружиться. Они больше не стреляли, а просто парили, точно стервятники, в воздухе, наслаждаясь нашими страданиями. — Капитан Хайфилд снова сделал большой глоток. — Я все еще пытался отыскать его, но мне приказали покинуть корабль. — Он уронил голову на грудь. — К нам на помощь уже спешили два эсминца. В результате они прогнали японцев. Мне велели покинуть корабль. И члены моей команды сидели в шлюпках и смотрели, как я оставляю тонущий корабль, на котором, вероятно, еще остались уцелевшие люди. Возможно, даже Харт. — Он сделал паузу. — Никто из них не сказал мне ни слова. Они просто... смотрели.

Фрэнсис закрыла глаза. Ей уже не раз приходилось слышать подобные исповеди, и она хорошо знала, какие шрамы события такого масштаба оставляют в душе. И у нее не было для него слов утешения.

Они слышали, как по громкой связи дам пригласили представить свое рукоделие в комнате отдыха в передней части корабля. И Фрэнсис с удивлением заметила, что уже стемнело.

— Не самый удачный способ закончить карьеру, да? — дрогнувшим голосом произнес капитан.

— Капитан, — сказала она, — ответы на все есть только у тех, кому никогда не приходилось отвечать на подобные вопросы.

Тем временем на палубе зажглись огни, и сквозь иллюминатор в каюту капитана проникли лучи холодного неонового света. Они услышали обрывки разговора на палубе, а затем по громкой связи раздалась команда: «Приготовиться к приему мусорной баржи».

Капитан Хайфилд задумчиво уставился в пол, пытаясь осмыслить ее слова. Затем снова приложился к бокалу и долго пил, не спуская с нее глаз.

— Сестра Маккензи, — поставив бокал на стол, произнес он. — Расскажите мне о вашем муже.

Найкол вот уже почти сорок пять минут стоял возле киноаппаратной. Но даже если бы ему и разрешили посмотреть кино, он вряд ли выбрал бы «Лучшие годы нашей жизни», хотя в данном конкретном фильме для вернувшихся с войны солдат все кончается хорошо. Его внимание было приковано к дальнему концу коридора.

— Поверить не могу, — говорил в кубрике Валлиец Джонс. — Я слышал, что ее хотят высадить на берег. А потом капитан вдруг берет и заявляет, что все это просто чертово недоразумение. Но я-то знаю, что нет. Ты ведь видел ее там, да, Дакворт? Мы оба ее узнали. Ничего не понимаю, — добавил он, почесав под мышками.

— А я знаю почему, — включился в разговор еще один морпех. — Она сейчас выпивает вместе с капитаном.

— Что?

— В его каюте. Наш радист, когда относил ему долгосрочные сводки погоды, застукал ее там. Сидит этакая фря рядом с ним на диванчике и потягивает коньячок.

— Во дает, старый ловкач! — удивился Джонс.

— Она ведь далеко не так проста, как кажется.

— Хайфилд? Да ему даже за пятерку в борделе никто не даст!

— Для нас одни правила, а для них — совсем другие, здесь уж ничего не попишешь, — с горечью заметил Дакворт. — Можете себе хоть на секунду представить, чтобы нам разрешили привести шлюху в кубрик?

— Ты, наверное, ошибаешься, — вырвалось у Найкола. В наступившей тишине его слова прозвучали особенно громко. — Она ни за что не пошла бы в каюту к капитану. — И потом он уже тише добавил: — Я хочу сказать, что у нее нет никаких причин находиться там.

— Тейлор зря болтать не будет. Он своими глазами видел. И могу сказать тебе кое-что еще. Он клянется, что уже в третий раз застает ее там.

— Значит, говоришь, в третий раз? Да брось, старина Найкол! Ты не хуже меня знаешь причину. — Джонс захохотал, точно гиена. — И как вам это нравится, парни? В шестьдесят лет наш капитан наконец-то познал, что такое радости плоти!

Наконец он услышал голоса. Спрятавшись за трубами на стене, он глядел, как открывается дверь в каюту капитана. И ему словно дали под дых, когда он увидел на пороге знакомую тонкую фигуру. Ему даже не было нужды присматриваться повнимательнее, чтобы понять, кто перед ним: ее образ, словно высеченный в камне, был теперь навеки запечатлен в его душе.

— Благодарю вас, — говорил Хайфилд. — Даже не знаю, что еще вам сказать. Обычно я не расположен...

Она покачала головой, словно то, что она для него сделала, ничего ей не стоило. Затем пригладила волосы. Он непроизвольно снова отступил в тень. *Обычно я не расположен* — к чему? Найколу стало трудно дышать, все поплыло перед глазами. Он чувствовал себя совсем не так, когда узнал об измене жены. Сейчас все было во сто крат хуже.

Они тихо перебросились парой фраз, которых он не расслышал. Потом ее голос зазвучал громче.

— Ой, капитан! — позвала она. — Совсем забыла сказать... Шестнадцать. — Найкол увидел, что Хайфилд озадаченно уставился на нее. Она уже шла в сторону ангарной палубы. — Шестнадцать кубиков пенициллина в большой бутылке. Семь — в той, что поменьше. И десять ампул в белом пакете. По крайней мере, должны там лежать.

И пока Найкол спускался по трапу, у него в ушах стоял лающий смех капитана.

Глава 20

Оглядываясь назад, можно смело сказать, что монотонное течение дней и чувство безысходности от столь однообразного существования оказались гораздо более разрушительными для психики, чем потенциальные угрозы подорваться на мине противника... Когда мы не сражались с врагом, мы сражались друг с другом.

Л. Тромен. Вино, женщины и война

За два дня до прибытия в Плимут

За отсутствием лошадей и ипподрома или пилотов-стажеров, от которых можно было ждать, что они рано или поздно обязательно сядут в лужу, предметом горячих споров с самыми высокими ставками стали — и в этом не было ничего удивительного — очаровательные участницы конкурса на звание королевы красоты «Виктории». Вполне возможно, что миссис Айви Таттл и миссис Джанет Лэтхем были бы несколько деморализованы, узнай они о том, что на них ставят сорок к одному, тогда как победная поступь Айрин Картер сделалась бы еще увереннее, будь она в курсе того, что ее шансы оцениваются как пять к двум. Однако к этому времени было общепризнано, что настоящей фавориткой, золотистые локоны которой уже заставили морскую братию поставить на нее шиллинг-другой, является миссис Эвис Рэдли.

— Фостер говорит, ставки на нее очень даже большие, — прокричал Пламмер, младший кочегар.

— У нее имеется еще и кое-что другое. И тоже очень и очень большое! — проорал сменившийся часовой.

— Он говорит, если она победит, то ему придется отдать половину денег, что он выиграл на бегах в Бомбее.

Буквально через несколько часов они должны были войти в холодные, неприветливые воды Бискайского залива, но здесь, в машинном отделении, расположенном на сотню футов ниже полетной палубы, стояла адская — градусов сто, не меньше — жара. Тимс, по пояс голый, крутил блестящие маховики, обеспечивавшие подачу пара турбинам двигателя, в то время как Пламмер, смазывавший машинным маслом детали основного двигателя, уже начинал терять терпение и периодически чертыхался, дотрагиваясь до раскаленного металла.

На табло машинного телеграфа между ними поступали приказы с мостика: «Полный вперед» или «Самый полный», чтобы как можно быстрее преодолеть участки неспокойного моря. Даже в этом ужасающем реве и грохоте работающих двигателей слышно было, как протестующе скрипит и кряхтит корабль. Пар приступами отрыжки просачивался сквозь вентили, и тряпки, которыми кочегары пытались их обмотать, тут же намокали от горячей воды. «Виктория» словно жаловалась им на свой возраст: ее многочисленные измерительные приборы смотрели на них с тупым безразличием вредной старухи.

Пламмер затянул болт и, положив на место гаечный ключ, повернулся к Тимсу:

— Выходит, ты так и не поставил ни на кого из них, а?

— Ты о чем? — сверкнул на него глазами Тимс.

Вид у Тимса был злобный, и он явно был не в духе, но Пламмер, уже успевший привыкнуть к напарнику, продолжал гнуть свое.

— О сегодняшнем конкурсе. — Шум от двигателя был настолько оглушающим, что ему пришлось сопроводить свои слова соответствующим жестом. — На кону куча бабок.

— Бред собачий, — отмахнулся Тимс.

— И все же ты, наверное, не прочь посмотреть, как они выстроятся в этих своих крошечных купальниках, а? —

Он нарисовал в воздухе кривую линию и состроил сладострастную гримасу, смотревшуюся чрезвычайно комично на его детском лице. — Получишь соответствующий заряд бодрости перед встречей со своей миссис.

Похоже, после его слов у Тимса еще больше испортилось настроение. Вытерев блестящий от пота лоб грязной тряпкой, он потянулся за гаечным ключом. Из-за качки инструменты с глухим звоном катались по полу, представляя нешуточную опасность для пальцев ног.

— Что-то я не могу взять в толк, какого хрена ты так разошелся! — рявкнул Тимс. — Тебе ведь надо быть на вахте всю ночь.

— Я поставил на эту девчонку Рэдли два фунта, — ответил Пламмер. — Два фунта! Я держал пари, когда она еще шла три к одному, поэтому, если она выиграет, я огребу кучу бабла. Если нет, то напьюсь, к чертям. Я ведь обещал своей старушке-маме, что оплачу нам с ней поездку в Скарборо. Но я по натуре оптимист, понимаешь? Ручаюсь, что не проиграю. — И тут на него явно нахлынули воспоминания о том, что он видел наверху. — На конкурсе «Мисс Самые Красивые Ножки» эта девчонка в купальнике выглядела просто потрясно. У нее действительно ножки что надо! Может, им там, в ихней Австралии, что-то специально дают? Я слыхал, что у половины наших девчонок натуральный рахит. — Тимс, явно не обращая внимания на болтовню Пламмера, посмотрел на часы, но того уже понесло: — Представляешь, там будут все офицеры. Разве это справедливо? Офицеры смогут увидеть девиц в купальных костюмах, а вот мы, бедные, заперты в чертовом машинном отделении! Представляешь, морпехи сменяются в девять. Значит, даже им удастся хоть краем глаза взглянуть. Выходит, для всех одни правила, а для нас — совсем другие. Ну разве это честно? Теперь, когда война позади, они все-таки должны наконец обратить внимание на несправедливости, что творятся в нашем треклятом военно-морском флоте! — Пламмер проверил табло, чертыхнулся и бросил взгляд на Тимса, который тупо смотрел в стенку. — Тимс, с тобой все в порядке? Ты чего такой смурной?

— Прикрой меня на полчаса, — повернувшись к ведущему наружу люку, попросил Тимс. — Мне кое-что надо сделать.

Если бы молодой Пламмер видел открытие конкурса на звание королевы красоты «Виктории», то наверняка не был бы так уверен насчет своей поездки в Скарборо. Поскольку Эвис Рэдли, одна из безусловных фавориток конкурса, смотрелась на удивление блекло, или, по принятому на скачках выражению, что употребил один из моряков, как трехногая ослица.

Несмотря на роскошное пурпурное шелковое платье и прекрасно уложенные блестящие волосы цвета спелой пшеницы, Эвис, занявшая свое место на самодельной сцене рядом с другими конкурсантками, лицом к столам, накрытым для последнего официального ужина, казалась бледной и озабоченной. И если остальные девушки, балансируя на высоких каблуках, с хихиканьем держались друг за друга, чтобы не упасть из-за качки, Эвис стояла в гордом одиночестве с вялой улыбкой на губах и, судя по ее затуманенному взору, мысленно была где-то очень далеко отсюда.

Доктор Даксбери, распорядитель конкурса, уже дважды брал ее за руку, пытаясь заставить рассказать о своих планах на жизнь и вспомнить наиболее волнующие моменты путешествия. Она, казалось, не замечала его, несмотря на то что он в третий раз исполнил «Waltzing Matilda».

Должно быть, сказывается утреннее недомогание, заметила одна из невест. Все женщины в интересном положении первые несколько месяцев выглядят отвратительно.

Это только вопрос времени. Другие — не столь великодушные — невесты выдвинули предположение, что Эвис Рэдли вовсе не такая красавица, какой ее принято считать, и без макияжа и подтягивающего нижнего белья выглядит весьма посредственно. А после сравнения Эвис с ослепительной Айрин Картер, совершенно неотразимой в персиковом с голубым платье, с этим трудно было не согласиться.

Доктор Даксбери замолчал, получив свою порцию жидких аплодисментов. Невозможно до бесконечности аплодировать одной и той же песне, но доктор, находившийся под хорошим градусом, явно забыл об аудитории.

Наконец он все же заметил безуспешно пытавшегося привлечь его внимание помощника командира корабля и после нескольких неудачных попыток театральным жестом указал на капитана Хайфилда, а потом поднял руки вверх, словно сетуя на то, что его не поставили в известность.

— Дамы! — Капитан Хайфилд поспешно поднялся с места, словно опасаясь, что Даксбери может снова запеть. Он подождал, пока в ангаре не установится тишина. — Дамы... Как вы, наверное, знаете, сегодня наш последний праздничный вечер на борту «Виктории». Завтра ночью мы уже пришвартуемся в Плимуте, и днем вам придется начать укладывать вещи, а офицеры из женской вспомогательной службы проследят за тем, чтобы вас встретили и вам было куда ехать дальше. Завтра утром я соберу вас на полетной палубе для подробного инструктажа, а сейчас просто хочу сказать пару напутственных слов.

Женщины, которых нервозное ожидание привело в состояние крайнего возбуждения, во все глаза смотрели на командира корабля, время от времени перешептываясь и пихаясь локтями. Окружившие их мужчины выстроились вдоль стен, заложив руки за спину. Матросы, офицеры, морпехи, механики и инженеры, по случаю торжественного события все как один в парадной форме. Причем, как отметил для себя Хайфилд, многие здесь надевали ее в последний раз.

— Не буду... не буду утверждать, что это был самый легкий груз, который мне когда-либо приходилось перевозить, — продолжил Хайфилд. — Не буду делать вид, что с самого начала одобрял эту затею, хотя, насколько мне известно, многим мужчинам она пришлась по вкусу. Но как старый морской волк, могу со всей уверенностью заявить, что приобрел... бесценный опыт. Не хочу утомлять вас длинными речами по поводу трудности выбранного вами пути. Не сомневаюсь, вам об этом уже и так все уши прожужжали. — Он кивнул в сторону офицера по бытовому обслуживанию, вызвав тем самым вежливые смешки. — Но я могу утверждать, что для вас — впрочем, как и для нас, — следующие двенадцать месяцев окажутся самыми трудными, однако, будем надеяться, и самыми полезными в вашей жизни. Итак, я хотел сказать вам, что вы не одиноки. — Он оглядел серьезные, внимательные лица. При резком свете ламп на ангарной палубе ярко блестели золоченые пуговицы его кителя. — Тем из нас, кто был кадровым офицером, придется начать новую жизнь. Тем из нас, кого так сильно изменила война, придется приспособиться к новому окружению. Тем, на долю которых выпали жестокие страдания, придется научиться прощать. Мы возвращаемся в страну, которая, возможно, покажется нам чужой. И мы, быть может, так же, как и вы, дамы, почувствуем себя там чужими. Перед вами, девушки, конечно, стоит нелегкая задача. Но должен вам признаться, что для нас было большой честью и удовольствием сопровождать вас во время путешествия. И мы можем с гордостью заявить, что теперь вы одни из нас. И я очень надеюсь, что когда по прошествии многих лет вы, счастливые и довольные, оглянетесь назад, то с гордостью поймете: это путешествие было не просто путем к новой жизни, а ее началом.

И только очень немногие обратили внимание на то, что во время своей речи командир корабля подчас обращался к одной-единственной женщине, а когда он говорил: «Вы не одиноки», его взгляд задержался на ней чуть дольше, чем на других. Но это к делу не относилось. Девушки на минуту притихли, а затем начали хлопать в ладоши, отдельные одобрительные выкрики переросли в бурные аплодисменты.

Растроганно кивнув расплывшемуся перед ним морю лиц, Хайфилд сел на место. Но он не мог позволить себе рассыпаться в улыбках, причем даже не из-за стоявших внизу женщин, а в основном из-за мужчин.

— Ну, что скажете? — раздуваясь от гордости, спросил он сидевшую рядом женщину.

— Весьма мило, капитан.

— Вообще-то, я не мастер говорить длинные речи, — признался он. — Но в данном случае мне показалось это уместным.

— Тут, пожалуй, не приходится спорить. Вы нашли... очень правильные слова.

— Ну как, надеюсь, девицы перестали на вас таращиться? — Он говорил, не глядя на нее, чтобы сидевшие за другими столами думали, что он просто благодарит стюарда, принесшего ему тарелку с едой.

— Нет, не перестали, — ответила Фрэнсис, накалывая на вилку кусочек рыбы. — Но все в порядке, капитан. — Ей не было нужды добавлять: «Ничего, я привыкла».

Хайфилд бросил взгляд в сторону сидевшего через два человека от него Добсона, которому все это явно не слишком нравилось. У Хайфилда, почти сорок лет вглядывавшегося в морскую даль, зрение было уже не то, что раньше, но он увидел на лице старпома явное неодобрение. Более того, Хайфилд прочел по губам старпома, что именно тот в данный момент говорил.

— Выставляет корабль на посмешище, вот так, — сердито бормотал Добсон, прикрывая рот салфеткой из камчатого полотна. — Решил сделать из нас клоунов.

Сидевший рядом с Добсоном лейтенант поймал взгляд Хайфилда и покраснел.

Хайфилд почувствовал, как корабль подбросило на очередной волне.

— Ну что, рюмочку ликера, сестра Маккензи? Вы точно не хотите чего-нибудь покрепче? — Он переждал очередную волну и приветственно поднял бокал.

Это займет не больше двадцати минут. Двигатель работает гораздо лучше, по крайней мере по сравнению с его обычным состоянием. А на кону целых два фунта. И будь он проклят, если останется сидеть один в машинном отделении, когда весь экипаж, начиная с котельного отделения и кончая радиолокационным постом, сейчас смотрит, как вышагивают на сцене девушки в купальниках.

И вообще, как только они прибудут в Англию, он сразу демобилизуется из военно-морского флота. И что они могут ему сделать, даже если и обнаружат, что он отлучился во время вахты? Заставят вплавь добираться до дома?

Дейви Пламмер проверил датчики температуры, которые следовало проверить, прошелся тряпочкой по самым проблемным трубопроводам, бросил на пол окурок сигареты, воровато оглянулся и, перепрыгивая через две ступеньки, поднялся по трапу к выходу.

Голосование завершилось, и Эвис Рэдли проиграла. Члены жюри, в которое входили доктор Даксбери, два офицера из женской вспомогательной службы и капеллан, единодушно признали, что собирались отдать приз миссис Рэдли (доктор Даксбери остался под большим впечатлением от ее исполнения «Shenandoah»), но с учетом ее невыразительного выступления в финале конкурса, подчеркнутого нежелания улыбаться, а также откровенно озадачивающего ответа на вопрос «Что вы сделаете в первую очередь, когда наконец окажетесь в Англии?» (Айрин Картер: «Познакомлюсь со своей свекровью»; Айви Таттл: «Начну собирать деньги для детей, осиротевших во время войны»; Эвис Рэдли: «Не знаю») и загадочного исчезновения сразу после этого у них просто-напросто не было выбора при определении победительницы.

Айрин носилась со своей сшитой вручную лентой через плечо, как с новорожденным младенцем. Это было, сказала она, самое замечательное путешествие в ее жизни. И если честно, ей кажется, будто она приобрела по меньшей мере шестьсот новых друзей. И очень надеется, что в Англии они найдут свое счастье, которое заслужили по праву. У нее нет слов, чтобы выразить свою благодарность команде за их доброту и профессионализм. И конечно, все без исключения согласятся с ней, что слова командира корабля были на редкость воодушевляющими. Но когда она принялась поименно благодарить своих бывших сиднейских соседей, капитан Хайфилд прервал ее, объявив, что если мужчины отодвинут столы к стене, то оркестр Королевской морской пехоты исполнит несколько мелодий, под которые можно будет немного потанцевать.

— Танцы! — радостно причмокнул доктор Даксбери, и женщины бросились от него врассыпную.

Дейви Пламмер, стоявший возле эстрады, с отвращением посмотрел на бумажку с написанной от руки ставкой, что Фостер выдал ему не далее как два дня назад, скрутил ее и засунул в карман комбинезона. Чертовы женщины! А эта, несмотря на все финтифлюшки, даже с бумажным мешком на голове и то, наверное, выглядела бы лучше. Он уже собрался было вернуться в машинное отделение, но неожиданно заметил двух невест, стоявших в углу. Прикрыв рот ладошкой, они о чем-то шушукались.

— Что, никогда раньше не видели рабочего человека? — спросил он, поправив комбинезон.

— Нет, мы просто спорили, будете ли вы танцевать? — ответила маленькая блондиночка. — И как вы тогда сможете не испачкать нас машинным маслом?

— Дамы, вы даже не представляете, на что способны руки кочегара! — Дейви Пламмер сделал шаг вперед, мгновенно забыв о проигрыше.

Ведь он был, в конце концов, по натуре оптимистом.

Церемония награждения должна была начаться без четверти десять. Поэтому у Фрэнсис оставалось почти пятнадцать минут на то, чтобы взять из каюты фотографии Австралийского главного военного госпиталя, на которые хотел взглянуть капитан. Альбом с фотографиями лежал в находившемся под замком чемодане, но она спрятала в своей книге любимые снимки — первой госпитальной палатки, танцев в Порт-Морсби и Альфреда. Она легко побежала по коридору, что вел к их каютам, время от времени держась за переборки, чтобы не упасть.

И неожиданно остановилась как вкопанная.

Он стоял возле их каюты и доставал сигарету из мятой пачки. Сунул сигарету в рот и искоса посмотрел на нее. И она поняла, что он отнюдь не удивлен ее появлением.

Она не видела его с тех пор, как он столкнулся на орудийной башне с Тимсом. Ей с трудом удалось подавить в себе подозрение, что он ее избегает, она даже несколько раз порывалась спросить молоденького морпеха, почему теперь только он стоит ночью на часах у их каюты.

Она столько раз рисовала его в своем воображении, столько раз вела с ним мысленные диалоги, что, когда он предстал перед ней наяву, ее с головой захлестнули эмоции. Ноги сами понесли Фрэнсис ему навстречу, но внезапно вернувшаяся к ней застенчивость словно дернула ее за юбку, чтобы остановить.

Она замялась возле двери, не зная, стоит ли входить внутрь. На нем была парадная форма, и на нее сразу нахлынуло воспоминание о той ночи, когда они танцевали и она прижималась к его широкой груди.

— Хотите? — протянул он пачку.

Она взяла сигарету. Он дал ей прикурить, специально держа спичку так, чтобы ей не нужно было к нему наклоняться. А она вдруг поймала себя на том, что не может отвести глаз от его рук.

— Я видел вас за капитанским столом, — как бы между прочим заметил он.

— А вот я вас — нет. — Хотя она высматривала его. Несколько раз.

— Я и не должен был там находиться.

Голос его звучал очень странно. Она сделала затяжку, чувствуя себя страшно неловко.

— Обычно он не приглашает за свой стол женщин.

От этих слов она похолодела.

— Вот чего не знаю, того не знаю, — небрежно ответила она.

— За это плавание он еще ни разу такого себе не позволял.

— Вы мне что-то хотите сказать? — спросила она и, увидев его пустой взгляд, поняла, что чувство неловкости разом исчезло. — Ну конечно же, вас интересует, почему из всех женщин именно меня усадили за капитанский столик, да?

Он упрямо выпятил подбородок. На секунду она вдруг увидела, каким он был в детстве.

— Я просто... полюбопытствовал. Я приходил к вам давеча днем. И вдруг увидел вас... у каюты капитана...

— А! Теперь понимаю. Вы вовсе не интересуетесь. Вы просто намекаете.

— Я не хотел...

— Итак, вы явились сюда, чтобы учинить мне допрос о стандартах моего поведения, да?

— Нет, я...

— Ой, и что же вы сделаете, морпех? Доложите капитану? Типа шлюха она и есть шлюха. Что с нее взять?

При этом слове оба замолкли. Она нервно прикусила губу. А он стоял рядом, расправив плечи, словно нес караул.

— Зачем вы так со мной говорите? — тихо спросил он.

— Потому что я устала, морпех. Устала оттого, что каждое мое движение осуждается невежественными людьми, которые считают меня ущербной.

— Я вам не судья.

— Черта с два не судья! — внезапно рассвирепела она. — Я больше не собираюсь объяснять, что к чему, если они не считают необходимым видеть...

— Фрэнсис...

— Вы не лучше всех остальных. А мне почему-то казалось, что вы другой. Мне казалось, вы понимаете, что я собой представляю. Бог его знает почему! Бог его знает, почему я именно вам решила доверить свои чувства, которые вы не способны...

— Фрэнсис!

— Что?

— Я сожалею о том, что сказал. Я просто увидел вас... и... Мне очень жаль. Правда. Просто столько всего сразу навалилось... — Он замолчал. — Послушайте, я хочу, чтобы вы кое-что знали. Именно поэтому я и пришел. На войне я делал такие вещи... за которые мне сейчас стыдно. И я не всегда вел себя так, что люди — люди, не знающие обстоятельств дела, — меня одобрили бы. Но это относится и ко всем из нас, даже, быть может, и к вашему мужу. — (Она молча смотрела на него.) — Это все, что я хотел вам сказать, — закончил он.

У нее разболелась голова. Она оперлась о стенку, ей казалось, что пол ходит ходуном.

— Мне кажется, вам лучше уйти. — Она не могла заставить себя посмотреть на него, хотя и чувствовала на себе его взгляд. — Спокойной ночи, морпех.

Она подождала, пока его шаги не затихнут в конце коридора. Качка никак не отразилась на их ритмичности, и она прислушивалась к их мерному звучанию, пока наконец хлопнувшая крышка люка не сказала ей, что он ушел.

Тогда она зажмурила глаза, крепко-крепко.

В центральном машинном отделении, под ангарной палубой, треснула форсунка номер два топливного насоса высокого давления, обеспечивающего подачу топлива в паровой котел, — возможно, вследствие износа, слишком сильной нагрузки или злого умысла корабля, мстившего за то, что его собираются отправить в утиль. Крошечная щелочка, длиной, наверное, не больше двух сантиметров, но этого оказалось достаточно, чтобы из нее сначала вытекло сжиженное топливо — пузырящееся, темное, как слюна в уголках рта пьянчуги, — которое тут же распылилось.

На глаз невозможно найти слабые места в двигателе корабля — места, где небольшие участки металла с трещинами или чрезмерным напряжением в точке соединения нагреваются до запредельных температур. И если их невозможно определить с помощью многочисленных измерительных приборов машинного отделения или даже просто прощупать через тряпку, то иногда удается обнаружить чисто случайно — по следам вытекшего топлива.

Оставшийся без присмотра центральный двигатель «Виктории», который за это время успел накалиться докрасна, продолжал реветь. В воздухе висели микроскопические, невидимые глазом частички топлива. А затем выпускной канал в нескольких дюймах от треснувшей форсунки ярко вспыхнул — словно злобный дьявольский глаз, — воспламенился и бабахнул.

Дурак. Чертов дурак. Найкол замедлил шаг возле склада со штормовками. Последняя ночь — а потом она навсегда покинет корабль, последняя ночь, когда он мог сказать ей, как много она для него значит, а вместо этого повел себя как надутый осел. Ревнивый подросток. И своим поступком он показал, что ничуть не лучше всех этих фарисействующих дураков на этой старой дырявой посудине. Ведь он мог сказать ей тысячу приятных вещей, улыбнуться, проявить хоть каплю понимания. Тогда она бы знала. Хотя бы знала. «Вы не лучше всех остальных», — сказала она. И, что самое неприятное, он об этом давно догадывался.

— Пропади оно все пропадом! — выругался он, саданув кулаком в переборку.

— Тебя что-то беспокоит, морпех? — Тимс загородил ему проход, на кочегаре был комбинезон сплошь в пятнах от горюче-смазочных материалов, но в выражении его лица крылось нечто еще более взрывоопасное. — В чем дело? — вкрадчиво спросил Тимс. — Стало некого наказывать?

Найкол бросил взгляд на окровавленные костяшки пальцев.

— Занимайся своим делом, Тимс. — Он чувствовал, как в груди поднимается гнев.

— Занимайся своим делом?! Да кем ты себя возомнил? Командиром корабля?

Найкол оглядел пустой коридор за спиной у Тимса. На палубе G не было ни одной живой души. Все, кроме вахтенных, были на танцах на ангарной палубе. Интересно, давно ли Тимс здесь стоит?

— Тебя расстраивает твоя дама сердца, да? Неужто никак не может покончить со старым? А ты, бедолага, так на это надеялся! — (Найкол сделал глубокий вдох. Прикурил сигарету, зажав спичку между большим и указательным пальцем, сунул коробок в карман.) — Типа хочешь, но не можешь?

— Тимс, ты, наверное, считаешь себя большим человеком на этом корабле, но всего через пару дней ты, как и все остальные, станешь очередным безработным матросом. Нолем без палочки. — Он старался говорить спокойно, но чувствовалось, что его голос дрожит от едва сдерживаемой ярости.

Тимс скрестил на груди могучие руки и откинулся назад, покачиваясь на каблуках.

— Может, ты просто не ее тип? — Он поднял подбородок и осклабился, словно его внезапно осенило. — Ой, извиняюсь, совсем забыл. Ей ведь любой сойдет, были бы денежки...

Похоже, Тимс ждал первого удара, поскольку ловко уклонился. Второй удар он блокировал апперкотом, заставшим Найкола врасплох и вмазавшим его в стенку.

— Ну что, думаешь, твоя маленькая потаскушка по-прежнему будет считать тебя красавцем, морпех? — Его слова разили наповал, заглушая гул двигателей, звуки музыки с ангарной палубы, лязг найтовых цепей. У Найкола кровь стучала в висках. — А может, она понимает, что ей нужен другой мужик? На что ты ей сдался такой, весь из себя правильный, чистенький да аккуратненький?! — (Найкол чувствовал горячее дыхание кочегара, чувствовал исходящий от него запах машинного масла.) — Она сказала тебе, как ей нравится это дело, а? Сказала тебе, как ей нравится чувствовать мои руки на своих сиськах, как нравится...

С глухим рычанием Найкол накинулся на Тимса, и они оба рухнули на пол. Найкол наносил удары вслепую, куда попало. Он увидел, что Тимс вывернулся, увидел занесенный над ним увесистый кулак. Но ему было плевать на опасность, он вошел в такой раж, что уже не мог остановиться. Он даже не чувствовал ударов, сыпавшихся на него градом. Глаза застилал кровавый туман, он вкладывал в работу своих кулаков все обиды и разочарования последних шести недель — нет, последних шести лет — и чертыхался сквозь стиснутые зубы. И нечто аналогичное — возможно, унижение в присутствии женщины, возможно, потраченные впустую двадцать лет службы — придало новый импульс его ярости. Они дрались не на жизнь, а на смерть и в горячке боя не услышали сигнала сирены, хотя громкоговоритель был совсем рядом.

— Пожарная тревога! Пожарная тревога! Пожар! Аварийно-спасательный отряд на выход! — прозвучали команды. — Построиться у отсека номер два. Морские пехотинцы — на шлюпочную палубу.

Участницам конкурса красоты помогли спуститься со сцены, их ослепительные улыбки тут же померкли. Айрин Картер цеплялась за свою ленту через плечо, как за спасательный круг. Маргарет бросила быстрый взгляд в сторону сцены, когда людской поток уже нес ее к двери. За спиной виднелись опустевшие столы, яблочная шарлотка и фруктовый салат так и остались лежать на тарелках, рядом стояли почти полные бокалы. Женщины нервно переговаривались между собой, их голоса звучали взволнованным крещендо, становясь все выше с каждым новым приказом. Маргарет, держась за живот, стала пробираться к выходу на правый борт. У нее было такое чувство, словно она боролась с невероятно сильным течением.

Откуда-то сверху раздался голос: «Дамы, побыстрее, пожалуйста! Те, чьи фамилии начинаются на буквы от „Н" до „Я", собираются в месте сбора В, все остальные — в месте сбора А. Двигайтесь туда».

Маргарет уже почти выбралась из толпы, когда ее поймала за руку женщина-офицер:

— Мэм, вам в другую сторону, пожалуйста. — Ткнув пальцем куда-то вперед, она раскинула руки, закрыв своим телом выход на правый борт.

— Мне надо на секундочку вниз, — сказала Маргарет, едва слышно чертыхнувшись, когда кто-то заехал локтем ей в бок.

— Вниз спускаться запрещено. Только к местам сбора.

Маргарет увидела катящуюся к выходу лавину людей, почувствовала смешение запахов духов и лака для волос.

— Послушайте, это очень важно. Мне надо кое-что оттуда забрать.

Женщина посмотрела на нее как на полоумную.

— На корабле пожар, — сказала она. — Вниз спускаться категорически запрещено. Приказ капитана.

— Вы не понимаете! Мне срочно надо туда! Я должна убедиться... Я должна позаботиться о... своей... своей... — в отчаянии закричала Маргарет.

Возможно, женщина из вспомогательной службы боялась показать, что и сама до смерти напугана. Поэтому она не стала сдерживаться. Она свистнула, чтобы направить кого-то правее, а затем, убрав свисток, злобно прошипела:

— Вы что, думаете, вы одна такая?! Каждой из нас есть что взять с собой. А вы представляете, какой здесь будет бедлам, если каждая из вас станет рыскать в поисках любимого альбома с фотографиями или украшений?! Это пожар. И, насколько нам известно, он вполне мог начаться именно в женских каютах. А теперь, пожалуйста, извольте пройти вперед, или мне придется попросить кого-нибудь помочь вам.

Двое морпехов уже задраивали дверь. Маргарет безнадежно огляделась по сторонам, пытаясь найти другой выход, а потом, чувствуя невыносимую тяжесть в груди, вместе со всеми направилась вперед.

———

— Эвис! — Фрэнсис стояла на пороге притихшей каюты, глядя на неподвижное тело, лежащее на койке перед ней. — Эвис! Ты меня слышишь?

Ответа не последовало. У Фрэнсис промелькнула мысль, что Эвис, как и большинство невест, просто отказывается с ней разговаривать. При прочих обстоятельствах Фрэнсис и не стала бы настаивать. Но ее насторожили похожее на маску бледное лицо и застывший взгляд Эвис. И Фрэнсис предприняла еще одну попытку.

— Уходи. Оставь меня в покое, — услышала она.

Грубые слова Эвис как-то не вязались с тусклым голосом, которым они были произнесены.

И тут завыла сирена. За дверью, возле трапа прозвучал сигнал пожарной тревоги — пронзительный и очень настойчивый, — а затем послышались торопливые шаги по коридору.

— Команда спасателей, пожар в центральном машинном отделении. Очаг возгорания — центральный двигатель. Всем пассажирам собраться в местах сбора.

Фрэнсис, тут же забыв обо всем, оглянулась на Эвис.

— Эвис, тревога! Нам надо идти. — Поначалу она решила, что Эвис не поняла, что означает звук сирены. — Эвис, — раздраженно повторила она, — на борту пожар. Нам надо идти.

— Нет.

— Что?!

— Я остаюсь.

— Ты не можешь здесь остаться. Не думаю, что на сей раз тревога учебная. — Сигнал тревоги мгновенно вызвал у Фрэнсис прилив адреналина. Она поймала себя на том, что ждет последующего за ним взрыва. Война закончилась, строго сказала она себе и попыталась дышать глубже. Война закончилась. Но тогда как объяснить панические крики снаружи? Что это? Случайная мина? Но не было никакого взрыва, никакой ударной волны, свидетельствовавшей о прямом попадании. — Эвис, нам надо идти.

— Нет.

Фрэнсис стояла посреди каюты, силясь понять логику поведения Эвис. Правда, Эвис ведь никогда не была на фронте. Не содрогалась от страха при вое сирены. И все же она должна понять.

— Господи боже мой, ну а с Маргарет ты пойдешь? — Возможно, Эвис упрямится потому, что именно она, Фрэнсис, уговаривает ее уйти.

Эвис приподняла голову. Похоже, она пропустила уговоры Фрэнсис мимо ушей.

— У тебя-то все хорошо, — произнесла она с надрывом. — Несмотря ни на что, у тебя есть муж. Сойдешь с корабля — и пожалуйста, ты свободна, ты уважаемая женщина. А у меня впереди только позор и унижение.

Помимо сигнала тревоги, по громкой связи непрерывно передавали: «Пожар! Пожар!»

Фрэнсис уже ничего не соображала.

— Эвис, я...

— Посмотри! — Эвис протягивала ей письмо. Она как будто не слышала взволнованных голосов и суматохи за дверью. — Нет, ты посмотри!

От страха буквы расплывались у Фрэнсис перед глазами. Она облизала сухие губы и попыталась привести в порядок мечущиеся мысли. Каждая клеточка ее тела буквально вопила о том, что надо спасаться и поскорее бежать к двери. Чувствуя на себе пристальный взгляд Эвис, Фрэнсис еще раз рассеянно пробежала глазами письмо, увидела слово «извини» и догадалась, что, возможно, перед ней разворачивается личная драма.

— Позже прочту, — сказала Фрэнсис, махнув в сторону двери. — Ну давай же, Эвис. Побежали на место сбора. Подумай о ребенке.

— Ребенке? Его ребенке? — Эвис уставилась на Фрэнис, словно на полоумную, и снова рухнула на койку. — А ты иди, — сказала она и уткнулась лицом в подушку, оставив Фрэнсис в оцепенении стоять на пороге.

Найколу потребовалось несколько секунд, чтобы понять: его держат чужие руки, и уж точно не Тимса. Он вслепую молотил кулаками, тупо мотая головой при каждом ударе, но до него вдруг дошло, что протестующий голос принадлежит не Тимсу, а совсем другому человеку. Он откатился назад, попытался сфокусировать взгляд налитых кровью глаз и наконец понял, что Тимс где-то далеко от него, а над ним склонились два моряка.

Эмметт тянул его за рукав куртки, другой рукой потирая висок.

— Найкол, что — так тебя растак — ты творишь? Тебе срочно надо наверх. На место сбора. Надо усадить девиц в шлюпки. Господи Иисусе, приятель! Ты только посмотри, на кого ты похож!

И только сейчас Найкол услышал сигнал тревоги, страшно удивившись, как он мог не слышать его раньше. Возможно, все заглушал звон в ушах.

— Тимс, это центральный двигатель, — орал молодой кочегар. — Вот дерьмо, мы в полной заднице.

Тимс сразу забыл о драке.

— Что случилось?

Тимс вскочил на ноги и наклонился к Пламмеру. На щеке у Тимса красовалась здоровенная ссадина. И Найкол, который тоже попытался встать, задался вопросом: неужели это его рук дело?

— Я не знаю, — ответил Пламмер.

— Что ты наделал?! — Тимс схватил окровавленной рукой юношу за плечо.

— Я... Я не знаю. Отлучился всего на пять минут, чтобы посмотреть на девчонок. А когда вернулся назад, весь чертов проход был уже в дыму.

— Ты его закрыл? Ты задраил люк?!

— Не знаю. Слишком много дыма. Я даже не смог пробраться мимо бомбового погреба.

— Вот дерьмо! — Тимс посмотрел на Найкола. — Все, я иду вниз.

— А в центральном машинном отделении кто-нибудь еще есть?

Тимс, моргая, покачал головой:

— Нет. Механик вырубился. Только этот треклятый глупый мальчишка. — (Они внезапно унюхали резкий запах дыма, и в коридоре повисло тяжелое молчание.) — Это все капитан. Хайфилд проклятый, — сказал Тимс. — Он приносит несчастье. Вот и сейчас он нас сглазил.

Глава 21

А — это АРМИЯ наша родная,
Б — БУДУЩИХ жен красота неземная,
В — ВЕРА, Надежда, Любовь,
Г — ГОРДОСТЬ за нашу британскую кровь,
Д — ДОБЛЕСТЬ, отвага и честь,
Е — ЕДИНСТВО, что нам надо сберечь...

Ида Фолкнер, военная невеста Джоанна Ламли.
Солдатские возлюбленные.
Военные романы начиная с Первой мировой войны
и кончая войной в Персидском заливе

Кочегар, приписанный к пожарному расчету, появился из стены черного дыма. Он шел неверной походкой слепого, в одной руке он по-прежнему держал пожарный рукав, вторую вытянул перед собой, ожидая, когда кто-нибудь вытащит его из этого пекла. Защитная каска потемнела от копоти, все руки — в ожогах. Похоже, он побывал в самом настоящем аду.

Отхаркавшись и вытерев копоть с глаз, Грин выпрямился и посмотрел на капитана:

— Частично справились, сэр. Мы задраили все люки, что могли, но огонь перекинулся в правое машинное отделение. Система создания водяной завесы вышла из строя. — Он сплюнул на пол черной слюной и снова поднял глаза, казавшиеся белыми на покрытом сажей лице. — Не думаю, что огонь достиг главного мазутохранилища, поскольку в таком случае пост управления машинным отделением взлетел бы, к чертовой матери, на воздух.

— А как у нас с фоамитом?[1] — спросил капитан Хайфилд.

---

1   *Фоамит* — пенный состав для огнетушителей.

— Слишком поздно для него, сэр. Горит уже не только топливо.

Сгрудившиеся вокруг командира корабля морские пехотинцы, кочегары и морские пожарные в ожидании приказа войти внутрь держали наготове брандспойты и другие средства пожаротушения.

Когда капитан Хайфилд был командиром «Индомитебла», он без всяких схем знал расположение каждого отсека, каждого погреба и склада своего плавучего города. И вот сейчас он пытался мысленно воспроизвести — по аналогии с «Индомитеблом», близнецом «Виктории», — пути распространения огня.

— Нам известно направление распространения пожара? — спросил командир корабля.

— Остается только надеяться на то, что огонь движется в сторону правого борта. Так мы, конечно, можем потерять правый двигатель, сэр, но здесь огонь натолкнется на воздушную подушку. А сверху у нас находится цистерна с машинным маслом и турбогенератор.

— Итак, самое худшее, что может с нами случиться, — это потеря хода.

Над ухом продолжала надрывно завывать сирена. Капитан услышал женские голоса на сборном пункте.

— Сэр?

— Что?

— Но я не могу гарантировать, что огонь распространяется именно в этом направлении.

Поскольку пожар был обнаружен на достаточно ранней стадии, огонь в машинном отделении вполне можно было бы потушить с помощью средств пожаротушения, в худшем случае — с помощью брандспойтов. Более того, обычно даже сильный пожар удается остановить путем полива по периметру очага возгорания, а именно внешних переборок, чтобы понизить температуру в самом помещении. Но область распространения этого пожара — бог его знает почему — оказалась слишком велика. «А куда все смотрели?!» — хотелось закричать капитану. И где были средства пожаротушения? Треклятые дренчеры для создания водяной завесы? Но, снявши голову, по волосам не плачут.

— Значит, вы полагаете, что огонь может идти в сторону центрального поста? — (Пожарный кивнул.) — Но если взорвется центральный пост машинного отделения, огонь перекинется на бомбовый погреб.

— Сэр.

Тот самолет. То лицо. Хайфилд с трудом отогнал от себя тени прошлого.

— Срочно снимайте женщин с корабля, — приказал он Добсону.

— Что?

— Спускайте на воду спасательные шлюпки.

— Сэр, я...

— Я не собираюсь рисковать. Шлюпки на воду. Подчиняйтесь приказу, черт бы вас побрал! Грин, вы берете противопожарное оборудование и людей. Добсон, мне необходимо как минимум десять человек. Попытаемся освободить бомбовые погреба. Утопить бомбы, ко всем чертям. Теннант, я хочу, чтобы вы взяли с собой парочку человек и проверили, свободен ли проход под помповым отсеком. Откройте люки на складе горюче-смазочных материалов и затопите его. Затопите столько, сколько сможете, отсеков вокруг обоих машинных отделений.

— Но они же расположены выше ватерлинии, сэр?

— Посмотрите на море, приятель! Попробуем для разнообразия заставить эти треклятые волны поработать на нас.

На шлюпочной палубе Найкол пытался уговорить вцепившуюся в спасательный круг девушку сесть в шлюпку.

— Я не могу, — пронзительно визжала она, показывая на ярящиеся черные воды внизу. — Взгляните туда! Только взгляните туда!

Вокруг морские пехотинцы под вой сирены и приказы, раздающиеся по громкой связи, отчаянно пытались навести спокойствие и порядок. Время от времени какая-нибудь женщина кричала, что она чувствует запах дыма, и по толпе прокатывалась волна страха. Но, несмотря на это, рыдающая девушка была не единственной, кто отказывался сесть в шлюпки, которые на фоне внушительного корабля, словно поплавки, подпрыгивали на пенных волнах.

— Вы должны сесть в лодку! — громко произнес Найкол тоном, не терпящим возражений.

— Но там мои вещи! Что с ними будет?!

— С ними все будет в порядке. Огонь скоро потушат, и вы сможете вернуться на корабль. А теперь вперед! Вы задерживаете очередь.

Горестно всхлипнув, девушка позволила усадить себя в шлюпку, и очередь продвинулась еще на несколько дюймов. За спиной Найкола стояла толпа из нескольких сот женщин в вечерних платьях, которых вывели с ангарной палубы. Колючий ветер пронизывал до костей, покрывая кожу мурашками, и девушки зябко ежились, обняв себя руками. Одни плакали, другие же, наоборот, пытались беззаботно улыбаться, будто хотели убедить себя, что это всего-навсего веселое приключение. Каждая третья упрямо отказывалась спускаться в шлюпку, и ее приходилось уговаривать или усаживать насильно. Однако Найкол их не осуждал, ему самому отчаянно не хотелось лезть в шлюпку.

В свете прожекторов он видел моряков, которых помнил еще по «Индомитеблу». Стараясь ничем не выдать своих чувств, они исподтишка смотрели друг на друга и сразу переключались на женщин, которых предстояло доверить относительно безопасным шлюпкам внизу.

Следующая протянутая ему женская рука принадлежала Маргарет. Он сразу узнал ее бледное лунообразное лицо.

— Я не могу оставить Моди, — сказала она.

Он даже не сразу понял, о чем она говорит.

— Там внизу Фрэнсис, — ответил он. — Она ее принесет. Ну давайте же, мы не можем ждать.

— Но откуда вы знаете?

— Маргарет, вам надо сесть в шлюпку. — Он видел встревоженные лица тех, кого она задерживала. — А теперь вперед! Не заставляйте остальных ждать.

Ее хватка оказалась неожиданно крепкой.

— Вы должны сказать ей, чтобы она взяла Моди!

Найкол оглянулся назад, пытаясь хоть что-то разобрать в дыму и хаосе происходящего. Он тоже боялся, но, естественно, не за собаку.

— Найкол, садись вон в ту, — указал на одну из шлюпок появившийся рядом капитан морской пехоты. — Проследи за тем, чтобы все надели спасательные жилеты.

— Сэр, я бы лучше обождал на палубе, если это...

— Я приказываю тебе сесть в шлюпку.

— Сэр, если это не имеет значения, я...

— Найкол, живо в шлюпку! Это приказ. — Капитан кивнул в сторону маленького суденышка — тем временем шлюпка с Маргарет уже была спущена на воду — и снова повернулся к Найколу: — И что, твою мать, у тебя с лицом?!

И вот уже через несколько минут лодка с Найколом с тихим всплеском шлепнулась на воду, и женщины пронзительно завизжали от испуга. Пытаясь разобраться со стропами и одновременно заставить девушек надеть спасательные жилеты, Найкол оглядел спущенные на воду шлюпки и наконец обнаружил Эмметта. Молодой морпех, отчаянно жестикулируя, показывал на свое весло, оказавшееся в единственном числе.

— Чертовы канаты куда-то делись! — орал он. — И не хватает половины весел. Этот чертов корабль — просто плавучая свалка металлолома.

— Они как раз собирались их заменить. Денхолм уже заказал весла после последних учений, — услышал Найкол чей-то голос.

Поискав, Найкол нашел оба весла — на сей раз ему повезло. Теперь девушки в безопасности. Как бы там ни было, они могли дрейфовать всю ночь. А кругом волновалось и пенилось темно-синее море, волны были не настолько высокими, чтобы стало по-настоящему страшно, но достаточно чувствительными, и девушки испуганно хватались за борта. Сквозь свист в ушах Найкол слышал панический рев сирены и отрывистые приказы по громкой связи. Посмотрев на терпящий бедствие корабль, он увидел слабое, но совершенно отчетливое облако дыма, вырвавшееся откуда-то чуть ниже женских кают.

Выбирайся оттуда, мысленно приказал он ей. Покажись, ради всего святого.

— Не могу подобраться к тебе еще ближе! — крикнул Эммett. — Как сделать так, чтобы наши лодки плыли рядом?

— Выбирайся оттуда. Срочно выбирайся, — произнес Найкол уже вслух.

— Вот, — сказала женщина за его спиной. — Я придумала. А ну-ка, девочки...

— Я остаюсь.

Фрэнсис крепко держала Эвис, теперь ей уже было наплевать на то, что та о ней подумает или что скажет по поводу непосредственного физического контакта. Она слышала, как на воду спускают шлюпки, слышала крики тех, кто покидал корабль, и ее душу переполнял слепой страх, что они не выберутся.

Однако она постаралась не показывать Эвис своих чувств, поскольку та, как подозревала Фрэнсис, была не в том состоянии, чтобы мыслить здраво. Фрэнсис ненавидела эту тупую пустышку, которая была даже неспособна осознать, что их жизнь под угрозой.

— Я понимаю, как тебе тяжело, но нам надо идти. — Последние десять минут Фрэнис старалась говорить слегка нараспев. Нежно, ласково и в то же время невозмутимо — именно так она разговаривала с тяжелоранеными.

— Мне не для чего жить, — скрипучим, как наждачная бумага, голосом произнесла Эвис. — Ты меня слышишь? Все кончено. Со мной все кончено.

— Уверена, все еще можно исправить...

— Исправить?! И что же мне делать? Сама с собой развестись?! Отправиться на шлюпке обратно в Австралию?!

— Эвис, сейчас не время... — Фрэнсис уже чувствовала запах дыма. У нее даже волосы на голове зашевелились.

— Ой, да где уж тебе меня понять?! С твоими моральными устоями гулящей девки!

— Нам надо выбираться отсюда.

— Мне плевать. Моя жизнь разбита. С таким же успехом я могу остаться здесь... — начала она и замолчала, потому что на палубе что-то громко треснуло. Стены каюты задрожали, и Эвис наконец вышла из транса.

Какой-то мужчина просунул голову в дверь.

— Вам нельзя здесь находиться, — сказал он. — Оставьте ваши вещи и идите отсюда. — Он, похоже, собрался войти, но его отвлек крик в конце коридора. — Живо! — приказал он и исчез.

Фрэнсис стояла, уставившись на дверь, и увидела, как собачка, перебирая черненькими лапками, выбралась вслед за мужчиной и исчезла за дверью. Девушка собралась было побежать за ней, но один взгляд на бледное лицо Эвис заставил ее перераспределить приоритеты.

Послышался еще один угрожающий треск, а за ним мужской крик из ангарной палубы:

— Задраить люки! Задраить люки!

— Ох, господи боже ты мой! — Фрэнсис мертвой хваткой вцепилась в Эвис, схватила ее за руку и за подол платья и вытащила из каюты, радуясь, что Эвис хотя бы способна двигаться. В коридоре стояла самая настоящая дымовая завеса. Зажав нос рукой, Фрэнсис пригнулась пониже. — Орудийная башня! — заорала она, и они неверным шагом стали на ощупь пробираться вперед.

Они с трудом открыли дверь и, задыхаясь, содрогаясь в рвотных позывах, буквально выпали из нее. Фрэнсис подошла к краю и перегнулась через заграждение, она настолько упивалась свежим воздухом, что, наверное, только через минуту смогла разглядеть, что творится внизу. Она увидела паутину из странных коричневых — в узлах — лент, связывающих между собой множество лодок. Она подняла глаза на пустые шлюпбалки и поняла, что все шлюпки спущены на воду. Она знала, что на палубе еще остались матросы — сюда доносились их голоса. Но не видела способа добраться до них.

Кто-то заметил их и, выразительно жестикулируя, крикнул, чтобы они уходили.

— Уходите отсюда! Уходите сейчас же!

Фрэнсис посмотрела на воду, потом — на девушку в бальном платье рядом с ней. Фрэнсис была хорошей пловчихой и вполне могла нырнуть вниз, чтобы выплыть возле лодок. Она ничего не должна была Эвис. Даже меньше чем ничего.

— Нам не выбраться на полетную палубу. В коридорах полно дыму, — сказала она. — Придется прыгать.

— Не могу, — ответила Эвис.

— Здесь не так уж и высоко. Послушай, я буду тебя держать.

— Я не умею плавать.

Фрэнсис снова услышала угрожающий треск, сразу придавший обстановке вокруг нечто инфернальное, с чем ей вовсе не хотелось сталкиваться лицом к лицу. Она схватила отчаянно сопротивляющуюся Эвис и потащила к краю.

— Отцепись! — визжала Эвис. — Не смей меня трогать!

Она царапалась, как дикая кошка, раздирала ногтями плечи и руки Фрэнсис. В щелку под дверью уже начал просачиваться дым. Снизу раздавались голоса взывавших к ним женщин. Фрэнсис почувствовала едкий запах, и от страха у нее опустилось сердце. Схватив Эвис за платье, она потащила ее на орудийную башню. Резиновые подошвы туфель скользили по металлу, и внезапно голову пронзила страшная мысль: а что, если меня никто не спасет? Затем она услышала громкий вопль — и они, словно скованные одной цепью, полетели вниз, беспомощно молотя руками и ногами, навстречу черной воде.

Капитан Хайфилд с помощью гаечного ключа попытался вынуть бомбу из скобы на стене.

— Отойдите! — приказал он морякам, которые втроем выносили предпоследнюю бомбу. — Возьмите пожарный рукав! И хорошенько пролейте отсек водой. — Он стащил изолирующую маску, чтобы его лучше слышали, и теперь голос его звучал хрипло, поскольку ему не сразу удалось восстановить дыхание.

— Капитан! — не снимая маски, крикнул Грин. — Пора выбираться отсюда.

— Бомба не поддается.

— Сэр, вы не сможете вынести их все до одной. У вас нет времени. Пора затапливать помещение.

Вспоминая об этом уже потом, Грин решил, что, должно быть, Хайфилд его не расслышал. Грину не хотелось оставлять своего командира там одного, но ему ничего не оставалось делать, поскольку необходимо было обеспечить безопасность других людей.

— Начинайте затапливать! — приказал Хайфилд. — Идите.

И не успел Грин повернуться, как услышал, что у него за спиной что-то упало. Грин швырнул в сторону Хайфилда свой противогаз в надежде, что капитан каким-то чудом разглядит его в этом дыму и подберет. И, вытолкнув из отсека своих людей, с тяжелым сердцем вышел наружу.

Фрэнсис вынырнула на поверхность. Она судорожно ловила ртом воздух, волосы мокрыми прядями облепили лицо. Она слышала голоса, чувствовала руки, пытавшиеся вытащить ее из воды, настолько холодной, что останавливалось сердце. Море явно не хотело выпускать ее из своих ледяных объятий и тянуло вниз. Но вот наконец она уже трепыхалась на дне шлюпки, как выброшенная на сушу рыба: кто-то успокаивал, кто-то накрывал одеялом, а ее тем временем безжалостно выворачивало наизнанку.

«Эвис», — беззвучно повторяла Фрэнсис. И когда соленая вода перестала склеивать ресницы, она увидела, как Эвис, точно попавший в сеть улов, переваливают через борт шлюпки, ее роскошное платье для конкурса красоты было сплошь в масляных пятнах, а глаза крепко зажмурены, словно она боялась заглянуть в лицо своему будущему.

«С ней все в порядке?» — хотела спросить Фрэнсис. Но кто-то прижал ее к себе сильной рукой и уже не отпускал. Она почувствовала близость крепкого тела, поняла, что находится под надежной защитой, — и все слова внезапно вылетели у нее из головы. *Фрэнсис*, послышался над ухом мужской голос, и она погрузилась в благостную темноту.

Капитан Хайфилд лежал на полетной палубе. Его на руках вынесли из отсека два кочегара. Моряки окружили его плотным кольцом. Они стояли под сумрачными небесами, вытирая со лба смешанный с сажей пот и периодически шумно сплевывая. До них то и дело доносились крики, говорившие о том, что огонь в различных частях корабля уже потушен.

Все позади, командир, твердили ему. Все под контролем. Мы сделали это. Они говорили полушепотом, словно не были уверены, слышит ли их Хайфилд. Конечно, позже, быть может, пойдут совсем другие разговоры: о том, что человеку в таком возрасте, занимающему такую должность, не пристало столь отчаянно бросаться на борьбу с огнем. Слишком уж опрометчиво с его стороны. А потом, возможно, кто-нибудь пустится в пространные рассуждения о том, что командир корабля не умеет делиться полномочиями, что другой бы на его месте стоял бы в стороне, но зато видел бы картину в целом. Однако большинство моряков, наверное, одобрят действия командира корабля. Они вспомнят о Харте, о погибших товарищах и решат, что на месте капитана Хайфилда определенно поступили бы точно так же.

Но все это будет уже потом. Через несколько часов или даже дней. А сейчас Хайфилд находился в забытьи, безразличный к их словам и уверениям. И моряки на минуту замолчали, наблюдая за тем, как их командир, в мокрой и пропахшей дымом парадной форме, мешком лежит на палубе, устремив полные боли глаза в небеса.

Моряки посмотрели на него и осторожно переглянулись. Кто-то предложил позвать судового врача, который в данный момент пытался уговорить сидевших в шлюпках петь хором. Но затем Хайфилд приподнялся на локте, его глаза были налиты кровью. Он кашлянул раз-другой, сплюнув на палубу черную слизь. И с трудом повернул голову, словно у него болела шея, его глаза пылали яростью.

— Проверьте каждый чертов отсек. А потом вытащите чертовых баб из чертовых шлюпок и верните на борт чертова корабля.

На спасение корабля ушло два часа. Испанские рыбаки, на рассвете прошедшие мимо «Виктории», естественно, в первую очередь убедились в том, что те, кто находится на воде, не нуждаются в их помощи. Потом рыбаки еще долго рассказывали всем о шлюпках, набитых разодетыми в пух и прах бабами, которые, беспорядочно размахивая руками, пели «The Wild Rover No More». А шлюпки эти были соединены, точно паутиной, коричневыми чулками, связанными крепкими узлами.

В каждой шлюпке сидело по два морпеха. О борт билась вода, и куски разорванной местами сети из чулок плавали на поверхности, словно гигантские коричневые водоросли. После сообщения, что ночевать в шлюпках не придется, в хриплых от усталости голосах женщин прозвучало явное облегчение. Они и их багаж были спасены.

Он сидел, уставившись на нее в упор, а она, не в силах пошевелиться под тяжестью навалившейся на нее Эвис, молча смотрела на него немигающими глазами — поверх согбенных спин женщин в шлюпке — так, словно их взгляды соединяла невидимая нить.

Командир корабля был жив. Пожар был потушен.

Им предстояло снова подняться на борт «Виктории».

Глава 22

За двадцать четыре часа до прибытия в Плимут

Прошло несколько часов, прежде чем температура упала настолько, чтобы можно было оценить размер ущерба, но, когда ремонтная команда спустилась в центральное машинное отделение, стало совершенно очевидно, что восстановлению оно уже не подлежит: трубы расплавились от жары, заклепки оказались на полу. Переборки и люки деформировались, кубрики над ними пришли в негодность, а палуба вспучилась. Матросы поделились с обитателями пострадавших кают одеялами и подушками, чтобы те, кто остался без спальных мест и имущества, могли расположиться на ангарной палубе. Никто не жаловался. Моряки, которые лишились фотографий и писем от родных и близких, находили утешение в том, что уже через двадцать четыре часа, наверное, увидят тех, по кому так тосковали в море. А моряки, которые в свое время служили на «Индомитебле», просто радовались тому, что все остались живы. Именно этому научила их война.

— Думаете, мы сумеем хоть как-то войти в гавань?

Хайфилд сидел на мостике и смотрел, как серое небо потихоньку проясняется, открывая голубые заплатки, словно извиняясь за ненастный вечер накануне.

— У нас впереди меньше суток пути. И в нашем распоряжении один работающий двигатель. Почему бы и нет?

— Похоже, вашу старушку слегка потрепало. — Голос Макмануса звучал глухо. — И одна маленькая птичка принесла на хвосте, что вы работали, не щадя живота своего.

Хайфилду не хотелось даже думать о прошлой ночи, о которой напоминало саднящее горло. Он сделал большой глоток лимонада с медом, приготовленного стюардом.

— У меня все отлично, сэр. Не о чем беспокоиться. Моя команда... обо мне позаботилась.

— Молодец. Я потом взгляну на ваш рапорт. Рад, что вы смогли удержать ситуацию под контролем — словом, не слишком напугав наших барышень. — Адмирал разразился тоненьким смехом.

Хайфилд спустился с мостика на полетную палубу. На корме работали матросы: с ведрами мыльной воды в руках, они цепью продвигались вперед, убирая следы копоти от просочившегося наверх дыма и осторожно обходя вспученные участки, которые в спешном порядке огораживали морские пехотинцы. Да, ущерб был налицо, но разрушения начали планомерно устранять. Когда они прибудут в Плимут, корабль Хайфилда будет полностью под контролем.

И он не потерял ни единого человека.

И никто не слышал свистящего вздоха, с которым командир медленно повернулся, чтобы пройти обратно на мостик. Хотя это вовсе не значило, что такого никогда не было.

По меньшей мере сотня женщин выстроилась после завтрака перед основным входом, терпеливо ожидая, когда их пустят обратно в каюты. Они тихонько переговаривались, обсуждая судьбу своего багажа и делясь страхами, что их тщательно подобранные по случаю прибытия в Англию наряды будут безнадежно испорчены дымом и водой.

И хотя на этой палубе видимых следов разрушения не наблюдалось, однако, потрогав переборки или койки, они обнаружили, что все вокруг покрыто тонким слоем копоти. Они стояли, напряженно прислушиваясь к приказам по громкой связи, а очередь тем временем прибывала и прибывала. Маргарет одной из первых прорвалась к двери и, пока остальные невесты только спускались по трапу, уже была в каюте.

— Моди! Моди! — Маргарет встала на колени и заглянула под нижние койки. — Моди! — кричала она.

— А вы не пробовали посмотреть в столовой? Там еще полным-полно народу. — Офицер из вспомогательной службы просунула голову в дверь.

Маргарет, до которой не сразу дошло, что та решила, будто она ищет подругу, недоуменно уставилась на женщину.

— Моди!

В отчаянии Маргарет перевернула все одеяла, матрасы и простыни. Ничего. Собаки не было ни на койках, ни в сумках. Ее даже не было в хозяйкиной шляпе — любимом месте отдыха Мод Гонн.

Маргарет собралась было расширить зону поисков, но неожиданно до нее донесся дикий визг. Она на секунду застыла, но, услышав, как кто-то кричит: «Боже, что это такое?!», пулей выскочила из двери и бросилась в сторону уборной.

Гораздо позже она подумала о том, что уже по дороге все поняла. Ведь уборная была единственным местом, которое Моди знала на корабле. Именно оттуда ей, Маргарет, и следовало начать поиски. Она стояла в дверях, глядя на жмущихся к раковинам девушек. Проследив направление их взглядов, она обнаружила маленькую собачку, зажатую дверью. На кафельной стене виднелись царапины от когтей, — должно быть, Моди отчаянно пыталась выбраться наружу.

Маргарет сделала шаг вперед и рухнула на колени, прямо на мокрый пол. Из ее груди вырвался то ли всхлип, то ли стон. Лапы собаки успели окоченеть, тело было холодным.

— О нет! О нет! — Лицо Маргарет сморщилось совсем по-детски. Она взяла мертвую собачку на руки. — О Моди, прости меня! Мне так жаль. Очень-очень жаль.

Маргарет целовала собаку в мокрую голову, пытаясь вдохнуть жизнь в мертвое тельце, понимая, что все напрасно.

Она даже не плакала, рассказывали очевидцы, просто сидела с собакой на руках, словно испытывая крестные муки.

Но когда удивленные взгляды сменились перешептыванием, она стащила с себя кардиган и завернула в него мертвую собаку. Затем, упершись рукой в поцарапанную стену, со стоном поднялась на ноги. Сверток она крепко прижимала к груди — так обычно прижимают младенцев.

— Может быть, тебе что-нибудь принести? — Какая-то женщина положила ей руку на плечо.

Но Маргарет, казалось, не слышала.

Обливаясь слезами, Маргарет шла со своей ношей по проходу. Те, чьи мысли были заняты не только своими закопченными пожитками, пытались присмотреться получше, гадая, откуда здесь мог взяться ребенок.

На корабль опустилась тяжелая тишина. Вернувшиеся в каюты женщины почему-то не принялись облегченно болтать, хотя их вещи практически не пострадали, разве что покрылись слоем сажи. За прошедшую ночь они поняли всю шаткость своего положения, что их несказанно потрясло. И не одной и даже не двум, а очень и очень многим до боли захотелось вернуться домой. Чего бы это ни стоило.

———

Поддерживаемая заботливой рукой женщины из вспомогательной службы, Фрэнсис с трудом приподнялась на койке: даже столь незначительное усилие далось девушке с невероятным трудом. Женщина укрыла ее одеялом, предусмотрительно набросив на плечи еще одно. Морпех — немного неохотно — отпустил руку, которой поддерживал Фрэнсис. Она поймала его взгляд — и усталости как не бывало.

— У меня все отлично, — сказала она женщине из вспомогательной службы. — Спасибо большое, но я действительно в порядке. Меня вполне устроила бы и собственная койка.

— Доктор Даксбери велел всем, кто провел хоть какое-то время в воде, оставаться пару часов под его наблюдением, чтобы проверить, нет ли у них гипотермии.

— Совершенно ответственно заявляю, что у меня ее нет.

— Приказ есть приказ. К вечернему чаю вы уже вернетесь.

Женщина повернулась к постели, на которой лежала Эвис, и ласково подоткнула одеяло. Этот материнский жест напомнил Фрэнсис о госпитале на Моротае. Но сейчас они были в примыкавшем к лазарету небольшом помещении, предназначенном, судя по множеству коробок и специфическому запаху хлорки, для хранения моющих и дезинфицирующих средств. На стенах висели графики и списки принадлежностей, под ними стояли закрытые шкафчики, возможно содержавшие горючие материалы. Фрэнсис невольно содрогнулась.

— Простите, что положили вас здесь, — сказала женщина из вспомогательной службы. — Лазарет понадобился для тех, кто надышался угарным газом, а помещать вас в одну палату с ними мы не имеем права. Это единственное место, которое удалось отыскать для вас двоих. Всего на пару часиков, хорошо?

Морпех, стоявший в паре дюймов от ее кровати, не сводил с нее глаз. И она буквально упивалась его проникновенным взглядом. Ей казалось, будто она до сих пор чувствует тепло его рук, когда он помогал ей подняться на борт, практически волоча ее на себе. Его лицо было так близко, что еще немного — и она могла бы положить голову ему на плечо.

— Ну как, миссис Рэдли, вам удобно?

— Замечательно, — пробурчала в подушку Эвис.

— Очень хорошо. Мне надо заглянуть в палату, проверить, все ли в порядке у мужчин, но, как только освобожусь, сразу вернусь. А еще я принесла вам чистую одежду. Так что, когда вам станет лучше, можете переодеться. Одежда вот тут. — Она положила аккуратно сложенные вещи на низкий шкафчик. — А теперь, дамы, вы наверняка с удовольствием выпьете чашечку чая. Морпех, окажите любезность. Внизу ужас что творится, и мне очень не хочется пробираться через этот бедлам на камбуз.

— С превеликим удовольствием.

Фрэнсис почувствовала легкое пожатие его руки и на секунду забыла и о том, где находится, и об Эвис, и о пожаре. Будто снова оказавшись на спасательной шлюпке, она заглянула ему в глаза, и ее взгляд красноречивее любых слов говорил о том, что она хотела, но никогда бы не рискнула произнести вслух.

— А потом я осмотрю ваши ссадины, — прошептала она, с трудом поборов желание прикоснуться к его лицу.

Она представила свои пальцы на его коже и то, как нежно она будет обрабатывать его раны.

Он подошел к двери, но на пороге оглянулся и улыбнулся, заметив, что она провожает его взглядом и машинально поправляет волосы.

— Не думаю, что ты горишь желанием находиться в моем обществе, да? — спросила Эвис, когда он закрыл дверь.

— Меня это нимало не волнует, — холодно ответила Фрэнсис, неохотно переключив внимание на соседку.

У Фрэнсис возникло ощущение, словно и не было тех часов, что они провели вместе в спасательной шлюпке, а Эвис, испытывая неловкость из-за того, что своим спасением обязана именно этой женщине, стремится как можно скорее восстановить между ними дистанцию.

— У меня что-то тянет низ живота. Наверное, слишком тугой корсаж. Ты не поможешь его расстегнуть? — попросила Эвис.

Она медленно сползла с постели, ее светлые волосы висели вдоль лица слипшимися от соли прядями. Фрэнсис с холодным безразличием медсестры помогла ей снять вконец испорченное бальное платье, плотный пояс с подвязками и бюстгальтер. Но когда укладывала Эвис обратно в постель, она неожиданно заметила темное пятно, расползшееся сзади на шелковой ткани. Фрэнсис наклонилась, чтобы подобрать испачканное платье, и увидела то, что ее крайне обеспокоило. Подождав, пока Эвис уляжется, она осталась стоять возле ее койки.

— Мне надо кое-что сообщить тебе, — сказала она. — У тебя кровотечение.

Эвис уставилась на алое пятно на подоле и, переведя взгляд на кровать, обнаружила точно такое же на простыне. И по лицу Фрэнсис сразу поняла, что это значит. Ни один мускул не дрогнул на ее лице. Она без комментариев взяла протянутое Фрэнсис чистое полотенце.

— Мне очень жаль, — проронила Фрэнсис, внезапно почувствовав себя немного неуютно. — Возможно, это результат... шока. Когда ты упала в воду.

Фрэнсис была морально готова, что Эвис накинется на нее с обвинениями и к длинному списку ее грехов добавит еще и этот. Скажет, что из-за Фрэнсис потеряла ребенка. Но Эвис не произнесла ни слова. По совету Фрэнсис она приняла две таблетки обезболивающего и сунула между ног полотенце.

Наконец она открыла рот.

— Что ни делается, все к лучшему, — сказала она. — Бедный маленький ублюдок. — И сразу замолчала, словно сама не ожидала, что способна произнести нечто подобное.

У Фрэнсис невольно округлились глаза.

Эвис покачала головой. А затем, раскачиваясь взад-вперед, завыла дурным голосом. От ее протяжного воя тряслись стены, и, чтобы заглушить рыдания, она уткнулась лицом в подушку, но ее худенькая спина содрогалась, будто от сейсмических толчков.

Фрэнсис, выронив платье, осторожно залезла к Эвис на постель и села рядом, не зная, что предпринять. Она немного подождала, однако, поняв, что больше не в силах переносить этот пробирающий до костей звук, крепко обняла Эвис и притянула к себе. Эвис не стала сопротивляться, хотя и не попыталась прижаться к Фрэнсис. Она настолько глубоко погрузилась в свое несчастье, что напрочь забыла о присутствии Фрэнсис.

— Все будет хорошо, — успокаивала ее Фрэнсис, если честно, не веря в то, что говорит. — Все будет хорошо.

Рыдания стихли только через какое-то время. Фрэнсис пошла в амбулаторию за болеутоляющими таблетками и на всякий случай за успокоительным. Когда Фрэнсис вернулась, Эвис лежала на боку, подложив под спину подушку. Она вытерла слезы и, знаком попросив Фрэнсис дать ей платье, достала из кармана мятый, мокрый листок бумаги.

— Вот, теперь ты можешь прочесть спокойно, — сказала она.

— НЕ ЖДУ НЕ ПРИЕЗЖАЙ?

— О нет, он меня ждет. С этим как раз все в порядке...

Эвис протянула ей листок, и Фрэнсис, сразу поняв, что они перешагнули через возникший между ними барьер, прочла те отрывки, которые не успели размыть атлантические воды.

———

Я давным-давно должен был рассказать тебе об этом. Но я люблю тебя, дорогая, и мне невыносимо думать, какое у тебя будет грустное личико, когда ты узнаешь правду, или что я могу тебя потерять... Ради бога, не пойми меня превратно. Я вовсе не прошу, чтобы ты не приезжала. Ты должна знать, что меня с женой связывают чисто платонические отношения, мы, скорее, как брат с сестрой... И ты, моя дорогая, значишь для меня гораздо больше, чем она...

Я хочу, чтобы ты знала: все, что я говорил тебе в Австралии, — чистая правда. Каждое слово. Но ты должна понять, что дети еще совсем маленькие, а я не из тех, кто наплевательски относится к своим обязанностям. Возможно, когда они немного подрастут, мы подумаем об этом снова, да?

Итак, я понимаю, что прошу от тебя слишком многого, но хотя бы поразмысли над этим, пока будешь на борту. У меня отложена приличная сумма денег, и я мог бы поселить тебя в уютной квартирке где-нибудь в Лондоне. И тогда я имел бы возможность проводить с тобой пару ночей в неделю — ведь, если хорошенько подумать, жены, у которых мужья служат на флоте, видят своих благоверных и того реже...

Эвис, ты всегда говорила, будто для тебя главное, чтобы мы были вместе. Так докажи, дорогая, что ты меня не обманывала...

Когда Фрэнсис переварила последнюю фразу, она не осмелилась посмотреть Эвис в лицо: боялась, что та решит, будто она, Фрэнсис, злорадствует.

— Ну и что ты намерена делать? — осторожно спросила она.

— Наверное, вернусь домой. Я не могла этого сделать, пока у меня... Но сейчас, полагаю, можно считать, будто ничего и не было. Вообще ничего не было. В любом случае родители не хотели, чтобы я ехала... — Ее слабый голос звучал холодно и отчужденно.

— Знаешь, у тебя все будет хорошо.

В ее реакции на слова Фрэнсис проскользнуло нечто от прежней Эвис: некое высокомерие, говорившее Фрэнсис о том, что ни она сама, ни ее слова абсолютно ничего не значат. Эвис уронила письмо на покрывало и обратила на Фрэнсис прямой, но удивительно беззащитный взгляд.

— Как тебе удается жить дальше с таким грузом? — спросила она. — Такого позора.

И Фрэнсис внезапно поняла, что, несмотря на внешнюю грубость своих слов, Эвис вовсе не хотела ее обидеть. В выражении мертвенно-бледного лица Эвис, в ее потухших глазах Фрэнсис прочла простое любопытство.

— Мне кажется, я поняла... каждый из нас что-то такое несет... Груз стыда за одно или другое. — Фрэнсис очень осторожно подбирала слова.

Она вытащила из-под Эвис полотенце и проверила, не увеличилось ли пятно. Осторожно спрятав грязное полотенце, она дала Эвис чистое.

Эвис беспокойно поерзала на кровати:

— Но твой груз стал легче. Потому что ты нашла человека, готового тебя принять. Несмотря на твое... твое прошлое.

— Эвис, мне нечего стыдиться. — Фрэнсис собрала грязные вещи для прачечной, а затем снова присела на кровать. — Возможно, ты поймешь. В своей жизни я сделала только одну вещь, за которую мне до сих пор стыдно. Но это не то, о чем ты думаешь.

Служба медицинских сестер армии Австралии организовала учебную часть в Уэйвилле, рядом с полевым госпиталем. Фрэнсис прошла медсестринскую практику в Сиднейском госпитале, затем работала в одной уважаемой семье в Брисбене, чтобы скопить денег на обучение, и вот теперь ее — незамужнюю, годную по состоянию здоровья, не имеющую иждивенцев, с блестящей рекомендацией старшей медсестры — с удовольствием принял на службу недавно организованный Австралийский главный военный госпиталь. Ей пришлось соврать насчет своего возраста, но, судя по понимающему взгляду, что бросила на нее начальница отдела кадров, оценивая выдуманную ею дату рождения, она оказалась не первой и не последней. В конце-то концов, время было военное.

Главный военный госпиталь сразу стал для нее родным домом. Сестры были выносливыми, способными, жизнерадостными, сострадательными и, помимо всего прочего, очень профессиональными. Они были первыми, кто принимал Фрэнсис такой, как она есть, а также высоко ценил ее старательность и преданность делу. Они приехали из самых разных уголков Австралии, и чужое прошлое их не интересовало. У большинства имелись свои причины для отсутствия мужей или иждивенцев, и никто из них не проявлял особого желания распространяться на данную тему. Более того, в силу специфики своей работы они жили исключительно сегодняшним днем.

Фрэнсис ни разу не пыталась связаться со своей матерью. Она понимала, что, возможно, это свидетельствует о некоторой безжалостности, но даже такое не слишком приятное открытие насчет своего характера не заставило ее передумать.

Несколько лет медсестры служили все вместе в Нортфилде, Порт-Морсби, а затем их перевели на Моротай, где она и встретила Чоки. К этому времени она уже успела понять: произошедшее с ней — это еще не самое худшее, что может случиться с человеком, особенно на фоне зверств, совершаемых во имя войны. Она держала в своих объятиях умирающих, перевязывала раны, вызывавшие рвотные позывы, убирала загаженные отхожие места, стирала вонючие простыни и помогала устанавливать износившиеся от долгого использования, заплесневевшие палатки. Но ей казалось, что еще никогда в жизни она не чувствовала себя более счастливой.

Мужчины штабелями падали к ее ногам. Однако в условиях госпиталя это было нормой: многие из них уже тысячу лет не видели женщин. Парочка нежных слов, ласковая улыбка — и они были готовы наделить тебя всеми теми качествами, которыми ты, возможно, и не обладала. И она решила, что Чоки — один из таких. Думала, что, находясь в бредовом состоянии, он, вероятно, видел только ее улыбку. По крайней мере раз в день он делал ей предложение руки и сердца, но, как и в случае со всеми остальными, она не обращала особого внимания. Она никогда не выйдет замуж.

Но только до тех пор, пока не появился артиллерист.

— Так это был именно тот, в кого ты влюбилась, да?

— Нет, это был тот, кто меня узнал. — Она сглотнула ком в горле. — Он прибыл из подразделения, расквартированного неподалеку от отеля, где я когда-то жила. Но я чувствовала: рано или поздно настанет день, когда мне придется покинуть Австралию, поскольку только так и не иначе я смогу избавиться от... — Она сделала паузу. — И я решила сказать «да».

— А он знал? Твой муж?

Фрэнсис сидела, сложив руки на коленях. И теперь она нервно сплетала и расплетала пальцы.

— Первые несколько недель, что мы познакомились, он постоянно пребывал в полубессознательном состоянии. Правда, узнавал мое лицо. Иногда ему казалось, что мы уже женаты. Иногда он называл меня Виолеттой. Кто-то сказал мне, что так звали его покойную сестру. А иногда, глубокой ночью, он просил меня взять его за руку и спеть ему что-нибудь. И когда его боль становилась совершенно невыносимой, я действительно пела, несмотря на полное отсутствие голоса. — Она позволила себе выдавить слабую улыбку. — В жизни не встречала такого доброго и мягкого человека. В ту ночь, когда я сказала, что выйду за него замуж, он плакал от счастья. — Эвис закрыла глаза от боли, и Фрэнсис подождала, пока приступ пройдет, а затем твердым голосом продолжила рассказ: — У него был начальник, капитан Бейли, так вот, этот самый Бейли знал, что у Чоки нет семьи. А еще он знал, что я от этого брака абсолютно ничего не выиграю, но зато, если называть вещи своими именами, осчастливлю Чоки. Итак, капитан сказал «да», хотя, как я сильно подозреваю, любой другой на его месте наверняка нам отказал бы. Возможно, все это было не слишком благородно с моей стороны, но, полагаю, я действительно заботилась о том, чтобы ему было хорошо.

— И ты знала, что таким образом получишь пропуск на волю.

— Да. — На губах Фрэнсис играла загадочная полуулыбка. — Вот ведь ирония судьбы, разве нет? Девушка с моим прошлым выходит замуж за единственного человека, который вообще до нее пальцем не дотронулся.

— Но по крайней мере, тебе удалось сохранить репутацию.

— Нет. К несчастью, нет. — Фрэнсис провела пальцем по заскорузлой от соли юбке, которую так и не успела снять. — За несколько дней до моей свадьбы с Чоки, когда я стирала бинты возле столовой, ко мне подвалил тот самый артиллерист и... — У Фрэнсис сдавило горло. — И попытался залезть мне под юбку. Я закричала и дала ему по морде. Иначе было от него не отвязаться. Но на крик сбежались другие сестры, и он заявил им, будто ни на что другое я не способна. Что он знал меня еще по Айнсвиллу. И это решило все. Понимаешь? Городок совсем маленький, а я ведь сказала всем, откуда я родом. И они поняли, что он не врет. — Она сделала паузу. — Похоже, им было бы гораздо легче, если бы он обвинил меня в убийстве.

— А кто-нибудь сказал Чоки?

— Нет. Думаю, чисто из жалости. О, некоторые просто решили не обращать внимания. Ведь когда ты каждый день сталкиваешься лицом к лицу со смертью, тебя уже не волнуют такие вещи, как репутация человека. К тому же они знали, как он относится ко мне. А он был еще совсем слабым. Мужчины весьма лояльны друг к другу... И иногда подобная лояльность проявлялась самым неожиданным образом...

— Но ведь сестры осудили тебя точно так же, как в свое время и я. Разве нет?

— Большинство из них — да. Но, мне кажется, старшая медсестра придерживалась иного мнения. Мы с ней долго работали вместе. Она знала меня... совсем с другой стороны. И просто сказала, что я должна извлечь для себя максимум пользы из того, что он мне дал. Не каждому человеку в жизни выпадает второй шанс.

Эвис вытянулась на койке и уставилась в потолок:

— Думаю, она права. Никому не дано знать. Никому не дано знать... все.

Фрэнсис удивленно подняла брови:

— Даже после того, что было?

— Англия — большая страна, — пожала плечами Эвис. — Там полно народу. И Чоки наконец присмотрит за тобой. — Не дождавшись ответа, она спросила: — Ведь никто так ему ничего и не сказал, да?

— Нет, — покачала головой Фрэнсис. — Никто так ему ничего и не сказал.

Стоявший с двумя жестяными кружками вконец остывшего чая по другую сторону двери, морпех осторожно попятился и закрыл глаза.

Глава 23

Конечно, завязывались романы, и даже было сыграно несколько свадеб. А поскольку эта территория находилась под управлением Нидерландов, приходилось подписывать множество бумаг... Обручальные кольца, как правило, изготавливал дантист с помощью бормашины, а свадебные платья шились или из белой москитной сетки, или из формы медсестры... Согласно армейской политике, новобрачная вскоре после свадьбы возвращалась в Австралию.

Джоан Кроуч. Особый вид службы

Моротай, к северу от острова Хальмахера, 1946 год

— Я знаю, что это против правил, — сказала Одри Маршалл, — но ты их видел. Ты видел, что с ней творится.

— В это просто невозможно поверить.

— Чарльз, она была ребенком. По ее словам, ей было всего пятнадцать.

— Одно я знаю наверняка: он ее обожает.

— Тогда кому от этого будет хуже?!

Старшая медсестра открыла ящик и вытащила бутылку с какой-то светло-коричневой жидкостью. Она показала бутылку, и он одобрительно кивнул, наотрез отказавшись разбавить содержимое хлорированной водой из кувшина, стоявшего на письменном столе. Они собирались встретиться, чтобы потолковать, гораздо раньше, но джип с американской радиолокационной станцией столкнулся на узкой дороге с голландским грузовиком с продовольствием, перевернулся, и в результате один человек погиб, а двое других оказались ранены. И капитану Бейли больше часа пришлось провести с голландскими официальными лицами, заполняя нужные бланки и обсуждая инцидент

483

с голландским старшим офицером. Среди пострадавших был ординарец капитана Бейли, а потому капитан чувствовал себя сейчас как выжатый лимон.

Он сделал глоток, явно не желая решать новую проблему, когда и со старыми-то не успел разобраться.

— У нас могут быть неприятности. Он ведь явно не в себе.

— Может, и не в себе, но точно знает, что любит ее. И это сделает его счастливым. И, кроме того, у нее нет выхода. Теперь, когда все о ней знают, она больше не может служить медсестрой. И в Австралии оставаться тоже не может.

— Ой, да брось! Австралия — большая страна.

— Но ведь ее даже здесь нашли. Разве не так?

— Ну, я не знаю...

Старшая медсестра наклонилась над письменным столом:

— Чарльз, она хорошая медсестра. И хорошая девушка. Только подумай, как много она сделала для твоих людей. Вспомни о Петерсене и Миллсе. Вспомни об О'Халлоране и его ужасных ранах.

— Я знаю.

— Тогда что за беда? У парня нет денег. Ведь так? И ты сказал, что семьи у него тоже нет. — Она слегка понизила голос. — Тебе не хуже моего известно, как он болен.

— Кому, как не тебе, знать, что я изо всех сил пытался отговорить его от этой затеи. Взять для начала треклятую писанину!

— Но ты ведь на короткой ноге с голландцами. Сам говорил. Они подпишут все, что ты им подсунешь.

— А ты уверена, что это разумная идея?

— Конечно. Он будет счастлив, а для нее это спасительная соломинка. Тогда она сможет официально уехать в Англию. Станет там замечательной медсестрой. Ну и что тут плохого?

Чарльз Бейли тяжело вздохнул. Поставил стакан на письменный стол и повернулся к старшей медсестре:

— Одри, тебе совершенно невозможно отказать.

Она улыбнулась с видом победительницы.

— Я делаю то, что должна, — сказала она.

Капеллан оказался прагматичным человеком. Он настолько устал от чужих страданий и боли, что уговорить его оказалось плевым делом. Молодая медсестра, которой он, кстати, всегда благоволил, была олицетворением всепобеждающей любви, сказал он себе. И если это поможет страдающей душе рядом с ней хоть на время забыть об ужасах последних недель, то Господь наверняка поймет и простит его. И когда старшая медсестра рассыпалась в благодарностях, он ответил, что Всевышний — самый большой прагматик из всех, кого они знают.

Троица мысленно поздравила себя с соломоновым решением и — терзаемая некоторой неуверенностью, как будет воспринят сей план главными действующими лицами, — решила пропустить еще по стаканчику за успех его реализации в кабинете старшей медсестры. Исключительно для медицинских целей, сказала старшая медсестра, отметив некоторую бледность капитана Бейли. Она не выносила мужчин с нездоровым цветом лица: у нее сразу же возникало желание проверить их на наличие заболеваний крови.

— Единственная проблема с моей кровью — это то, что в ней явно не хватает алкоголя, — пробурчал капитан Бейли.

Они выпили за сестру Льюк, за ее будущего мужа, за окончание войны и заодно за Черчилля. Сразу после десяти они, держась неестественно прямо и более сковано, чем до обильных вечерних возлияний, вошли в госпитальную палатку.

— Она в палате В, — сообщила им медсестра, читавшая за ночным столиком книжку.

— С капралом Маккензи, — повернувшись к капитану Бейли, с неприкрытым торжеством в голосе сказала старшая медсестра. Теперь их план точно сработает. — Вот видите!

Они прошли по песчаному проходу между кроватями, стараясь не беспокоить спящих пациентов, и отодвинули занавеску над входом в следующую палату. Капитан Бейли на секунду замер, чтобы, чертыхнувшись, прихлопнуть севшего на шею комара. Затем вся троица остановилась.

Услышав, что кто-то вошел, сестра Льюк подняла голову и обратила на них непроницаемый взгляд своих широко распахнутых глаз. Склонившись над постелью Альфреда Чоки Маккензи, на три четверти затянутой москитной сеткой, она закрывала ему лицо белой простыней флотского образца.

Эвис спала, когда морпех вернулся с двумя кружками уже горячего чая. Он дважды постучался, не поднимая глаз, вошел в комнату и поставил кружки на столик между койками. В душе у него теплилась слабая надежда, что женщина из вспомогательной службы тоже окажется здесь.

Фрэнсис стояла возле спящей Эвис и, увидев его, подскочила от неожиданности. Щеки ее слегка порозовели. Вид у нее был измученный. Еще пару часов назад он поддался бы порыву прикоснуться к ней. Но теперь, когда он услышал ее рассказ, у него пропало все желание это делать. Он отступил к двери и остался стоять — ноги расставлены, плечи развернуты, — словно желая укрепиться в своем решении.

— Я... Я вас не ждала, — сказала она. — Думала, что у вас другие дела.

— Простите, что задержался.

— Доктор Даксбери меня отпустил. Соберу вещи и вернусь в каюту. А вот Эвис, скорее всего, останется здесь на ночь. Возможно, я еще приду, чтобы проведать ее. У доктора некоторая запарка с работой.

— Она в порядке?

— Она поправится, — ответила Фрэнсис. — Я собиралась поискать Мэгги. Как она там?

— Не слишком хорошо. Собака...

— О... — У Фрэнсис вытянулось лицо. — О нет! Неужели она сейчас совершенно одна?

— Не сомневаюсь, она обрадуется, если вы составите ей компанию.

Она так и не успела переодеться, и ему до боли в груди хотелось стереть грязный поток у нее со щеки. Он поспешно заложил руки за спину.

Тогда она сделала шаг вперед, оглянулась на мирно спавшую Эвис и очень тихо сказала заговорщицким тоном:

— Я тут размышляла над вашими словами. О том, что война нас всех заставила делать такие вещи, которых мы теперь стыдимся. А ведь раньше, пока вы этого не сказали, я считала себя единственной, кто...

Ее слова застали его врасплох. Он попятился, не решаясь заговорить. В глубине души ему хотелось приказать ей, чтобы она замолчала, но в то же время он жаждал услышать, что она произнесет дальше.

— Знаю, мы не всегда имели возможность говорить... откровенно. Все так запуталось, и обязательства перед другими не всегда можно... — Она замолчала и посмотрела на него. — Но я хочу сказать вам спасибо. Вы... Я признательна вам за ваши слова. И буду благодарить судьбу за то, что мы встретились. — Последнюю фразу она произнесла очень быстро, как будто боялась, что потом у нее не хватит духу ее произнести.

Он вдруг почувствовал себя совершенно раздавленным.

— Да. Хорошо, — наконец обретя способность более-менее связно говорить, промямлил он. — Всегда приятно заводить новых друзей. — И, чувствуя себя ужасно неловко, добавил: — Мэм.

В разговоре возникла неловкая пауза.

— Мэм? — переспросила она.

Ее несмелая улыбка сразу исчезла, причем изменение ее мимики оказалось столь незаметным, что, будь здесь даже кто-то еще, наверное, только он один и обратил бы внимание. У меня нет выбора, хотелось крикнуть ему. Я делаю это исключительно ради тебя.

Она вгляделась в его лицо. И то, что она там увидела, заставило ее опустить глаза и отвернуться.

— Прошу прощения, — сказал он. — А теперь мне надо идти. Дела не ждут. Но... не сомневаюсь, вам понравится Англия.

— Благодарю вас. На лекциях я уже получила массу полезной информации.

Прозвучавший в ее словах упрек был точно удар под дых.

— Послушайте... — держа руки по швам, начал он. — Надеюсь, вы всегда будете вспоминать обо мне как... о своем друге. — Последнее слово прозвучало не слишком уместно.

Она часто-часто заморгала, и он от стыда за себя поспешил отвернуться.

— Морпех, это, конечно, очень великодушно с вашей стороны, но я так не думаю, — сказала она и с легким вздохом принялась складывать постельное белье аккуратной стопкой, а когда снова повернулась к нему, ее голос звенел от обиды. — Ведь помимо всего прочего, морпех, я даже не знаю вашего имени.

Маргарет стояла у ограждения в кормовой части полетной палубы, шерстяной жакет туго обтягивал ее объемистую талию, волосы падали на лицо, несмотря на накинутый на голову шарф. Она повернулась спиной к мостику, склонив голову над свертком, который держала в руках.

Свинцовые тучи, готовые в любую минуту пролиться дождем, затянули небо. За кораблем, точно привязанные невидимыми нитями, следовали огромные альбатросы. Время от времени Маргарет смотрела на свой сверток, роняя на него горькие слезы, и в результате бежевое джерси оказалось усеяно расплывшимися темными пятнышками. Маргарет неловко размазывала пятна большим пальцем, снова и снова обращаясь со словами прощения к окоченевшему тельцу.

Из-за шума ветра и надетого на голову шарфа она не слышала, как к ней подошла Фрэнсис. Маргарет не знала, как давно Фрэнсис стоит рядом.

— Погребение в море, — сказала Маргарет. — Представляешь, никак не могу собраться с духом сделать это.

— Мэгги, мне очень жаль.

Глаза Фрэнсис смотрели безрадостно. Она неуверенно дотронулась до руки подруги.

Маргарет вытерла глаза ладонью, покачала головой и охнула, словно сетуя на свою беспомощность.

Море, казалось, сливалось с небом. Серая вода становилась немного светлее у горизонта, но затем снова темнела, неразличимая на фоне низких, неприветливых облаков. И возникало странное чувство, что корабль плыл в никуда, как будто навигация осуществлялась исключительно на авось.

И вот через несколько минут Маргарет, которая так и не почувствовала себя готовой, сделала шаг вперед. Помедлила, прижав к себе маленькое тельце, причем так крепко, как никогда не рискнула бы, если бы в нем до сих пор теплилась жизнь.

Затем она перегнулась через ограждение и, горестно всхлипнув, бросила сверток в море, беззвучно принявшее жертву.

Маргарет стояла, вцепившись побелевшими пальцами в ограждение, ей отчаянно хотелось остановить корабль, чтобы достать то, что она потеряла. Море показалось ей равнодушным и бездонным. Значит, подобное погребение было, скорее, равнодушным предательством, а не мирным упокоением. И собственные руки вдруг стали невыносимо пустыми.

Фрэнсис молча указала на бежевый кардиган на поверхности моря далеко внизу — просто светлое пятно на темной воде, которое очень скоро накрыла волна. Больше они его не видели. Они стояли, не обращая внимания на пронизывающий ветер, и смотрели, как вздымается и исчезает за кормой пенный след «Виктории».

— Фрэнсис, неужели мы все сошли с ума? — наконец нарушила молчание Маргарет.

— Ты о чем?

— Что, черт возьми, мы натворили?!

— Не уверена, что понимаю...

— Мы оставили людей, которых любили, родной дом, где были счастливы. И ради чего?! Чтобы получить, как Джин, клеймо шлюхи? Чтобы эти чертовы флотские устроили нам допрос по поводу нашего прошлого, словно мы преступницы какие? Чтобы пройти через весь этот кошмар и узнать, что нас не ждут? Потому что у нас нет никакой гарантии, ведь так? Никакой гарантии, что все эти мужчины и их семьи хотят нас принять. — У нее перехватило горло на холодном ветру. — И что, черт возьми, я знаю об Англии? Что я знаю о Джо или его семье? О младенцах? Ведь даже за собственной треклятой собакой я не сумела уследить... — Ее голова упала на грудь. Они стояли, не обращая внимания ни на лужи под ногами, ни на взгляды маляров, красивших остров с другой стороны. — Знаешь... Я должна сказать тебе... Похоже, я совершила чудовищную ошибку. Я позволила себе увлечься мечтой, быть может вызванной исключительно желанием убежать от домашних хлопот. Ужасно надоело стряпать и стирать для папы и мальчиков. И вот я здесь, но единственное, чего я сейчас хочу, — это свою семью. Фрэнсис, я хочу свою семью. Я хочу свою маму. — Она горько зарыдала. — Я хочу свою собаку.

Фрэнсис обняла ее своими сильными тонкими руками:

— Нет, Мэгги, нет. Все будет хорошо У тебя есть мужчина, который тебя любит. По-настоящему любит. Все будет хорошо.

— Как ты можешь это говорить после того, что здесь произошло? — спросила Маргарет, которой очень хотелось, чтобы ее успокоили.

— Мэгги, таких, как твой Джо, — один на миллион. Даже мне это понятно. И у тебя впереди чудесная жизнь, потому что тебя невозможно не любить. У тебя родится чудесный малыш, которого ты будешь любить больше жизни. О, если бы ты только знала, как сильно я...

Лицо Фрэнсис исказилось, тело затряслось, точно от икоты, а из глаз нескончаемым потоком хлынули слезы. Она обняла Маргарет, точно желая ее утешить, хотя, скорее, хотела найти утешение сама. Фрэнсис попыталась извиниться, собраться с силами, даже помахала рукой, молчаливо прося прощения, но так и не смогла остановиться.

Маргарет, потрясенная их душевным единением, притянула Фрэнсис к себе.

— Эй, ты чего разнюнилась? — слабым голосом спросила она. — Эй, Фрэнсис, ты это брось... Это совсем на тебя не похоже... — Маргарет гладила Фрэнсис по волосам, причесанным для торжественного вечера.

Она вспомнила, как две девушки прыгнули с палубы в бурное море, и представила, какое потрясение они, должно быть, испытали. И внезапно ей стало нехорошо от нахлынувшего чувства вины. Ведь она даже не удосужилась проверить, все ли в порядке у Фрэнсис. Она еще крепче обняла Фрэнсис, молча умоляя ее о прощении, в надежде, что буря в душе подруги уляжется.

— Ты права. У нас все будет хорошо, — твердила Маргарет, гладя Фрэнсис по голове. — А вдруг получится так, что мы, в конце концов, вообще будем жить рядом? Фрэнсис, ты уж пиши мне, пожалуйста. У меня там, кроме тебя, никого нет, а от Эвис толку, что от козла молока. Ты все, что у меня есть...

— Я не та, за кого ты меня принимаешь. — Своим громким плачем Фрэнсис уже начала привлекать внимание. На другом конце палубы стояли небольшой группкой матросы, они курили и наблюдали за происходящим. — Даже противно рассказывать...

— Ой, да брось! Пора оставить прошлое позади. — Маргарет вытерла глаза. — Послушай, лично я считаю, что ты отличная девчонка. Все, что мне надо, я и так знаю. Даже то, чего мне знать не надо. И тем не менее считаю тебя отличной девчонкой. И поэтому ты, черт тебя подери, держи со мной связь!

— Ты... очень... добра.

— Ну вот, снова здорово!

И Фрэнсис неожиданно для себя улыбнулась.

— Эй вы, двое! А ну-ка уходите оттуда!

Они повернулись и увидели стоявшего на острове офицера, который изо всех сил махал им рукой.

— Ладно, пошли, девочка! И смотри у меня, не раскисай! Тебе это не идет.

— Ой, Мэгги... Я так...

— Нет, Фрэнсис, мы начинаем новую жизнь. С нуля. Ведь ты сама сказала, что все будет хорошо. Мы постараемся, чтобы у нас все было хорошо. — Она снова обняла Фрэнсис, и они пошли назад. — Мы что, зазря страдали, черт побери?! Мы просто обязаны сделать так, чтобы все было хорошо!

———

И когда девушки после обеда ушли к себе в каюту, матросы все еще продолжали работать: драили, полировали, красили и обиженно гундели. Их голоса в проходах перекрывали даже взволнованный щебет невест, собиравших свои пожитки. Какой во всем этом смысл, недовольно спрашивали матросы друг друга. Корабль, так или иначе, пойдет на металлолом. И тогда почему было треклятому Хайфилду не предоставить им хотя бы один день треклятого отдыха? Разве он не знает, что война закончилась? Однако их ворчание, как ни странно, успокоило Фрэнсис: после пожара она так и не видела капитана, и слова матросов дали ей всю необходимую информацию о его самочувствии.

В глубине души она очень надеялась увидеть у их каюты своего морпеха. И хотя в этот последний вечер часовые были сняты, он вполне мог стоять в коридоре: ноги на ширине плеч, взгляд обращен на нее, словно в подтверждение существующей между ними незримой связи.

Но в коридоре его не оказалось. Только непрерывно мельтешащие женщины. Они возвращали одолженную в свое время косметику и демонстрировали наряды по случаю прибытия в Плимут. Что ж, возможно, это даже к лучшему. Ей казалось, что ее эмоции в любую секунду могут выплеснуться наружу, словно и ее заразила царившая на корабле атмосфера нетерпеливого ожидания на грани истерики.

— Добрый вечер, миссис Маккензи. — Это был доктор Даксбери, щеголявший в кремовом льняном костюме. — Я так понимаю, что мы, возможно, встретимся чуть позже в лазарете. Замечательно, что вы снова при исполнении. — Он приветственно коснулся полей шляпы и пошел дальше, беспечно насвистывая «Frankie and Johnny».

Миссис Маккензи. Сестра Маккензи. Нет смысла мечтать, чтобы все было по-другому, сказала она себе, помогая Маргарет пройти в каюту. И никогда не было. Уж кому, как не ей, это знать.

Примерно в половине десятого Маргарет уже почивала в сладких объятиях Морфея: душевное потрясение и плохое самочувствие вследствие беременности взяли свое. Ведь в последнее время Маргарет приходилось два-три раза за ночь вставать в туалет. Она сонно брела по пустому коридору, кивая стоявшим на часах морпехам. Но сегодня Маргарет спала как убитая, чем очень порадовала Фрэнсис, которой еще надо было навестить в лазарете Эвис.

Бесшумно ступая, она прошла по притихшему коридору мимо закрытых дверей. В эту ночь в каютах, где стоял устойчивый запах кремов для лица, а стены пестрели висящими на плечиках чистыми платьями, слышалось мерное позвякивание металлических бигуди и заколок для волос да вскрики беспокойно ворочающихся во сне женщин. Но только не в нашей тесной каюте, подумала Фрэнсис. Маргарет попыталась было заколоть волосы, но у нее ничего не получилось, и она, чертыхаясь, сдалась. Если он не захочет ее такой, какая она есть, вполне резонно за́метила Маргарет, то, даже если она накрутит локоны, как у чертовой Ширли Темпл[1], от этого ему будет ни жарко ни холодно.

И вот Фрэнсис шла по коридору — волосы не завиты, лицо мрачнее тучи, — отчаянно стараясь отгородиться от того, о чем не следует думать. Она свернула в сторону лазарета, кивнув встретившемуся в коридоре одинокому матросу с пакетом под мышкой.

Еще не успев дойти до лазарета, она услышала пение и сразу остановилась, чтобы определить источник его происхождения. Судя по хриплым мужским голосам, доктор Даксбери подбил своих подопечных исполнять мелодии из шоу. Издаваемые ими звуки были настолько лишены гармонии, что Фрэнсис сразу поняла: спирта для стерилиза-

---

[1] *Ширли Темпл* — американская актриса, наиболее широко известная своими детскими ролями 1930-х годов.

ции в лазарете явно стало меньше, чем было ещё накануне днём. В другое время она непременно пожаловалась бы на доктора Даксбери или, на худой конец, разобралась бы с ним сама. Но сейчас решила промолчать. Ведь на борту корабля им оставалось провести всего несколько часов. И вообще, разве она сторож брату своему?!

Но вот отзвучали последние меланхолические ноты, и пение прекратилось. Фрэнсис осторожно вошла в помещение, пытаясь разглядеть в тусклом свете измученное лицо неподвижно лежащей на кровати девушки.

Правда, самое плохое для Эвис было позади. Она крепко спала — очень бледная и словно съёжившаяся — под покрывалом и одеялом флотского образца, которые натянула на себя чуть ли не до подбородка. Она сердито хмурилась во сне, точно предчувствуя тяжёлые испытания, ожидающие её впереди.

Фрэнсис потушила свет, но не стала ложиться на свободную койку, а присела на стул возле постели Эвис. Фрэнсис сидела и смотрела на картонные коробки вдоль стен, прислушивалась к нарушаемому кашлем нестройному пению, которое под чутким руководством доктора Даксбери приобрело невиданную мощь. А ещё пыталась сквозь гул из соседнего помещения уловить шум уцелевшего двигателя. Шум этот стал значительно слабее, и она представила, как матерятся в машинном отделении механики, прилагающие титанические усилия для того, чтобы корабль мог войти в гавань. Она подумала о штурмане, о радисте, о вахтенных и обо все тех, кто сейчас не спит на этом огромном корабле, представляя встречу с семьёй и ждущие их перемены. Она подумала о командире корабля Хайфилде, который наверняка мается один в своей роскошной каюте над матросскими кубриками, зная, что эта ночь, вероятно, последняя проведённая им в море. Нам всем придётся начать новую жизнь, сказал он тогда. Придётся научиться прощать.

Я должна вернуть себе бодрость духа, став такой, как тогда, когда с чувством облегчения и тайной надеждой в душе взошла на борт корабля, сказала она себе. Должна забыть обо всем и о нем тоже, как о дурном сне. Я каждый божий день буду благодарить Чоки за щедрый дар, который он мне преподнес.

Это было самым меньшим, что она могла сделать в сложившихся обстоятельствах.

Она, похоже, немного задремала, но очнулась, услышав странный звук. Едва слышное покашливание, воспринимаемое буквально на уровне подсознания. Она так и не смогла понять, что заставило ее проснуться. Открыв глаза, она посмотрела на смутный силуэт Эвис, ожидая, что та сейчас приподнимется на локте и попросит стакан воды. Однако Эвис не шелохнулась.

Фрэнсис выпрямилась и прислушалась.

Снова все то же покашливание. Кто-то явно хотел привлечь ее внимание. Она встала со стула и подошла поближе к двери.

— Фрэнсис, — позвал он ее, причем так тихо, что только она одна и могла расслышать. А затем снова: — Фрэнсис.

На секунду ей показалось, что все это ей снится. За соседней дверью доктор Даксбери затянул «Danny Boy», потом остановился и громко всхлипнул, однако его, похоже, тут же утешили собутыльники.

— Вам нельзя здесь находиться, — прошептала она, сделала шаг вперед, но дверь открыть не решилась.

Необходимо было подчиняться строгим инструкциям: никаких контактов между мужчинами и женщинами, предупредил старпом, словно сам факт, что всем предстояла последняя ночь на борту, мог породить некое сексуальное безумие.

Он молчал, наверное, с минуту. Затем тихо произнес:

— Я только хотел убедиться, что вы в порядке.

Она непонимающе покачала головой и слабо выдохнула:

— У меня все отлично.

— То, что я вам сказал... Я совсем другое имел в виду...

— Ради бога, не беспокойтесь. — Ей не хотелось снова затевать весь этот разговор.

— Я хотел вам сказать... Я рад. Рад, что встретил вас. И я надеюсь... Надеюсь... — Тут он замолчал, не в силах справиться с сердцебиением.

Пение прекратилось. Где-то вдали, наверное в проливе Ла-Манш, загудела сирена. Фрэнсис стояла в темноте, ожидая продолжения, но внезапно поняла, что разговор окончен. Он сказал все, что собирался сказать.

Плохо понимая, что делает, Фрэнсис подошла к двери и прижалась к ней щекой. Она стояла так до тех пор, пока не услышала то, что хотела. И тогда распахнула дверь.

В тусклом свете маленького коридора она не смогла разглядеть выражения его глаз. Она посмотрела на него в упор, прекрасно понимая, что видит этого мужчину в последний раз. Да, против судьбы не пойдешь, но впервые в жизни ей хотелось рвать и метать. Она не имела права его хотеть. На чужом несчастье счастья не построишь. И ей приходилось постоянно, как заклинание, твердить себе это, однако буквально каждая клеточка ее тела вопила об обратном.

— Ну что ж, — сказала она, и ее неуверенная, но прекрасная улыбка разбила ему сердце. — Спасибо, что заботились обо мне. Я имею в виду, о нас.

Фрэнсис позволила себе бросить на него последний взгляд и неожиданно для себя протянула ему тонкую руку. После секундного колебания он сжал ее узкую ладонь и буквально утонул в ее глазах.

— Ну что, мальчики, пожалуй, пора и на боковую, — услышали они голос Винсента Даксбери. Дверь лазарета распахнулась, и они сразу попали в треугольник яркого света. — Домой, мальчики! Завтра вы уже будете дома! «Мой дом бы стоял там, где бродит бизон...»[1]

Она в испуге затащила его в крошечное помещение и осторожно закрыла дверь. Они стояли в нескольких дюймах друг от друга, прислушиваясь к шагам выходящих из лазарета мужчин: те громко хлопали друг друга по спине, кто-то натужно кашлял.

— Должен вам сообщить, — произнес доктор Даксбери, — что вы самый замечательный мужской хор, которым я когда-либо имел честь... «Мои веселые братья по оружию»... — Его голос одиноко плыл по коридору, но очень скоро к нему присоединились нестройные голоса остальных.

Она была так близко, что он чувствовал на лице ее дыхание. Она была как натянутая струна, но ее рука покоилась в его руке. Прохладные пальцы обжигали ему кожу.

— «Мои веселые братья»... Ля-ля-ля...

Если бы она не подняла в этот миг глаза, он никогда бы такого не сделал. Но она обратила к нему лицо — губы полураскрыты, словно в немом вопросе, — и дотронулась до ссадины над бровью, осторожно проведя по ней пальцем. И вместо того, чтобы отодвинуться назад, как он и собирался сделать, он накрыл ее руку своей ладонью.

Певцы в коридоре почем зря драли глотки, потом о чем-то жарко заспорили. Кто-то упал, и издалека послышалось строгое: «Эй вы, там!» — а затем быстрые шаги явно кого-то из начальства.

Найкол их практически не слышал. Он слышал только биение ее сердца, чувствовал ответное дрожание ее пальцев. Он провел ее рукой по горящему лицу, не чувствуя боли, даже когда она касалась ссадин и синяков. А затем прижал ее ладонь к своему рту.

---

1 «Home, home on the range» — гимн штата Канзас; перевод Сергея Погорелого.

После секундного колебания она с легким вздохом подставила ему губы, сжав его руки, словно желая остановить время.

Поцелуй был таким сладостным — сладостным до неприличия. Найколу хотелось втянуть ее в себя, чтобы она растворилась в нем целиком. Вот оно, ликовала его душа. Я знаю ее! Но, уже изнемогая от желания, он внезапно почувствовал приближение опасности, будто они делали нечто предосудительное, но не сразу понял, кому предназначался этот сигнал: ей или ему самому. Их глаза встретились, и в них было столько бесконечной боли, неприкрытого желания и горькой безнадежности, что у него перехватило дыхание. И когда он снова наклонился к ней, она резко отпрянула, прижала руку к губам, но взгляда не отвела.

— Мне жаль, — прошептала она. — Мне очень жаль.

Она мельком посмотрела на мирно спящую Эвис, затем легко провела пальцами по его щеке, словно желая навечно запечатлеть в душе его образ.

И все. Она вышла в коридор, своим появлением донельзя удивив находящихся там мужчин. Дверь подсобного помещения при лазарете тихо закрылась за ней и, лязгнув, точно тюремные ворота, встала между ними непреодолимой преградой.

Церемония состоялась во вторник около одиннадцати тридцати вечера. При других обстоятельствах это была идеальная ночь для бракосочетания: низкая луна ярко освещала тропическое небо, окутывая лагерь каким-то неземным голубым светом, легкий бриз практически не тревожил пальмовые ветви, но нес упоительную прохладу.

Кроме невесты и жениха, присутствовали всего трое: капеллан, старшая медсестра и капитан Бейли. Во время церемонии невеста — ее голос был едва слышен — сидела рядом с женихом. А по окончании обряда капеллан несколько раз осенил себя крестным знамением, молясь о том, чтобы Господь простил ему этот грех. Капитан Бейли молился о том же, но старшая медсестра его успокоила, твердо заявив, что при том ужасном состоянии, в котором находится мир вокруг, сей мелкий проступок никак не отяготит его совести.

Невеста, низко опустив голову, держала за руку мужчину, который был рядом с ней, словно просила у него прощения. После окончания церемонии она закрыла бледное лицо руками и сидела так до тех пор, пока не нашла в себе силы судорожно глотнуть воздуха, совсем как пловец, вынырнувший из толщи воды.

— Мы закончили? — спросила старшая медсестра, единственная из всех не потерявшая присутствия духа.

Капеллан кивнул, его лоб оставался нахмуренным, глаза опущены долу.

— Сестра? — очнулась невеста, которая не могла или, может, не смела посмотреть на стоявших рядом людей.

— Хорошо. — Одри Маршалл бросила взгляд на часы и потянулась за своей тетрадкой с записями. — Время смерти — двадцать три часа сорок четыре минуты.

Глава 24

Когда вчера вечером авианосец «Викториес» прибыл в Плимут... некоторым девушкам настолько не терпелось хоть одним глазком увидеть Великобританию, что они сгрудились на верхней палубе. В результате пиллерс не выдержал, и двадцать из них упали на нижнюю палубу с высоты восьми футов. К счастью, обошлось без травм. И только одна невеста не могла разделить общей радости. Уже в самом конце путешествия, преодолев путь длиною в 13 000 миль, она узнала, что муж, который должен был ее встретить, объявлен пропавшим без вести после аварии самолета.

Дейли миррор. Среда, 7 августа 1946 года

За восемь часов до прибытия в Плимут

Военно-морская форма, если она не надета на тех, для кого предназначена, — весьма любопытная вещь. Сшитая из темной плотной ткани, с галунами и латунными пуговицами, она напоминает не только о парадах, но и о тех невероятных усилиях — ведь форму необходимо гладить и чинить, а пуговицы драить, — которые надо предпринимать для содержания ее в должном виде. И еще она говорит об особенностях характера ее обладателя, его рутинной работе и устоявшихся привычках. А в зависимости от числа нашивок или знаков различия — и о его военной карьере: о проигранных или выигранных битвах, о принесенных жертвах. О доблести и малодушии.

Но она абсолютно ничего не говорит о жизни. Хайфилд смотрел на свою тщательно отутюженную стюардом форму. Она висела на плечиках, полностью готовая для последнего выхода в свет, когда «Виктория» завтра причалит в Плимуте. Так что же эта форма говорит обо мне? Так думал Хайфилд, поглаживая рукав кителя. Разве она способна рассказать о человеке, который лишь на войне осознавал свое предназначение? Или о человеке, который лишь теперь понял, что вещи, которых он старательно избегал — доверительные отношения и проявление гуманности, — это именно то, чего ему больше всего и не хватало?

Хайфилд повернулся к лежавшей на столе рядом с циркулем сложенной карте. На полу стоял наполовину собранный чемодан. Капитан прекрасно знал, куда мог положить это стюард, а потому сразу нашел под аккуратной стопкой одежды фотографию в рамке, которая последние шесть месяцев пролежала лицом вниз в его ящике. Он вытащил серебряную рамку, заботливо завернутую Ренником в папиросную бумагу. С фотографии на него смотрел юноша, его рука лежала на плече женщины, с улыбкой смахивающей с лица темные пряди волос.

Это сделает парня настоящим мужчиной, сказал он тогда сестре. Военно-морской флот превращает щенков в капитанов. А он позаботится о племяннике.

Племянник, обнимавший жену, как живой улыбался Хайфилду с фотографии. Хайфилд немного подвинул карту и поставил фотографию на стол. Теперь снимок будет стоять здесь до той самой минуты, когда надо будет покинуть корабль.

До Плимута осталось всего пара часов ходу. К тому времени, когда женщины проснутся, корабль уже будет готов высадить их прямо у открытых дверей в новую жизнь. Завтра здесь будет сумасшедший день: бесконечные списки, которые предстоит проверять и перепроверять, длиннющие очереди за багажом, а также процедурные мероприятия, необходимые для того, чтобы огромный авианосец мог войти в гавань. Капитан Хайфилд уже неоднократно становился свидетелем атмосферы нервозности, что царила на корабле перед высадкой экипажа на берег. Правда, война была уже позади. Сейчас его люди знали, что возвращаются навсегда.

Они сойдут с корабля, чтобы прямиком попасть в объятия плачущих жен и по-щенячьи радостных детишек. А потом отправятся пешком или на фырчащих машинах по домам, которые они, вероятно, даже не сразу смогут узнать. И если им чуть-чуть повезет, ощущение пустоты в душе сразу пройдет.

Хотя повезет явно не всем. Он не раз видел на причале родственников, явившихся, несмотря на полученное извещение о смерти, поскольку они отказывались принимать тот факт, что их Джон, или Роберт, или Майкл уже никогда не вернется домой. Капитан Хайфилд научился различать их даже в ревущей толпе: они стояли, нервно сжимая в руках сумочки или газету, и не сводили глаз с трапа в слабой надежде, что произошла чудовищная ошибка.

А еще на борту были такие, как он, Хайфилд. Те, чье возвращение, как правило, не было отмечено приветственными криками. Обычно они незаметно пробирались сквозь ликующие толпы воссоединившихся семей, чтобы за много миль отсюда увидеть весьма сдержанную радость родственников, готовых принять их исключительно из жалости.

Хайфилд еще раз посмотрел на парадную форму, которую завтра ему предстоит надеть в последний раз. Затем он сел за письменный стол и начал писать.

Дорогая Айрис!

У меня имеется для тебя одна новость. Я не приеду в Тайвертон. Пожалуйста, извинись перед лордом Хомвортом и передай ему, что я, со своей стороны, готов компенсировать все убытки, причиненные моим решением.

По зрелом размышлении я пришел к выводу, что жизнь на суше, возможно, не для меня...

Найкол понятия не имел, куда податься. Сейчас, почти в два часа ночи, в кубрике царило невероятное оживление: моряки, уже прилично принявшие на грудь, доставали из шкафчиков фотографии, чтобы засунуть их в туго набитые вещевые мешки, и делились друг с другом планами о том, куда поедут и что в первую очередь сделают. Если женушка сможет найти кого-нибудь присмотреть за детишками... Нет, он решительно не хотел сидеть среди них. Ведь тогда придется терпеть их добродушное подтрунивание, а ему вовсе не до шуток. Он хотел остаться в одиночестве, чтобы спокойно переварить все то, что с ним за это время произошло.

Боже, он до сих пор чувствовал вкус ее поцелуя. Все тело было словно наэлектризовано неутоленным желанием. А что, если она его ненавидит? А что, если она считает, будто он ненамного лучше Тимса и прочих? Зачем он так с ней поступил, если отлично знал, что она глубоко презирала мужчин, которые смотрели на нее исключительно как на объект вожделения?

Он поднялся на полетную палубу.

Он не ожидал, что окажется там не один.

Командир корабля стоял на баке перед мостиком. В одной рубашке с коротким рукавом и без головного убора. Найкол помешкал на пороге, собираясь развернуться и тихонько уйти, однако Хайфилд его заметил, так что Найколу ничего не оставалось делать, как подойти и поздороваться.

— Ну что, дежурство закончилось?

Найкол прошел вперед и остановился рядом с Хайфилдом. На палубе было довольно холодно, он впервые замерз после Австралии.

— Да, сэр. Посты у кают невест уже сняты.

— Вы ведь несли караул у каюты сестры Маккензи, так?

Найкол испытующе посмотрел на Хайфилда. Но командир корабля, казалось, был глубоко погружен в свои мысли.

— В том числе, сэр.

Нет, он не верил, что был ей противен. Ее тонкие руки не отталкивали его, а скорее, наоборот, крепко держали. У Найкола кружилась голова от вопросов, на которые не было ответа. *И как я мог так с ней поступить, если сам настрадался от предательства Фэй?*

Хайфилд стоял, засунув руки в карманы.

— С ними все в порядке? Я слышал, две невесты попали в лазарет.

— Все отлично, сэр.

— Хорошо. Хорошо. А где Даксбери?

— Он... хм... Полагаю, он прилег отдохнуть, сэр.

Капитан Хайфилд покосился на Найкола и, заметив нечто странное в выражении его лица, едва слышно, но отчетливо хмыкнул:

— Найкол, ты женат? Не припомню, что там говорил о тебе Добсон.

Найкол не торопился с ответом. Он задумчиво устремил глаза туда, где черное море встречалось с небом, где между расступившимися облаками блестела полоска звезд, а луна заливала призрачным светом этот нереальный пейзаж.

— Нет, сэр, — ответил он и, увидев вопросительный взгляд капитана, добавил: — Уже нет.

— Не стоит слишком очаровываться прелестями свободной жизни, Найкол. Отсутствие обязательств, уз... может быть палкой о двух концах.

— Я уже начинаю это понимать, сэр.

Они стояли в тишине ночи, такой прекрасной, что все лишние слова были ни к чему. Найкол думал о женщине внизу, и у него путались мысли. *Что я должен был сделать? И что мне теперь делать?* — беспрерывно спрашивал он себя.

Хайфилд подошел чуть поближе и, достав из кармана коробку с сигарами, протянул одну Найколу:

— Вот. Угощайся. Давай отметим. Это моя последняя ночь на борту в качестве командира корабля. Последняя ночь после сорока трех лет службы в военно-морском флоте.

Найкол взял сигару и позволил старшему товарищу дать себе прикурить, заслонив от ветра пламя ладонью.

— Вы будете скучать. По морскому братству.

— Нет, не буду. — (Найкол озадаченно посмотрел на капитана.) — Я не собираюсь расставаться с морем. Попробую устроиться на торговое судно. Еще точно не знаю. Эти девушки заставили меня задуматься. Если они на такое способны, то... — Хайфилд пожал плечами.

— А вам не кажется... что вы заслужили право провести остаток жизни на суше, сэр?

— Найкол, сомневаюсь, что смогу жить без моря, — тяжело вздохнул капитан.

Прямо под их ногами металлическая обшивка полетной палубы «Виктории» пронзительно заскрипела, словно в ответ на далекий тектонический сдвиг. Они одновременно посмотрели на свежеокрашенную поверхность и на участки со снятыми листами обшивки, где внутренности корабля глядели прямо в ночное небо. А потом вспомнили о двигателе, который натужно работал из последних сил. Это было заметно по клочковатому, неровному кильватерному следу. Корабль знал. Они оба это знали.

Капитан Хайфилд затянулся сигарой. В тонкой рубашке он явно не чувствовал холода.

— А ты знал, что она служила на Тихом океане?

— Кто? «Виктория»?

— Твоя подопечная. Сестра Маккензи.

— Сэр.

Чем она сейчас занимается? Думает ли о нем? Он инстинктивно дотронулся до ссадины на лице, к которой она нежно прикасалась. Он едва слышал, что говорил ему капитан.

— Очень отважная женщина. Они все очень отважные, что правда, то правда. Подумай об этом. Ведь завтра утром они узнают, каким окажется их будущее.

С тем мужчиной — мужчиной, которого Найкол уже ненавидел за один только факт, что он имел на нее все права. Но она так тепло о нем говорила... Какое право он имеет ненавидеть такого же солдата, как и он сам, но доброго и любящего? Как он может презирать человека, который, лежа на больничной койке, умудрился стать хорошим мужем, каким он, Найкол, никогда не был?..

Несмотря на ночную прохладу, Найкола вдруг бросило в жар. Нет, сейчас ему лучше уйти, чтобы посидеть где-нибудь в одиночестве. Где угодно.

— Сэр, я...

— Бедная девочка. Можешь себе представить, уже вторая такая на нашем корабле!

У Найкола кожа горела огнем. Он с трудом подавил желание прямо с палубы броситься в холодную воду.

— Не понял. Вторая какая, сэр?

— Вдова. А вчера поступила радиограмма для девушки с палубы В. Самолет ее мужа разбился в Суффолке. Ты не поверишь, во время тренировочного полета!

— Так муж миссис Маккензи был убит? — Найкол похолодел. Он вдруг почувствовал укол вины, словно желал ему смерти.

— Маккензи? Нет-нет, он... умер какое-то время назад. Где-то на островах Тихого океана. Странное решение, однако, уехать из Австралии в никуда. Что ж, война — поганая штука. — Капитан втянул носом воздух, будто собираясь определить, далеко ли до берега.

Овдовела?

— Послушай, ложиться спать все равно уже нет смысла. Пошли ко мне, пропустим по стаканчику.

Овдовела? Его душа ликовала и пела. Ему хотелось кричать во всю глотку: «Она вдова!» Но почему она ему не сказала? Почему она никому не сказала?

— Найкол, ты что предпочитаешь? Как насчет стаканчика скотча?

— Сэр?

Он с тоской посмотрел на дверь: ему отчаянно хотелось вернуться к ее каюте, сказать ей, что он знает о ее вдовстве. Ну почему, почему он не сказал ей правду? Тогда, быть может, она смогла бы ему довериться. И неожиданно до него дошло, что она, похоже, верила, будто единственное, что может ее защитить, — это статус замужней женщины.

— Твое служебное рвение заслуживает восхищения, приятель, но на сей раз я тебе приказываю. Ты должен позволить себе хоть иногда расслабляться.

Найкол невольно прислонился к двери:

— Сэр, я действительно...

— Да ладно тебе, морпех! Уважь старика. — Капитан убедился, что Найкол направляется в сторону его каюты, и посмотрел на него с хитрым блеском в глазах. — И вообще, как эта бедная собачонка может получить хоть минуту покоя, если ей постоянно приходится слушать, как ты шаркаешь ногами под дверью? — И когда Найкол обернулся, строго погрозил ему пальцем: — Найкол, ничто не может пройти мимо меня. Возможно, я уже без пяти минут пенсионер, но вот что я тебе скажу: я знаю практически обо всем, что происходит на моем корабле.

Когда он наконец покидает каюту командира корабля, уже слишком поздно, чтобы будить ее. Но он не против. Он знает, что у него еще есть время. Живот приятно греет выпитое виски, а в сердце поет одно-единственное заветное слово, и ему сейчас кажется, что вся жизнь впереди. Он идет по полетной палубе, бросает взгляд в слишком синее небо, немного замедляет шаг на ангарной палубе и останавливается в женском отсеке, наслаждаясь предрассветной тишиной и прислушиваясь к крикам чаек в Плимутском проливе — звукам родного дома.

Он смотрит на дверь, и его душу переполняет любовь к этому металлическому прямоугольнику. А затем, после секундного колебания, поворачивается, закладывает руки за спину и остается стоять, расставив ноги на прокопченном после пожара полу, в голове туман от сигар и выпитого виски.

Он единственный морской пехотинец, который завтра утром наденет неотглаженную форму. Он единственный морской пехотинец, который нарушил приказ не приближаться к женскому отсеку.

Он единственный морской пехотинец, который стоит на часах на пустынной ангарной палубе, и на лице его выражение гордости, смешанной с невероятным облегчением.

Глава 25

Австралийские невесты — 655 человек — британских солдат прошлым вечером ступили на английскую землю, когда авианосец «Викториес» водоизмещением 23 000 тонн встал на якорь в Плимуте. Они привезли с собой следующие истории:

АВАНТЮРИЗМ — Миссис Айрин Скиннер, 23 года, потомок преподобного Самуэля Марсдена, обосновавшегося в Австралии в 1794 году, заявила: «Мы можем поселиться на острове Ньюфаундленд, в Англии или в Австралии — словом, везде, где нас ждут приключения и удовольствия».

РОМАНТИКА — Миссис Гвен Клинтон, 24 года, муж которой живет в районе Уэмбли, рассказала об истории своего замужества: «Он был расквартирован в нашем доме в Сиднее. Я была им очарована, и вот результат».

ПЕССИМИЗМ — Миссис Норма Клиффорд, 23-летняя жена механика на корабле: «Мне сказали, что в Англии вообще невозможно купить туфли». Она привезла с собой 19 пар туфель.

Дейли мейл. 7 августа 1946 года

Плимут

— Я не выйду. Говорю же, я передумала.

— Брось, Мириам, не валяй дурака!

— Говорю же, я передумала. Я еще раз пересмотрела все фотографии и поняла, что мне не нравится его внешность.

Присев на краешек койки, Маргарет прислушалась к громким голосам, доносящимся из соседней каюты. Женщины уже не меньше получаса орали друг на друга. Оказалось, что горемыка Мириам заперлась внутри, и теперь ее соседки, имевшие неосторожность выйти в туалет, не могли попасть в свою каюту.

Как и предсказывали женщины из вспомогательной службы, на корабле царил самый настоящий хаос. Мимо подпрыгивающих от нетерпения перед закрытой дверью злополучных обитательниц каюты 3F по коридору взад-вперед сновали невесты, вопившие по поводу стоявшего на дороге багажа или куда-то запропастившихся подруг. По громкой связи непрерывно передавали команды личному составу относительно подготовки к высадке на берег, в воздухе звенели голоса моряков, в срочном порядке завершающих недоделанные дела. Офицеры из женской вспомогательной службы уже начали собираться у трапа, чтобы в последний раз приступить к исполнению своих обязанностей: вычеркнуть из списка пассажиров каждую невесту, удостовериться, что она передана в надежные руки, а ее багаж в целости и сохранности.

— Вторая смена невест приглашается в столовую. Последнее приглашение. — Громкая связь словно поперхнулась и отключилась.

В отгороженной дверью от общей суматохи каюте, в которой осталась только одна обитательница, поскольку Эвис и Фрэнсис отсутствовали, было тихо. Маргарет оглядела свой наряд. У нее осталось единственное платье, в которое она еще могла втиснуться, да и оно уже трещало по швам. Маргарет попыталась отмыть жирное пятно, прекрасно понимая всю тщетность своих усилий.

— Мириам, тогда просто передай мне мою комбинацию, ладно? Не можем же мы стоять здесь все утро.

— Я не собираюсь открывать дверь! — В голосе девушки слышались истерические нотки.

— Все, ты опоздала. И что ты теперь собираешься делать? Раскинешь руки и полетишь домой?

Аккуратно упакованный чемоданчик стоял в ногах койки, и Маргарет, разгладив одеяло в том месте, где обычно лежала Моди, судорожно вздохнула. Впервые за время плавания она не позавтракала — еда не лезла в горло. Ее даже слегка подташнивало от волнения.

— Мне наплевать! Я не собираюсь отсюда выходить.

— Ой, ради всего святого. Ладно, давай позовем вон того морпеха. Он поможет. Эй! Послушайте!

Маргарет застыла, прислушиваясь к возне под дверью. Крайне озадаченная происходящим, она открыла дверь и сразу отступила в сторону, так как в каюту буквально упал морской пехотинец.

— Здрасте, — сказала Маргарет, когда он попытался выпрямиться.

Тем временем на пороге появилась женщина в тюрбане из полотенца на голове.

— Прошу прощения, — обратилась она к Найколу. — Мириам Арбитер заперлась в нашей каюте. И мы не можем взять свои вещи.

Морпех потер лоб. И Маргарет поняла, что он спит на ходу. Она принюхалась и с некоторой долей удивления обнаружила, что от него попахивает алкоголем. Тогда она наклонилась вперед, чтобы убедиться, что глаза ее не обманывают.

— По идее, меньше чем через час мы должны быть готовы, но не можем даже подобраться к своим вещам. Вам придется сходить за кем-нибудь из начальства.

До Найкола наконец дошло, где он находится. Он с трудом встал на ноги.

— Мне надо поговорить с Фрэнсис.

— Ее здесь нет.

— Что? — Вид у него был ошарашенный. — Как я мог ее упустить?

— Послушайте, морпех, не могли бы вы уладить это дело? Мне необходимо срочно уложить волосы, иначе они не высохнут. — Стоявшая на пороге девушка показала на часы.

— Она вернулась вчера вечером, но затем снова ушла.

— Тогда где же она может быть? — Он схватил Маргарет за запястье. Его лицо исказилось от волнения, словно только теперь он понял, что еще немного — и они навсегда потеряют друг друга. — Мэгги, ты должна мне сказать.

— Не знаю. — И тут она сообразила, что именно не давало ей покоя последние недели. — Похоже, я считала, что она с вами.

Эвис стояла в туалете при лазарете и наносила последний слой губной помады. Густо накрашенные тушью ресницы визуально увеличивали ее холодные голубые глаза, а мертвенно-бледная кожа теперь сияла здоровьем. Ведь очень важно выглядеть на все сто, а по особым случаям — тем более, и здесь косметика — лучший друг девушки. Немного помады, компактной пудры и румян — и никто никогда не догадается, что творится у тебя в душе. Никто не узнает, что тебя еще немного покачивает, не увидит синяков под глазами. А сидящий как перчатка — благодаря правильно подобранной грации — темно-красный костюм успешно скроет увеличившуюся на целый дюйм талию и тот факт, что разбитые мечты уходят сейчас вместе с кровью, впитываясь в толстые прокладки из хлопка. И никому совершенно не обязательно знать, что тебе кажется, будто тебя вывернули наизнанку.

Ну вот, подумала она, глядя на свое отражение. Я выгляжу... Я выгляжу...

Он не приедет ее встречать. Она была в этом абсолютно уверена, так же как и в том, что наконец-то раскусила его. Он будет выжидать, пока не получит от нее весточки, пока не узнает, как легла карта. Если она скажет «да», он тут же кинется в ее объятия с заверениями в вечной любви. А потом еще много-много лет будет твердить, что он ее обожает и никто другой (она так и не смогла заставить себя использовать словосочетание «его жена») ничего для него не значит. А если она скажет, что больше не желает его видеть, возможно, он погорюет пару дней, но потом непременно убедит себя, что еще удачно отделался. Она представила, как он сидит — такой чужой и отстраненный, мысленно уже на корабле — за кухонным столом с этой непонимающей его англичанкой. И если эта англичанка знает Иэна так же хорошо, как теперь знает его Эвис, то она наверняка предпочтет не задавать лишних вопросов, чтобы не портить ему настроения.

Женщина из вспомогательной службы, которой очень подошло бы определение «проворная», сунула голову в дверь:

— Вы в порядке, миссис Рэдли? Я распорядилась, чтобы ваш чемоданчик доставили на шлюпочную палубу. Вам сейчас нельзя нести ничего тяжелого. — Она широко улыбнулась. — Вот и хорошо. Вы уже выглядите значительно лучше, чем вчера. Все нормально? — Она кивком показала на живот Эвис и, понизив голос, хотя в туалете, кроме них, никого не было, добавила: — Может быть, принести вам из прачечной что-нибудь из нижнего белья?

— Нет, спасибо, — ответила Эвис. После всех выпавших на ее долю испытаний это было последней каплей. Не хватало еще обсуждать с посторонним человеком свое нижнее белье! — Через две минуты буду готова. Благодарю вас.

Женщина из вспомогательной службы исчезла.

Эвис убрала тюбик помады и нанесла последний слой тончайшей пудры. Немного постояв, она хорошо отработанным движением повернулась одним боком, затем — другим, чтобы получше рассмотреть свое отражение. У нее на секунду вытянулось лицо, когда она окинула себя критическим взглядом, стараясь понять, что скрывается за толстым слоем румян и туши. Я выгляжу, подумала она, более умудренной, что ли...

————

Хайфилд стоял на крыле мостика в компании Добсона, помощника командира корабля, а также радиста и по интеркому предавал приказы рулевому, который вел эту махину по узкому проходу в сторону постепенно вырисовывающегося побережья Англии. Внизу, на полетной палубе, выстроились моряки в парадной форме, в то время как офицеры и прочие чины заняли свои места на острове, согласно так называемой Процедуре альфа[1]. Моряки стояли в полной тишине, ноги на ширине плеч, руки за спиной, в безупречно отглаженной форме, что некоторым образом нивелировало потрепанный вид самого корабля. Швартовка корабля для капитана традиционно является самым приятным событием: ну как тут не преисполниться гордостью, если стоишь на мостике огромного боевого корабля с образцовым экипажем и слышишь приветственные крики встречающих?! Хайфилд хорошо понимал, что среди личного состава не было человека, который во время этой прекрасно организованной церемонии не забыл бы на время все тяготы долгого пути.

Но вот к самой «Виктории» это, к сожалению, не относилось. С чихающим двигателем и ненадежным рулем, который в любую минуту могло заклинить, потрепанный войной корабль с помощью буксирных судов входил в гавань, оставаясь совершенно равнодушным к красотам девонских и корнуоллских холмов, раскинувшихся по обе стороны от него. Когда командир корабля рано утром заходил в машинное отделение, старший механик сказал ему, что это даже хорошо — наконец оказаться дома. Он не был уверен, что сможет поддерживать корабль на плаву.

«Корабль знает, что отработал свое, — жизнерадостно заметил механик, вытирая руки о комбинезон. — Он уже

---

1 В российском флоте Процедура альфа соответствует команде «Большой сбор!», когда при заходе в порт весь личный состав корабля выстраивается в парадной форме на палубе.

достаточно нахлебался. Должен вам сказать, сэр, я понимаю, что он чувствует».

— Измените курс на ноль-шесть-ноль.

Хайфилд повернулся к радисту и услышал, как тот повторил команду.

Утренний свет был особенно ярким, такой обычно предвещает ясный погожий день. Плимутский пролив посылал прощальный привет старому кораблю и здоровался с невестами. По голубому небу плыли пушистые облака, море в барашках весело поблескивало вокруг корабля, словно хотело поделиться с ним своей красотой. После Бомбея и Суэцкого канала, после бесконечных просторов мутной воды все вокруг казалось нереально зеленым.

Порт буквально с первыми лучами солнца начал постепенно заполняться людьми. С озабоченным видом пришли несколько мужчин в пальто с поднятыми от холода воротниками, они стояли и нервно курили, периодически исчезая, чтобы подкрепиться чаем с тостом. Затем прибыли целые семейства, они группами собирались у пирса, показывая рукой на приближающийся корабль и приветствуя выстроившихся на палубе невест. Радист уже связался с начальником порта и представителями британского Красного Креста. Он доложил, что во всем Плимуте не осталось свободных комнат и некоторым мужьям приходится спать чуть ли не в прихожей.

— По местам стоять! На швартовы становиться! — Громкая связь отключилась. Последняя команда перед заходом в порт.

Капитан ухватился за перила. Они возвращались домой. Что бы там это ни значило.

Найкол проверил лазарет, буфетную на палубе и даже туалетные комнаты невест, нарушая спокойствие громкими призывами. Теперь он мчался по ангарной палубе к главной столовой для невест, не обращая внимания на удивленные взгляды возвращавшихся с завтрака женщин с идеально уложенными волосами, в тщательно отглаженных платьях и жакетах. По пути ему дважды попадались морпехи, направлявшиеся на полетную палубу. Зная его репутацию, они ни на секунду не усомнились, что он выполняет какое-то срочное поручение. И уже после, вспомнив о его помятой форме и небритом лице, они, возможно, заметили, что вид у Найкола был какой-то потрепанный. Удивительно, что иногда позволяют себе некоторые мужчины, когда знают, что уже почти дома.

Он остановился в дверях и осмотрел помещение. В столовой оставалось не более тридцати невест. Берег был уже совсем близко, и женщины в основном или заканчивали складывать вещи, или толпились на палубе. Он помешкал немного, вглядываясь в лица девушек. Но ее среди них не было. И он выругал себя за дурную голову, не дающую покоя ногам.

Ну и откуда теперь начинать поиски? Везде топтались люди. И как за полчаса на корабле, где, как в кроличьем садке, полно помещений и отсеков, среди шести сотен людей можно найти одного человека?

— Миссис Аннетт Тревор. — Офицер из женской вспомогательной службы стояла у трапа в ожидании, когда миссис Тревор с боем пробьется вперед.

После некоторой суматохи чемодан подхватила какая-то блондинка с завивкой крупными локонами и в съехавшей набок шляпке.

— Это я! — пронзительно закричала она. — Уже спускаюсь!

— Ваш багаж должен пройти таможенный досмотр. Вещи уже на пирсе, и, чтобы их получить, вы должны предъявить удостоверение личности. Можете сойти на берег. Удачи! — Женщина-офицер прочувствованно пожала ей руку.

Миссис Тревор, глаза которой уже были устремлены на причал, ответила рассеянным рукопожатием, прижала чемодан к бедру и, слегка покачиваясь на высоких каблуках, начала спускаться вниз по трапу.

Шум стоял оглушающий. Женщины на борту взвизгивали от нетерпения и вертели головой, пытаясь разглядеть в толпе любимое лицо. Внизу возле трапа выстроились морпехи, сдерживавшие натиск напиравшей толпы.

На самом причале оркестр духовых инструментов исполнял «Colonel Bogey», кто-то через мегафон тщетно пытался уговорить людей не скапливаться на краю пристани. Веселые компании радостно вопили, махали руками и выкрикивали послания, которые — уносимые ветром — тонули в этой какофонии.

Маргарет стояла в длинной очереди, ее сердце тревожно билось, больше всего ей сейчас хотелось ненадолго присесть. Женщина перед ней нетерпеливо подпрыгивала на месте, стараясь разглядеть кого-то поверх голов, и уже успела два раза врезаться в Маргарет. При других обстоятельствах Маргарет сказала бы ей пару ласковых, но сейчас у нее язык присох к нёбу от волнения.

Все произошло слишком быстро, в ужасной спешке. Она даже не успела ни с кем попрощаться: ни с Тимсом, ни с коком из буфетной на полетной палубе, ни со своими подругами по каюте, которые обе куда-то испарились. И что теперь? — спрашивала она себя. Мои последние связи с родным домом исчезли, как утренний туман.

Когда первая невеста сошла с трапа, толпу огласили приветственные возгласы, а пристань осветили вспышки множества фотоаппаратов. Оркестр заиграл «Waltzing Matilda».

— Боже, я сейчас описаюсь от волнения, — вздохнула какая-то девушка рядом.

— Пожалуйста, пусть он будет там, пожалуйста, пусть он будет там, — как заклинание, шептала в носовой платок другая.

— Миссис Кэрри Уилсон. — Теперь имена выкрикивали уже гораздо быстрее. — Ваш багаж должен пройти таможенный досмотр.

Господи, что же я наделала? — спрашивала себя Маргарет, глядя на эту незнакомую страну. И где Фрэнсис? И Эвис? Многие недели это было для нее несбыточным сном, Священным Граалем, о котором можно было только мечтать. А теперь она чувствовала, что совершенно не готова, выбита из привычной колеи. Еще никогда в жизни ей не было так одиноко.

И вот он. Момент истины. Ее имя пришлось дважды произнести, прежде чем она расслышала.

— Миссис Маргарет О'Брайен... Миссис О'Брайен?

— Вперед, девочка, — подтолкнула ее соседка. — Шевели ногами. Пора сходить на берег.

Командир корабля как раз собирался показать лорд-мэру мостик, когда в дверях появился офицер:

— Сэр, к вам одна из невест.

Мэр, приземистый толстячок, с массивной цепью на покатых плечах, демонстрировал удивительное стремление потрогать буквально каждую вещь.

— Наверное, пришла попрощаться, а? — заметил лорд-мэр.

— Пропустите ее.

Хайфилд практически не сомневался, кого сейчас увидит перед собой. Она остановилась на пороге и, заметив лорд-мэра, слегка покраснела.

— Извините, что помешала, — запнувшись, сказала она.

Тем временем мэр увлеченно рассматривал различные приборы и наборные диски, так и норовя потрогать их.

— Старпом, я оставлю вас на минутку с мэром, хорошо? — сказал Хайфилд и, не обращая внимания на сердитый взгляд Добсона, прошел к двери.

На ней была голубая блузка без рукавов и брюки цвета хаки, волосы заколоты на затылке. Лицо казалось невыразимо печальным и измученным.

— Я только хотела сказать вам «до свидания» и узнать, не нужна ли моя помощь. Одним словом, проверить, все ли в порядке.

— Все отлично, — ответил Хайфилд, посмотрев на больную ногу. — Полагаю, можно считать, что вы свободны, сестра Маккензи. Надеюсь, что у вас тоже все будет хорошо.

— Все будет прекрасно, капитан.

— В чем я совершенно не сомневаюсь.

Ему хотелось сказать этой спокойной, загадочной женщине гораздо больше. Снова поговорить с ней по душам, узнать о годах службы, об обстоятельствах замужества. Ведь у него есть высокопоставленные друзья, и он мог бы помочь ей получить хорошую работу. И тогда ее высокая квалификация не останется невостребованной. Ведь, положа руку на сердце, нет никакой гарантии того, что приехавшие девушки будут в результате счастливы.

Но в присутствии подчиненных и высокого гостя он не мог позволить себе несдержанности, его могли неправильно понять.

Она подошла поближе, и под любопытные взгляды присутствующих они обменялись рукопожатием.

— Спасибо вам... за все, — тихо произнес Хайфилд.

— Для меня это было скорее удовольствием, сэр. Рада, что смогла вам помочь.

— Если я хоть как-то... могу быть вам полезен... Я был бы счастлив, если бы вы позволили мне...

Ее глаза на миг утратили печальное выражение, она улыбнулась, покачала головой, повернулась и ушла.

Маргарет стояла перед своим мужем, ошарашенная непреложностью самого факта его существования. Его мужественностью и красотой, даже в гражданской одежде.

Рыжим пламенем его волос. Его сильными, большими руками. Тем, как он смотрел на ее живот. Она сдула со щеки прядь волос, на секунду пожалев, что не потрудилась их уложить. Она хотела что-то сказать, но не нашла нужных слов.

Джо окинул ее долгим взглядом. И должно быть, смотрел так целую вечность. Внезапно он показался ей совершенно незнакомым человеком. Словно непривычная для нее обстановка сделала его чужим. Ей почему-то стало немного стыдно, она оцепенела от страха. И тогда он широко ухмыльнулся и подошел к ней.

— Черт побери, женщина, ты похожа на кита! — Он обнял Маргарет, снова и снова повторяя любимое имя, прижимая ее к себе так крепко, что ребенок в знак протеста зашевелился в утробе, а Джо даже попятился от удивления. — Мама, ты не поверишь! Лягается, как мул, говорила она и была абсолютно права. Нет, вы только посмотрите! — Он положил широкую ладонь на живот Маргарет и взял ее за руку. Затем заглянул ей в глаза. — Господи, Мэгги, до чего же я рад тебя видеть!

Он снова заключил жену в объятия, затем неохотно отпустил, и Маргарет ухватилась за его руку, словно в поисках опоры в этой чужой стране. Именно тогда Маргарет увидела женщину в платочке. Прижимая к груди сумочку, она скромно стояла в стороне, чтобы не мешать. И пока Маргарет застенчиво одергивала непослушными пальцами тесное платье, женщина подошла и ласково улыбнулась:

— Маргарет, дорогая! Очень рада с тобой познакомиться. Бедняжка, ты, должно быть, страшно устала! — Маргарет искала подходящие слова, но миссис О'Брайен уже шагнула ей навстречу и прижала ее к груди. — Какая ты смелая девочка! Проделать такой путь... Оторваться от своих родных... Ну, все. Теперь можешь не волноваться. Мы за тобой присмотрим. Слышишь меня? Мы отлично поладим.

Словно очутившись в нежных материнских объятиях, Маргарет с удовольствием вдохнула слабый запах лаванды, розовой воды и выпечки. Маргарет и сама толком не поняла, кто из них больше удивился — она или Джо, — когда она внезапно разрыдалась.

Капитан морской пехоты с силой схватил Найкола за плечо в тот момент, когда он колотил в дверь лазарета.

— Где, черт возьми, ты шлялся?! — Капитан кипел от ярости.

— Я кое-кого искал, сэр. — Найкол обшарил уже весь корабль, оставалось проверить только полетную палубу.

— Ты только посмотри на себя! Какого хрена ты вытворяешь, приятель?! Процедура альфа, вот что это было! Весь личный состав уже на полетной палубе. А не в этой треклятой дыре, где ты сейчас торчишь.

— Извиняюсь, сэр...

— Извиняешься, да? Извиняешься?! А ты представляешь, что, черт возьми, будет, если все положат с прибором на приказы?! Какой позор! От тебя разит, как из пивной бочки!

Он услышал, как снаружи раздаются приветственные крики. Снаружи. Надо срочно выбраться на палубу. Там он сможет узнать у офицера женской вспомогательной службы, покинула ли Фрэнсис корабль. Единственное, что он знал, так это то, что она уже наверняка готовится к высадке на берег.

— Найкол, я тебе удивляюсь. Уж от кого-кого, а от тебя я не ожидал...

— Прошу прощения, сэр. Мне надо идти.

У капитана морских пехотинцев отвисла челюсть, а глаза вылезли из орбит.

— Идти? Тебе надо идти?!

— Срочное дело, сэр.

Он подрынул под руку капитана и, перепрыгивая через три ступени, помчался наверх, а в ушах у него еще долго звенел раздраженный голос старшего офицера.

Эвис увидела их первой. Она стояла под орудийной башней — волосы тщательно заколоты, чтобы ветер не испортил прическу, — и наблюдала за маленькой компанией внизу. На маме была шляпка с огромным бирюзовым пером, что смотрелось на редкость вызывающе на общем фоне сплошного твида или одежды унылых серых и коричневых тонов. Папа, как всегда, в низко надвинутой на лоб шляпе, озирался по сторонам. Она знала, кого он ищет. Он наверняка удивлялся, каким образом сможет найти *его* в этом море людей в морской форме. Она практически не обратила внимания на открывавшийся за портом пейзаж. Какой смысл, если она все равно знала, что не останется?

— Рэдли. Миссис Эвис Рэдли.

Эвис сделала глубокий вдох, разгладила жакет и стала медленно спускаться по трапу, расправив, точно манекенщица, плечи и выставив вперед подбородок, чтобы хоть как-то скрыть неуверенную походку.

— Вот она! Вот она! — услышала она взволнованный голос мамы. — Эвис, дорогая! Посмотри! Мы здесь!

Прямо перед ней, на пристани, невеста, знакомая Эвис по урокам рукоделия, упала в объятия солдата. Она выронила сумку и шляпку, которую держала в руке, и, ухватившись за его волосы, бросилась ему на грудь. Они терлись носами, шептали друг другу ласковые слова и стояли так, казалось, целую вечность. Эвис никак не удавалось их обойти, и она застыла на трапе, стараясь не смотреть на страстное воссоединение двух любящих людей.

— Эвис! — Мама от нетерпения подпрыгивала на месте, точно яркая цветная пробка на гребне волны. — Уилф, вот же она! Взгляни на нашу девочку!

Солдат наконец понял, что задерживает других невест, пробормотал не слишком искреннее извинение и, подхватив свою девушку, отошел в сторону. Его ухмылка словно говорила: «Ну, вы сами знаете, как это бывает».

О да, подумала Эвис. Я знаю, как это бывает.

Ее мама, обливаясь счастливыми слезами, кинулась по трапу ей навстречу:

— О, моя дорогая! Какое счастье снова тебя видеть! Ну как тебе? Не правда ли, чудесный сюрприз?!

Папа, выступив вперед, обнял ее:

— Ты еще не успела уехать, а твоя мать мне уже всю плешь проела! Боялась, что, оказавшись по другую сторону океана, ты будешь на нее дуться. А как насчет преданности, Принцесса?

Их лица прямо-таки светились любовью и гордостью за нее. И Эвис поняла, что еще немножко — и она разревется.

Потом к ней подошла Дина в новом светло-вишневом костюме:

— И кто из них бывшая проститутка? Мама покрылась нервной сыпью, когда получила письмо от миссис Картер.

— А где Иэн? — Мать Эвис вглядывалась в лица мужчин в морской форме. — Интересно, он с семьей или один?

— Надеюсь, ты не потеряла мои туфли? — поинтересовалась Дина. — Я хочу получить их обратно, прежде чем ты исчезнешь.

— Его не будет, — сказала Эвис.

— Неужели его не отпустили?! А мне казалось, военнослужащим должны были дать увольнительную, чтобы они могли встретить жен! — Мать Эвис прижала руку в перчатке к лицу. — Уилф, какое счастье, что мы приехали! Правда?

— А его семья собирается с тобой знакомиться? Они так нам и не ответили. Хотя я отправил им телеграмму. Что стоило очень недешево. — Отец взял Эвис за руку.

Эвис остановилась, постаравшись принять невозмутимый вид:

— Папа, он не приедет. Никогда не приедет. Планы... изменились.

Все моментально притихли от удивления. Отец резко повернулся к Эвис. А Дина, как ей показалось, довольно фыркнула.

— Что ты этим хочешь сказать?! Выходит, я только что выбросил на ветер сотни фунтов, потому что никакого проклятого празднования не состоится! А ты хоть представляешь себе, во что мне обошелся перелет в...

— Уилф! — Мать снова повернулась к Эвис. — Доченька, дорогая...

— Я не собираюсь обсуждать свои дела на причале, где полно народу!

Ее родители многозначительно переглянулись. Дина не скрывала удовольствия по поводу столь неожиданного поворота событий. Похоже, ее сильно впечатлил масштаб крушения личной жизни Эвис.

Они все четверо молча стояли на пристани, их со всех сторон обтекали спешащие люди, а из громкоговорителя несся призыв к родителям маленькой девочки в красном пальтишке, по имени Молли, забрать ее из офиса начальника порта.

Эвис бросила взгляд на корабль. По трапу бежала какая-то отчаянная невеста в туфлях на высоком каблуке. Она достигла пристани, и ее подхватил на руки красавец-военный и буквально закружил в объятиях. Офицер, судя по знакам различия. Эвис всегда хорошо разбиралась в знаках различия. Только больше ничего не говорите, до боли закусив губу, заклинала их Эвис. Больше ни единого слова. А не то я сейчас завою, да так, что переполошу весь Плимут.

Ее мама поправила шляпку, затем — меховую горжетку на плечах и решительно взяла Эвис под руку. Она явно что-то чувствовала и поэтому старалась не смотреть дочери прямо в лицо. А когда заговорила, ее голос звучал немного надтреснуто.

— Хорошо, дорогая, когда будешь готова, мы немножко поболтаем в отеле. Знаешь, это очень хороший отель. И комнаты просторные. К спальням примыкает гостиная зона, откуда открывается чудный вид на Корнуолл...

Фрэнсис спускалась по трапу, в правой руке у нее был чемодан, левой она держалась за поручень. В этой ликующей толпе обнимающихся, целующихся людей она чувствовала себя невидимкой. Оказавшись на пристани, Фрэнсис увидела девушек с корабля. Одновременно смеясь и плача от счастья, они страстно прижимались к своим мужьям, и Фрэнсис мельком подумала, каково это — оказаться на месте этих женщин, которых в конце пути ждали жаркие объятия и дружеские приветствия.

Она продолжала идти. Начало новой жизни, говорила она себе. Вот ради чего я это сделала. Я начала новую жизнь.

— Фрэнсис!

Она повернулась и увидела Маргарет, которая изо всех сил махала ей рукой, не обращая внимания на задравшееся над пухлыми коленками платье. Джо стоял рядом, нежно обнимая жену за плечи. Какая-то женщина в возрасте, с очень добрым лицом держала заплаканную, но сияющую Маргарет за руку.

Фрэнсис направилась к подруге. Она уже отвыкла ходить по твердой земле, и ее слега пошатывало. Поставив чемодан на землю, она нежно обняла Маргарет.

— Надеюсь, ты не собиралась уйти, не взяв у меня адреса?

Фрэнсис покачала головой, украдкой посмотрев на мужа и свекровь Маргарет. Во время плавания Фрэнсис и

Маргарет были на равных, а вот теперь, когда все кругом собрались семьями, а она оказалась одна как перст, у Фрэнсис появилось нечто вроде комплекса неполноценности.

Маргарет взяла у мужа ручку, а у свекрови — листок бумаги. Собралась было что-то написать, но остановилась и расхохоталась.

— А адрес-то какой? — спросила она.

Он тоже рассмеялся, затем нацарапал что-то на листке, который Маргарет торжественно вручила Фрэнсис.

— Как только устроишься, сообщи мне свой адрес. Поняла? Это моя подруга Фрэнсис, — объяснила она своим. — Она присматривала за мной. Фрэнсис — медсестра.

— Счастлив познакомиться, Фрэнсис. — Джо протянул ей руку. — Приезжайте в гости. В любое время.

Его мать тоже кивнула и улыбнулась, потом незаметно показала на часы.

— Джозеф, поезд, — прошептала она.

Фрэнсис понимала, что пришло время прощаться.

— Береги себя, — сжав ей руку, сказала Маргарет.

— А я буду ждать известий, как все прошло. — Фрэнсис кивком показала на живот Маргарет.

— Все будет отлично, — уверенно заявила Маргарет.

Фрэнсис смотрела, как они, весело болтая, рука об руку направляются к воротам порта. И провожала их взглядом, пока они не исчезли в толпе.

Сделав глубокий вдох, она попыталась проглотить ком в горле. Все будет хорошо, уговаривала она себя. Жизнь только начинается.

Фрэнсис бросила прощальный взгляд на корабль. На борту суетились члены команды, женщины продолжали махать руками. Но она уже никого и ничего не видела. Я пока не готова, подумала она. И не хочу никуда идти. Она стояла — тоненькая высокая девушка — посреди гудящей толпы, и по лицу ее текли слезы.

———

Найкол протиснулся в начало очереди, вызвав возмущение у стоявших впереди женщин.

— Фрэнсис Маккензи, — сказал он женщине из вспомогательной службы. — Где она?

— А вам какое дело? — рассердилась женщина. — Моя обязанность благополучно высадить этих дам на берег.

Он схватил ее за плечо и повторил охрипшим от волнения голосом:

— Где она?

С минуту они мерили друг друга взглядом. Наконец она сдалась и пробежала кончиком пера по списку:

— Так вы говорите, Маккензи. Макки... Маккензи Б... Маккези Ф. Она, что ли? — спросила женщина, а когда он выхватил у нее планшет со списком, сказала: — Она уже сошла на берег. А теперь, с вашего позволения...

Найкол перегнулся через ограждение, пытаясь разглядеть в толпе эту стройную фигуру, эти рыжеватые волосы. Но видел только море голов внизу.

Чувствуя, как сердце колотится где-то в горле, он в отчаянии закричал: «Фрэнсис! Фрэнсис!» — хотя уже в глубине души понял, что потерпел сокрушительное поражение.

Голос Найкола, хриплый от стеснивших грудь эмоций, на секунду разнесся над толпой, а затем затих где-то над морем.

Капитан Хайфилд покидал корабль одним из последних. Он уже успел со всеми попрощаться, но на трапе замер, словно не желая сходить на берег. Когда старшие офицеры поняли, что он не торопится спускаться, они пожелали капитану Хайфилду удачи и покинули корабль. Добсон, поспешно сказав «до свидания», похвастался очередным назначением. Даксбери сошел в обнимку с одной из невест. Ренник, задержавшийся дольше других, прочувствованно пожал своему командиру руку и, не глядя в глаза, попросил «хоть немножко беречь себя».

Капитан Хайфилд опустил руку ему на плечо, а затем вложил что-то ему в ладонь.

И вот он остался у трапа совершенно один.

Те, кто наблюдал за кораблем с пристани, те немногие, кому было до этого дело, если учесть, что у всех сейчас, честно говоря, нашлось чем заняться, впоследствии удивлялись, что капитан стоял совершенно один, когда пристань кишела людьми. И, как это ни странно звучит, они еще никогда не видели, чтобы взрослый мужчина выглядел таким потерянным.

Глава 26

Я видела его тогда в последний раз. Но вокруг было столько людей — они орали, визжали и толкались, — что ничего нельзя было разглядеть. Я подняла глаза, и кто-то потянул меня за руку, и какая-то парочка слилась в страстных объятиях прямо передо мной, и они без конца целовались, и целовались, и целовались и, похоже, даже не слышали, когда я попросила меня пропустить. Я ничего не видела. Я абсолютно ничего не видела.

И в тот самый момент я, похоже, поняла, что проиграла. Проиграла вчистую. Потому что могла стоять так и день и ночь и, наверное, целую вечность, а ведь человеку иногда надо переставлять ноги одна за другой и двигаться дальше.

Но в конце концов я именно это и сделала.

После того, как бросила на него прощальный взгляд.

Часть третья

Глава 27

Как печально, что у меня были замечательные товарищи, но я больше с ними не общаюсь... На войне существует настоящее солдатское братство, и ты встречаешь очень много хороших людей. И те из нас, кто вспоминает былое, признают, что мы совершили ужасную ошибку, потеряв друг с другом связь.

Л. Тромен. Вино, женщины и война

2002 год

С тюардесса с дежурной улыбкой ходила по проходу и проверяла, у всех ли пристегнуты ремни перед посадкой. И она не заметила, что одна пожилая дама почему-то слишком часто трет глаза. Сидевшая рядом с ней внучка застегнула ремень, а затем положила журнал в кармашек на спинке переднего кресла.

— Это самая грустная история из всех, что я слышала.

— Не такая она и грустная, моя дорогая. Бывают гораздо более печальные.

— Теперь я понимаю, почему ты так отреагировала, увидев тот корабль. Боже мой, и каковы были шансы, чтобы после стольких лет такое случилось?!

— Очень небольшие, полагаю, — пожала она плечами. — Хотя, возможно, здесь нет ничего удивительного. Многие списанные корабли идут на слом.

К ней вернулось прежнее самообладание. Дженнифер заметила, что с каждой новой милей, отделяющей их от Индии, бабушкина защитная скорлупа становится все крепче. Ей даже удалось пару раз отругать Дженнифер за то, что та не туда положила паспорт и пила пиво перед обедом. Но Дженнифер это даже порадовало и немного успокоило. Ведь, пока они не сели в самолет, бабушка за шестнадцать часов не проронила ни слова. Она будто уменьшилась в размере, стала еще более хрупкой и явно чувствовала себя не в своей тарелке, несмотря на комфорт роскошного отеля и зала ожидания первого класса, которым им разрешили воспользоваться служащие авиакомпании. Дженнифер держала ее за худую руку, обтянутую пергаментной кожей, и чувствовала, как сердце сжимает чувство вины. Не стоило брать ее с собой, шептала ей совесть. Она слишком старая. А ты принудила ее пересечь континент и заставила ждать в раскаленной машине, точно собаку.

Санджай тогда шепотом предложил позвать доктора. Но бабушка дала ему резкую отповедь, словно в его предложении было нечто неприличное.

А затем, вскоре после взлета, она начала свой рассказ.

Дженнифер даже не заметила стюардессы, предлагавшей напитки и орешки. Пожилая дама выпрямилась в кресле и начала говорить, как будто последние несколько часов они провели не в тягостном молчании, а за веселой беседой.

— Я всегда рассматривала корабль исключительно как средство передвижения. Понимаешь? — неожиданно произнесла она. — Чтобы из точки А попасть в точку Б, перепрыгнув через океан.

Дженнифер, не зная, что ответить и нужно ли вообще отвечать, смущенно заерзала на месте. Мысли путались, и она подумала, что, возможно, стоит позвонить родителям. Конечно, они ее отругают. Они вообще не хотели, чтобы бабуля ехала. Это она, Дженнифер, настояла на поездке вдвоем с бабушкой. Она хотела показать ей мир. Расширить ее горизонты. Показать, как все изменилось.

Бабушка вдруг понизила голос. Она повернулась к иллюминатору, и Дженнифер показалось, будто бабушка обращается к небу.

— Такой вот поворот событий. Я вдруг испытала те чувства, которых вообще от себя не ожидала. Я ощущала себя такой незащищенной, поскольку прекрасно понимала, что это лишь вопрос времени... — Она посмотрела на волнистый ковер из белых облаков в иллюминаторе.

— Вопрос времени?..

— Когда все обнаружится.

— Что обнаружится? — (В ответ тишина.) — Бабуля, что обнаружится?

Глаза бабушки остановились на Дженнифер и широко раскрылись, словно старая дама не ожидала ее увидеть. Она нахмурилась. Оторвала руки от подлокотников, явно собираясь с духом.

Но когда она открыла рот, голос ее был абсолютно лишен эмоций. Так обычно разговаривают за утренним кофе.

— Дженнифер, дорогая, будь добра, принеси мне воды. Ужасно хочется пить.

Немного помедлив, девушка встала, нашла услужливую стюардессу, которая дала ей бутылочку минеральной воды. Девушка налила воду в стакан, и бабушка выпила ее жадными глотками. За время путешествия волосы у бабушки спутались и теперь больше походили на пух от одуванчика. Они были такими тонкими, что Дженнифер хотелось плакать.

— Так что обнаружилось? — (В ответ опять тишина.) — Ба, ты можешь мне все смело сказать, — прошептала Дженнифер. — Что тебя так расстроило? Не стоит держать это в себе. Ты ведь знаешь, что бы ты ни сказала, меня трудно шокировать.

Старуха улыбнулась и так пристально посмотрела на внучку, что той стало не по себе.

— Дженни, ты, конечно, очень современная девушка. Твои отношения с Санджаем, твои психотерапевтические приемы вроде «не стоит держать это в себе»... Но мне интересно, насколько ты на самом деле продвинута.

Дженнифер не знала, что отвечать. В бабушкином тоне слышалась даже некоторая агрессия. Они больше не разговаривали. Просто посмотрели фильм, который им показали, а потом немного поспали.

А когда они проснулись, бабушка рассказала ей историю морпеха.

Он ждал их, как они и предполагали, возле барьера в зале прилета. Они сразу увидели его: прекрасная осанка и безукоризненно отглаженный костюм выделяли его на общем фоне. Несмотря на возраст и плохое зрение, он увидел их первым и уже вовсю махал им рукой.

Дженнифер даже посторонилась, когда бабушка, ускорив шаг, бросила чемоданы на землю и обняла его. И вот так, обнявшись, они стояли довольно долго: дедушка крепко держал бабушку обеими руками, словно боялся, что она опять уедет.

— Я скучал по тебе. О, дорогая, если бы ты только знала, как мне тебя не хватало! — прошептал он, прижавшись губами к ее седым волосам, а Дженнифер, нетерпеливо переминавшаяся с ноги на ногу, оглянулась по сторонам, чтобы посмотреть, не привлекают ли они к себе слишком много внимания. У нее вдруг возникло странное чувство, будто она сама является тут соглядатаем. Ведь в страстной встрече этих восьмидесятилетних стариков было нечто из ряда вон выходящее.

— В следующий раз поедешь со мной, — сказала бабушка.

— Ты же знаешь, я не люблю далеко уезжать, — ответил он. — Мне и дома хорошо.

— Тогда я тоже больше никуда не поеду. Останусь с тобой, — отозвалась она.

Уже в машине, где бабушка сразу приободрилась, Дженнифер принялась рассказывать деду о корабле. Она дошла до того места, когда они обнаружили название корабля, и дедушка неожиданно выключил зажигание. И пока Дженнифер осторожно описывала бабушкино шоковое состояние — так, чтобы не выставлять себя в невыгодном свете, — дедушка не отрываясь смотрел на внучку. Она сбилась, и он повернулся к жене.

— Тот самый корабль? — спросил он. — И вправду «Виктория»?

Старая дама медленно кивнула:

— Я считала, что никогда больше не увижу его. Это было... Честно признаться, это все во мне перевернуло.

Старик не сводил глаз с лица жены.

— О, Фрэнсис, — начал он, — когда я думаю о том, что мы чуть было не...

— Эй, погоди-ка! — остановила деда Дженнифер. — Неужели ты хочешь сказать, что *ты* и был тем самым морпехом? — (Старики молча переглянулись.) — А ты? — Она повернулась к бабушке. — А ты никогда не говорила мне, что наш дед был морпехом!

Фрэнсис Найкол улыбнулась:

— А ты никогда и не спрашивала.

К тому времени, как он, обшарив весь корабль, обнаружил, что ее там нет, сказал дед внучке, когда они уже выбрались из водоворота машин в Хитроу, он фактически пробежал не меньше полутора миль. Он непрерывно выкрикивал ее имя: «Фрэнсис! Фрэнсис!» А затем проделал то же самое на берегу: взмокший от пота, в грязной, мятой форме, пробился сквозь человеческое море на причале, отшвыривая в сторону стоявших на дороге людей, и обежал кругами всю пристань. Но, с учетом стоявшего здесь небывалого эмоционального накала, на него не обратили ни малейшего внимания.

Он орал до тех пор, пока не охрип. Пока от долгого бега грудь не сдавило будто тисками. И вот, когда он уж было совсем отчаялся, толпа начала потихоньку редеть, и он вдруг увидел ее. Тоненькую, высокую девушку с чемоданом в руках. Она стояла спиной к морю и смотрела на свою новую родину.

— А что случилось с остальными?

Фрэнсис разгладила юбку:

— После смерти матери Джо уехал с Маргарет в Австралию. У них четверо детей. Она до сих пор присылает мне открытки на Рождество.

— Значит, она не жалеет?

— Думаю, они были очень счастливы, — покачала головой Фрэнсис. — Ой, только не пойми меня неправильно, моя девочка. В любом браке есть свои подводные камни. Но мне всегда казалось, что для Маргарет Джо оказался хорошим мужем.

— А как насчет Эвис? — Дженнифер сделала ударение на букву «Э», словно ее забавляло, как анахронично звучит это имя.

— Честно говоря, точно не знаю. — Пошел дождь, и Фрэнсис смотрела на текущие по лобовому стеклу струйки. — Она написала мне один раз. Сообщила, что вернулась в Австралию, и поблагодарила за все, что я для нее сделала. Довольно формальное письмо, но, полагаю, тут нет ничего удивительного.

— Интересно, а что стало с ним? — поинтересовалась Дженнифер. — Уверена, в конце концов он развелся с женой.

— Ты так думаешь? А вот и нет. Мы однажды встретились с ним. Совершенно случайно, да? — Фрэнсис шутливо пихнула мужа локтем в бок. — На каком-то приеме, лет двадцать назад. Нас представили им, и я вспомнила, где могла слышать эту фамилию раньше.

Дженнифер была заинтригована, она даже наклонилась вперед:

— А ты что-нибудь сказала?

— Нет. Хотя не совсем так. В разговоре я весьма ясно дала ему понять, на каком корабле приплыла в Англию, и очень выразительно на него посмотрела. Чтобы он знал. И он страшно побледнел.

— А потом, насколько я помню, сразу ушел домой, — добавил дедушка Дженнифер.

— Да, именно так. — Старики довольно улыбнулись.

Дженнифер откинулась на спинку сиденья, ей вдруг захотелось закурить. Она вытащила из заднего кармана мобильник, чтобы проверить, не прислал ли Джай нового сообщения, но почтовый ящик был пуст. Ладно, когда они приедут домой, она сама ему напишет. Похоже, у него есть шанс на продолжение романа.

— Вы меня удивляете. Если уж вы так друг на друга запали, почему не сошлись еще на корабле? — убрав телефон, спросила она. Ее слегка раздражало то, как переглядывались бабушка и дедушка, словно знали нечто такое, чего ей не дано было понять. Ее тон стал гораздо самоувереннее. — Удивляюсь, как люди вашего поколения умеют сами себе создавать на ровном месте проблемы, чтобы потом их успешно преодолевать.

Они ничего не ответили. Она видела, как дед нежно сжал бабушкину руку.

— Очень может быть, — сказал он.

Когда он открыл ей правду о своем браке, она промолчала. Она опустилась на траву, ее лицо внезапно застыло, как будто до нее только сейчас дошло, что он ей говорит.

— Фрэнсис! — Он присел рядом с ней. — Ты помнишь, что сказала мне в ту ночь, когда выбросили за борт самолеты? Все позади, Фрэнсис. Настало время двигаться дальше. — (Она медленно повернула к нему испуганное лицо, словно не могла поверить, что не ослышалась.) — Фрэнсис, в этом и есть жизнь во всей своей полноте. Нам ее дали. Нет, мы ее заслужили по праву. — Несмотря на решительность, с которой он говорил, в его голосе слышались панические нотки. Он боялся, что она может отказать себе в праве на счастье, отказавшись и от него тоже, дабы искупить свой грех. — Мы это заслужили. Ты меня слышишь? Мы оба.

Она сидела, упрямо уставившись в землю, и он понял, что она для него по-прежнему книга за семью печатями. Далекая и недосягаемая. А потом он заметил, что ее грудь вздымается от едва сдерживаемых эмоций.

Она тихо ахнула, и он увидел, что она и смеется, и плачет одновременно, неловко шаря ладонью по траве в поисках его руки.

Они сидели так бог знает сколько времени, их руки переплелись в высокой траве. Мимо шли счастливые семьи, смотревшие на них с пониманием и без любопытства, ведь дело-то житейское: морпех и его возлюбленная наконец-то воссоединились после долгой разлуки.

— Ты Найкол, — сказала она, проведя пальцем по свежим ссадинам на его лице. — Капитан сказал мне. Найкол. Тебя зовут Найкол. — Она говорила с таким восторгом, словно это было для нее откровением.

— Нет, — уверенно ответил он и неожиданно сам не узнал своего голоса, поскольку уже много-много лет никто не произносил его имя вслух. — Меня зовут Генри.

Мойес Дж.

М74 Корабль невест : роман / Джоджо Мойес ; пер. с англ.
О. Александровой. — М. : Иностранка, Азбука-Аттикус,
2016. — 544 с.

ISBN 978-5-389-07073-8

1946 год. Авианосцу Военно-морского флота Великобритании
«Виктория» предстоит очень долгий и трудный путь из Австралии
в Англию. На его борту моряки и летчики, выдержавшие тяжелые
испытания в годы войны.

Но «Викторию», как будто позабыв о славном боевом прошлом,
называют кораблем невест. Ведь на нем к своим мужьям, с которыми их в трудные годы соединила судьба, плывут 650 женщин.
И среди них Фрэнсис Маккензи. Она стремится убежать от своего прошлого, но оно преследует ее за тысячи миль от дома, и
Фрэнсис внезапно понимает, что зачастую путешествовать гораздо важнее, чем прибыть в пункт назначения...

Книги Джоджо Мойес переведены на многие языки мира, регу-
лярно входят в список бестселлеров «Нью-Йорк таймс», а права на
их экранизацию покупают ведущие киностудии Голливуда.

УДК 821.111
ББК 84(4Вел)-44

Литературно-художественное издание

ДЖОДЖО МОЙЕС
КОРАБЛЬ НЕВЕСТ

Ответственный редактор Ольга Рейнгеверц
Редактор Ольга Давидова
Художественный редактор Виктория Манацкова
Технический редактор Татьяна Тихомирова
Компьютерная верстка Ирины Варламовой
Корректоры Валентина Гончар, Лариса Ершова

Знак информационной продукции
(Федеральный закон № 436-ФЗ от 29.12.2010 г.): 16+

Подписано в печать 02.02.2016. Формат 84 × 100 1/32.
Печать офсетная. Тираж 7000 экз. Усл. печ. л. 26,52 .
Заказ № 236.

ООО «Издательская Группа „Азбука-Аттикус“» —
обладатель товарного знака «Издательство Иностранка»
119334, г. Москва, 5-й Донской проезд, д. 15, стр. 4

Филиал ООО «Издательская Группа „Азбука-Аттикус“»
в Санкт-Петербурге
191123, г. Санкт-Петербург, Воскресенская наб., д. 12, лит. А

ЧП «Издательство „Махаон-Украина“»
04073, г. Киев, Московский пр., д. 6 (2-й этаж)

Отпечатано в ООО «Тульская типография»
300026, г. Тула, пр. Ленина, 109

HJJM1506807R

The night before Thanksgiving I went to bed filled with a deep sense of self-satisfaction. In thirty-six hours I'd be taking the first step toward getting my act together. It gave me something to look forward to.

The next morning, the phone rang. I didn't know it at the time but that phone call was going to ruin my beautiful plan and a few months of my life. I never know anything at the time. What little I do know I've figured out later when it can't do me any good.

"Hey, Sam," I heard, "it's Greg."

"Greg?" I asked groggily.

Not the brightest question in the world, I admit. Like he's going to check his driver's license to make sure: *Did I call myself Greg? I'm sorry, it's Ralph. I don't know what I was thinking.* But I'd been asleep when the phone rang and it takes me a while to regain consciousness. Some days, the transformation is never complete.

"Were you asleep? Sorry, Sam. I'll call you back."

"No, that's okay. I'm awake. Kind of. What's up?"

"How late is your family thing going today?"

"Not real late. We usually tip the excitement meter over the pumpkin pie around five, launch into our heart-pounding Yahtzee games, and then start winding down around eight, before it gets out of hand and one of the neighbors calls the cops."

"Could you meet me at Bogart's around nine?" Greg asked.

"Tonight?"

"Yeah."

"Uh, sure. Is everything okay?"

"Everything's great. There's just something I wanted to talk to you about."

"Give me a hint."

"No. You won't rest with a hint."

"Yes I will."

"Sam."

"Okay, okay. I can meet you at nine. I can be there at six. Give me a good enough cover story, and I can be there all day. Please. You'd be doing me a favor."

He laughed, a real laugh-out-loud kind of laugh, which really woke me up. Greg isn't a laughing-out-loud kind of guy. Imagine the funniest joke you've ever heard by your favorite comedian. On a good day, the joke might get a quick chuckle out of Greg.

"See you at nine, Sam. Have a drumstick for me."

He laughed again and hung up. I sat there and smoked a cigarette, wondering what this phone call from Greg and desire to see me on a national holiday meant exactly in terms of the current dynamics of our evolving relationship. I've read *way* too many self-help books.

I probably could have mastered the theory of relativity with all the time I've spent trying to figure out my relationship with Greg, but I prefer to keep the workings of the universe a strange and wondrous mystery. Like my brain.

With the exception of my family—and they were thrust on me when I was too young to know any better—I'd known Greg longer than anyone else on the planet.

Looking at the neighborhood I grew up in, the small tract homes in Orange County, California, it might seem hard to believe that anything much ever happened there. But it did: families lived there. There were secrets to hide, problems to pretend didn't exist, neuroses to develop and nurture along to adulthood. Life in suburbia wasn't all just lawn mowing.

Greg's family, the Irvingtons, already lived in the neighborhood when my family moved in. For us, it was a huge step up. Out of an apartment and into a real house. Our own mailbox and a garage and a front yard. It took my parents years to save up for the down payment. I was six and what my aunt Marnie liked to call a surprise package because I came along right about the time, after years of trying to have a baby, that my parents had started looking into adoption. My mother was thirty-two when I was born. It was a difficult birth—maybe I'd had a premonition of what lay in store for me outside the womb—and she wasn't able to have another child.

Mr. and Mrs. Irvington didn't consider our neighborhood a real home. For them, it was just a temporary stop on the road to success. Unlike my father, Mr. Irvington had big plans. He'd started out in construction, but he could see the future coming. He saved every penny and invested in small land deals, and then bigger ones. Mr. Irvington helped make Orange County what it is today, and may God have mercy on his soul.

My mother and father didn't know any of this. To them, a neighbor was a neighbor. You go over and introduce yourself. We were too busy unpacking on the weekend we moved in to go out visiting, though a couple of families came over to say hello. But not the Irvingtons, who lived right next door.

On Monday, after I got home from my new school, Mom said we were going to introduce ourselves to some of the neighbors. She'd baked some of her "famous" oatmeal raisin cookies, and put them in festive little packages. Individually wrapped, with tags that read: From the Kitchen of Theresa Stone. My parents were raised in Ohio, where this kind of behavior is considered perfectly normal.

Off we went, and most people were pretty nice. Until we got to the Irvingtons. Not that Mrs. Irvington was out-and-out rude. Just patronizing. How sweet. Homemade cookies. But she was on a diet, and it was better not to have sweets in the house. Too much of a temptation, and she had to be able to fit into her evening clothes. She and her husband had so many social engagements. His business was booming, and, as they say, more deals are made over martinis than in the office.

Yes, she did have children about my age—Michael four and Gregory six—but she didn't like them having too many goodies. And they were so busy with all their various lessons and activities that they had very little time to play. It's so important to make sure children have a well-rounded education, don't you agree? Although between her children's activities and her husband's social obligations, Mrs. Irvington sometimes felt like she didn't have a minute to herself. That's why she didn't care for people dropping by unannounced. You understand.

When we left, I told my mother I thought Mrs. Irvington was a mean lady. My mother, being my mother, told me no,

Mrs. Irvington was very nice, only busy, and it was wrong for me to call anyone mean. And parents wonder why their children stop telling them anything.

But one thing even Mrs. Irvington couldn't control was the power of the vacant lot. Today you probably won't find any left in Orange County, but back then it seemed like every neighborhood had at least one, drawing in all the kids like a magnet no matter what the adults said about it.

The first day I showed up, there was a game of softball going on, but I was too shy to ask if I could play. So I stood on the sidelines watching. Someone hit a fly ball, and it came right at me. Without really thinking about it, I caught it. All hell broke loose.

The outfielders thought it should count as an out; the team at bat most definitely did not, especially since I was just a stupid girl. I stood there holding the ball, waiting for the world to swallow me up. Then the kid who hit the ball walked over to me, and everyone stopped shouting. He said the catch would count but only if I could be on their team.

A few of his team members muttered a little, but no one argued with him. Kids always have a pack leader, and on that field, it was him. He radiated total confidence and authority, two character traits I still haven't mastered. He was the coolest kid I'd ever seen. The coolest *anyone* I'd ever seen.

"Can you play outfield?" he asked.

I nodded my head, even though I'd never played softball before in my life.

"You need a glove," he pointed out. I nodded again, intending to demand my mother buy me one as soon as I got home. "I've got an extra one you can use. Come on."

I handed him the ball.

"I'm Greg," he told me as we walked toward the game.

"My name's Sam."

"That's a boy's name."

"It's my nickname. From my dad. My real name is Samantha."

"That's a better name."

"I like Sam better."

"But it's a boy's name."

"It's a girl's name, too. Like on *Bewitched*. Darrin calls Samantha 'Sam' lots of times."

That stopped him in his tracks for a minute.

"Yeah," he said finally, "but that's kind of a dumb show. Except for the old lady witch. She's funny."

"You mean Endora?"

"Yeah. She's a crack-up. I hate that Darrin guy."

I didn't have the words for it, but for the first time in my life I was talking to someone that saw life the way I did. The first someone I'd met who understood that Endora was right on, and Darrin was a boob, and why in the world would Samantha have given up a glamorous, jet-set witch life for a dumb, boring life with dumb, boring Darrin?

It wasn't until we walked home, his brother Michael tagging along behind, that I realized he lived next door with the mean lady. I never could think of her as his mother.

• • •

Four years later, almost to the day, the Irvingtons had enough investments and deals simmering to make the first of their moves, moves that would eventually lead them to a custom-built house in Laguna Hills and entrance into the ranks of Orange County society. Such as it is.

The day Greg moved was awful. I didn't want to go over and say good-bye because that would mean it was really happening. And I didn't understand how he could be so excited about this most terrible thing that had ever happened to anybody. Namely me.

"Can Sam come and spend the night some time, Mom?" Greg asked. "So I can show her all my new stuff?"

"We'll see, Gregory," Mrs. Irvington answered.

"Can she come over to swim, too? We have a pool, Sam. A huge one," he told me, spreading his arms wide.

"Gregory, you and your brother have a lot going on this summer, as I'm sure Samantha does. And Newport is a long drive from here. We'll see, but I don't want you to count on it."

"Maybe her mom could drive her over."

And my mom, bless her heart, who'd brought me over to say good-bye in spite of the fact that Mrs. Irvington intimidated the hell out of her, spoke right up.

"I'd be more than happy to do that. Or to come and get Greg and bring him back here to play with his old friends. And Michael, too, if he wanted to come."

"Oh, Theresa, that is so sweet. And isn't it lovely that you have that kind of time. But honestly, we're just going to be so *busy* this summer."

"But Mom—"

"No more buts, young man. We have a lot to get done today. Why don't you say good-bye to Samantha now."

"Now? But it's only morning. You said it would take all day for them to load up the van. You said—"

"Gregory, I don't want to have to tell you again."

And then Mom, bless her heart doubly, asked if we could have their new phone number so I could call in a few days to say hello.

Mrs. Irvington told her that they didn't have the phone installed yet, but she'd give us a call when it was in. Mrs. Irvington said she didn't think the move was going to be very hard on Gregory, once he saw how much nicer his new house was. Once he got to swim in his own pool and go to the beach all the time because it was so close. Mrs. Irvington said it was time now to say good-bye.

I didn't see or hear from Greg for eight years.

Two

The Pilgrims invited the Indians over for Thanksgiving so they'd have somebody else to talk to besides their families.

I was standing in the front yard watering Mom's flowers when I heard the motorcycle. I'd been out of high school for two weeks, growing more and more depressed as I realized I didn't have any idea what I wanted to do with my life. My on-again, off-again boyfriend, Nick, who I didn't really like very much, was on vacation with his family. That gave me two weeks of freedom from inventing new reasons why I didn't want to "give myself to him completely" before he went away to Berkeley.

In order to please my parents, I'd enrolled at the local community college, but I didn't have a clue what I was going to take besides the required courses. I was young, full of energy, wanted everything, but couldn't think of anything in particular to do—until I heard that motorcycle.

It stopped in front of the house next door and the rider got off. I tried to act like I wasn't looking, but as soon as he took off his helmet, I knew who it was. Instantly.

"Greg! Greg Irvington!"

"Samantha?"

"It's Sam! How many times do I have to tell you!"

Oh, God, why did I say that? Did it come off as funny or bitchy?

"Sam? But Sam's a boy's name!"

"No, it's not. Darrin calls Samantha 'Sam' all the time."

"Yeah? Well, Darrin's a schmuck."

He got the joke. Thank you, God. I'll never sin again. Which was a pretty rash promise to make since once I got a look at eighteen-year-old Greg all I could think about was how much I wanted to jump his bones. He'd grown tall and lean and muscular. He wasn't classically handsome—his nose was too big and slightly crooked—but he had big blue eyes and thick, wavy hair I would have killed for. It wasn't any of that, though, that got my erogenous zones hopping. Greg still had an air about him, a way of holding himself, even standing still, that commanded attention. And the sexiest walk I'd ever seen in my life.

No, that's not right either. Those are details. It wasn't anything I can name in particular. I don't know what it was that set him apart from all others and melted my heart and loins. He just did. And I bet if you asked Juliet, she'd tell you the same thing about Romeo. "I don't know," she'd say, "there's just something about him."

And then he was standing right in front of me and what few wits I possessed had deserted me.

"So, uh," I managed to blurt out despite my witless condition, "what are you doing back in this neck of the woods?"

"I came to see the old homestead. See if it looked the same as I remembered."

"Oh, it's the same, believe me. Same old, boring place. Not like Newport. It must be great living there."

"We moved to Laguna Hills a few years ago."

"Wow. Are you close to the beach?"

"I was."

"You were?"

"I left four hours ago. Permanently."

"You left?"

"Yeah. I couldn't take it anymore."

"So you left? For good? Just like that?"

Wow. He was like the most totally cool, fearless person in the universe, right there in my front yard, tight jeans and all.

"What are you going to do?" I asked breathlessly.

"Thought I'd take a ride. Want to come along?"

I didn't ask where; I didn't ask when we'd be back.

"Let me just grab my purse," was all I asked of him.

An hour later, we sat on the edge of a lifeguard station at Huntington Beach, smoking and sipping some beer Greg had conned a guy into buying for us. I saw the fact that Greg smoked as clear evidence fate meant us to be together. That was back when I was young and didn't know my karma had it in for me.

Between smokes and sips, he told me why he'd left his family. Despite mostly lousy grades, his parents had managed to buy his way into some private liberal arts college in northern California. But that afternoon Greg had dropped the bombshell: he didn't want to go to college for four years. He didn't want to be a lawyer or a doctor or work for his father's development firm. He wanted to be an auto mechanic. After a lengthy family discussion of a somewhat passionate nature, Greg threw a few things into a duffel bag and stormed out of the house.

While Greg told me all this, he made it sound like a big joke. How his father sat in the den after Greg told him to go to hell, drinking scotch and watching baseball, as if nothing was going on. How his mom followed him into his room and begged him to reconsider. She couldn't understand why he wouldn't want to go to college. It wouldn't be all work. He'd have a lot of fun. He could join a nice fraternity.

We both howled at that one, picturing Mrs. Irvington's idea of a nice fraternity.

"So where are you going to live?" I asked when he finished his story.

Greg shrugged. "I'll figure something out. I've got graduation money. And the money I made from my car."

"You have a car and a motorcycle?"

"A bike, Sam. You always call it a bike."

"So sorry, oh cool one."

"Hey, that's what I'm here for. I got the bike after I left. My parents wouldn't let me have one. I sold the car they got me for graduation. They put it in my name to teach me about responsibility." He took a swig of beer. "So far, I don't think their plan's working out the way they'd hoped."

Wow. The glamour of it all. He was like a real adult. He'd sold a car and bought a motorcycle. Excuse me, a bike. Soon he'd be getting an apartment, paying rent, and coming and going whenever he liked. The whole exciting adult world.

I could have talked to him until dawn, easily, but by midnight it was starting to get pretty cold there at the beach. Being helpful by nature, I pointed out that it was way too late now to call any of his friends for a place to crash, and offered to sneak him back into my house. Nothing happened beyond a little necking. Not that he didn't try, and not that I didn't want it to, but my parents were in the next room, and the idea was way too icky.

Within a few days he found a job at a gas station and a guy who needed a roommate. And the first time Greg's roommate was gone for the weekend, I slept with him without a moment's hesitation.

We went out for the next two years, and I thought we had it all: friendship, laughter, great sex, and, of course, our undying eternal love that would outlast the stars. Even though we never talked about it, I took it for granted that we were headed into a future together. Maybe we should have talked about it.

I couldn't just lie in bed all day thinking about Greg, although in many ways it would have been much more enjoyable than the plans I did have: spending the day with my family. But I had no choice in the matter. It was Thanksgiving.

My mother lives about twenty minutes away from me, and

I'm her only child. I have to be there on all major holidays. It's the law. I know in my head that it isn't, but in my gut, I believe it's an actual law. That if I don't show up, uniformed officers will arrive on my doorstep and ask me to come along quietly. They won't read me my rights, because I won't have any. A trial will be held, but no question about the verdict. Guilty as charged! After which I'll be publicly executed, an event televised around the globe on pay-per-view to serve as a lesson to ungrateful children everywhere. And I can forget about a last meal.

Our Thanksgiving schedule doesn't vary much from year to year, and the faces are always the same. Uncle Verne. Aunt Marnie. Mom. And me. That's what's left of our family here in southern California. Pretty dreary stuff. Aunt Marnie and Uncle Verne have a son, my cousin Thomas, but he got smart and moved to Oregon.

I'm due no later than 10:30 A.M., even though we don't eat any earlier than three. Mom and Aunt Marnie spend most of the day in the kitchen, and admittance to this strategic area is for authorized personnel only, a group to which I've never belonged. Uncle Verne and I are left to entertain each other, which is difficult since he generally doesn't speak, and I don't know any magic tricks. We end up spending most of the day watching TV together.

Until a few years ago, one of the local channels ran a *Twilight Zone* marathon on Thanksgiving, which helped the time pass. Although it was eerie to realize that the characters in most of the episodes seemed more normal to me than my family—and I *am* including the characters from other planets. But then some cable channel bought all the *Twilight Zone* episodes, and ever since, things have been pretty bleak. Mom refuses to subscribe to cable. Says she doesn't think you should have to pay for TV, not with all the commercials they show. I think she's right, but for the wrong reasons. That's about as close as we ever come to agreeing about anything.

The only holiday tradition I have is my little pep talk. It goes something like this: I will not let *them,* my flesh and blood, get to me. I will accept my family exactly as they are, while retaining the integrity of my own personality and beliefs. I will set reasonable boundaries without being overly confrontational. I will react as an adult, not a wounded child. I won't dwell on the fact that I was obviously sent home from the hospital with the wrong family.

I find this talk very inspirational. I believe myself every time I hear it. And it lasts about three and a half minutes from the moment I first step foot inside my mother's house.

This year was no exception. I arrived at Mom's with two minutes to spare. When I walked in, Uncle Verne was glued to the TV. I said hello, and he grunted his own specialized form of greeting. Those outside our tribe might have a hard time understanding his language, but I interpreted his response correctly and understood he was saying hello. Many people find Uncle Verne kind of creepy because he hardly ever speaks, but personally, I find him refreshing. If only the rest of the family could follow his lead. And it's not as if he's completely silent. Every so often he lets out a long, lumbering sigh. It's comforting, like an old German shepherd you've had around ever since you can remember.

Based on bits and pieces I've been able to put together, I think he's suffering from posttraumatic stress disorder from his time in the Korean War. He was at the Chosin Reservoir. I looked it up one time when I was in college. It was awful. But back then, returning GIs were supposed to suck it up and get on with things. I know he'd die of humiliation if I ever tried to bring up anything about the subject, so I leave it alone.

I was about to walk past him and into the militarized zone next to the kitchen stove, when I heard a familiar sound. A theme song. I turned to look. An episode of the *Twilight Zone* was starting. And then I noticed a VCR hooked up to my mom's television set. Had hell frozen over, or was I hallucinating? I've offered to get Mom a VCR for Christmas every year for the past five years, and she always turns me down. Told me today's movies were too trashy to bother about. The idea of Uncle Verne having enough motivation or interest to buy a VCR seemed out of the question. I always had a sneaking suspicion he'd be perfectly content to stare into space until dinner was served, or until the end of time for that matter.

Then I saw the stack of tapes on the floor. Each one clearly labeled with two episodes of the *Twilight Zone*. And a couple of things got to me. The first was how he'd labeled them. He made up all his own titles, and they were perfect. "Greedy Relatives Get New Faces." "Astronaut Bullies Little People on Other

Planet." "Death as a Hitchhiker." "Martian on a Bus." I knew exactly which episode he meant for each title.

The other thing was that he'd taped all my favorite episodes. Could it be that when I'd occasionally broken up our hours of silence by saying something along the lines of, "Oh, I really like this one," he'd been paying attention? And remembered it all these years later? Even scarier and more perplexing, could it be that Uncle Verne actually *liked* me?

I was so touched I felt like giving him a hug and having a good cry. I didn't do either because you just don't with Uncle Verne. Instead, I told him that I'd be back in a few minutes and it would be great to watch the *Twilight Zone* again. He nodded as I went past, and in his own special language asked me to bring him a beer when I came back.

I then made my cautious approach toward the kitchen where I heard the muffled sounds of my aunt and mom arguing over which bowl was the yam bowl and which bowl was the mashed potato bowl. After thirty-some years, you'd think they'd have figured it out by now. I used to try to help them in the kitchen, but it always ended in complete disaster. They have their own unique system they've perfected and refined over the course of the twentieth and twenty-first centuries, and nobody else can ever hope to comprehend it.

For some reason—like maybe the fact that she disagrees with almost every decision I've ever made—I'm something of a disappointment to my mother: a living, breathing symbol of everything that's gone wrong in her life, all the things that didn't live up to her expectations. Marriage. Southern California. Life.

The world. And me—Samantha Stone—her only child, who could have done so much with her life, if only she'd applied herself.

My mom and aunt were so absorbed in their negotiations that once I finally got the door open they didn't notice me. As I stood there for a minute watching them, I was overcome with warm, gooey, holidaylike feelings. Uncle Verne taping the *Twilight Zone*, these two crazy women agonizing over every detail of the dinner. My family. For better or worse—warts, neuroses, and all.

"Marnie, you know there will be more potatoes than yams, so they have to go in this bowl."

"No, you always forget about the marshmallows on top of the yams. They take up a lot of room."

"Not that much. Not as much as the potatoes."

"Okay, but if you get melted marshmallows all over the sides of the bowl, don't blame me."

"You need to use less. You always put too many on."

"The marshmallows are what make it taste good."

I knew this could go on forever, so I interjected a cheery hello.

"Aunt Marnie, did you see what Uncle Verne's done?" I asked.

"What's he done now?" she asked suspiciously.

"He taped a bunch of *Twilight Zone* shows for us to watch."

"Oh, that," she said. "He's driving me crazy. Every week he gets out the *TV Guide* and checks to see what episodes are on. And then he makes a list of which ones he's going to tape.

Doesn't matter if there's something on *I* might want to watch. Oh, no. Nothing is more important than taping the *Twilight Zone*. Honestly. I could kill that woman. I could just kill her."

I had no idea what woman she meant or what she had to do with the *Twilight Zone*, but I hoped patience and perseverance might bring clarity.

"What woman?" I asked.

"Our dental hygienist. You know the way they think they have to keep talking to you while they're working on your teeth? Even though there's no way you can answer any of their questions, and besides, you just want them to hurry and get it over with?"

"Yeah."

"Well, I don't know why, but for some reason while she's working on Verne's teeth, this dental hygienist fills him in about how she tapes her favorite soap opera on her VCR since it's on during the day when she's at work, and then she watches the tape at night. Lord, you would have thought it was the Second Coming. He comes out to the waiting room and tells me how we have to go get a VCR and sign up for cable, because according to this genius of a dental hygienist, they also show the *Twilight Zone* on one of the cable channels. So I say, 'Why do you have to tape it? If we get the cable, why don't you just watch it when it comes on?' And he says he has to tape it so he can watch the good ones on Thanksgiving. So I say, 'What in the world does the *Twilight Zone* have to do with Thanksgiving?' Well, I never did get a clear answer to that one. But I tell you, I hear that crazy space music in my sleep now."

"Don't you remember, Aunt Marnie? Uncle Verne and I used to watch the *Twilight Zone* on Thanksgiving for years. They used to have a marathon on one of the local channels."

"Oh." She pursed her lips. "I guess your mother and I were too busy cooking the dinner to pay much attention to what you were watching on TV. All I know is, if I never hear another word as long as I live about the *Twilight Zone*, it won't be soon enough."

Listening to Aunt Marnie suck all the fun out of what little fun the day might have to offer, I felt the warm feelings subsiding and, right on schedule, my pep talk had faded to a dim and distant memory. I decided to head out to the patio for a cigarette.

"I'll be back in a few minutes," I told them.

"Where are you going?" Mom asked, as if I was plotting some kind of escape.

"Just going out for a quick smoke."

"Aren't you going to watch TV with your uncle? He went to a lot of trouble, you know, taping all those shows."

"Yes, he did," Aunt Marnie added, "just for you."

Two minutes earlier they hadn't known anything about it, and now they had it all figured out and ready to use as a weapon. It struck me, and not for the first time, that as weird as I think the members of my family are, to themselves they're perfectly normal. Which made me wonder: How did I know that I wasn't a deranged human being myself? How many deranged people score real high in the self-awareness department? If I was a psychotic maniac, I probably wouldn't have a clue. Those are the kinds of thoughts I tend to have when I spend more than a few minutes with my blood relations.

"I'm just going to be a few minutes," I, a grown-up person, explained to my mother.

"I wish you'd give up that filthy habit," my mother called after me, with the self-righteous zeal of an ex-smoker.

"I'm quitting tomorrow," I called back.

As I started to close the door, I heard her say, "How many times have I heard *that* before?"

"Lord help us if she goes through with it," my aunt said. "Remember what she gets like."

I sat down and took a few angry puffs. Maybe I *had* tried to quit smoking more than once, but still. Isn't it a mother's job, part of the parental contract, to keep believing in her children no matter what? John Hinkley's parents still believe in him, and he tried to kill a president. The worst thing I've ever done is lie on a résumé, and that doesn't really count. God understands how unreasonable those interviewers are about things like experience and education.

I reminded myself—again—that I was a grown-up; I had choices. I was meeting Greg in a few hours, and the last thing I wanted was to show up in a bitchy, deprived-child mood. I didn't have to let my next of kin alter my mood. That's what my cigarettes were for.

The rest of the morning and early afternoon were okay. Uncle Verne and I watched our shows and munched on chips and dip. Every hour or so I went out front to have a cigarette. My mom hated me smoking out there, but I wasn't going anywhere near that kitchen. The Allied commanders' nerves had been calmer planning the invasion of Normandy. Besides, I used my time on the porch quite productively by (a) obsessing over what Greg wanted to talk to me about, and (b) remembering how great we'd been together. Smoking is a very useful habit when you're a big thinker like me.

As the afternoon wore on, my mom and aunt kept a running conversation going as they popped in and out of the kitchen. I can always tell which station they've arrived at on the Thanksgiving Express based on which announcement they make. When one of them proclaims they're putting the finishing touches on the table, we're about an hour away from the meal. The butter and cranberry sauce are brought out, and soon, crucial negotiations will commence as to how everything will fit. They'll have their annual debate as to whether or not they should keep the turkey in the kitchen and just bring some slices in, but then they'll agree that it isn't really Thanksgiving if you can't look at the bird on the table.

The matter of the turkey having been decided, they'll retreat inside the kitchen to mash the potatoes, make the gravy, butter the peas, warm the dinner rolls, scoop out the stuffing, put the turkey on a platter, and begin their final assault on the table. This is known as putting the finishing touches on the dinner, followed by a second round of putting finishing touches on the table.

As countdown continues, one of them will grab up the last of the chips and dip, warning us not to ruin our appetites. Seeing as how we've been stuffing our faces all day long, in between chugs of soda and beer, the warning comes a little late. But Uncle Verne and I always manage to stuff down an adequate amount of Thanksgiving dinner. Because as much as I bitch about all that goes into it, I have to admit that my mom and aunt make a damn fine turkey-with-all-the-trimmings dinner.

When all is ready, the two of them emerge from the kitchen looking hot, exhausted, and completely self-satisfied. They, and only they, are the people who have made the holiday possible. This is a recurring theme that will be examined and discussed repeatedly throughout the meal.

It was a few minutes after three when we finally sat down to eat. Somehow or other, the two of them managed to fit more food and dishes onto the table than the laws of physics would seem to allow. But it looked nice. Not glamorous or anything, but cozy. What a Thanksgiving dinner should look like. My mom stood at the head of the table ready to carve. For some mysterious reason, my uncle never does the carving. Which is very odd considering my mother and aunt's rather rigid ideas regarding gender roles. But it's never discussed. Never. I asked Mom once why she took over carving the turkey after my father died, instead of Uncle Verne, and she got this look on her face. The look that says I'm sorry, I didn't hear the question you just asked, because it concerned a subject that doesn't exist, and if it did exist, which it doesn't and never will, it wouldn't be any of your business anyway. That look.

"Everything smells great, Mom," I said, doing my best to start the meal off on the right foot.

"Thank you, Samantha. And we should all be thanking your aunt Marnie, too. Without her help, it wouldn't have been possible for me to have gotten everything done."

"Thanks, Aunt Marnie."

"Why, you're welcome Samantha. I was happy to do it."

"And thank *you*, Uncle Verne," I added.

My uncle's eyelids fluttered. It was the first time in years that anyone had said something to him at the holiday table besides "Pass the peas, please." My mother and aunt lifted their eyebrows in surprise and dismay. Thank Uncle Verne for what? He hadn't done anything to make this kind of meal possible.

"We had a great time watching the *Twilight Zone* shows he taped," I said by way of explanation.

"Did you?" my mom asked, the turkey knife poised in midair, while my aunt stared at my uncle suspiciously. Since when did Uncle Verne have a good time doing anything? What if he'd been having all kinds of good times that she didn't know anything about?

"That's nice," my aunt said with a frown.

"Uncle Verne and I always have a great time," I said. "We thought after dinner we might go out, get some beers. Maybe see if we can find a couple of hot babes."

Uncle Verne's lips quivered for a fraction of a second, and then he did the one thing guaranteed to refocus everyone back to what really mattered: picked up a bowl and started serving himself some food.

"Honestly, Samantha," my mom said and resumed carving.

"Start passing the food around, everyone. There's a lot here, and we don't want it to get cold."

Whew. A collective sigh of relief and a return to life as we knew it. Time to put that whole ugly *Twilight Zone* episode out of our heads.

"Now, Samantha, I know you'll want one of the drumsticks," my mom continued, "but what about everyone else? White or dark?"

You'd think my mom had a guest list of fifty and no way of keeping track of everyone's preferences. But for fourteen years, ever since my dad died and my cousin moved, it was only the four of us—and we all ate white meat. I hadn't wanted a drumstick since I was ten.

"Oh, white meat for me and Verne," Aunt Marnie said, as if she was a first-time participant at the famous Stone family Thanksgiving.

"I think I'll have white meat this year, Mom."

"Are you sure? I saved the drumstick just for you."

We went back and forth a few more times, until I convinced her I was old enough to have white meat. The two of us go through this every year, a holiday tradition I cherish. Only this year I decided to make one change. Instead of trying to fight her on it, I'd take the creamed spinach that she makes especially for me—the creamed spinach I've hated since the first time I took a bite of the stuff—and I'd gradually cover it up with the other food, until it melted into the remains of the gravy and potatoes. And yes, I know how pathetic it is to be thirty-four years old and hiding my spinach from my mother.

Once the carving was complete and the food passed, we sat poised to begin the meal in earnest. Then Aunt Marnie said what she always says before she can pick up her fork and start eating.

"Well. Isn't this nice."

"It certainly is," my mom agreed.

"Very nice," I added. Last year I'd said, "Yes, it is." I didn't want to get stuck in a rut.

"I propose a toast," my mother announced, raising her glass. "To a real, old-fashioned Thanksgiving," she said, just like I knew she would.

We tapped our glasses together and drank a sip of wine. I knew what was coming next—their favorite holiday topic: The world just ain't what it used to be. They could go on for hours, and had been for years.

Maybe I'd seen too many *Twilight Zone* episodes in one day and lost my fragile grip on reality. Maybe Greg's phone call had thrown me off more than I realized. But for some fool reason, I decided to try to head them off at the conversational pass. Get the ball rolling so we could communicate something to each other. I must have been delirious.

I knew I had to move fast, so I picked the first thing that popped into my head.

"Did anyone read that article in the paper this morning about dogs?" I asked.

"Dogs?" my mom asked, looking confused.

"Dogs?" my aunt asked, looking even more confused. I'd derailed their train, but I knew it wouldn't take them long to get their bearings back. I pressed forward before they had a chance to regroup.

"Yeah. It was really interesting. It seems they've found out that dogs can tell when their owner is coming back. I mean, they can tell when their owner is like one or two miles away from home. They get up and start waiting for them."

The two of them looked at me as if I was speaking Swahili.

"Oh?" Mom ventured to ask, and I admired her courage. We'd never talked about dogs on Thanksgiving before.

"You know," my aunt said, "there really is nothing like a good, old-fashioned Thanksgiving."

"And that's not all," I said, not willing to give up the ship yet. "Wait until you hear this. They did these experiments where they would separate a dog and its owner by around ten miles or so. One researcher would be with the dog, and the other one would be with the dog's owner. And then, at a certain time, they'd have the owner say the dog's name. And here's the incredible thing. Sometimes the dog would respond. It would bark or jump up and down, even though it was ten miles away. Isn't that interesting?"

The two of them stared at me blankly.

"It, uh, certainly is," my mom said after a pause. I was, after all, the fruit of her loins.

My aunt sensed an opening and quickly picked up a roll.

"Look, Theresa," she said to my mom, "look how this roll pulls apart. You won't see a store-bought roll this flaky no matter how much you pay."

There are forces greater than the human mind can comprehend, and such is the force of my mother and aunt's need to talk about the virtues of home cooking. I should have quit while I was ahead, but only those who dare can hope to attain glory.

"Don't you think that would be an interesting thing to do?" I asked.

Again the blank stares.

"What would be an interesting thing to do?" my mother asked with a pained expression. Nine months she'd suffered to bring me into the world, and all I wanted to do was talk about dogs.

"To try and duplicate the experiment," I answered. "One of us could take a dog and go somewhere about ten miles away, and then one of us could say the dog's name and see if he responded. We could find out if the experiment really worked. I mean, we couldn't all go. One of us would have to stay behind to say the dog's name."

"What dog?" my mom asked.

"You don't have a dog," my aunt pointed out. "None of us has a dog."

"Oh." About this they were correct. "I was thinking about maybe getting one," I added lamely, knowing defeat was at hand. These women couldn't be stopped. Their spirit was unbreakable. They'd just been toying with me, biding their time.

"What in the world would you do with a dog?" my mother asked.

"Dogs take a lot of work, Samantha," my aunt said, "just like anything worth having. Quite frankly, I don't see why anyone gets a dog anymore. You have to be home to have a dog. No one's ever home. Have you noticed that, Theresa? How no one's ever home anymore? All out busy doing their own thing, I guess."

"That's exactly it," my mom agreed. "Did you see how so many of the stores are starting to offer ready-made Thanksgiving dinners now? You just go in on Thanksgiving morning and pick it up, and then reheat it when you're ready to eat. For all we know, we may be the only family on this entire street eating a real, home-cooked Thanksgiving dinner."

"I wouldn't be surprised," my aunt said, looking relieved. Finally, a topic worth exploring. "And you know what really burns me up? When I hear people say there's just no time to cook anymore. What does that mean? Do they think we had twenty-*seven* hours in a day?"

And they're off.

"No one understands what's important anymore. They run to the store and get their ready-made food, and probably serve it on paper plates, and then they wonder why their kids end up on drugs."

Leave it to my relatives to get at the root of the drug crisis. It wasn't poverty or despair, or lack of education and hope. It wasn't a cry for help. It was a cry for dinnerware.

"Oh, I know, Theresa. Isn't it sad? I just hope that Samantha here appreciates the kind of home *she* came from."

You have no idea, Aunt Marnie.

"Oh, I like to think she does," my mother said coyly, glancing down at her plate modestly.

"I do, Mom, I really do." Fortunately, neither she nor her sister have an ear for irony. "And I have to say, you outdid yourselves on the potatoes this year. They're wonderful." I'd decided to concede defeat gracefully.

"It's the cream," I was told, and guess how surprised I was at the news. "You can't have real mashed potatoes unless you use real cream. Not milk. Cream. And real butter. Otherwise, why even bother."

"There's just no point," my aunt said. "You may as well open up a box of that dried stuff, add some water, and call *that* mashed potatoes. And dump it on a paper plate and call it dinner."

I nodded and took another bite.

"Oh, Samantha, it looks like you finished your spinach already." My mother picked up a bowl and handed it to me. "There's still plenty left. Help yourself."

Three

**If a tree falls in a forest,
the forest only hears what it wants to hear.**

Before the media discovered bacteria, doing the dishes used to be the one simple part of Thanksgiving. My contributions to the procedure were even considered helpful.

No longer. My first mistake was taking a roll of foil out of the drawer and wrapping the turkey. *Without* washing my hands first in the lifesaving suds of antibacterial soap, a bottle of which Mom now kept in every room of the house that had a sink. Didn't I know that I could have salmonella on my hands, and I might have gotten it all over the foil and the turkey? I tried to keep the mood light by pointing out that she'd lived the first six decades of her life without antibacterial soap, and lived to tell the tale. She wasn't amused. I tried logic. From what I knew about salmonella, you don't give it to the turkey, the turkey gives it to you. She was not enlightened.

"It's a simple thing, Samantha, washing your hands. It only takes a minute. And studies have shown that it's the single most important thing you can do to prevent the spread of salmonella."

There was no point in arguing. My mom hears the words "studies have shown" and it's as if God conducted them personally and verified the results.

I washed my hands, did what I could, but finally had to vacate the premises. Antibacterial spray had been doused on every visible surface. Who knew what kind of health damage my lungs might be exposed to with all of that secondhand spray? I went outside to get some fresh air and have a smoke.

Once the kitchen was properly decontaminated, the Yahtzee games began in earnest. I don't know why we play Yahtzee on Thanksgiving. It's something I've learned to accept without understanding, like gravity. There's not much strategy involved in your typical Yahtzee game; a reasonable person could figure out their options in a matter of seconds.

These were not reasonable people. These were the carriers of my gene pool. The games went on and on. My mom and aunt studied the score card intently with every roll of the dice. The code of silence was strictly enforced: No talking by anyone besides the person whose turn it was. A pretty safe rule since the threat of interesting conversation suddenly erupting was at risk level zero.

As the night wore on and it got closer to my departure time, I found it harder and harder to pay attention. My mind kept going back to that other night, what I still thought of as the worst night of my life. Which, considering some of the nights I've had in my life, was no small accomplishment.

Greg had said it so casually after we'd finished dinner at my new apartment. My first apartment. Didn't even have the decency to be nervous or avoid eye contact. All these years later and I could still hear him. *I think we should start seeing other people. We don't want to turn into an old married couple before our time, do we?* With a grin and a wink. I grinned back and choked out something or other that passed for language and indifference.

A couple of weeks later he called me, talked to me like he'd been away on vacation or something. I acted the same way and kept it up every time he called or we saw each other. At first because I didn't want him to know how much it hurt, then hoping that one day we'd get back together, and finally, because as time went on, he became my friend. A real friend. A willing-to-help-me-move or picking-me-up-at-the-airport kind of friend, and those you don't throw away.

I dated. Fell in love with other people. Almost said yes to two marriage proposals I got along the way. But when it came down to the moment of decision, the lifetime deal, I couldn't bring myself to do it. I could never imagine having breakfast with that person in fifty years. And every time a relationship ended I'd find myself drawn toward Greg again. Not that I was going to do anything about it. But being with Greg was like taking off a pair of tight shoes after being on your feet all day. Being with other guys was work. I kept hanging in there, but the older I got, the more dating started to feel like applying for a job I didn't really want.

Greg didn't get serious with anyone else for a long time. He went through women the way I went through cigarettes. Then, about two years ago, Casey came along. She was like a female twin of his, right down to the motorcycle. They moved in together after their fourth date. I saw less and less of him and braced myself for the invitation to their wedding. But then, about a year ago, right around the time of their second anniversary of living together, he called to see if I wanted to get a pizza after work.

It was like old times, and after a few beers he told me Casey had moved out. He didn't really want to talk about it, which didn't exactly surprise me. We never ran out of things to say, but certain things, when it came to talking about them, I knew better than to push.

After that, we started hanging out together again, spending more time together than we ever had since we'd split up. Pizzas or tacos after work a couple of times a week. Bogart's on Friday nights. Sometimes a movie on Sunday afternoons. I kept telling myself it wasn't any big deal. Two good friends in between relationships who enjoy each other's company. Maybe one of the friends had gotten, if anything, even better looking over the years—why is it that laugh lines make a guy look *sexier*—but that wasn't the point. I reminded myself about a thousand times. The point was to be smart this time. Enjoy the time we had together and not read anything more into it than that. And not, not, NOT let myself be dumb enough to start sleeping with him again, let alone, dear God, be insane enough to go through the torture of falling in love with him again.

But I guess smart is something else I'll have to hope for in my next life. Because as the Yahtzee games dragged endlessly on it finally hit me what I'd been doing all this time, while Greg and I munched on tacos or made fun of predictable movie plots. I'd been *waiting*.

The family and I didn't finish our third Yahtzee game until around eight-thirty. We always play three games. I don't know why. I just lived there during my formative years. But that was okay, still enough time for our good-byes and me out the door by eight forty-five. Oh, foolish girl. To think you could have a fun holiday evening ahead, that life and your mother would just let it happen. Hadn't you been paying attention?

Just as my aunt prepared to claim her triumph for winning two out of three, I scored a surprise Yahtzee on my last turn and came from behind to win. That meant everyone but Uncle Verne had won a game, but no one had actually won the "tournament." My aunt and mom congratulated me, but they weren't at peace.

"This doesn't feel right," my aunt said.

"It doesn't, does it," my mom agreed.

"It's not that I care about winning. It's just . . ." My aunt shrugged. The English language didn't have sufficient adjectives to express her feelings. "Maybe we should play one more game," she suggested.

Mom thought it over, pondering the many moral and ethical implications.

"I think you're right," she said at last. "I think someone should get the chance to win. It's only fair."

"That's right," my aunt said with a vigorous nod. "It's only fair to give someone the chance to win. Let's see. Samantha won the last game, so she goes first."

My aunt gathered up the dice, put them in the cup, and handed it to me.

"Uh," I said, as I took it from her. All female eyes turned my way. You didn't say uh when you picked up the dice cup. You might say I need fives or here's hoping. But you didn't say uh.

"Uh," I said again. "I, uh, have to go."

"Go?" my mother asked. "What do you mean you have to go? We're playing Yahtzee."

"I know, but I kind of made some plans."

"Plans?"

It was just one word, but the atmosphere in the room made me feel like Galileo explaining to the priests about the earth revolving around the sun.

"I have a date." A possibly acceptable answer. Maybe not up there with a national emergency or an act of God, but dating had been known to lead to matrimony and grandchildren.

Mom raised her eyebrows. "A date? On Thanksgiving?"

She and my aunt exchanged glances. They weren't born yesterday.

"Yes."

"With who?"

"With a guy."

"Does this guy have a name?"

Greg would definitely not be an acceptable answer. He hardly qualified as a date by her standards, let alone one worthy

38

of deserting the family for on Thanksgiving. A date is a nice young man in a suit and tie who calls for me at the door with a bouquet of flowers. And comes inside for a reasonable length of time so my mother has a chance to get to know a little something about him, his prospects, and family background.

Greg waiting for me at a bar, Greg who'd had his chance and then broken my heart, Greg who used to drive her crazy roaring up on his motorcycle, Greg who'd spent the last fourteen years dating assorted bimbos and hussies, Greg who I could see anytime it's not like he has some demanding career, Greg who would never amount to anything . . . Greg would not be considered a date or anything approaching a date. More like an insult to my mother and my entire family, and the generations of pioneers who'd come to this country and sacrificed and struggled so I could have a better life.

"Yes, he has a name."

This couldn't be just any date. This had to be the perfect date, one worthy of destroying sacred family traditions for. Because I didn't have the time or energy at the moment to battle—let alone triumph over—three decades of family dynamics. Greg was waiting and maybe this was it. Maybe after knocking around all these years, he'd gotten it out of his system. Maybe he was ready to commit to one person. Casey had been the warm-up and now he was ready for me. Maybe I'd get to spend the rest of my life with someone who got the joke. Someone I felt completely comfortable with. Someone who drove me crazy in all the best and worst ways. And maybe no one else saw him the way I did and I didn't give a damn. The Greg I loved was the

Greg I'd met when I was six years old. That's the Greg I still saw, only now he had a really cute behind. And when I thought about having breakfast with him in fifty years it made me smile. He was going to be one bad-ass old geezer.

"His name is Alex," I said.

"Alex who?" my mother asked.

A brief pause.

"Alex Graham."

A good, solid name, and yet, one sensed a hint of glamour, mystery even.

"How long have you been seeing him?"

"A while."

"A while?"

"Yes. A while."

"Why isn't he spending Thanksgiving with his family?"

"He, um, doesn't have any family."

"Why not?" my mother asked suspiciously, as if he'd disposed of them somewhere. As if this was another horrible new trend invented by my rude generation.

"He's an orphan."

An orphan—pure genius. Alex had that effect on me. He brought out the daughter my mother always wanted. And she adored him, right from the start.

"Well, for Pete sakes, Samantha. Why didn't you tell us? You could have invited him to have Thanksgiving here with us."

Yeah. That would be a great way to win a guy's heart forever.

"That poor man," sighed Aunt Marnie, "especially on a day like today."

"I thought about inviting him. But, well, holidays are for family."

"What does he do?" my aunt asked softly. Whatever he did, he was still an orphan, denied the blessings I took so much for granted.

"He's an orthodontist."

"Aaaah," my aunt and mother said in unison. Another stroke of genius on my part. The income and respect of a doctor, but without the emergency calls. You just know a man who's an orthodontist is gonna be steady.

"Is he divorced?" my aunt asked, and my mother gave her an approving glance. Good question. We might not be out of the woods. He could have alimony bills and previously produced children who took up his valuable time. Time that should be spent with me, producing her grandchildren.

"No."

"Never married?" my aunt asked, arching her eyebrows. In today's world, even a respectable orthodontist might turn out to be gay.

"He wanted to establish his practice first. He decided to take a few years and concentrate on that before starting a family."

"Aaaah," the two of them said in perfect unison and harmony.

Beautiful. Alex had won them over completely. They looked so happy, though, that I started to feel a little bad. I had it on very good authority Alex and I wouldn't last long, seeing as how he was a figment of my imagination.

"So, where did you meet him?" my mom asked.

"Mom, I'd love to tell you all about him, but I'm running late as it is." Gone were my hesitancy and indecision. I should have gotten an Alex years ago. With him by my side, I had the freedom to simply get up and leave, even on a major holiday.

"Where are you and Alex going?"

"Just to a movie. Actually I'm meeting him there, so I should probably get a move-on. I wouldn't want to keep him waiting."

Then my mother gasped, and for one frightening second I thought she was on to me. I half expected her to say something like, Marnie, how could we have been stupid enough to fall for this? What successful, reliable orthodontist would possibly be interested in dating Samantha?

"There's no way I can give you any leftovers," she exclaimed. "If you have that food sitting in your car the whole time you're at the movie, it's going to be covered with salmonella."

"That's okay, Mom. I'll drop by tomorrow and get some."

"I have the most wonderful idea."

At that, my stomach did a little cartwheel. Those were never good words to hear coming from my mother's mouth.

"Marnie, you make up a couple of plates real quick. I'm going to go get that ice chest out of the garage."

"Mom—"

"Oh, now, it will only take a minute. Poor Alex hasn't had any Thanksgiving cooking. We'll ice everything up extra good, and then he can have some real Thanksgiving dinner. Marnie, be sure to make his portions extra large. The poor man probably hasn't had home cooking since who knows when."

"Mom—"

"Good grief, Samantha. Where's your holiday spirit?"

Wink, wink between her and my aunt. They scurried around, and ten minutes later I was ushered out the door amid smiles and pats on my back, and sly hints about what a nice dinner for two those leftovers would make.

I put the ice chest in my trunk, and felt some strange sensations as I drove away. It wasn't going to keep me up nights or anything, but I felt bad about lying to my family. My standard operating procedure for family interrogations usually didn't extend beyond the omission of certain details that weren't any of their business or vague statements open to many interpretations. But tonight I'd actually dispensed complete and total misinformation. For the greater good of maintaining my free world, but still, I felt bad.

On the other hand, deception had set me free, which is completely backward from how it's supposed to work, but that's my family for you. Always blazing new trails. I wasn't sure what it said about me or them that it took a fantasy man to win their affection, esteem, and approval, but there it was. Except for learning to pick up my own toys, Alex had done more to improve my relationship with my family than anything else I'd ever done.

A couple of minutes after nine, I pulled into the parking lot of Bogart's, the place I thought of as my home-away-from-dysfunctional home. It's this great, funky little bar I found one night a few years ago, completely by accident. I'd been on my way back home, and I'd gotten detoured because of some construction going on. I ended up in a section of Brea I'd never seen before, and I desperately needed a bathroom (my strong character is counterbalanced by my weak bladder). I hoped I could find an all-night gas station, when I noticed some lights on at the edge of a strip mall. And then I saw the sign: Bogart's.

Bogart's isn't much to look at—small and dark, and sometimes the smoke haze gets so strong it even bothers me. The pool tables are shabby, the chairs aren't comfortable, and the bartender doesn't want to listen to your troubles. The regulars don't contribute much of anything to society, and the global economy will probably kick the ass out of what little they do have to offer.

When I walked inside the place, I didn't think much of it at first. I was debating whether or not I even wanted to use the bathroom—I shuddered to think of the condition it might be in—when a great blues song came on the jukebox. B.B. King's "Everyday I Have the Blues." I stood there a minute, listening to the music, and then I noticed everyone in there was moving to it while they drank their beer or took their next shot at the pool table. Not dancing or anything, not even consciously making a *decision* to listen, just knowing what the guy was singing about.

I started to like the feel of the place. After I'd used the bathroom, I had a quick beer and a few cigarettes and talked to the bartender, Rick. He's a Vietnam vet, could do without most people, and usually looks as if he's just found out he's been selected by the IRS for an audit. I don't know why he decided that he liked me. I try to see it as flattering, like he's real picky and I'm one of the few who made the grade. But sometimes I have to wonder. He's pretty messed up. Maybe he just likes me because he sees me as his emotional equal.

The regulars accepted me pretty quickly. We don't talk a lot or anything, not much more than a head nod and a "how's it going." An occasional game of pool if I'm there by myself. Greg, on the other hand, the regulars were all crazy about from the minute I brought him in the door. They greet him like he's come back from serving overseas every time they see him.

Mostly I smoke and listen to the music, sip a beer and agree with Rick that the world is run by morons. A few women come in. Some of them—those who've lost all hope and any sort of standards—try to get picked up there. But I'm pretty much the only woman who hangs out on a regular basis. Sometimes one of the guys will bring a wife or a girlfriend, but she usually has some sense and doesn't show any interest in returning.

When I walked into Bogart's that night, and saw Greg standing there next to the bar, sipping a beer and nodding his head to Van Morrison's "Hardnose the Highway," I had this whole mental flash of how great a life we could have. How great it would be after a shitty day to meet him here and get the combo plate and a couple of beers and listen to some great music and talk about everything under the sun or just say nothing at all and get to be with your best friend and then go home and have great sex and, yes, I knew it had been only a few hours since the phone call and in that time I'd gone from we're just friends to wondering what to name our first child, but dammit, not that many people really fit together and we did and after fourteen years and lots of other people he still made my stomach go whoosh. That's once-in-a-lifetime kind of stuff and if it took us this long to get there it had all been worth it. I could have stood there for hours, just watching him, except I would have looked kind of dopey.

"Hey, sweet thing," he said when I walked up to the bar. "How was turkey time?"

"Turkey time is over for today. I'm free as a bird."

"I bet you've been waiting all day to say that."

"Believe it or not, that was right off the top of my head."

I made a point of trying to get Rick's attention right about then. I needed to not be looking at Greg for a few seconds. I needed to order a drink, something to distract me from my overwhelming desire to grin from ear to ear which is not my best look.

When Rick handed me my drink, he didn't ask if I'd had a nice Thanksgiving. Bogart's makes no acknowledgment of holidays, legal or otherwise. As far as Bogart's is concerned, if you had such a great holiday that you feel a need to talk about it, you should probably take your business elsewhere. Personally, I think Rick should receive a public service award for keeping the joint open on Thanksgiving and Christmas. Lord only knows how many homicides and suicides he's prevented.

Greg asked me if I wanted to play some pool, and we headed over to the tables to wait. He put his name on the chalkboard and then sat down across from me. I took out my pack of cigarettes and fumbled through my purse, trying to find my lighter.

"So what are you so goddamn happy about?" I asked lightly,

deciding against a declaration of undying love so early in the evening. "And how long is it going to last?"

"All in good time. Need a light?" he asked, pulling out a Bic.

"Sure. By the way, I've decided to quit tomorrow."

"Oh, God. Not again."

"You know, that's the same tone my mother used today when I told her, and I have to tell you, it's really starting to piss me off. I thought friends and family were supposed to be supportive of each other."

"Sam, you're unbearable when you quit smoking. And you've tried to quit about nine thousand and thirty-six times."

"Johnny Cash was addicted to heroin, booze, and cigarettes. And he said giving up cigarettes was the hardest one of all."

"I know. You tell me that story every time you try to quit."

"Well, I haven't quit yet, so this time I'm telling you before I quit."

"Yeah, that makes it brand new all right."

"I would really appreciate it if just one person I knew would give me some encouragement. I'm really motivated this time."

"Okay, so why are you motivated this time?"

"I realized that I've been smoking for twenty years. Can you believe that? Doesn't it seem like we just got out of high school?"

"Sometimes. But that could be because we're both so immature."

"True. Do you ever wish you could go back and do high school all over again knowing what you know now?"

"Like what?"

"Like seeing how stupid so much of it was. Being able to go back and just enjoy the hell out of it, and not give a damn what the cool people or the cheerleaders thought about you."

"I didn't give a damn."

"Oh, come on."

"If people liked me, great, and if not, screw 'em. That was my motto then, and that's my motto now."

"You knew that in *high school*? Nobody knows that in high school."

"Sam, I learned real young that worrying about what other people think is a big waste of time."

On anyone else that might have been bravado speaking, but Greg walked the walk. He didn't seem to care what anyone thought of him, including his parents. While the rest of the world was savoring the warmth and joys of family life, Greg usually spent his holidays at a cheap motel with some girl he barely knew, or at Bogart's drinking beer and playing pool with society's losers. God, how I envied him.

A few minutes later a pool table opened up. While we played, I filled Greg in on my day with the family.

"This one nice thing did happen, though," I said, missing the nine ball in the side pocket, a shot I normally would have made with ease. Having to keep talking to him normally when all I wanted to know was what—WHAT?—was so important that he had to tell me, had me rattled. "My uncle Verne had taped all these *Twilight Zone* shows for us to watch. I mean, the man barely moves or speaks, but he went out and got a VCR, and taped all these episodes we used to watch together. He even remembered which ones I liked the most."

"The *Twilight Zone* on Thanksgiving. That fits. Too bad he didn't tape some Stooges, too."

"The Stooges? As in the Three Stooges?"

"Yeah."

"Larry, Mo, and Curly? Those Stooges? And you like them? That's what you're telling me?"

"They're great."

Boy, you think you know a person. The Stooges? It was almost enough to make me finish my drink and head home alone. But then it became kind of endearing, the way everything does when you're that nuts about a guy. Men are the luckiest sons of bitches in the universe, I swear.

He won two out of three, and the Bogart's rule is three games max if other people are waiting. There were, so we picked up our drinks and stepped aside. A song came on we both liked, Randy Newman's "Sail Away." We stood and listened. It finished. A pause. Something hovered in the air. He smiled at me—the sweetest smile I ever remembered him sending my way. Then he put his arms around me, something he hadn't done since we'd split up.

"You know something, Sam, you're the greatest. I mean it."

"Aw, shucks."

"I'm trying to be serious here. You know what I like about you? You let me be a dickhead, but you never take my crap. I like that in a woman."

I smelled the liquor on his breath, heard his words slur a bit.

Greg never got sloppy drunk. It was almost unbearably moving to me that he was using drink to get up the courage to tell me what he had to say. Which I now thought I knew—KNEW!— was that he'd fallen in love with me again. Ladies and gentlemen of the jury, the evidence was clear and compelling. The early morning call, *needing* to see me, the awkward pauses, the energy he was radiating, the way he'd smile to himself every once in a while for no reason at all. The fumbled hug and clumsy attempt to put into words how he felt about me.

"You're the best," he said, giving me another squeeze.

It felt wonderful, but I didn't want to give live demonstrations in front of the Bogart's crowd. Lord only knows what might happen if they found out women are sometimes willing to participate without money changing hands.

"I've got some turkey and pie leftovers out in the car," I told him. "Why don't we go back to my place and get some food in you."

"Stuffing?"

"And cranberries."

"You're on."

Since he'd had so much to drink, I talked him into leaving his bike behind and coming back for it in the morning. We paid our tab, said our farewells, and walked out into the night.

As we headed toward my car, I felt as if it was the beginning of a new journey. And whoever said the journey is its own reward is full of crap.

Four

**It's not up to other people to make us happy—
their job is to make us miserable.**

Greg sang all the way back to my place. He kept switching
the radio from station to station, finding the love songs. He patted me on the knee occasionally, grinning, like life was wonderful
or something. I grinned right back at him, thinking life was wonderful or something. When we got back to my apartment, I kept
him as quiet as I could so we wouldn't disturb the neighbors.

I live in a great old building with a horseshoe-shaped courtyard, which, unlike me, has character. All my neighbors are over
eighty—mostly women, a couple of men—and they've lived
there for years. Because of my age, the landlord was reluctant to
rent to me, but I kept whining at him until he agreed to give me
a try. But the deal was I couldn't blast loud music or have wild
parties, and I'd have to keep it down after ten, and I'd kept my
end of the bargain.

Once inside, I got Greg settled on the couch, put on some soft music, and went to the kitchen to reheat the turkey and stuffing in the microwave and boil some water to make some instant coffee. When the food was ready, I put it all on a tray so we could sit on the couch while we ate. Sitting there, eating and listening to music, it all felt so easy, natural and right. The two of us together at the end of the day. After we finished our pie we had another cup of coffee and smoked a cigarette. And then I was ready to transcend a lifetime's fear of rejection and humiliation. He'd taken the first step, I'd take the second. I set down my coffee cup and looked into his eyes.

"You look so happy tonight," I said softly.

He smiled. "I am happy."

"This is nice, isn't it?"

I put my arms around him and kissed him. Slowly. Like we had all the time in the world.

"You sure about this?" he asked as we pulled apart and looked at each other.

"Very sure."

I stood up and held out my hand. I'd been so afraid for so long of showing my feelings to him. But now that I'd done it, I didn't feel any fear or nervousness. It felt natural. And when he smiled and took my hand, and we walked silently toward my bedroom, it all felt inevitable.

I don't believe in giving out intimate details; it's sufficient to say it was magic and heaven, and if God loved me at all, He would have let me die right there and then. I could have had one last cigarette and floated off to the next world with a single sigh and no regrets. But no, I never get that kind of a lucky break.

"You're the best, Sam," Greg said as he handed me a cigarette.

"Coming from you, that's high praise indeed," I said, taking a drag. "I know the competition's fierce." Giving him what I considered a wonderful opening line.

Greg rolled over on his side and faced me. "How long have we known each other?" he asked.

"Since we were six."

"Almost forever."

"Yeah."

"We give it to each other straight, right?"

"Damn right."

"Can I ask you something serious?"

"You can ask me anything."

"Okay. You probably know me better than anyone else. So you know what a fuck-up I can be. You know I've never been able to really commit to a woman. Not even Casey. After her I really thought that was it. I figured I wasn't cut out for the whole relationship thing. But . . ."

"But?"

"Do you think I have it in me? One woman for the rest of my life. Do you think I could pull it off if . . . if she was . . . Christ. Do you think I could, Sam? Be honest."

Oh my God. Oh my God. Oh my God. Yes, yes, yes. Of course you can. We'll make it work. And I'm sorry for every rotten thing I've ever said about my karma.

"Greg, I think you can do anything you set your mind to."

"It's what I want. I think it's what I want. I don't know. Ever since I met her, I've been whacked out."

It didn't register at first. And then it did. With a sickening thud. *Her? Her who? Her as in not me?*

"All we've done is talk a few times, but she's got me thinking things I've never thought before. I keep trying to call her, and then I flip out thinking I'm going to get in over my head and end up hurting her. I don't want to hurt her, Sam, but when I think about not seeing her again . . . she has a kid. Can you believe that—that I'd want to get involved with someone who has a kid? But with her I kind of like the idea.

"Don't laugh, but sometimes I'll get this picture of the three of us going to the zoo or something, and it doesn't drive me nuts. I even think about us having a kid of our own. Going to parents' night at school and checking their homework and . . . I can't believe what this woman's doing to me. But what if I can't pull it off? I don't know if I should I ask her out and see what happens, or run like hell."

I felt him looking at me. He obviously hadn't caught on to the fact that my insides had frozen solid. Men can be so blind.

"Ummm," I managed to say.

"You know, I never believed that thing about meeting the one. But Sam, man, believe me, when you find it, you'll know what everyone's talking about."

"Hmmmm."

"I'm gonna do it. I'm gonna call her. Just talking about her with you, I know I've got to do this thing. Man, I just hope I don't screw it up. Tell me I'm not gonna screw it up."

"Sure," I said. Somehow. I thought once your heart stopped beating, death was supposed to occur instantaneously.

"Hey, you okay, Sam?" he asked.

"Just tired," I told him. "Long day. Family and all that."

"Let's get some sleep then," he said, pretending he was a considerate human being who cared about other people's well-being. To my credit, I put my cigarette out in the ashtray instead of on Greg's lying, cheating heart. Then he did the most painful thing. He wrapped his arms around me, and snuggled up close.

"That was nice. I'm glad the last person I fooled around with was you."

Yeah. It was a real honor.

"From here on in, I mean if she'll have me, I'm going to be a straight arrow."

I made one of those little I'm-almost-asleep throaty sounds.

"You get some sleep, sweet thing."

Right. I didn't know how I was going to lie there next to Greg for the next eight minutes, let alone eight hours.

"I didn't even tell you her name," he said with a chuckle a few seconds later. "Debbie. Her name's Debbie."

Debbie? Probably an ex-cheerleader or some other subhuman life form. Thinks Tupperware parties are fun. Worries about being fresh. Goes to aerobics class three times a week— religiously. I imagined her in gruesome detail until he fell asleep. Then I got up and went into the living room, where I

spent a couple of productive hours beating myself up emotionally for being such an idiot.

Sitting there in my living room at three in the morning, feeling
like I didn't know one damn thing about anything at all, it was
hard to imagine the girl I'd been at twenty. The girl who
thought she had everything all figured out. I'd finished my two
years of community college and was set to transfer to Long
Beach State University, major undeclared. I had some savings
from my waitress earnings, I was eligible as a student to collect
Social Security until I was twenty-one because my father had
died, and my mother said she'd help cover part of the tuition
using some of my dad's life insurance money. She really wanted
me to get that degree.

But I was bored, bored, bored. I'd been in school since I was
five. I wanted to live, dammit, live! So I got this great idea. I'd
take my savings and buy some furniture, dishes, and stuff and
get my own place. Have a real job. Run my own life. Sure. Like
you can have a job and still get to run your own life.

I announced to my mother that school was totally useless, I
needed to find myself, and I was moving out just as soon as I
got a job. She tried every argument that she could think of, but
nothing would sway me. I was an adult now. I knew what I was
doing!

But the real reason she couldn't sway me was my underlying
motivation, which I would have denied with complete indigna-
tion: Greg. He'd completed his two-year auto mechanics program, gotten his first real job, and was looking to get a place of

his own without roommates. I didn't want to put my life off any longer, and I didn't want to get left behind. I thought maybe if I got a place, and made it all homey and wonderful, maybe the two of us could live together. I figured it was the logical next step since we were destined to be together forever.

In order to execute this brainstorm of mine, I had to find a real job. I figured with two years of college, a typing speed of almost forty-five words per minute, and a remarkable flair with photocopiers, gainful employment should be a piece of cake. After four weeks of searching, I landed a top position as a temp-to-hire receptionist. Before the ink was dry on my W-4, I found an apartment, had Greg help me move, and told my mother I'd think about going back to school when I was ready. But for now, I wanted to live in the real world.

By the end of two weeks, I absolutely hated my job, and being able to come and go as I please—my dream since I was six—was severely frowned upon by my boss. But I figured I could get a better job. And I had Greg to make it all worthwhile.

You know, I look at young girls sometimes, and usually I'm thankful not to be that naive anymore. But every once in a while I'll remember how it felt. I was never as purely happy as I was that day, the day I spent getting everything ready for Greg to come over for dinner. We'd been together for two years, our lives were finally our own, and I thought it was the perfect time for us to take the next step. I was going to ask him—gently suggest that is, but he would immediately agree since he'd probably been thinking along the same lines—to move in with me. I didn't know he'd spent the afternoon putting down a deposit on his own place. I found out about that right after dinner. And right before he told me he thought we should both start seeing other people.

I suppose I could have moved home and finished my B.A., but that would have felt too humiliating. I'd probably live in hell for all eternity if the only obstacle keeping me out of heaven was telling my mother she'd been right about something. So I kept going into that God-awful job, day after day, until I couldn't take it anymore. It was the longest three months of my life.

After that I tried anything and everything, from grill cook to motel maid, to catering truck operator, to waitressing, to telephone sales, and began to wonder if I'd ever find a place where I fit. Or something I could do to earn a living without driving myself and my co-workers crazy. My résumé had more entries than the Yellow Pages.

But one day my karma dropped the ball, because I surprised the hell out of myself by finding a job I didn't completely despise. I became a children's photographer for one of our finer discount department stores. I'd found it in my favorite part of the classifieds, the one marked "No Experience Required." All I really did was push some buttons and try to get people to buy as many photo sets as possible. Except that I found out I had this instinct about when to take the shot. I knew how to arrange. I could look at a kid's face and just somehow know which way she should pose for the best look. Sometimes I'd lose track of time, because I'd have an inspiration about how to put everyone together, or a moment when I knew that a child's personality was about to burst through.

So with a little help from Mom, I went back to community college and got an A.A. degree in photography. I got my start doing friends' weddings and portraits and landed some other accounts, and after a few years I began making a living at it. But I always thought that one day I'd do something great with my photography, something that would knock people off their feet. The closest I've gotten is the time I tripped and almost knocked over one of the bridesmaids.

And every so often, I kind of wonder how different my life might have been if I'd gone on for my B.A. Because underneath all the boredom of classrooms and term papers, some of that stuff did interest me.

It was almost 5:00 A.M. when I finally finished my roll call of regrets. Not that I'd covered everything; I just couldn't keep my eyes open any longer. I would have preferred grabbing a blanket out of the hall closet and sleeping on the couch, but I didn't want any questions or suspicions. So I tiptoed back into the bedroom and crawled back into bed, staying as far away from Greg as possible without actually rolling onto the floor.

Around seven I woke to a horrible sound. Greg, the son of a bitch who'd dared to fall in love with someone else, was in *my* shower singing "Brown-Eyed Girl" at the top of his lungs. And I'm a blue-eyed girl.

He didn't deserve to live, that was clear to anyone with a sense of justice, but knowing my karma I'd get caught red-handed, be given the death penalty, and by the time they were ready to execute me, the electric chair would have come back into use. So I rechanneled my energy into something a little more positive: getting him out of there as quickly as possible. By the time he finished showering, I was dressed, the bed was made, and the instant coffee poured.

"Good morning, sweet thing," he said, giving me a hug. "Feel like one more for the road? Last chance."

I knew he didn't mean to be offensive. It was his way of thanking me for being such a good friend, and he thought our sex would roll off my back as soon as, well, I rolled off my back, the way it did for him. But without my karma to keep me in check, Greg Irvington would not only be dead, his relatives wouldn't have been able to identify his corpse without dental records.

" 'Fraid not," I said without a trace of homicidal hatred in my voice. "I've got a ton of things to do today."

"Oh, yeah, today's the big day, huh."

"What big day?"

"Your big quit-smoking day."

"Maybe. I'm not sure. I may wait until after the holidays."

"I think maybe that's a good idea. Christmas is supposed to be a time for peace on earth." He smiled at me fondly, the heartless bastard.

"Want some coffee before I drop you off?" I asked.

"Kicking me out, huh? Got a hot date?"

"Something like that."

"Yeah? Maybe we'll double one of these days."

Great idea. Let me just walk on some hot coals first.

"Maybe."

"So? Is it serious?"

"I don't know."

"What's his name?"

"Alex."

"Alex, huh."

"Yeah, Alex."

"So what's he like?"

"I don't know. We just started seeing each other. Do you want this coffee or not? I've got to get moving."

"Just like a woman. Once the sex is over, she can hardly wait to get rid of you."

"Come on, Greg. I've got things to do."

"All right, all right. I forgot what a grump you are in the morning."

Once we got in the car and headed toward Bogart's, I got to hear all about Debbie. God, was I starting to hate that name. How she'd brought her car into the garage, and it turned out to be a very expensive problem. How she'd started crying when he'd called her with the estimate and yelled at him for trying to rip her off. How she'd called back a few minutes later to apologize, and they'd started talking, and she'd told him what a hard time she was having being a single mother. How sometimes she felt like she couldn't take the stress anymore, but to go ahead and do the repairs. She'd put it on one of her cards. And then she called back to apologize for laying all her problems out on him, and the next thing he knew, they'd been talking for half an hour. When she came in to get her car, they talked some more, and he asked for her phone number, but then he'd spent a week debating whether or not he should get that involved—especially since she had a kid—because with her he knew he wouldn't be able to keep it casual.

"That's why I needed to see you, Sam. I was driving myself crazy, and I knew you were the only one I could really talk to about this."

Uh huh.

"The more I told you about her, the more I realized I had to give it a shot. I'm going to call her today."

Great. I'm rooting for you two crazy kids.

"I can't believe I'm this nervous just thinking about calling her. I feel like I'm back in junior high trying to get up the nerve to ask Susan Bridges to dance."

Nostalgia is touching, ain't it?

"So tell me about this Alex guy."

"He's just a guy."

"Just a guy, huh? Maybe he's more than just a guy, but you just don't want to admit it."

I hate that about people who've just fallen in love. They're suddenly convinced that romance is in the air for everyone.

"Look, he's just a guy, okay? Just an okay guy. Nothing to get excited about."

"You're getting pretty upset about somebody who's just an okay guy."

Yes, I'm upset, you idiot. If you'll drop Debbie and fall

madly in love with me, my sweet nature will return immediately.

But he refused to cooperate. That's the problem with this planet. All these other people with their own agendas.

"I'm not upset, all right? I just don't like the way everyone keeps pushing me at him. First my mother and my aunt, and now you."

Oh my God. I was talking about this orthodontist like he was a real person, and I'd only made him up the night before. I was starting to feel annoyed with him, and he didn't even exist. Felt suffocated by his needs, and he was a figment of my imagination.

"You'll find the right person some day," Greg said as we pulled into the Bogart's parking lot, "and he'll be a very lucky guy." He thanked me again and kissed me on the cheek, and as he went to open his door, told me he wouldn't be at Bogart's that night. That's right. It was Friday. I'd forgotten. Our night at Bogart's unless something important came up. And for him, it had. He was going to try and see if Debbie was free. And if she couldn't get a baby-sitter, then maybe they'd take the kid with them somewhere.

"See how far gone I am?" he said and laughed, ignorant of my strong desire to push him out—face first—onto the pavement. Maybe disfigure him just enough so that Debbie, who was surely an incredibly shallow person, would lose interest.

"No problem," I said. "I'm going out with my orthodontist tonight."

Maturity is my middle name.

"Just a guy, huh?"

"Yeah. Just a guy."

"Sweet thing, you forget how long I've known you," he said as he got out of the car. "You're acting pretty tight about this guy. Think about it."

I will oh-wise-one-who-doesn't-have-an-idea-in-hell-what-the-crap-he's-talking-about. I waved good-bye and prepared to depart, but we weren't done yet. He turned around and tapped on the window. I rolled it down.

"I'm happy, Sam. Maybe that sounds stupid, but I don't think I've ever been this happy before. And now, just thinking about calling her, I'm happy."

"That's great, but I really have to get going." And there's also that little thing about not giving a rat's ass.

"I know, I know. I'm just . . ."

"Happy."

"Yeah. I'm happy."

I simply couldn't understand his attitude. There were horrible problems and wars and suffering going on all over this planet. One day he, and everyone he cared about, would die. But did he let any of that bother him? No, he did not. He'd gone and fallen in love, and he was happy just to be alive. What a dope.

I bought a carton of cigarettes on my way home.

Five

Being dumped isn't the end of the world— the end of the world will hurt less.

I spent the next two days eating junk food, chain smoking, and watching depressing cable movies. But it wasn't all a waste of time. I discovered that putting your cigarette butt out in the melted goo on the bottom of the Häagen Dazs carton makes an amusing little sizzling sound. On Sunday morning I awakened to some damn bird whistling some stupid, happy tune. The chirpy little fiend kept at it until I couldn't take it anymore, so I forced myself to get up and face the day. As I made my way toward the kitchen, I noticed my answering machine was blinking. Not wanting to deal with life or humanity in any form, especially a certain human form who might want to fill me in on the details of his date with a subhuman life form known as Debbie, I'd had my ringer turned off since I'd come back from dropping Greg off on Friday morning.

I pushed the play button with a renewed sense of hope. Maybe it was Greg calling to let me know Debbie had turned out to be the most boring person in the entire history of humanity, their date had been the worst date in the history of male-female relationships, and he never wanted to see her again.

"Hello, Samantha," I heard, "this is your mother."

She wondered if I'd had a nice time with Alex. And how had he liked my Thanksgiving surprise? And she hoped I was having a wonderful weekend, but she'd love to hear from me when I had a minute, so we could talk. As if this was something we did on a regular basis.

The second message was from Shelley—my best female friend—reminding me about the annual Girls-Only Thanksgiving Jacuzzi fest she was having on Sunday. When we'd first talked about it, I'd told her I might have to skip it this year since I'd decided to quit smoking. My attendance would hinge on the status of my nicotine withdrawals and subsequent psychotic tendencies. But since moping around was starting to lose its thrill, and none of the cable movies listed in the TV Guide for the day looked promising, I decided to go.

Once there, I quickly realized my mistake. Shelley is gay, and I love her and the rest of the gang. Some of my best times have been spent with them, letting down our hair and laughing for hours at a time. But as more and more of them kept settling down into permanent relationships, my role had evolved into that of the token straight gal, entertaining them with stories of my disastrous encounters with the opposite sex. I wasn't up for it that day and I wasn't ready to talk about what had happened with Greg. Unfortunately—if you're feeling alone and dumped and miserable—a bunch of happy lesbian couples can be every bit as annoying as a bunch of happy heterosexual couples.

After a little while I went out on the deck to be by myself and have a cigarette. Shelley came out to join me a few minutes later. I thought maybe she'd noticed I was down, and suddenly I wanted to tell her everything. Even if she had expressed concern months earlier that I was spending so much time with Greg. At which time I told her not to worry, there was no way I'd let myself fall in love with him again. Really, these people who think you aren't competent to handle your own life!

I knew her well enough to know there would be an "I told you so" moment, but I also knew that when she saw how bad I was feeling, how *stupid* I was feeling, she'd sit and listen without judgment. If I played my cards right, she might even get her partner Angela to make me some of her famous killer fudge later to help take the edge off. I'd stay after everyone else left and the three of us would binge on fudge and drink wine and trash men and I'd maybe, just maybe, think I was going to get through this.

"Hey, Shel," I said, thinking the next words out of her mouth were going to be something along the lines of, "You doing okay, Sam? You look kind of down."

"I thought you were going to quit," were the next words out of her mouth.

"What?"

"I thought you were going to quit smoking."

I'm dying of a broken heart, which I'm trying my best not to show, but she's my supposed best friend and she can't even *notice*? She comes out here to give me shit about my smoking at a time like this?

"I was. Now I'm not."

"Oh, Sam. I don't know why you don't try the patch."

"I've told you a million times, it doesn't work for me."

"You only tried it for a couple of days."

"I could feel it in my system. It was like a nicotine tease."

"That's all in your head."

"Which is attached to my body."

"I just hate to see you ruining your health."

"My health is fine," I said, just wanting her to go away and take her perfect little life with her and leave me alone.

"Now maybe, but sooner or later it will catch up with you."

"Then I'll worry about it later," I snapped.

"I really hate it when you're in one of these moods," she snapped back.

She turned on her heels and walked back inside. After she was gone I stood there feeling like maybe being sucked into some vortex deep inside the earth's bowels might make for a pleasant change of scenery.

I'd known Shelley almost as long as I'd known Greg. Her family moved into the Irvingtons' house about a month after they left, and before long Shelley became my new best friend. Unfortunately, the summer before high school, Shelley began to bloom in a big way. The gods gave her curves and clear skin before she hit orientation, and by the end of the first week of freshman year, I'd lost her. By the time she was a sophomore, she was actively pursuing the lofty goals of pom-pom girl, football player boyfriend, and stuck-up snob, while I'd found a home of sorts with the smokers and slackers.

The only time we saw each other was when our families had their annual Fourth of July get-together, a tradition that started the first year Shelley's family moved in. Shelley would be there with some gorgeous football hunk, and I'd have a couple of my deadbeat friends with me, and it was agony. Our parents didn't understand the rigid boundaries of the high school caste system. As far as Shelley and her crowd were concerned, my friends and I were the untouchables.

The year I entered college, okay, community college, I decided I was old enough to make known my own declaration of independence and refuse to go. Only in May my father died suddenly of a heart attack. Greg was there for me in a way he'd never been before, and I fell about ten times more in love with him. But my mother was a wreck. It took her six weeks to get back to work, and that was all she was able to do—go to work and come home.

So when she told me that the Lanes had called to see if we wanted to come over for the Fourth, and that she'd decided to go, I didn't have the heart to tell her no. It was the first sign of life she'd shown since my dad died. Since she wasn't too crazy about Greg, I decided to go with her by myself. I only hoped Shelley's boyfriend wasn't too nauseatingly perfect.

But Shelley didn't have a boyfriend with her, and she had this really short, awful haircut, and she looked kind of miserable, which lifted my spirits immediately.

At some point our parents, or parent in my case, went inside to freshen their drinks, and I leaned back to ignore her and smoke, when I heard a kind of shy, half-apologetic voice ask me how I'd been.

I looked over, and she gave me a smile that matched her voice.

"Okay," I answered hesitantly, "I guess. Considering."

"I'm real sorry about your dad," she said, sounding genuinely concerned. What had happened to her since she'd been away at college? Maybe she'd been majoring in the humanities, and it was starting to have an effect.

"Thanks."

"How's your mom doing?"

"Not real great."

"Yeah. I guess she wouldn't be. How's school going?"

"Okay. I mean, community college. High school with homework. Only most of the guys can shave now."

Shelley laughed.

"How's your school?" I asked to be polite. "Santa Barbara, isn't it?"

In high school, Shelley had racked up good grades in addition to her boobs and boyfriends. She'd made the list of top ten students academically and won a partial scholarship to UC Santa Barbara. I thought it was incredibly stinky on her part, especially when my mother brought it to my attention about fifty thousand times.

"Yeah. It's all right. But all the required courses are taught by these ego-inflated teaching assistants, and you have two or three hundred people in your class. It feels like we're all part of some assembly line or something."

"Oh."

It was at times like these when smoking came in really handy. I have something incredibly witty or intelligent to say, but, pardon me, I need to take another drag on my cigarette. I'll devastate you with my charm some other time. Just then we heard our parents heading back outside.

"Look, Sam, I'm sorry I was such a shit in high school. I've kind of found out a lot of things since I've been away that I'd like to tell you about. Do you want to get together sometime and talk?"

And surprisingly, I did. Maybe because of all the memories we'd shared as kids growing up together, before boys and bras and periods changed everything. Maybe because I'd never talked one-on-one with a real live former homecoming princess before.

We went to the park the next day, and that was where she told me she was gay and terrified—hadn't done anything about it yet, was still trying to come to terms with it—and had spent her entire adolescence trying to make it go away.

"That's why I did that whole bimbo thing in high school. I was trying to be a real girl, you know? As girlie as a girl can be. And that's why I couldn't be friends with you anymore. I was afraid I'd end up telling you some of what I was feeling, and if I told somebody, then it would really be true. I knew there was no way I was going to tell Heather or anybody like that. But I've really missed you. Do you think we could be friends again?"

"I don't know, Shelley. Aren't you afraid I might drive you crazy with lust?"

She seemed to find that amusing for some reason. Maybe she hadn't been a lesbian long enough to know a hot woman when she saw one.

We spent the next few hours talking and laughing and catching up. I told her all about Greg, and when they met he charmed her, the way he can when he wants to.

A year later, when Greg and I split up, Shelley was the first person I called. She listened sympathetically, told me how sorry she was. Agreed that Greg was a great guy. "But, Sam," she said, "I didn't want to say anything when you guys were together, and maybe you don't want to hear this, but Greg isn't the guy for you. He's cute and funny and I like him, but he's not the kind of guy to base a future on." It's not easy being friends with a know-it-all, especially when it turns out she knew what she was talking about.

Shelley moved back to Orange County after she graduated, and we saw each other all the time. We were both young and struggling to find out who we were and where we fit in. I'd tell her my romantic woes (men are hopeless!); she'd tell me her romantic woes (women are hopeless!). I'd complain about my brides and their families (you'd think no one else has ever gotten married before!); she'd complain about her sexist, idiotic bosses (how do these morons end up getting promoted!). But then things started falling into place for her. Her career took off and she started working long hours and climbing up the career ladder. Then she met Angela and settled down with her as solidly

as a married couple, and our lives became more and more different. She'd found her place and I still hadn't. Her life was so
well planned, her goals so sensible, her relationship so stable . . .
sometimes it felt like all we had in common was our past.

The ironic part was, I remember when she'd told me she was
gay, I'd felt bad that she was going to have such a hard and
lonely life.

I stood there on the deck for a few more minutes, listening to
the sound of my friends laughing and having a good time. I
knew I couldn't stay. I was in that place of feeling so alone, not
even friends can help. Listening to them together just made me
feel worse. I needed to get out of there. Now. I'd go say a quick
good-bye and head home.

I found Shelley in the kitchen with Angela putting together
some munchies.

"Boy, you gay gals sure can cook," I said, trying to keep it
light.

"Yeah. I guess," Shelley muttered.

"That's because we don't have to worry about getting fat,"
Angela said, putting her arm around Shelley. "We love each
other for our minds. Right, sweetie?"

"Yeah, right."

Angela gave her a puzzled look.

"It all looks great, you guys," I said, trying to sound gay in
the old-fashioned sense of the word, "but I'm not feeling very
well, so I think I'm going to go. Can you tell everyone good-bye
for me?"

"You all right?" Angie asked.

"Yeah, I just . . ." Think I'm going to die is all. But Shelley wasn't even looking at me. "Feels like maybe I'm coming down with a bug or something."

"Oh no, Sam. It won't be a party without you," Angela said, which brought me close to tears. "Why don't you at least go in the Jacuzzi for a little while? It'll make you feel better, and I can pack you up some goodies to take home."

"If she doesn't feel good, then she doesn't feel good," Shelley said, chopping up some vegetables with what seemed to be excessive zeal. "Don't force her to stay if she wants to go home."

"God, are you going to be like this the whole time?"

"Like what?"

"Barking at everybody."

"I'm not barking at everybody."

"Yes, you—"

"Angela, it's me she's mad at," I interrupted. "Not you. I'm in a terrible mood, and I don't feel good, and Shel, I'm sorry I overreacted just now. I didn't mean to snap at you. I know you're only trying to look out for my health."

"Oh, God," Angela moaned, "you weren't nagging her about her smoking again, were you? Shelley, she's only going to quit when she decides to quit. You know that. Say you're sorry for being a control freak to Samantha."

"I wasn't being a control freak. I was worried about . . . you know."

"You mean you haven't told her yet?"

"Told me what?"

"How is she supposed to know if you don't tell her?"

"Tell me what?"

"I went out to tell her, but she bit my head off."

"I think I'm going to go, you guys, so you can continue talking about me like I'm not here."

"Sam, what Shelley was trying to tell you is—"

"No, I'll tell her. She's my best friend, even if she is a pain in the ass. Sam, oh God, I still love saying this, I'm pregnant."

"You're pregnant?" I repeated, demonstrating my amazing powers of data analysis.

"Uh huh. Angela and I decided a few months ago that we were ready. But we didn't want to say anything until we knew for sure. We just found out on Friday."

I'm not always the person I want to be. So for a second there, I didn't feel joy and delight at their news. I felt envy. How come she kept getting everything right, and I couldn't get anything right. What with all her promotions and house buying and relationship building, it felt like I was having to congratulate her about some new accomplishment every three or four months.

Then I looked at their faces, and what is it about a baby or just the news of a baby? It's not like it's some unprecedented event. Human gives birth to replica of self! News at eleven! Even I was a baby once; I've seen the pictures. And it's not just that they're so cute. We all start out pretty cute and look what happens to most of us. I think that's why super models are so compelling. Look! An adult that managed to stay cute! Let's put their faces everywhere!

What is it about a baby that makes a person who has been seconds before a heartbroken wreck, envying her friends because their lives were so much better than hers, suddenly melt into a big goo of emotion who now thinks of herself as "Auntie Sam," favorite adult friend in the whole wide world of little Shelley Angela Junior.

"Oh my God, you guys!" I shouted, and went over to give each of them a hug. We all stood there for a few seconds, just smiling at each other. "And you know the great thing about the name Sam?" I told them. "It's the perfect name for a boy *or* a girl. Something to think about."

But once that moment passed, I was right back where I'd been, and even though I was feeling close to them again, this wasn't the time for them or me to get into the disaster that was my life. I wanted to go home. I was happy for them, but their happiness was starting to hurt, too, like it was biting my skin. I hoped little Shelley Angela Junior never had a moment like this as long as she lived.

"You guys, I wish I could stay and celebrate. But I really am feeling terrible. I'm going to have to go."

"Are you sure?" Angela asked.

"Yeah."

"Do you want some food to take with you?"

"No. I don't think I can eat. Have a great party. Mommies. I can't believe it. That's so great, you two." I started heading for the door. "Take care. I'll see you later."

"Bye, Sam. Hope you feel better," Shelley said. "Call me if you need anything."

"Thanks."

"Oh, and Sam," Shelley called as I was halfway out the door, "we're having our Christmas party on the sixteenth. Tom's going to be there."

"Great," I called back and hurried out the door.

Just what I needed. More holiday hell. I had a vague memory of Shelley talking about some guy named Tom, but I didn't need her to refresh my memory. I knew exactly what he'd be like. I'd been meeting these guys of hers for years, and we always ran out of things to say to each other after four or five minutes.

The party would be a nightmare. Everyone brimming with good cheer and Christmas spirit, Shelley and Angela radiant with joy. Me stuck with Tom, missing Greg like crazy, feeling like the biggest loser south of the Milky Way.

Driving home it felt as if my life was one big, fat zero. I'd been on this planet for thirty-four years, and what did I have to show for myself? Shelley had a great career and a great relationship, money and a house and appliances, and now a baby. She'd managed to achieve something—a lot of somethings actually. I felt like all I'd managed to achieve since I graduated high school was getting my own apartment and putting on a few pounds.

Was there something wrong with me? Had I been a Nazi sympathizer in my previous life? Did the universe simply not care for my personality? Why did it feel as if I never seemed to get anywhere while all around me people were figuring out their lives with apparent ease? And, for the love of God, could *no one* except me figure out how to use their damn turn indicators?

Six

Law of the Universe No. 17:
The man of your dreams will never show up
on a good hair day.

I still have my work is what you hear a lot of people say when their personal life isn't going well, but I don't find work comforting. I don't really care for work to tell you the truth. I'd very much like to see the welfare program expanded, mostly to include me. Maybe I'd feel differently if I found the right job, such as rock star, sex goddess, or lottery winner. In those areas, however, I remain unappreciated in my time.

Being a photographer may sound glamorous, but after you've been to about two hundred seventeen weddings or so, they start to wear a little. I also do family portraits for holidays, anniversaries, birthdays, and other occasions people want to celebrate and immortalize. But after you've taken pictures of one or two families, they start to wear a little, too. Still, it's an okay little racket I've got going, one that keeps me in a decent apartment, a dependable used car, and an occasional vacation. I could have a better apartment, a nicer car, and more exotic vacations if I was willing to work harder, but Disneyland destroyed my work ethic.

As a child of Orange County, I went to visit Mickey at least twice a year, and every time I went, I was shown my future at the Carousel of Progress in Tomorrowland. You sat in a revolving auditorium and the first stage showed those nasty days before technology, full of horrible, sweaty, backbreaking labor. With each progressive stage, you moved forward through time and the wonders of technology and how much it would keep improving our lives. Best of all was the future stage, where the family who'd started out slaving their days away now lived a blissful, carefree life, filled with leisure time, hors d'oeuvres and martinis, and robots who did their bidding. All thanks to our good friend, technology.

This was the future I looked forward to. Instead, along came the global economy, based on fierce competition and long work days, rapid changes in technology, constant innovation, and a work force that can expect to have five or six careers in their life-time. Disneyland never prepared me for any of this. In fact, the more I hear about the global economy and the future it has in store for us, the more I wish Communism worked. Five or six careers in my lifetime? It was all I could do to come up with one. I think it wore me out for the rest of my life.

In order to keep my mind off things when I wasn't working, I used any extra minute I had to thoroughly clean my apart-ment. It started one day with cleaning my ashtray. The clean ashtray made me realize how grungy my sink was, which made me realize my white counters were now some weird grayish-yellow color, which led to the floor, which led to the walls . . . I was horrified at myself, but once I got started, I couldn't seem to stop. I went through five sponges, three toothbrushes, and God knows how many boxes and bottles of various cleaners. Sometimes I'd stop and sit there and stare at the results. It was weirdly satisfying.

On Sunday morning, I was at it again. By nine o'clock I was sitting in the middle of the kitchen floor, furiously scrubbing each individual tile with a toothbrush, when the doorbell rang. What I should have done was go to my kitchen window and peek out and see who it was, because you never know. We have billions of annoying people on this planet, any one of whom might get it into their heads to drop by. But I assumed it was Mrs. Perkins, my next-door neighbor. She gets the Sunday paper delivered, and if it isn't there by eight o'clock sharp, she starts knocking on everyone's door to see if they've stolen it.

So I got up, looking like hell—my hair a frizzy mess, sweat dripping down my face, hadn't even had a shower yet—and opened the door.

"Hey, Sam." It was Greg, damn his soul for all eternity. So much for the never-seeing-him-again-as-long-as-I-live plan.

"What are you doing here?"

"Hello to you, too."

"Hi. What's up?"

"You gonna make me stand out here?"

Against my better judgment, I opened the door. "Come on in."

He came on in and I shut the door and forced myself to turn around and look at him. He stood there radiating happiness and joy. As if you've got time for that kind of crap when you've got floor wax burning a hole in your cupboard.

"Late night?" he asked, apparently assuming my dark circles were a result of passion, not sleepless despair.

"Kind of."

I thought I'd kept my voice nice, but maybe not.

"Gee, Sam, I didn't even think. Is Alex here?"

Alex again. I was starting to know how Dr. Frankenstein felt.

"No," I said. "I'm just in the middle of something here, so I don't have a lot of time to talk."

"I'm not staying long. I just wanted to ask you something. I was going to call you tonight, but I was driving by, and thought I'd take a chance. Debbie doesn't live too far from here."

"Oh?" What a wonderful and exciting coincidence. I must bake her some muffins.

"I'm on my way over there. We're going out to breakfast, and then we're going to take the little rug rat to the zoo."

"That sounds nice." Maybe you could jump into the lion's cage and play around with the animals. Kids love things like that.

"We looked for you at Bogart's on Friday."

"We?"

"Yeah. I took Deb. She's dying to meet you."

"You took Debbie to Bogart's?"

81

"Yeah. Man, I wish you'd been there. We had a great time."

Me, too. It's a shame I was busy picking up the pieces of my life. I could have put it off till Saturday.

"That's why I came by. I want you to meet her, and she wants to meet you, and I'd love to check this Alex guy out. So why don't the four of us do something this week?"

There are people on this planet who lie all the time. Some of them end up running countries and corporations. I told one innocent little lie, invented one imaginary person, and this was the kind of shit my karma dished out to me.

"This week's bad."

"How about next week?"

"I don't know."

"Come on, Sam. I know it's the holidays, but you've got to have one night free. I really want the two of you to meet each other. If Alex can't make it, then let's have it be the three of us."

"I've got a lot going on right now."

"This is really important to me. I don't know how things stand with you and Alex, but with me and Deb, I think she's the one. Right from the start, we just clicked. Have you ever had that, Sam, just clicking with someone?"

"Uh huh."

"It's really important to me that you meet her."

"I will."

"When?"

"Next Wednesday," I said, just to say something, get him off my back, out of my living room—him and his Debbie talk—gone.

"Good. How about Bogart's at seven?"

"No!" It came out too loudly. I had no intention of going anywhere at any time to meet anyone named Debbie for as long as I lived, but even so, the *idea* that he'd want to introduce me to her there. Of all the places he could have picked for me not to show up at, that was the worst.

"What's wrong with Bogart's?"

"It, uh, gets too noisy there."

"Okay. You pick the place."

"Why don't I think about it and give you a call?"

"Sam, just pick any place. It doesn't matter where."

So I pretended to play along and came up with the name of a place, and then he had to get going because Deb was waiting. We were at the door when he twisted the knife one more time.

"Sam, I want you to know that Deb is really okay about us. I mean about us still being friends."

"That's nice."

"But the thing is, she knows we dated years ago, but she doesn't know about, you know, Thanksgiving."

"You mean about us sleeping together? Is that what you're trying to say, Greg?"

"Yeah. I think it would be better if she didn't. I don't want her to feel uncomfortable around you."

Oh, no, we wouldn't want that.

"Don't worry. I won't tell her."

"Thanks." He smiled at me. "I think the two of you are going to be really good friends. You're gonna love her."

After Greg left, I showered and changed and went out for a

drive. I cruised along the freeway, sipping coffee, listening to music, wishing I had the time and money to keep driving for weeks and weeks. I fantasized about small motels on back winding roads. Breakfasts at greasy diners where the waitresses called me "hon." Peanut butter sandwiches washed down with a warm Coke on the edge of a riverbank. The whine of my wheels on the pavement at sunrise when it's still so early in the day no one's had a chance to screw anything up yet. And it can feel, just for a while, like you have the world all to yourself.

But then I hit some construction detours, and after a few minutes of stop-and-go traffic, my fantasy lost heart. The road trip's all about moving; stop and you're right back where you started. I took the next off ramp and turned around to head back home. When I got there, I had two messages waiting for me.

"Samantha, this is your mother," started off message number one. "I was just wondering what Alex is doing for Christmas. I want you to know that he's more than welcome to spend the day with us. I've talked it over with your aunt and we both agree we'd be very happy to have him here. And I don't mean just for dinner. I mean the whole day. I think it might be nice for him to spend the Christmas holiday with a real family."

That sounded good to me, too, but where was I going to find one on such short notice?

"And if he can't come for Christmas, then the least we can do is have him over for dinner one night during the holidays."

The second message was worse.

"Hi, Sam, it's Greg."

"And Deb. I hope it's okay to call you Sam the way Greg does."

"Deb wanted to call and tell you she can't wait to meet you."

"It was your idea, too."

"Okay, it was my idea, too."

I heard a small smooch before Debbie came on again.

"I hope you don't mind. I just wanted to introduce myself and break the ice before we met. Greg's told me so much about you. I can hardly wait to meet you in person."

"So no backing out now, Sam. We'll see you Wednesday at seven. Maybe you and Alex. Either way, you better be there."

Then some giggles before the tape beeped. I thought I was going to be sick.

As I stood there rewinding the tape, I could feel the tentacles of depression start to wrap tightly around me, ready to hang on for dear life. I thought about calling Shelley. I thought about calling other people. Friends that weren't as close but had gone through relationship hell. But just the thought of a few minutes of one of those conversations was more than I could bear. I'd had that conversation too many times. I'd heard that conversation too many times. I didn't want to ever, as long as I lived, have to sit through another one of those end-of-relationship conversations.

I didn't want to read any more self-help books, or listen to any more experts, or expend one more drop of energy on trying to find a guy, keep a guy, get back a guy, trick a guy, outwit or outmaneuver a guy, understand a guy, get over a guy, forgive a guy so you're emotionally ready to move onto a new guy, find a new guy, make sure he's the right new guy, and not make the same mistakes with the new guy you made with the last guy, how to get the guy to marry you, how to stand being married to the guy you're married to, how to reignite the passion with the guy you're married to, how to find time for your guy once the kids come along, how to survive your guy's midlife crisis so he doesn't dump you for a younger woman, and how to tone your thighs for your guy, ditto your buns and abs, what your guy secretly wants in bed, the one sex secret all guys share, learning to live with your guy's annoying habits, ten guys sharing with us the ten most annoying things women do . . . I didn't have the heart for any of it anymore. My heart didn't want to ache or hope or hurt ever again.

Standing there, my message tape squeaking back into place, the holidays lurking right around the corner, knowing I'd have to meet Debbie sooner or later, I realized there was only guy out there I could even *think* of getting involved with. His name was Alex. Alex Graham.

Seven

A single, unifying theme occurs throughout human history: It seemed like a good idea at the time.

And just like that—at the mere thought of showing up with a great guy, not even a real guy, a guy I'd made up in my head and was now going to hire someone to impersonate—I felt better. Because first of all, this wasn't going to be just any great guy. This was going to be a state-of-the-art guy: gorgeous, intelligent, successful, caring, sensitive, able to commit, and so head over heels in love with me, he doesn't even notice other women in the room. I'm telling you, Halle Berry could walk by topless and if I'm there, he wouldn't give her a second look. Yes, a guy that doesn't actually exist in the space-time continuum we call reality, and he's mine. All mine.

For the next few hours I became completely absorbed in perfecting my plan. It was nice having a new hobby. Every once in a while I'd stop and think the whole thing was ridiculous. It was a funny idea, but there was no way I'd actually go through with it. Then I'd picture myself having drinks with Greg and Debbie by myself, watching them coo and giggle or whatever disgusting things they did with each other. I'd picture myself *by myself* at Shelley's Christmas party. I'd had holidays when I'd been with someone; I'd had holidays when I hadn't. But this year was different. This year I was seriously contemplating a future as a crazy cat lady. Permanently alone. And maybe in time I'd learn to live with it, and maybe I'd grow to really love those cats and carry their pictures around in my wallet, but right now my wounds needed time to heal.

Right now I needed to have as nice a Christmas as I could pull off with my limited emotional and financial resources. And Alex was my best bet. Once the family met him and saw, a) how unbelievably fabulous he was, a man like that doesn't come along very often and, b) how he absolutely worshipped the ground I walked on, did you see the way he *looked* at her, then c) based on how nice they'd been to me on Thanksgiving after only *hearing* about Alex, imagine how nice they'd be to me on Christmas after actually meeting him.

So I'd waste a little money and make myself feel better—temporarily at least—and get through the frigging holidays and then maybe I could move on and deal with my "issues," which I was getting very seriously tired of. I swear, if nuclear holocaust ever comes, all that will survive will be the cockroaches and my issues.

By the end of the evening I had created a beautiful Alex, and the beginnings of what was sure to be a beautiful love story.

1. Where Alex Graham and Samantha Stone first met. It had to be a chance encounter. All the great love stories always start with a chance encounter. After much consideration, I finally chose a grocery store. That special magic always seems more special when the two people are doing something mundane like grocery shopping. *Our eyes met over the toilet bowl cleaner and I just knew.*

2. Alex Graham's basic life story: He was born in Madison, Wisconsin, a place nobody I knew had ever been. His parents died in a car accident when he was ten. He was taken in and raised by his aunt, also in Wisconsin. Alex worked his way through the University of Wisconsin and then the University of Wisconsin Dental School. I had no idea whether they had a dental school there, but no one else I knew would either.

   Shortly before he graduated, his beloved aunt died. Alex came to California to make a fresh start, and here he established a successful practice. He wanted a family, but he'd never found the right woman . . . until now. Cue to gaze at me adoringly since adoration of me would be one of his key character traits.

3. Compared to Alex Graham, Greg is a total loser: Not just a fabulously successful orthodontist, Alex is also a stock market whiz who survived the downturn on Wall Street because he saw it coming. Thanks to his brilliant investments, Alex can afford to start cutting back on his practice and enjoy life. He's taken up sailing and

skydiving, and within a year or two plans on sailing around the Greek islands. Hopefully with the right woman, he adds, smiling at me with—what else—total adoration.

I liked my Alex very much. Steady, but not dull. Mature, but not boring. Successful, yet adventurous. This was an Alex of many dimensions. Greg was actually kind of pathetic by comparison. Not that Alex would ever think a thing like that himself. In spite of his many achievements, he was a refreshingly humble man.

Maybe he wasn't flesh and blood, but all flesh and blood had ever gotten me was heartache.

When I woke up the next morning, the same sinking sensation was still there in my stomach, until I remembered I had things to do. In retrospect, maybe that was the whole secret behind why I did what I did. I didn't have to dwell on myself or my feelings for a while. I was focused; I was centered. I had something to *do*.

So when the doors to the library opened, I was the first one in. The librarian gave me a warm smile. I smiled back, the way a person would who was there to enrich her mind with works of great literature. Which actually I did keep meaning to do. Read some good books, I mean. I'm a big believer in the importance of reading. It's just, you know, I'd been preoccupied—being neurotic is a time-comsuming job.

Once the librarian got occupied, I worked my way over to

the shelf of phone books and took down a copy of the Los Angeles County Yellow Pages. Since I lived in Orange County I didn't have a copy. I suppose I could have done my research on the Internet. But as a feeble and virtually pointless protest against the deadening effects on our lives of rampant technology, I only use the Internet when absolutely necessary. And I like the way it feels to turn pages with my fingers and scan down columns until I find what I'm looking for.

Although it's a whole different world, Orange County is only about forty-five minutes from Hollywood. Amanda, a friend of mine from high school, had tried to break into acting. She was really talented, at least in my opinion, and I'd gone to see her in some plays. But she never came close to breaking in. I knew there were tons of talented people like her all over Hollywood, desperate for an acting job. I just had to find one who would work cheap and was desperate enough to date me.

I copied down the numbers of the agents with the smallest, cheapest ads. One in particular leaped out at me: The Sid Finkelsmith Agency. The word agency didn't fool me. According to Amanda, even if it's one guy with a stool at a hot dog stand, he's going to call himself an agency.

There wasn't an ad layout for Sid, just a listing and the slogan, "Making Stars Since 1958." I figured he wasn't someone I was going to see featured in the *Vanity Fair* Hollywood issue. Probably some guy from the old days, still trying to stay in the game, representing actors who couldn't get signed anywhere else, but desperate to be listed with somebody. Amanda had been down that road more than once. We'd lost touch a few years back, so I had no idea if she'd given up or was still hoping for her big break.

As I headed toward the door, I saw my librarian at the checkout desk. I felt kind of bad walking past her without a book, as if I'd cheated by using the library just for the Yellow Pages. I went back to the fiction section to find something, but it was a little intimidating. Even Freud couldn't have read all those books. He wouldn't have had time to discover the subconscious.

Using the keen logic I'm so well known for, I decided to start with the "As." I glanced down the titles and spotted Jane Austen. A few minutes later I stopped in front of the checkout desk and modestly presented *Emma* and *Sense and Sensibility*.

"Jane Austen," my librarian said approvingly. "She's timeless, isn't she?"

"She certainly is," I could say without deception. I'd seen all her movies.

Some people believe there's no such thing as random chance. I thought about that on my way home. Maybe I hadn't had a librarian smile at me by accident. Maybe the universe was trying to tell me something, such as maybe I'd been watching too much cable. With great resolve, I put both my books on the coffee table as soon as I walked in the door. I wanted them where I could see them so I could take up reading the minute I got any spare time.

Alex and I were ready now to enter the next phase of our relationship. It was a little scary, and I was nervous, but if anything was going to happen between us, I knew I'd have to make the first move. I sat down and took that first, difficult step. After five rings a man answered with a low, gravelly voice, sounding slightly out of breath.

"Sid Finkelsmith here."

"Yes. Hi. I'm interested in hiring an actor."

Sid didn't say anything.

"Uh, hello?"

"Sorry. I had something caught in my throat. You want to hire an actor. Great. That's great. Can you tell me a little bit about the part?"

"I'm looking for someone to play the part of a successful orthodontist, about thirty-six years old. He's extremely hand-some, sensitive, intelligent, and financially secure."

"Uh huh."

"Now he's not *just* an orthodontist. He's a very interesting person in his own right. He sails and skydives. Oh, and he's got a great sense of humor."

"Anything else?"

"A nice set of buns is absolutely crucial to the role. Do you have anybody like that who's available?"

"I got ten guys at least that I can think of just off the top of my head."

Well, there it was. Women spend God only knows how much money, time, and energy trying to find the right man. But call Sid Finkelsmith, and he's got ten perfect guys for you in less than five minutes.

"What's this for? A feature? TV?"

·"Uh . . . not exactly." Now that I was ready to meet my dream man, I knew I'd have to play it smart and present myself in the best possible light. Nothing drives a man away quicker than desperation. "Sid, let me tell you a little bit about myself. I'm a career woman. A professional photographer. I have to put in long hours. I don't mind. It's what I thrive on. But that means that right now I simply don't have the time or the energy for a man in my life."

"Okay."

"Well, you know how mothers are and how friends can be. No matter how many times you tell them you're happy being single, they don't believe you. They're constantly trying to set you up, especially during the holidays. So rather than go through that this Christmas, I thought I'd just hire someone to act as my boyfriend."

"I don't follow."

"I'd like to hire one of your actors to pose as my boyfriend."

"What is this? Some kind of a joke?"

"No, I—"

"One of those snot-nose kids over at CAA put you up to this?"

"No, really, I just want to—"

"Well, let me tell you something. I may be a joke to them, but I've got something they'll never have. A little something called heart. And memories they'll never have of when this business and the people in it had class. And class is something they'll never have. Not in a million years no matter how many millions of dollars they make. You tell them that."

And then he hung up. I'd overcome my embarrassment and fears to take a positive action and this was my reward? According to all the self-help books I'd ever read, at this point the universe was supposed to reward me both emotionally and materially.

I tried a couple more agents and got much the same response. It was Hollywood-as-usual. Try to come up with something new or creative and they shut you down. I racked my brain for a while and finally decided to see if I could track Amanda down. Maybe she'd have some advice or connections I could use.

The first step was to call her mother. Most of my high school friends have moved about forty times or so, but nine times out of ten if I want to find one of them, I just call the mom's old number, and sure enough, she's still there.

Sure enough, she was, and after lying to her about how great my life was going I told her I'd lost touch with Amanda over the past few years and was trying to reach her.

"That's amazing. She was over here for Thanksgiving and your name came up."

"Really?"

"Um hmmm. She told me about the time the two of you stole her father's car to go watch some surfers."

"Us?"

"I believe you were named as her co-conspirator."

"You mean she didn't have your permission, Mrs. Morrison? I'm shocked. I never would have gone with her had I known that."

"Yes, I'm sure. You know, Samantha, I never told you this, but you were the only one of Amanda's high school friends I ever liked."

"Really?" It felt so good hearing that, I wanted to kiss her. I think I actually blushed a little. The man I loved didn't love me back, but someone's mom liked me best of all her daughter's friends from fifteen years ago. I couldn't be a total loser.

"I don't know why we don't ever say things like that. But we hardly ever do say it, do we. I don't know if it means anything to you now, either, but I've been trying to take the time lately to tell people important things. Real things. You know?"

"Yeah. And it does mean something. Thank you for telling me. I always liked you, too."

"Oh, Samantha."

"I'm not just saying that to be nice. I mean, for a mom you were like not totally awful. I didn't mind talking to you while I was waiting for Amanda sometimes. With the other moms it would be torture, but with you it was kind of like talking to a person. I mean, of course you're a real person . . ."

"Don't worry, Samantha," she laughed. "I know what you mean. Hold on a second and let me get Amanda's number. I know she'll be thrilled to hear from you."

I hadn't just been saying that to be polite. Amanda's mom had been okay. Her whole family had been basically okay. There hadn't been that same underlying weirdness that I'd felt in so many of my other friends' homes. Even Shelley's family had had a kind of weirdness about them, as if things were okay as long as everything went according to plan. I'd really missed Amanda, and I hadn't even noticed. What other losses was I walking around with that I wasn't aware of?

Mrs. Morrison came back on the phone a couple minutes later and gave me Amanda's number.

"So she's still in Hollywood?"

"Still there. But I'll let her fill you in. And Samantha, it was really nice talking to you again."

"It was nice talking to you, too."

I got Amanda's machine, and wondered if it would be days before she got back to me, but about ten o'clock that night my phone rang.

"Samantha Stone! I can't believe it! I was literally just talking about you on Thanksgiving. I finally told my mom about the time we stole my dad's car, which even sixteen years later she still didn't find all that funny, mothers are so ridiculous at times, but anyway, I can't believe you called me. How are you?"

"I'm fine, and whatever happened to never revealing the stolen car incident upon pain of death?"

"I have no character, what can I say? Now we have to get together. I don't want to try and catch up on our lives over the phone, and I have eighty billion things to tell you. So when can you get your ass over to my place for about ten hours of girl talk?"

"How about tomorrow?"

"Yeah. I had this thing but . . . yeah. It was no big deal. I'll cancel. I'm dying to see you. Why don't you come over around seven and I'll cook us up a great dinner and we'll drink some good wine and talk until dawn or until one of us passes out?"

"As I remember, I could drink you under the table."

"You forget I've lived in Hollywood for fifteen years. We'll see who passes out first, young lady."

"Don't take that tone with me, little missy."

Imitating our mothers had been one of our great pastimes in high school, and it was great to find out she hadn't grown up any more than I had. She gave me directions and told me she was going to hang up immediately. Otherwise she'd find herself starting her life story and pretty soon we'd be on the phone for the rest of the night.

It had been so great talking to her, I'd completely forgotten about Alex Graham.

Amanda had the kind of house I'd have if I ever got enough ambition to make a mortgage payment. It was old-style California, with two palm trees in the front yard, and could have looked like every other house on the block. But she'd imprinted her style on everything from the painted window shutters to the landscaping. She had flowers in her front yard I'd never seen before. And a huge mosaic of sunflowers tiled onto her front door.

We gave each other a big hug when she opened the door, and as soon as I walked inside I knew this was a woman who was at home. Every inch of her place reflected her life. There was art and energy and uniqueness in every square foot. She'd even humanized her computer with paint, decals, and quotations.

Amanda looked great, too. She'd grown into herself. Her long, crazy wild hair that she'd always straightened in high school flowed free now. She was slender but that was her natural build and she didn't look forced into its shape. But most of all she just glowed.

"So," she said, as we settled onto her couch with a glass of wine, "basic questions first. Married?"

"No. Came close a couple of times, but no."

"Me neither. About a year ago, when my last relationship ended, I had this great moment where I realized I don't care if I get married. Not just saying it, but really meaning it. And not necessarily saying I don't want to get married. But either way, being fine with my life. It was so liberating." She burst into laughter. "God, I've been in Hollywood too long. You give me a straightforward simple answer and I launch into a monologue about my spiritual development. And one thing you should know about me, I am one of those annoying spiritual people, but I'm honestly trying not to be a pain in the ass about it."

"A work in progress, huh?"

"Very funny. So, next thing, work. Are you still doing your photography?"

"Yeah. It's all right. I never found anything special to do with it. Mostly weddings."

"I can't believe that. I always thought you had such great insight. You always saw the bullshit. Maybe visual just isn't your medium."

"Maybe. But what about you? Still acting?"

"Not for myself, no. I finally realized that for me, acting

wasn't healthy. I love acting. A good performance, a real performance, it's a gift, I think. But I'm not someone who's willing to give up myself for it. So I teach now, and do some directing in local theater, give seminars. I'm making a living at it and I believe in what I do, so I consider myself pretty lucky."

"I love this house. It's like you've integrated everything. Your life, your work, your home. I feel so scattered right now."

"Maybe that's because you've always had a lot going on inside you. I think that makes things harder for people. But it makes them more interesting."

"Really? I don't feel interesting next to you. I feel like a boring, suburban something or other. I'm not sure what."

"God, Samantha. This house and what I do . . . that's just outer stuff. It's what's inside a person that makes them interesting. Emily Dickinson never left her room and she was probably one of the most interesting women who's ever lived."

Amanda looked at me then, really looked, as if she was trying to figure me out, so I immediately changed the subject.

"I really liked talking to your mom. You know what she told me? She told me she liked me. Just like that. Hadn't talked to her in years and she just tells me she likes me. I mean, how many people do we ever tell, even our best friends, that we like them? She's great."

"Yeah. She's in a real different place since she had that breast cancer scare last year."

"What? Is she okay?"

"We think so. It was a small lump, and they caught it early, and she's taking great care of herself. I even got her meditating, if you can believe it. But boy, it sure puts things in perspective. All the bullshit we talk all the time and it turns out there's so little of it. Not the bullshit. The time."

This conversation was definitely not going as planned. I had my lines all figured out. My busy successful life, needing an escort for the holidays to avoid the pressures of people trying to set me up, how it would be "kind of a kick" to hire some really hot-looking actor to pose as my boyfriend and knock everyone's socks off. And the next thing I know we're talking honesty and caring and the shortness of life.

"I'm really sorry about your mom. She was, is, the only one of my friends' moms I could stand. And I am like the total opposite of you in terms of togetherness. You want to know what's going on in my life? I let myself fall in love with Greg again, and he's in love with someone else, her name is Debbie, and I have to meet her and I can't bear the thought of going alone, so I was wondering if you could help me find a struggling actor who I'd be willing to pay really well, to pose as my new boyfriend who is madly in love with me and is also like the most perfect guy who has ever lived."

And, of course, right on cue, I then burst into tears.

After I'd dried my eyes and ended up having the conversation with her that I'd been trying so hard to avoid—I loved him so much, why can't he see how great we'd be together, what can he possibly see in this Debbie person, how could I have been so stupid, why is he such a jerk? I don't think I'll ever let myself fall in love again, blah, blah, blah—Amanda told me she loved the fake boyfriend idea.

"You don't think it's kind of weird?"

"It's totally weird. That's what I love about it. And what are you doing that's so different from what people do all the time? How many people stay in a marriage pretending they're still in love because they can't stand the thought of being alone? How many times have you gone out with someone just to be going out with someone? We all play roles every day. At our jobs, with our families. But with this, it's like you're going to take your life and put a little performance into it, but have total awareness that you're doing it. I think it's great."

"Wow. Either I'm a lot more normal than I realized, or you are way weirder than I realized."

"Probably a little of both. Let's eat and then let's start planning."

We went into the kitchen and for half an hour she was a whirl of tossing, stirring, blending, heating, and at the end of it all she put on the table the best omelet and salad I've ever had.

"How do you do it?" I asked her as she started clearing the plates.

"Do what?"

"Everything. It's like everything you do you do well. And you do all kinds of things. And you seem so, I don't know, at peace with yourself."

"You know what your problem is, Samantha? You're a very weird person who spends most of her life pretending to be normal. I, on the other hand, finally learned to embrace my weirdness and now, because I'm so comfortable with it, people think I'm normal."

"Hey, who's hiring the fake guy here? You or me?"

"A very good first step, old pal. You might just be headed down the wonderful path of true and complete weirdness."

"Yeah. I guess it was just a matter of time."

Over coffee we got down to business. I was willing to pay one hundred dollars for each night he worked, and threw in another hundred for the time it would take him to prepare for the role. I told her what details I'd worked out so far, which she, as an acting professional, found sorely lacking.

"You want a real performance, right? You want everyone to believe this is your boyfriend and you have an actual relationship."

"Right."

"Then whoever we come up with is going to need a lot more than this. But we'll worry about that later. First I have to figure out who I think could pull this off."

"Don't forget the buns."

"No, I won't. Who do I know that has great buns and the . . . I've got it. I'm not sure if he would do it, but he would be absolutely perfect. Oh, God, Samantha, I can *so* see him in this role. He's one of those actors that you see around town who's been here for years and you can't believe still hasn't made it. He's got the looks, and the talent, and the drive. He lives and breathes acting, very intense, but he's got the goods. It's not hot air with him. He still comes to my classes faithfully twice a week. But the most he gets are these small parts in schlocky movies. Did you see *Return to Oak Avenue: Frankie's Mad as Hell*?"

"No."

"He played the cop who wouldn't believe anybody about what Frankie was up to. How about *I Keep Telling You, I Saw What You Did!* I don't suppose you saw that either."

"No."

"He played the security guard who wouldn't take the teenagers seriously about the maniac that was on the loose. And even in those he was great. But it never went anywhere. Last year, I directed him in *Long Day's Journey Into Night,* and he was unbelievable. I thought for sure he'd get seen. But it's as if he's got some block around him holding him back. He's so serious I don't know if he'd be willing to do this, but I know he's really struggling financially right now. Let me give him a call."

It was agonizing, sitting there, waiting for him to tell my friend whether or not he'd be willing to pretend to date me. But that's just a fact of life for the single girl. I tried to read one of Amanda's magazines while she was gone, but I couldn't concentrate. What was taking so long? It's funny how sometimes it's the guy that doesn't interest you so much at first who turns out to be the one you want desperately.

I couldn't read Amanda's face when she finally walked back into the room. She didn't look disappointed but she didn't look triumphant, either.

"Well?" I asked. "Did he go for it?"

"Kind of. He's not crazy about the idea but I really pushed the whole idea of thinking of it as improv. A way to improve his craft. That got his interest just enough to agree to meet with you. Now I have to warn you, when I said he was intense, I wasn't kidding. We're going to have to handle him with kid gloves. Between you and me, I love actors, but I wouldn't want to live with Brando on a day-to-day basis, if you know what I mean. So be prepared. The most important thing is, you have to take him seriously. If he agrees to do this part he's going to give it everything he's got."

"I can take him seriously. God, I can't believe I'm really going to do this."

"Are you having second thoughts?"

"A little. But in a strange way it feels kind of empowering."

"Plus, it's funny as hell. Want to make a toast, Lucy?"

"Love to, Ethel."

We lifted our glasses.

"To Samantha Stone embracing her own unique weirdness," Amanda said.

"And to Amanda for finding me the man of my dreams, what's his name. What is his name, by the way?"

"His name is Mark," Amanda told me. "Mark Simpson."

Eight

Never underestimate the importance of that first impression.

I was going to meet Mark the next morning around eleven after his acting class with Amanda. She ran the classes out of her home, so if I got there early she told me to just come in the back and wait on her deck. I had an appointment with one of my brides at three, so that gave me plenty of time to get back.

My first clue that this wasn't going to be the anxiety-free dating experience I was hoping and paying for, was how nervous I was about meeting him. My original plan of the night before had been to throw on a pair of jeans and a sweater because hell, it would be nice to be meeting a guy for a change without having to worry about impressing him. But I found myself getting up early, putting on my one dress-for-success suit—which hasn't produced the results I'd hoped for—and doing the whole blow-dry, curling iron, full-on makeup routine. Amanda and I agreed that we'd stick to the successful-career-woman story, not the real heartbreak-and-despair story, so I tried to tell myself I was just dressing for the part. Attractive yet professional. But I, the one with the checkbook who by all rights should have been in charge, was worried about making a good first impression. *My* physical appearance shouldn't have mattered. What should have mattered was *his* physical appearance and my credit cards. I swear, equality between the sexes is a pipe dream.

I left around nine, which should have given me plenty of time, but traffic had actually gotten worse since the last time I'd driven into LA. Whatever happened to the People Mover and the Monorail? According to Disneyland, by the time I reached adulthood, they'd be operating in every major city in America and traffic jams would be a thing of the past. If I get to heaven, I'm having myself a serious talk with Mr. Disney. You gotta be careful what you tell kids.

At 11:05 I rang Amanda's bell. She shushed me as soon as she opened the door.

"We have to be really quiet," she whispered. "Everyone else is gone, but Mark did a very intense scene and he needs to do some breathing exercises to re-center. Come with me to the kitchen. He'll join us when he's ready."

We tiptoed down the hall. Mark was sitting on the couch in the living room, and I managed to get a peek at the back of his head as we went past. It looked like an extremely cute head from what I could see. Amanda poured me a cup of coffee and we waited at the table for Mark to make his entrance. She reminded me once again that I had to take him seriously.

"And don't let him catch you peeking at his buns. He'll be offended."

Around 11:30 he walked in, and I no longer cared about his intelligence, sensitivity, or ability to commit. The man was gorgeous. Tall, perfect build, wavy dark hair, big brown bedroom eyes, and (I swear) pouty mouth. I didn't need him to turn around and let me see his buns. I knew they would be magnificent. Just being seen with him would be more than enough. No one, and I mean no one, would ask me what I saw in him. Amanda got to her feet while I sat there with, I'm sure, my mouth hanging open.

"Come here you," she said, spreading her arms open. "You are one kick-ass actor."

Mark walked into her arms and they hugged for a few moments, while I sat there with a perfectly discreet view of his buns and, I'm sure, my mouth hanging open, until they drew apart.

"Do you want some coffee or mineral water or tea or something?" she asked him.

"No. I'm fine," Mark answered.

A perfect voice. Husky, deep from the throat, sexy as hell.

Amanda patted him on the back and then turned toward me.

"Samantha Stone, Mark Simpson. The actor I was telling you about."

"Hi, Mark," I said, trying to play it cool. Nice to meet you."

I smiled; he didn't smile back, just gazed at me intently as he shook my hand.

"Hello, Samantha."

"Let's all sit," Amanda said. "Samantha, why don't you start things off by telling Mark what you're looking for?"

"Okay. Well, Mark, I'm very busy with my career right now and I have no time in my life for a relationship. I'm perfectly happy with the way things are, but my friends and family refuse to believe me. To avoid setups by my friends and the onset of clinical depression in my mother, I'd like to hire you to play the part of my boyfriend during the holiday season and accompany me to a few things.

"We'd be meeting an old boyfriend of mine for drinks one night. We're very good friends now, and he's anxious to have me meet his new girlfriend. Then we'd be going to a Christmas party given by my best friend. And our third date would be dinner with my family. I've written out some information here. There's a brief biography of me, and one of Alex, and then a sketch of the different people we'll be socializing with."

Amanda and I sat quietly as Mark read intently. He peered down at the three pages I'd handed him as if he were analyzing *Othello*. He skimmed the pages and began to look more and more unhappy. When he finally looked back up his expression was pained.

"I can't work with this. No real actor could work with this material. There's nothing here. I'm just an orthodontist."

"A very successful orthodontist," I pointed out. "And you also sail and skydive."

"But there's nothing here about who I *am*. My core. This Alex is like some cardboard cutout. I need depth. I need a real character I can sink my teeth into."

"Of course you do," Amanda said, nodding vigorously. "I told you this was going to be a very sketchy outline. It's the seed. But you will make it grow. Process, Mark. It's all process. Why don't you tell Samantha exactly what you're looking for."

"I'm looking for the person underneath the orthodontist who skydives. *Why* did I become an orthodontist? What was my motivation?"

"*Why* is he an orthodontist, Samantha?" Amanda repeated.

"Was it a longing for safety and security?" Mark asked. "The security he was robbed of at such an early age? I think we can all agree his defining moment had to have been the death of his parents."

Amanda nodded sadly. "Definitely."

"How did his parents' death affect his character? Did it drive him inward? Is he afraid to get close to someone? Or does he spend his emotional energy trying to win everyone's approval, too afraid to feel the sadness within?"

I shifted in my chair as the two of them stared at me.

"I guess either one of those would be okay," I said finally.

"*Okay?*" Mark asked.

"Yeah. I mean the main thing is you're a successful ortho-dontist who's warm, intelligent, sensitive, and head-over-heels-in-love with me."

"How do you think a character like that comes into being? A real flesh-and-blood character? You think I have some sort of magic button I push? In order to act, I need a real character and motivation for that character. Those are the fundamentals of my craft. They're essential. Without them—"

"Without them, Samantha," Amanda interjected, "an actor simply can't work. Mark, as I've been sitting here listening, I've been getting an idea. Samantha's never worked with actors before. She's doesn't understand the process. But you do. So why don't we, if Samantha agrees, give you complete creative control?"

Mark's entire body perked up instantly.

"That way you'd get to take Alex and make him your own," Amanda continued. "Alex is whoever you want him to be."

"I'd have complete artistic control? I could do this part the way I see fit?"

"Exactly. So not only would you get the improvisational experience, you'd get a little taste of directing, too."

Mark narrowed his eyes and sat there, thinking it over. Amanda gave me an encouraging smile while we waited. It felt like *we* were the ones auditioning.

After thinking it over thoroughly, judging by the amount of time he took, Mark sighed deeply and folded his hands on top of the table.

"You'd agree to that?" he asked me.

I'd agree to just about anything for a chance to have your gorgeous hunk of manhood by my side was probably not the answer destined to win him over.

"As long as you keep the basics I outlined," I said, "it's fine with me."

"How many actors get a chance to do that?" Amanda asked enthusiastically. "This would be a real opportunity for you to mold your craft."

"And we're all agreed that I'd have complete artistic control?" Mark asked again. I nodded. "Okay. The way I see it, we've got two major hurdles to overcome. The first one is Alex, of course. And the second one is you," he said, looking my way.

"Me?" I asked.

"Your character as written here is extremely vague. I don't have any sense at all of your feelings."

"My feelings?"

"For Alex."

"Oh. Well, I guess I would say that I like him."

"Could you elaborate a little on that?"

"He's a great guy. I like him a lot."

"You don't sound very convincing."

"I guess, to be honest, he's what other people would think of as the perfect man for me. I mean, I know he's a great guy, and I want to feel more for him, but somehow I can't. The chemistry just isn't there for me, the way it is for him. I did put total adoration down there, didn't I? Anyway, I stick with it, give it my best shot, but by the end of the holiday season, I'm going to have to break up with him."

"So, basically you're using him."

Hold the phone there a minute, buddy. Gorgeous or not, that's a terrible accusation to make about a person when that person is me.

"That's not fair. I don't *know* it's not going to work out. I mean, I really give it my best shot."

Mark kneaded his chin. He nodded, and a look of profound knowing came over him.

"Poor, blind Alex. He doesn't even see it coming. He plans what he thinks is the perfect evening for New Year's Eve. He arrives with a dozen roses and a bottle of champagne. He's made reservations at a restaurant overlooking the ocean. After dinner, the two of you stroll along the beach under the moonlight. He takes you in his arms, wanting to tell you how he feels. But he can see it in your eyes. Nothing. You don't feel anything for him, and never have.

"Deep down he's always known you didn't feel the same way, but it was too much for him to deal with. So he kept pretending. Thinking if he just tried hard enough, maybe one day you'd feel something. The way he kept waiting for his parents to come back. He used to run home from school every day for years, thinking that maybe—today—they'd be there waiting for him."

Mark now seemed completely unaware of me and Amanda. It was a little disconcerting. In less than twenty minutes, he'd put more energy into our relationship than most of my real boyfriends had during the entire time we'd been together.

"He'd get the key out from under the potted plant and let himself in. The cold, silent house echoed with his footsteps. The silence that could only end for him if his parents walked through that door. That's his specific gravity. Waiting for a love he can never have. And most horrible of all, he's always been waiting. Even when she was alive, his mother was indifferent. So now, with you, he's going to live that hell all over again. Because you don't really care one way or another. It's a pattern that will determine his life until the day he dies."

Oh, man, this was terrible. How was I going to dump Alex after hearing a story like that? Hell, I was going to have to marry the guy and spend the rest of my life making it up to him. How could I have even *thought* of breaking up with him after what he'd been through?

"I'm starting to get a handle on the character," Mark went on, "but I've got a real problem with the story line as written. The third date, having dinner with your family. It just doesn't work for me."

He hadn't even met my family yet, and already they were causing problems. Art really does imitate life.

"If I adore you so much, and I don't have any family of my own, why wouldn't I be spending the holiday with you? Wouldn't your family invite him?"

"Yes. And I guess in real life you probably would be there, but I don't expect you to work Christmas Day. I thought I'd just come up with some good excuse. Like maybe you work as a volunteer passing out meals to the homeless."

"Trite. It's a fake overlay to his character, like some kind of cheap TV sitcom trick. Doesn't ring true for me at all."

"Are you saying you want to spend Christmas with me and my family?"

"I'm saying *Alex* would want to spend Christmas with you and your family."

I pictured Christmas Day at the Stone household with Alex by my side. Everyone on their best behavior. No one saying, "For Pete's sakes, Samantha," because they wouldn't dare express any criticism of me in front of him, thus opening the door for him to possibly see me for what I really was and ending all hopes of a marriage proposal.

But no. He was a fellow human being. I couldn't do it to him.

"Believe me, Alex does *not* want to spend eight hours with *my* family on Christmas Day."

"That shows how little you know him. Maybe you can take them for granted, but Alex has no family. Do you really think he could sit through that dinner, watching you with your family, knowing that on Christmas Day he'd be all alone again? Do you have any idea how traumatic that would be for him? It would be like experiencing his childhood all over again."

"So you're saying you'd be willing to give up your Christmas to spend it with me and my nutty family? And when I say nutty, I'm being very kind."

"I'm saying that if I take this part I'm going to take it seriously. That's the only way I can work."

"If you're sure, that actually would be great."

"I'm sure."

We spent another half hour or so working out details, and then Mark had to leave to go to his part-time job as a mover.

"It just kills me sometimes," Amanda said, after he was gone, "thinking of him having to move people's furniture to keep a roof over his head. Anyway, what did you think? Isn't he great?"

"Are you kidding? I mean he is a little intense, but I can't believe he's willing to spend Christmas with me and my family."

"I told you. Once he gets a part, he *lives* it."

•   •   •

After I left Amanda's and drove to my next appointment, I thought to myself that I couldn't believe my luck. This plan of mine was going even better than I'd hoped for. Those two statements, coming from *my* brain, regarding *my* life, should have immediately alerted me that I'd overlooked something.

Nine

**Every solution to a problem creates
new problems of its own.**

The next day I called my mom to tell her the good news. Some people's children graduate magna cum laude from Harvard. Others discover cures for diseases, win Academy Awards, or become president. But my achievement towered above those fleeting triumphs: I was bringing Alex home for Christmas Day.

"Really?" my mom gushed. "Alex is coming for Christmas Day? Are you sure? He said it was definite?"

"Yes, Mom, it's for sure."

"Oh, how wonderful, Samantha. We'll show him what a real family Christmas is like."

That should steer him into a vow of lifelong celibacy.

"I'm going to have so much to do. Let me get a pen and start writing. All right, I found one. Now. Do you have any ideas for gifts?"

"I thought we decided on the cardigan for Aunt Marnie and the sports shirt for Uncle Verne."

"Oh, anything's fine for them," she said dismissively, "they're not picky." Prior to the arrival of Alex, our annual what-to-get-Uncle-Verne-and-Aunt-Marnie-for-Christmas discussion had been known to run on for hours. "I meant for Alex. I'd like to get him something I know he'll appreciate."

"Mom, you've never even met him. Just get him a nice bottle of wine or something."

"I don't think that's personal enough, do you?"

"For someone you've never met, yeah, it's personal enough. I don't think you need to go overboard here."

"All right. I was simply trying to make it a nice Christmas for everyone, but if you—"

"How about brandy. He loves brandy," I told her, making a mental note to inform my date of this new development in his character.

"What kind of brandy?"

"I don't know. Good brandy. Napoleon Brandy."

"Are you sure?"

"Yes. Look, I have to—"

"Well, if you're sure. Now, what does Alex like to eat?"

"Why?"

"I need to come up with a menu for Christmas Day."

Hold the phone. I'm the one who lived in her womb for nine months, suckled at her breast, took my first step toward her. Okay, that was only because no one else was around at the time, but still. Alex hadn't done a single thing for her except exist as his wonderful self. And now she was actually willing to change the sacred Christmas Day menu on his behalf? This was unprecedented. I didn't think she'd change the menu for me unless maybe I was in the last stages of a terminal disease. And then it would be a push.

"I think what we're having will be fine, Mom."

"I know you think it may be fine. Your generation thinks any old thing on the table is fine," she said, conveniently forgetting that Alex was a member of my generation, too. "But I'd like you to ask him what he likes. He is our guest, after all."

"Okay. Anything else? I really have to go."

Just a few more questions. What are his favorite Christmas carols? Does he prefer an afternoon Christmas dinner or an evening Christmas dinner? Did I think he'd like to play Yahtzee after dinner, or was there another board game he preferred? Or maybe another activity altogether? Unlike the fruit of her womb, she wouldn't want to make Alex do anything he didn't enjoy.

She told me to be sure and let him know how much the whole family was looking forward to having him over. I assured her I'd mention it the next time I talked to him, and she told me not to forget. As though forgetting is something you plan ahead of time.

I called Greg next. I knew he was at work so I could just leave a message at home letting him know Alex could make it. I added how much we were both looking forward to meeting Debbie. I didn't gag when I said Debbie, which I took as a sign of great progress on my part and evidence that every penny for Alex was money well spent.

That task disposed of, I called Shelley at work.

"I was wondering if I could bring a date to your Christmas party."

"A date? Samantha Stone, do tell."

I filled her in on the basic details of the incredible Alex Graham.

"He sounds great. I can hardly wait to meet him. I just feel bad for Tom. He was really excited about meeting you."

"I was looking forward to meeting him, too."

This is why I would never want one of those telephones that shows your face to the other person. The glee on my face would have destroyed the credible sincerity I managed to convey in my voice.

After we finished talking, I smoked a cigarette and savored the moment. So far, I loved having Alex in my life. I decided to give Mark a quick call to confirm our meeting place for Wednesday night and let him know about the brandy.

He picked up on the second ring.

"Hi, Mark, it's Samantha. I just wanted to confirm we're meeting at seven-thirty in front of Nordstrom's. You've got the directions, right?"

"Right."

"And it's all set for Christmas. By the way, you love brandy."

"What did you say?"

"I called my mother to set it up for Christmas, and she wanted to get you something. I told her you love brandy."

I sensed disapproval in the ensuing silence.

"Mark?"

"Samantha, I believe we agreed I would have artistic control."

"It's just a bottle of brandy."

"You're going to have to learn to respect my process. The character lives in detail. Alex doesn't drink. He doesn't like to feel out of control. Which is understandable when you consider the trauma he suffered as a child. A bottle of brandy would be completely inappropriate."

"Okay, sorry," I mumbled, after slowly counting to five. "What would he like?"

"Something simple. Alex wouldn't want your mother spending a lot of money on him. Maybe a jar of peach marmalade. Aunt Greta used to make her own peach marmalade every summer. It's one of his fondest memories."

"Peach marmalade it is. I'll tell her."

"And he'll need to get her something, too."

"You don't have to get her anything."

"Alex would never show up at your mother's on Christmas without some kind of a gift."

Yeah, Alex is a treasure all right.

"Get her some candy, then."

"This is very important to him. He'd want to make sure he brought a gift your mother really appreciated."

"She'll love some candy, okay? I mean, who are you dating here? Me or my mother?"

"Why is it so threatening to you that I want to make a good impression with your mother?"

"It isn't threatening. I just think you're going overboard."

"Really. That's interesting."

"What's so interesting about it?"

"It tells me something about your character."

"And what might that be?"

"You obviously have huge, unresolved issues with your mother."

"No, I don't. I mean, sure, we have some issues, but they're not huge or anything. And speaking of my mother, she wants to know if you'd like her to make anything special for Christmas dinner."

"There is one thing. Aunt Greta used to make a wonderful apple pie."

"Apple pie? Ummm . . . it's just . . . we always have pecan pie on Christmas. Ever since I was a kid."

"You get pecan pie and your family every year. Alex only had his Aunt Greta, and now she's gone. Apple pie was her specialty. She won awards for it at the county fair. Every summer, she and Alex would—"

"We'll have apple pie."

I felt drained after I hung up the phone. Alex seemed so perfect when I first invented him, and I'd had high hopes that this relationship might be different. But issues were already beginning to surface. I hated apple pie. And I was getting tired of him dragging out his dead parents every five minutes. In my opinion, he used them as a weapon to get his own way.

Or maybe it was me. Maybe I wasn't in a place to deal with the demands of a relationship with anybody, imaginary or otherwise.

• • •

That afternoon I drove out to Irvine to meet with a prospective wedding client. She was a VP of something or other at Maverick Marketing. I could tell from the minute the elevator doors opened that the management types at her company said things in meetings like, "Maverick isn't just a name. It's an attitude."

The receptionist was gorgeous, and she must have spent more on her clothes and haircut than I made in three months. What she was doing there, instead of starring in a sitcom about fun-loving singles living in New York City, I'll never know.

The poor thing, I told myself. One day she'll probably be a bitter, lonely divorcée. She'll spend her hard-won alimony on nips and tucks and liposuction, and then ruin the results with all the vodka she guzzles down to get through her day. And with that picture in mind, I was able to give her one of my friendliest smiles.

"May I help you?" she asked, not sounding as dumb as I'd hoped, and giving me what appeared to be a friendly smile.

"Yes. I'm here to see Trish McKinster. I'm Samantha Stone. She's expecting me."

"Oh, right. The photographer. I've heard great things about you."

"You have?"

"Yeah. You did one of her friend's weddings, and she said the pictures you took were just beautiful. Could I get one of your cards? I'm getting married next year, and I'd love to use you."

"Sure." I fumbled through my stuff and got her a card, feeling very annoyed. It just bothers me to no end when natural blondes act nice and down-to-earth and reasonably intelligent. It goes against nature.

Trish was nice, too, but I always feel strange around people who run meetings, go on business trips, and create company policy. I feel as if I should address them as Mr. or Ms. and raise my hand before I ask a question—even when they're not quite thirty yet, as this irritating little overachiever appeared to be.

She filled me in ad nauseum about how she wanted her wedding pictures to turn out. I tried to be patient, but I thought it extremely rude of her to go on and on about her blissful romance when my love life had so recently fallen apart.

Trish laughed as I put my portfolio away. "I don't know how you do it," she said. "I'm exhausted just dealing with my own wedding."

"I enjoy going to weddings," I told her. Fortunately for my business, if not my soul, I'm someone who can say a load of crap and still sound believable.

"Are you married?"

"No," I said, with the serene smile of a woman who's complete unto herself.

"Really? I guess that's like the plumber who doesn't ever fix his own sink."

Maybe she didn't mean anything by it, but I could have sworn I heard that smugness in her tone. The kind that sets my teeth on edge. Then she laughed. A very annoying, self-satisfied kind of laugh, and nothing pisses me off in other people as much as self-satisfaction. I *could* be self-satisfied if I wanted to be, but I chose the higher road.

"Just like it," I said, and gave her my fake business laugh. "Do you mind if I use your phone for a minute? It's a local call."

"Oh, sure."

I walked over to the phone, knowing this was immaturity at its worst. But I'm usually at my best when doing my worst.

"Hi, Alex," I told my machine. "I'm just leaving now, so I should be able to make it to the marina in about forty-five minutes if you want to get the sails up. Oh, and before I forget, the travel agent called. They *were* able to get us those first-class tickets to Paris for the dates we wanted. So it looks like we'll be there in April after all. Isn't that fabulous? I love you, too. See you in a bit."

It's moments like those that make a relationship worth all the effort.

Ten

**Telling someone "just be yourself"
on a first date is about as helpful as telling
someone the rattlesnake is more afraid
of you than you are of it.**

It was beautiful that day, the day Alex Graham and I made our first public appearance as a couple. There was a breeze blowing in from the coast, the air was fresh and cool, and the sky was postcard blue.

The morning started with another drive out to Irvine. I was meeting Trish and her fiancé at her office to finalize arrangements for their wedding photography. I knew pretty much how this would go. He'd pretend to be interested; she'd pretend he was vital to the decision-making aspect regarding the details of their wedding. She'd say something along the lines of, "I love the way she captures the essence of the moment, don't you hon?" And he'd nod his head as if that was *exactly* what he'd been thinking.

And that was how it went. Trish was completely absorbed in

the process. She took Eric, her fiancé, through my portfolio shot by shot, even though she'd seen it all a few days before.

"I love the way she has the formal shot of the bridal party and then see how she manages to get every member of the party at a spontaneous moment? And look how she tracks the bride and groom through the night. It's almost like a story."

Eric nodded his head throughout, occasionally adding a "um hmmm" or a "yeah."

Trish and I had already gone over prices and my contract; I knew her preferences and how many formal shots we would be doing. Based on what we'd discussed I knew what she was looking for; now I would sit and listen to her tell her finacé what *they* were looking for. My function was to look professional. I knew the drill and I knew how to pull it off.

Sometimes when I'm sitting at these meetings, looking and acting like a professional and a real grown-up, but often feeling like an oversized kid playing dress up, I wonder if it's just me or is it everybody? Is the CEO who's barking out orders ("Perkins, I'd better see a fifty percent increase in productivity or heads will roll!") really wishing someone would come in with graham crackers and juice and put them all down for a nap?

We finished up around ten. Eric had a meeting in Tustin, Trish had a meeting in Newport, and I had a meeting with Kirsten, Rosa, and Brittany. If I was going to have to face the music and meet Debbie, I wanted to face it with the best face I could. So I'd made an appointment at an upscale salon, and ordered the works—haircut, style, manicure, and facial. I would have thrown in a bikini wax, but since no one was going there, it was unnecessary pain. I get enough of that from my psyche.

I arrived back home around three-thirty, looking my best and feeling rotten. Talking about it with Amanda, the idea had sounded like fun. Sick fun maybe, but still. We can't all be bungee jumpers. Now, as the hour grew closer, it didn't feel so fun anymore. It felt like one of the dumbest things I'd ever done, and that was no easy accomplishment.

I put on my favorite dress, a simple black number I'd found a couple years ago at Nordstrom's during their annual sale, the one time during the year I can sometimes find a thing or two I can afford. It was cut so beautifully it seemed to flow around my body effortlessly. I put on my favorite hoop earrings and a black and silver choker and the pair of sexy pumps I wore about twice a year. It was the best outfit I'd ever put together, it was a miracle of an outfit. It was the outfit women dream of: the one that totally works yet looks as if you just threw it together at the last minute. And it didn't do a damn thing to cheer me up. I'd just spent a week's salary and four hours of my time in order to impress: 1) a man in love with another woman, 2) the woman he loved, and 3) a man I had to pay to pretend to like me.

I thought seriously about canceling, but I'd paid for Mark, and as is typical with men, my investment was nonrefundable. And I knew it would only delay the inevitable. Greg would keep hounding me until I met Debbie. Better to do it with Alex by my side than without him.

I slipped the dress off, carefully smoothed it out and put it back on the hanger. Amanda called as I was putting on my robe to wish me luck. I pretended to still be getting a kick out of it all, but it was forced. She made me promise to call her when I got home, and I said I'd try if it wasn't too late. Somehow I didn't think I was going to be much in a mood for rehashing the night once it was over.

After we finished talking, I still had a couple of hours before I had to start getting ready. I could have spent the time reexamining my life, but I was afraid my forehead would furrow, leaving unsightly lines for the rest of the night. Instead, I popped in an old Humphrey Bogart movie I loved, and for one hundred and sixty-three minutes was able to forget about my life. Whoever invented the VCR should, in my opinion, receive the Nobel Prize. In every category.

An hour and a half later I pulled into the parking lot near the entrance to the mall, where Mark was waiting for me. The minute I saw him, my depression started to lift. I'd forgotten how drop-dead gorgeous he was. But before, he'd merely been a good-looking struggling actor. Now—I wasn't sure how, it was more than just the clothes and hair—he looked exactly like a thirty-six-year-old, gorgeous, successful, adventurous, sensitive, caring, Samantha-adoring orthodontist. This was a man I'd gladly show off to my friends, introduce to my family, and parade in front of Greg. This *was* the man I was going to show off to my friends, introduce to my family, and parade in front of Greg. He was all mine, and I had the MasterCard cash withdrawal receipt to prove it.

"Wow," I told him as he got in the car. "You look great. I

mean, you did it. You *are* Alex. It's everything. The way you hold yourself. And the clothes." He was wearing a silk sweater with gray woolen slacks and Italian loafers. "They're perfect, exactly what Alex would wear. This is just . . . I don't know. You really put a lot of thought into this, didn't you? I thought you were going to drive me crazy with all those questions but I see now—"

Mark held up a hand and shook his head. "Samantha, thank you, but I need to stay in character when I'm this close to a performance. It's crucial from this point on that you don't talk to me as Mark. Wait until you're ready to talk to me as Alex. And only Alex."

"Oh. Okay. I guess I'll wait until we actually get there then."

A gorgeous guy and I didn't have to make small talk? How much more perfect could a date get? Maybe I was a lot smarter than I realized. To say nothing of the rest of the world. I pulled away from the curb, and popped in a CD.

"Samantha?"

"Yes?"

"I can't have music on. Since we won't be talking as Alex and Samantha, I need to do my breathing exercises in order to stay in character, and it takes complete concentration."

"Oh. Sorry."

I turned off the CD. He began to inhale loudly, then stopped abruptly.

"Samantha?"

"Yes?"

"You're humming."

"I am?"

"Yes. I really need complete silence."

"Complete silence. Got it."

I pulled out onto the street. Mark closed his eyes, placed his hands on his knees, and inhaled. Then exhaled. Slowly, loudly. Over and over and over. All the way to the restaurant he did this, is what I'm saying. Never missing a beat. Never changing the rhythm.

After what seemed like twenty thousand loud breaths later, I pulled into the parking lot of Ricardo's, the restaurant I'd chosen for our double date. As I parked, my sense of dread returned. I was about to meet the woman who'd won Greg's heart. She'd probably be some impossibly beautiful, naturally bubbly type, who'd end up making me feel like a lump of boring clay. And what if she and Greg were one of those overly affectionate couples? Was I going to have to sit there and watch the two of them snuggle up to each other? Would she call him honeycakes? Would he call her dumpling? Did I have the strength to endure this? Would I be able to keep my drink down?

Courage, I told myself. You may feel alone right now, but you're not. You've got a good-looking, successful man by your side for as long as you need him and your credit rating holds.

Mark and I walked in silence toward Ricardo's. When we reached the entrance he took a deep breath. I took a deep breath, too. This was it. What was probably going to be the worst moment of my life. Alex opened the door and we went inside.

• • •

I spotted them right away. She was in her late twenties, not beautiful, just kind of average pretty. Shoulder-length hair with streaks that came out of a box from the supermarket. I know that's a petty remark and far beneath me, but Debbie didn't bring out the best in me. She had a round face with pixie cheeks and pretty hazel eyes. A figure that would be pretty okay in a bathing suit, at least for now. She wasn't going to age well, not with that tan and that bone structure. I'd obviously done much better for myself.

Greg waved at us as we approached the table. Debbie did, too. God. Talk about uncoordinated. I waved back with my customary poise and grace.

"Sam! Hey. You made it," Greg said, as Mark and I stopped in front of their table. He had his arm around Debbie. Geesh. Take it to a motel.

"Yep. Here we are."

Greg and Debbie stared at Mark for a few seconds, the way people do when someone is that good-looking. They looked somewhat surprised; I tried not to take offense.

"This is Debbie," Greg said after a moment. "Debbie— Sam."

"Hi, Sam. It's great to finally meet you."

Yeah, it seemed like an eternity to me.

"You, too. And this is Alex. Alex—Greg and Debbie."

"Nice to meet you, Greg," Mark said. "Debbie."

We stood there for a second, they sat there, and we all looked at each other. I didn't know about the rest of them, but I was ready to call it a night.

"Well, come on you two," Debbie piped up, "have a seat."

I let Mark go in first so I could sit on the end. As soon as we sat down, the waitress—God bless her, her children, and her children's children—came over to take our drink orders.

Mark ordered a club soda with lime. I asked for the Merlot; Greg and Debbie ordered another round of beers. After our beloved waitress left, we experienced that moment of awkwardness that usually happens in a situation like this. One happy couple, one actor playing a part, and one heartbroken, neurotic gal, all trying to have a night on the town together. It takes some time to break the ice.

"So, you're a photographer?" Debbie asked me, with the kind of fake interest that is so transparent.

"Yeah."

"That must be exciting."

"It's okay." I knew my conversation was leaving a lot to be desired, but just answering her seemed to take every ounce of energy I had.

"Okay!" Mark exclaimed. "Are you kidding? Greg, have you ever seen any of her stuff? I don't mean the commercial stuff, I mean the things she does on her own?"

"Uh, no, I haven't," Greg answered, giving me a funny look.

I tried not to look funny myself, seeing as how I didn't know what in the hell Mark was talking about.

"Her work is incredible. She should have her own show. There's this one photo she took of an old woman looking out the window of her house, and she captured it all. You look at that picture, and you can feel how small this woman's world has become. It's chilling."

Greg looked at me with a puzzled expression. "I didn't know you did that anymore, Sam."

"Well . . ."

"She doesn't like to talk about it, because she's so damn modest. I keep telling her about this friend of mine who has a gallery in Santa Monica. If she'd put a portfolio together, I think he'd give her a show. Some of her pictures are literally unforgettable. I feel like I'm going to carry that picture of that old woman around with me for the rest of my life."

I looked down modestly, since none of this was true. And I don't like to toot my own horn.

"You should do it, Sam," Debbie said. "You might become famous."

"Oh, I don't know."

"I keep telling her artists are supposed to be egotistical," Mark said, "but you know Sam. She never does anything like anyone else."

I didn't look over at him, but I sensed Mark giving me one of those isn't-she-absolutely-adorable smiles. If I hadn't paid for him, and he wasn't turning out to be such an irritating person in real life, I could have fallen for him in a big way.

"What do you do, Debbie?" Mark asked.

"Me? Oh, nothing exciting. I'm a customer service representative."

"It must be tough dealing with the public," Mark said sympathetically.

"You're telling me. By the end of the day, I feel like I never want to talk to another person again as long as I live."

"I'll bet."

"You're a dentist, right?" Greg asked Mark, as if it wasn't impressive or anything.

"Orthodontist."

"What's that like?"

"Very glamorous," Mark said and then laughed. "Spending all day asking teenagers to spit. I'd rather do something like you do, but I have no mechanical ability. You should ask Sam about the time I tried to unclog her sink."

He grinned at me like we'd shared some intimate, clogged-sink experience together. I grinned back. I'm a natural.

"I'm hoping to retire in a few years," Mark added. "I've got some property up north near Monterey. I should be able to sell my practice and move up there. Raise horses, maybe some kids."

I felt him give me another adoring look, and I glanced down with just a hint of shyness. I wasn't ready for that kind of commitment yet.

"Sounds like a plan," Greg muttered. I could have sworn I heard some tension in his voice caused, no doubt, by envy at my good fortune.

"So how did you two meet?" Debbie asked.

"At the grocery store," I answered.

"That's my Sam. Always the romantic. I think it was fate. I was looking at the granola, and she was looking at the crackers, and our carts ended up having a head-on collision."

"Oh, that's very romantic, Alex," I said in that teasing way new couples have that is so grating on the nerves.

"I ended up following her all over the store," Mark continued, "and pretending that we kept running into each other accidentally. And then I got up my nerve to make some lame joke and ask her out. I've never done anything like that in my life. But I'd seen something in her eyes, something I'd never seen before in anyone else. And I told myself, 'This one you're not going to pass up. This is a one-in-a-million, this girl.' The more I get to know her, the more I find out there's no one else like her in the world."

I actually blushed a little at that point.

"Where did you two meet?" Mark asked, to be polite, because who would actually be interested in where Greg and Debbie met?

"He was fixing my car," Debbie explained, "and I got mad about the bill. And then I realized I was wrong, so I called back to apologize, and we started talking. A few days later he asked me out. The day after Thanksgiving as a matter of fact. We've been pretty much together since then."

"Oh," Mark replied, because, really, what could you say to a sad little story like that?

A few minutes later, we ordered our food. I was feeling much better by then. During dinner I started participating in the conversation on a more enthusiastic level. I mentioned the sailboat. I explained how Alex was trying to talk me into going skydiving with him one of these days. Sure, it sounded a little scary. But as

Alex always said, "If you want to really live, you've got to be willing to take some risks."

"I wish I could do things like that," Debbie said wistfully. "Maybe when my little boy grows up. I love him to death, of course, but it can be hard. Sometimes I'll get off work and I'll be so tired. And I'll want to just scream. But I can't be a grouch when I get home. It isn't fair to him. I think as soon as he turns eighteen, I'm going to be a full-time bitch for about five years solid to get it out of my system." She laughed and took a sip of her drink.

It made me feel bad. She had a God-awful job, talking on the phone all day to unsatisfied customers, which would probably wipe me out before noon. Then she had to come home and be a good mother. It wasn't her fault that Greg had fallen in love with her. Although there was nothing forcing her to love him back in return, and I'd have appreciated it very much if she'd knocked it off.

"How old is he?" I asked her, forcing myself to be nice.

"Ten. Not so little anymore, I guess."

"Do you have a picture of him?"

"Of course. About fifty million of them, but I'll stick to one."

She got out her wallet, and Mark and I took a look. He was a cute kid—one of those little boys with the freckles and the cowlick and wide, goofy grin.

"He's darling," I told her. "Like the All-American kid."

"Yeah," she said softly, and at that moment, much as it galled me to admit it, she seemed beautiful.

"It looks like you're doing a great job with him. He looks happy."

"I hope so. I try but, you know. No dad around. It's all I can do to get the child support checks. I keep waiting for him to blame me for his dad's leaving. I know it's coming one of these days."

"For a while maybe," I told her handing the picture back, "but he'll figure it out one day. Who was there for him and who wasn't."

She shrugged. "I threw his dad out. I had to, but I've kept a lot of things hidden from him. To protect him, you know? He doesn't know what his dad is really like. It would be wrong to tell him, I know that. But he still thinks his dad is some kind of magic guy that's gonna show up one of these days and let him do whatever he wants."

"Hey," Greg said, putting his arm around her and pulling her close. "You're not alone anymore, remember? I'm gonna help you with the little rug rat. Things are going to be easier."

Debbie smiled sadly, like she was trying to believe him, but didn't dare. We'd all finished eating by then, and as the two of them snuggled together, the waitress came over to clear our plates and ask if we wanted any dessert or coffee.

"You guys want some dessert?" Greg asked, letting go of Debbie.

"No," I said quickly, before Mark could answer, "Nothing for us." That last Greg-and-Debbie moment had just about killed me and I needed to go. Right now. "We're going to need to get going in a few minutes."

"Deb?" Greg asked, and she shook her head no.

"You guys, it's been great," I said after the waitress left. "Debbie, it was wonderful meeting you."

"You aren't going now, are you?" Debbie asked. "I didn't mean to bring everyone down."

"Oh, no, it's not that," I assured her.

"Debbie," Mark said, "we could make up some story about someplace we have to be, but the truth is we haven't seen each other since the weekend, and I've got to be up early for oral surgery . . ."

"Oh. I understand," Debbie said.

"But this was fun." Mark smiled at me and patted my hand. "We should do it again."

"Yes," I answered, my smile muscles stretched to the limits of their endurance. "Real soon."

I had mixed emotions as we walked out of the restaurant. Whatever hopes I'd had of Greg and Debbie being a short-term couple were gone. There's an energy around a couple when they've really connected. Greg and Debbie had that energy. But Mark had been brilliant, especially at the end. I'd clearly had the much superior date. Okay, it was a shallow victory, but I still won.

When we got outside, I looked over at Mark and smiled, trying to get his attention. He stared straight ahead without responding. I didn't know whether it was safe to say anything, or whether he was still in character.

"Nice night," I said to test the waters. Many people have

commented on the flair I have for small talk. "Is it okay to talk now? I mean, you're out of character, right?"

Nothing.

"I just wanted to say you were great. I mean it. Everything you said and did was perfect. That bit about my photography. And the way you suggested we needed to spend some time alone together. It was all just . . . perfect. If I was in the Academy, I'd give you an Oscar. Best performance by a male on a first date."

Did he thank me for this lavish praise the way most human beings would? No, he did not. Did he launch into a great back-and-forth conversation with me about how we'd really pulled one over on them—pulling something over on someone being one of the great and rare pleasures in life—like any other person would have? No. Nothing of the kind. He kept silent, kept walking. I waited. Nothing. He didn't even look at me.

"Did you hear me?" I finally asked.

"I heard you."

"Is something wrong?"

"Yes."

"What?"

"I really don't want to discuss it in the middle of a parking lot."

"We're the only ones here."

"I'd prefer not to discuss it until we get to the car."

"Can't you just tell me what—"

"How many times do I have to say this? I don't want to discuss it in—"

"Right. In the middle of a parking lot. Got it."

That conversation shot my good mood all to hell. I didn't have a clue why he was so angry, and now I was pissed off that he was making me jump through hoops trying to figure out *why* he was pissed off. If I wanted this kind of grief I could have saved myself some dough and gone out on a real date.

I stopped next to the car and looked through my purse for my keys. After a very few moments, Mark began tapping the top of the car impatiently. Men simply don't understand the concept of the female purse. Every item I carry is absolutely essential for my survival, and locating my car keys is a small accomplishment I can enjoy every day.

After a short interval—seconds really—I found my keys and we got in the car. I didn't say a word. As far as I was concerned, if he had the problem he could bring it up. I'd already asked him about it twice. I sure as hell wasn't going to beg him to tell me.

The minute I started backing out of our parking space, Mark began tapping his fingers against the dashboard. He stared out the side window as if the parking lot scenery was absolutely mesmerizing, letting out deep sighs about every ten seconds. I knew that tactic; I'd used it myself more than once. And I knew I'd either have to ignore the tapping and the sighing for the rest of the drive, or break down and ask him what the problem was. Which I was determined not to do no matter how much he tapped and sighed. Nope. No matter how much he tapped and sighed I wasn't going to give in and ask him to tell me what was wrong.

"Okay, Mark, what's the problem?" I asked about three minutes later, when I couldn't take one more second of it.

"You weren't honest with me."

"About what?"

"You should have told me you were still hung up on Greg."

Oh my God. No. Don't panic. He's an actor, trained to notice things other people miss. Like Greg and Debbie people, who were so wrapped up in each other, they wouldn't have blinked if I'd caught fire. Relax. Follow the example set by our great leaders. Deny everything.

"That's ridiculous," I said.

"It was all over your face. You couldn't take your eyes off him."

"You're imagining things. Greg's just an old friend."

"An old friend. God, this is so typical. Women always complain they can't find a nice guy. Alex is a nice guy. He treats you like a queen. He respects you. He's supportive. He encourages you in your work. But you don't appreciate that. You'd rather have some illiterate boob like Greg, wouldn't you?"

Of all the nerve. How dare my fake date belittle the man I'd hired him to impress.

"He's not an illiterate boob. Greg happens to be very intelligent."

"You do have it bad. I hate to break it to you, but he is nothing like the man you described to me."

"You just think Alex is better than Greg because he's an orthodontist. Well, for your information, Greg's family has money. He could have done whatever he wanted. He chose to be an auto mechanic because that's what he loves. And I respect him for it."

"Respect? Is that what you call it?"

"I keep trying to tell you—"

"Cut the crap, Samantha."

The crap he says? Here I give him all this great denial, and he calls it crap?

"I can't go to that party, let alone meet your family, and act as if Alex never saw what was going on. The whole story line has changed. The dynamics of our relationship are completely different now. If you can't talk about this honestly—"

"Hold it right there. We did talk about this. I told you I didn't feel as strongly about Alex as he felt about me. I was up front about that right from the start."

"You never told me you had feelings for someone else."

"I didn't think it was any of your business."

"It is my business as the actor portraying Alex. And as the actor portraying Alex I need to have a conversation about this."

"I don't want to have a conversation about this."

"Then I'm sorry, Samantha, but Alex can't see you anymore."

"But we have two more dates scheduled."

"He's looking for a serious relationship. He doesn't want to be the rebound guy."

"Can't you just pretend . . ."

"No, I can't just pretend. There's a big difference between being a pretender and being an actor."

I couldn't believe things had already started to go wrong

between us. One of the key advantages of the pretend, fairy-tale relationship was supposed to be the complete *avoidance* of problems. But here we were having to *work things out, talk things through, resolve our issues.*

Alex obviously meant much more to Mark than he did to me. Sometimes that happens in a relationship. Which meant if I was going to get my needs met from Alex, I'd have to start taking his emotions more seriously. Start treating him like a fellow human being, even though, technically speaking, he wasn't. And yet, he was starting to seem like one, one that had quickly gone from the perfect man to annoying as hell. One that was taking an incredible amount of my energy already on this, our first date.

"Okay," I finally said, but only under great duress which would never count in a court of law or anything, "I guess what I would say to Alex in this situation is that I still have some feelings for Greg. Maybe seeing him with Debbie was harder than I thought it would be. But I'm working them through. And that doesn't mean I don't have feelings for Alex. Feelings that over time could grow into something . . . special."

Mark nodded his head slowly.

"All right," he said. "I can work with that. But I'm going to need more energy from you. Most of the time tonight I felt like I was acting in a void. I need you to give something back."

"That's a two-way street, you know." We still had two more fake dates to go, and I had no intention of letting this evening end with everything being *my* fault, as if Alex was Mr. Perfect or something and it was only up to me to make the relationship work.

"What do you mean?" Mark asked.

"Well, if Alex is the man you say he is, and if his feelings are as strong for me as you say they are, I think he would have noticed."

"Noticed what?"

"Noticed something different about me tonight."

"Uh, you mean your outfit? Is it new? It's very becoming."

"That's not what I'm talking about."

"Have you lost some weight?"

"No."

"Uh . . . it's . . . uh . . ."

"I got a new haircut."

"Oh, that. Alex noticed. Of course he noticed," Mark insisted, with a desperation any woman would have seen right through. "I meant to say something earlier. It looks great."

"Hmph," I replied, then added, "I don't want to tell you how to do your job or anything, but I think Alex could work a little on his powers-of-observation department. And on the compliment-paying department. Those things are very important to a woman."

He wisely refrained from attempting to defend himself further, and I was able to drive in peace until I dropped him off. Whereupon, since I'd had the last word, I was able to tell him a gracious good-bye, thank him again for his performance, and give him a radiant smile as he got out of the car.

You never want the man to get the complete upper hand.

Eleven

By the second date, although both parties are unaware of it, the seeds of future conflict have already been planted.

I called Amanda immediately when I got home. I needed to get some advice about how to handle the Mark-being-upset-on-behalf-of-Alex-who-was-jealous-over-my-feelings-for-Greg situation. Modern dating is *so* complicated.

"I've been dying to hear, Sam," she said. "So? How did it go? Was he as great as I said?"

"He was incredible. Really. I mean, part of it was painful. Greg and Debbie had this moment, you know the kind, where a couple loses sight of the rest of the world for a few seconds, and you can tell how bonded they are. That was a bitch. But Mark really came through. I wouldn't say I'm exactly walking on air, but I'm glad I did it."

"Sam, you're going to need to process this. Get some paper and a pen and just spend like twenty minutes letting yourself write down whatever you feel. Whatever else this all turns out to be, it could be an incredible learning experience for you. You're going to find out all kinds of things about yourself."

At the thought of that, I sat down and lit up a cigarette.

"Amanda, there's something I want to ask you. I thought I was pulling it off pretty well, you know, Greg and I just being friends, but Mark, maybe because he's an actor, saw right through me. I played it down the best I could but he was pretty upset. It was like he was mad *for* Alex. As if Alex is a real person. I know you said he was going to take this seriously, but I guess I had no idea *how* seriously. Is he a little, I don't know, off, or is this how all actors are?"

Amanda laughed. "Those people you see up there winning Oscars? They are *all* nuts in real life. In a way that you probably can't understand, Alex is a real person to Mark."

"What's really weird is that in some ways Alex is becoming a real person to me, too. And he's driving me crazy."

"Why?"

"He's so . . . I don't know. Smug. Like he knows everything about everybody, or like he knows what you're really thinking and nothing you can say can talk him out of it."

"Doesn't that tell you something?"

"Yeah. I even pick the wrong *fake* guys."

"But he was right, wasn't he? You can't get mad at him for figuring out what you were trying to hide from him."

"I just wanted these to be some simple dates. And now . . ."

"No, Samantha, you wanted someone to pretend they were having a relationship with you. If you want Mark to be able to act in that situation, you're going to have to do a little acting, too."

"What do you suggest?"

"Pretend this really happened. You met a great new guy, but when you saw Greg, some of your old feelings came up for him, and the new guy noticed. He got jealous. So now, on your next date, you need to try and win back his trust. Like you would if you were really interested in him but still trying to get over Greg. Be extra nice, pay extra attention to him. You're going to a party, aren't you?"

"Shelley's Christmas party."

"Shelley the bountiful boob bitch? That Shelley?"

"She's a lot different now. She's gay for one thing."

"Good. That always helps straighten a person out. Anyway, just make sure that you stay focused on him. Otherwise, you may lose him."

When I called to leave Greg a message the next morning, I could have acted superior. My guy was handsome, successful, interesting, and he was going to give me a fabulous life on a horse farm. Debbie was attractive—sort of—sweet, hardworking, and a good mom, but it was no contest. Their relationship was, er, nice. But Alex and I were operating on an entirely different level, one they could never hope to achieve.

"I just wanted to call and tell you how much I enjoyed meeting Debbie," I told his machine. "Alex and I had a great time. Sorry we had to cut out early, but you know how it is. Anyway, with the holidays and everything, I'm sure I'm not going to be seeing you for a while. So have a great Christmas and New Year's. Tell Debbie hi, and I guess we'll be in touch one of these days. Take care."

I liked my message. It was casual, down-to-earth, friendly, yet not overdone. And it eliminated any need for him to call and ask me how I liked Debbie, a conversation I could definitely live without. It let him know I was going to be oh-so-busy for the next few weeks. But most importantly, it set the tone for our new relationship. Neither one of us would have to say a word about the fact that we didn't really hang out together the way we used to. I wouldn't be expecting him to call about going to a movie on Sunday afternoons, and now he'd know I wasn't expecting him to call. Fridays at Bogart's would be a thing of the past that didn't have to get explained or justified by either one of us. We could completely bypass any of those awkward, sheepish conversations that just end up leaving people feeling worse. I believe not talking about something is a valuable coping skill, one of the few skills passed down in my family through the generations.

On Friday night, Mark was waiting for me at the entrance to the mall as before. He looked great—the same slacks, but this time with a light gray turtleneck and a dark blue jacket. Exactly what my Alex would have thrown on to meet my girlfriends. I wanted to say something about what had happened on our last date, but I still couldn't pull off being in character with him when we were alone.

It was a long drive to Shelley's. Lots of deep breathing en route and some definite tension in the air. When we got out of the car and walked toward the front door I made a point of squeezing his arm and giving him a special just-the-two-of-us smile. He didn't smile back; in fact, he looked more startled than anything. I tried to think of something Samantha would say in this situation if it was a real situation, but we were at the front door and nothing had come to me. Which is pretty much what *would* happen to me if this had been a real situation, so I was a natural.

Once we walked in the door, heads started to turn. I simply stood there, basking in the glory. This was the meaning and beauty of a trophy relationship.

At first I stayed right by Mark's side, making introductions and showing him off. But before long we got caught up in separate conversations. I heard lots of laughter coming from his side of the room. He was the life of the party, and I felt a surge of pride at being the woman whose credit cards had landed such a great guy. Every few minutes I'd make a point of checking to make sure he was doing okay, not left alone holding a drink by himself, and did my best to make eye contact and give him a smile. But he seemed to be having such a good time he usually didn't see me and after a while I stopped checking so often. It looked like things were going to be okay after all. Maybe I'd imagined the tension in the car.

I was having a party-lull moment, pondering salsa versus clam dip, when Shelley came cruising over.

"Come in the kitchen, Sam. I want to talk to you."

I followed her out, and the minute the kitchen door closed behind us, she gave me a big hug.

"I'm so happy for you! He's great. And it's obvious he's crazy about you. We won't even talk about how good-looking he is, of course."

"Of course not. It's the personality that counts."

"Sam, I think you've finally got a winner this time. God, I am so happy that you finally let yourself be with a great guy. You deserve it. And you should hear the way he talks about you, with such respect."

Well, of course. Who wouldn't?

"Are you going to take him up on that offer to have a show at his friend's gallery?"

"Uh . . . I don't know. I think he's a little biased on my behalf. My stuff is okay, it's not earth shattering."

"Sam, how are you ever going to know if you don't put it out there?"

"It's just something you know, Shel."

"I think you underestimate yourself."

I shrugged.

"I love his stories about his aunt," Shelley said, wisely changing the subject. "She must have been an incredible woman. Do you think she was gay?"

"You think every woman over sixty who never got married is gay."

"And a lot of the ones who did. You know what I really like about him, though? He doesn't have any of that male ego crap. He told the funniest story about trying to unclog your sink."

"Yeah. That was pretty funny."

Shelley raised her eyebrows and gave me a piercing look.

"Oh my God. Don't tell me you don't appreciate what a great guy he is. Please, Samantha, don't tell me you're going to call in a few weeks and tell me the spark wasn't there, and you dumped him."

That's one problem with friends. Sometimes they know you a little too well. And did she have to be so damn happy for me? I was starting to feel like a real heel.

"To tell you the truth, Shel, he's not as great as he seems at first. He's actually kind of a jerk. In fact, I'm probably going to end it with him right after Christmas."

"Are you sure you're giving him a chance?"

"I'm sure. He's a control freak for one thing."

"Really? He seems so . . ."

"Excuse me. Sorry to interrupt, but we're out of ice."

"Tom!" Shelley exclaimed.

Great. I've just informed Shelley of my plans to dump Alex, making me somewhat available, and in walks Tom. Okay, Samantha, munch on some chips or something. Don't turn around. With any luck she'll just get him some ice and then resume the conversation between the two of us. Me and Shelley. No Tom needed.

"Sam, this is Tom. I've told you about him. Tom, this is my best friend, Samantha Stone. But everyone calls her Sam."

I turned around to say hello, thanking my lucky stars I had Alex with me so I wouldn't be stuck with Tom for the rest of the night when all I really wanted to do was put my head in the clam dip.

"Hi, Tom."

Tom? This couldn't be Tom. Tom was going to be some boring, three-piece-suit kind of guy that Shelley always managed to find for me.

"Hi, Sam. Nice to meet you."

Tom couldn't possibly have those piercing green eyes and curly brown hair and tall lanky build that made him look like a poet or classical pianist. No way Tom could be smiling that crooked smile that was so endearing you had to smile back. I *knew* Tom, had been meeting Tom and all his brothers any time I was unattached and Shelley had a party. And Tom had *never* looked like this.

"Tom did the landscaping we had done in the back last fall," Shelley informed me.

"It's beautiful," I said.

"Thanks."

"I was beginning to think you weren't going to make it," Shelley said.

"Sorry. I was watching *The Maltese Falcon* and I lost track of time."

I did not hear that. This adorable, landscaping Tom could not possibly be an old movie buff, too.

"I think Sam's seen that about a hundred times, too, haven't you, Sam?"

"You like old movies?" Tom asked.

"Yeah," I said nonchalantly. "And new ones. I like . . . movies." God, Samantha, could you sound any more dopey?

We all stood there a moment, pondering the significance of my remark.

"Sam is a photographer," Shelley said.

"Really? That must be interesting."

"It's all right. It's not like I work for *Time* or *Newsweek* or anything. I just, uh, do weddings mostly."

"Oh," Tom said. "I'll bet you have some stories doing that."

"If you only knew. Let's just say the soaring divorce rate comes as no surprise to me."

Tom laughed. Not just a laughing-to-be-polite laugh. A real laugh. He laughed like someone who likes to laugh, finds a way to laugh every day. His laugh was infectious and pretty soon Shelley and I started laughing, too. Maybe it was because it broke the tension, but once the three of us started laughing it took us a while to stop.

Shelley opened the freezer door to take out some ice, and as she did so Tom and I looked at each other. It was only for a moment, but it was at that particular moment that the kitchen door opened.

"Hey," Mark said, "I just came to see about getting . . ." His voice trailed off for a second as he looked first at me and then at Tom. ". . . some ice," he finished.

I stood there feeling guilty as Shelley introduced Tom to Mark. Guilty. As if I'd been cheating on Alex. Maybe I needed to stay away from men altogether. If things could go this badly in a relationship where I'd created the guy, paid for him, and only had to see him three times, I shuddered to think what might happen if I dared to go out again on a real date with an actual person.

·   ·   ·

I followed Mark out of the kitchen with the bucket of ice Shelley handed him, after awkwardly telling Tom it was nice to meet him. Mark and I managed to get through the rest of the party, mainly by keeping our distance from each other. And we managed to smile and wave as we walked down the driveway an hour later calling out our good-byes.

I knew it was coming, though. From the look that Mark had given me in response to the look I'd been giving Tom, I knew it was going to be a long drive back to his car. And as soon as we got to the sidewalk, it started.

"Why don't you ever find the keys *before* we leave?" Mark snarled impatiently as I opened my purse.

"It's not the keys you're mad about," I muttered.

"What?"

"I said it's not the keys you're mad about."

"And what is it you think I *am* mad about?"

"Here are my damn keys, all right? And I don't want to have another one of these conversations where I don't know whether I'm talking to Mark or Alex or Mark being Alex or Mark on behalf of Alex, or whatever the hell it is. If you've got something to say then just say it, but before you say it please have the courtesy of telling me just who exactly it is that's saying it. I don't think that's too much to ask."

I opened my door and got into the car. This relationship was draining me. On the one hand, I could actually see Alex's point of view. It wasn't him I was irritated at. First he'd found out I still had feelings for Greg. Then he'd caught me making major eye contact with another man on our very next date. He had a legitimate reason to be hurt and angry. As a character, that is. I *knew* he wasn't real, although he was having more of an impact on my life lately than most of the real people I knew.

Mark, on the other hand, I had no patience with. He could never come right out and tell me what was bothering Alex. Instead, he always picked something stupid, like keys, and then made me plead and beg him to tell me what was bothering him or Alex. The problem was I had to deal with both of them, and it had always been all I could do to meet the needs of one man. Two was killing me.

Mark stood outside his door for a moment, looking as if he was debating whether or not to get inside. I turned the key over and started up the engine. He opened his door and got inside. I pulled out onto the street and, right on schedule, Mark started drumming his fingers against the dashboard.

"Please don't do that," I said.

"Fine." A few seconds of blessed silence. "I could spend a lot of my emotional energy going into all the reasons why this isn't working, but what would be the point. You don't listen to me anyway."

"Before you go any further, who am I talking to? Alex? Mark? Both of you at once?"

"Why?"

"Because I'd like to say something to you. To Mark. What you saw was just a momentary eye contact thing. And yes, I suppose Alex would be upset. But can't you just pretend you didn't see it? This isn't Shakespeare. This isn't Ibsen. This isn't even a cable movie. I know you take your work seriously. I respect that. I really do. But, in all honesty, I think you're going way overboard. This is just three dates. That's all. Just three dates. And we only have one more to go."

One more date. One that involved meeting my mother who'd probably been cooking and cleaning ever since she got the news and, regardless of my feelings for Mark and Alex, both together and separately, no way was I going to stand her up.

"I don't need a great actor on Christmas. I don't even need a particularly good actor on Christmas. I need someone with a Y chromosome to be polite to my relatives, say good things about the food, and be nice to me. That's it."

"Are you done?"

"Yes."

"I don't like doing this. I never really wanted to do this. The only reason I agreed to do this was because I thought it would give me a chance to do a character spontaneously. To improve my craft. No script, no dialogue, just me and what I could do. And I don't think I asked for much, just some basic respect for my process."

"Look, I didn't mean for what happened tonight to happen. It was just one of those things. And nothing really happened. We . . ."

"You're not listening. I have no way to be Alex dating you anymore. I can't think of any way at this point to make it believable. I know him. He would break up with you tonight. This would be our last date."

Well, this was just so typical of a man. It wasn't bad enough I was already dealing with a breakup from someone that had no

157

clue I'd intended to start dating him. Now I'd have to deal with a breakup from someone I'd made up in my head. And with Christmas only days away. These men simply have no common decency.

Except for one of them. Alex. Alex Graham. He had his flaws, definitely, but one thing he definitely wouldn't do would be to end it like this. And no matter how much pain and misery might be involved, there was no way I'd let him get out of spending the most joyous day of the year with me and my family.

"Look, Mark, I've gotten to know Alex, too. And I can tell you one thing. He wouldn't have ended it five days before Christmas. He wouldn't have left Samantha with the painful task of having to explain to her family why he wasn't going to be there, especially knowing how much time and trouble her mom would have gone to in anticipation of him being there. I'll tell you what Alex would do. He'd pretend he hadn't seen the look. Yeah, he'd be hurting inside. But he, more than anybody, knows what family means. So he'd tough it out a few more days, and he'd show up on Christmas and put on a brave front. If not for Samantha, then for her family. Because that's the kind of man he is."

It seemed like the rest of that drive took forever. He didn't say anything and I knew better than to say another word. For once in my life it felt like I'd said just enough. He wasn't even tapping his fingers on anything. I took that as a good sign.

I pulled up next to his car, and waited for his answer. This silence *he* was going to have to break.

"All right," he said, opening the door, "I'll be there."

"Thank you, Mark. I know it won't be easy, but it's the right thing to do. It's the Alex thing to do."

He closed the door without looking back. I backed up and drove off and didn't look back either. One more date. Surely we could make it through one more date.

I lit up a cigarette and put on the compilation tape I'd made of all my favorite Van Morrison songs. "Reminds Me of You" came on and I suddenly had this overwhelming desire to drive back to Shelley's and find Tom and tell him the story of my life. Well, maybe not the *whole* story.

There had been that spark thing when our eyes met. The spark thing is one of those mysteries in life that science keeps trying to find explanations for, and psychiatrists offer explanations for. But anyone who's ever experienced the spark thing knows there's no scientific explanation that will ever be able to explain it.

I forced myself to put him out of my mind. Tom wasn't possible for me. Not then. I was someone who was at a point in her life where hiring someone to date her had seemed like a good idea. I know we'd only met briefly, but I had a strong hunch that wasn't what Tom was looking for in a woman.

My mother called two days later to firm up our plans about Christmas—the day known to some as The Birth of Our Lord—and to my mother as The Day Alex Was Coming. I called her back to reassure her that the miracle would occur as scheduled. Alex would be there for the Stone family gala. And yes, he was looking forward to it wholeheartedly and could hardly wait to taste her apple pie. Yes, it would be nice for him to have a real family to spend the holiday with. Yes, I did feel this would be one of the best Christmases we'd had in a long time.

I got off the phone feeling extremely depressed. I was tempted to settle down on the couch and take a long hard look at my life. I had one man I'd had a spark thing with. A man who seemed genuinely nice, laughed at my jokes (or at least one of them), who I found very attractive. A man I couldn't get out of my mind that I could not even think about letting into my life even if he was interested, which I couldn't be one hundred percent sure of, maybe I'd imagined the whole spark thing. But if I hadn't imagined it, it wouldn't make any difference because I was too much of a neurotic mess to think about having a serious relationship with someone as great as him. 'Cause I'd blow it. I knew that going in.

I had another man I couldn't seem to get *out* of my life, even though I didn't particularly want him there. A man who was actually much better looking, but who I felt no spark thing with, and even if I did, it wouldn't matter, because our relationship consisted of me paying him to pretend to be someone else that was madly in love with me. On top of which, I couldn't even stand the person he was pretending to be, so it didn't look like this relationship had much of a future either.

Just thinking about it was exhausting, let alone taking a long hard look. I compromised. I'd settle down on the couch and wrap Christmas presents instead. Think about other people for a change instead of always being so self-absorbed. Dwelling on your own problems all the time isn't healthy.

Twelve

Santa Claus is no dummy—
he spends Christmas at the North Pole.

On Christmas morning, I woke up early to have some time for myself. Read the paper—no peace on earth in sight—had some coffee and a few smokes, and then left around eight. Just get through the day, I kept telling myself. That's all you have to do. Mark is a professional, you don't need to worry about that. He'll do a great job. It would have been nice if the two of us could have ended on a more positive note, it would be nice not to have all this tension and hostility between us. It would be nice to have a delicious pecan pie to look forward to, but no, Alex has to have apple pie because his stupid Aunt Greta . . . let it go. You've got time for one more cigarette, roll the windows down so the car won't smell, don't forget a spritz of air freshener, and just get through the day. That's all. Just get through the day.

A short time later I pulled into the parking lot where Mark was supposed to meet me. I spotted him sitting on a bench, holding my mom's present. It was wrapped much better than mine. Naturally.

"Hello," I said as he got into the car.

"Hello, Samantha."

"I just want you to know—"

"Don't say anything. Let's just do this."

He was right; there was nothing left to say.

As I drove into my mother's driveway, I had a moment of regret. If only Alex was a real person, with a different personality, and we were blissfully in love for all eternity, and having one last Christmas with the family before setting off to sail around the world, a family that supported me in whatever I did and delighted one and all with their witty conversation, a family so proud of my phenomenal success as a world-renowned photojournalist, but understanding of the fact that there simply wasn't room for *everybody* at the Pulitzer awards ceremony, what with all the celebrities and dignitaries in attendance.

I parked the car, put on the emergency brake, and dropped my keys inside my purse. Mark picked up his present and went to open his door.

"Wait," I said, grabbing his arm. He looked at my hand like I'd burned him. I drew it away. "They've been waiting for you all morning. They heard the car. I can guarantee you that right now there are two sets of eyes burning a hole through those curtains there. So we have to start looking happy as soon as we exit the vehicle."

"I know what I'm supposed to do."

"Sorry. It's just—I want it to be perfect. For my mother. God knows how many years she has left."

"Let's not pretend this is for your mother, Samantha. This is for you."

"Oh, all right. But she drove me to it, believe me."

It was a quiet walk to the front door, but the important thing was that we were in this together. That was the part to hang on to. A person feels like she can do just about anything with the right person by her side.

We stopped in front of the door and I rang the bell.

"Who is it?" my mother called out, as if there was a whole crowd of charming and interesting people due to arrive.

"It's me, Mom."

The door opened.

"Samantha! Merry Christmas! Don't you look pretty. And you must be Alex."

It took a minute to recover my faculties. I had no idea who this cheerful, compliment-paying impostor might be. And what was that music? Definitely Christmas carols, but I could have sworn they sounded almost—dare I say it—contemporary? Where were our treasured Jim Nabors and Steve and Edie collections?

"It's a pleasure to meet you, Mrs. Irvington," Mark said as I stood there gaping.

"Oh, you don't need to be so formal. Please call me Theresa."

"This is for you," Mark said, handing her his present.

"You didn't have to do that."

"It's my way of thanking you for your hospitality."

"Well, thank you so much. But we were happy to have you. Oh, where are my manners? Please, come in."

As we walked into the living room, my aunt and uncle stood there waiting to meet Mark. My aunt smiled the same spooky smile my fake mom had used, all warm and friendly. As if I could be so easily duped. And the man pretending to be my uncle wore a suit and tie instead of his usual sports shirt and polyester pants—a dead giveaway.

"Samantha," my fake mom said, "why don't you introduce everyone?"

"Alex, this is my aunt Marnie and my uncle Verne. And this is Alex."

Uncle Verne shook Mark's hand, just like a regular person might do.

"It's nice to meet you, Alex," he said.

"I'm so happy you could come," Aunt Marnie chirped.

"Samantha, would you like to help us with the food?" my mom asked. "Alex, go ahead and have a seat. We'll only be a minute."

I followed my mother toward the kitchen with my aunt hot on our trail. Even though I was loaded with bacteria, they let me come right on in where the food was. The arrival of Alex had obviously warped all their basic values.

"Samantha, he's just adorable," my mom gushed as soon as we were safely behind kitchen doors.

"A regular dream boat," my aunt said. She's always up on the current lingo.

"Thanks," I answered with becoming modesty.

"I can't believe how handsome he is," my mom said.

"I can't either," my aunt agreed.

I smiled coyly.

And then I saw the food. Because of the labor involved in creating the dinner, our regular Christmas morning breakfast had always consisted of nothing more than frozen orange juice, coffee, and assorted pastries. Now there were sausage links, ham slices, fresh melon, croissants, and waffles. Various toppings for the waffles. Butter and raspberry jam for the croissants. Fresh-squeezed orange juice in a glass pitcher. I didn't know what stunned me more. That my mother had gone to all this trouble, or that she actually knew about croissants.

"Mom, what is all this?"

"Why it's breakfast, silly, what did you think it was?"

Since when did my mother call me silly? Stubborn-as-an-ox maybe she'd call me. Too-pigheaded-to-realize-you're-screwing-up-your-entire-life maybe she'd call me. But silly?

"Isn't it beautiful?" Aunt Marnie asked.

"Yeah. You sure went all out."

"Well," my mother explained to me, "men like a hearty breakfast." This was the first I'd heard of it. I guess Uncle Verne didn't qualify.

"What would you like me to carry?" I asked.

"Nothing, until you've washed your hands," my mother replied. She said it with a smile instead of exasperation. But even Alex couldn't remove the ever-present threat of salmonella I carried with me at all times.

As I came out of the kitchen carrying dishes, I heard a strange sound from the living room. There was something familiar about it, yet it felt wrong, almost eerie. I looked over, and then I saw . . . or rather heard . . .

"So you say it usually takes about three years to get a kid's teeth straightened out?"

My God. Uncle Verne was attempting to have a conversation with Alex.

"Yeah. About three years."

"Samantha's teeth are all natural, except for a few fillings. Did she tell you?"

It was too painful to watch. I walked back into the kitchen for more food.

This was how most of the breakfast conversation went:

"Alex, would you like a waffle?" my mother asked.

"Yes, please."

My mother passed him the platter of waffles.

"Alex, what would you like on top of your waffle? We have whipped butter, syrup, pecans, and fresh fruit."

"Hmmm. How about some syrup and pecans."

"All right. Samantha, I think you're the closest. Can you pass Alex the syrup and pecans?"

"Sure."

My mother and aunt watched Mark's every move as he put the syrup and pecans on his waffle. This task completed, the waffles were forgotten. As were me and Uncle Verne.

"Alex, we have sausage and ham. Do you have a preference, or would you like some of each?"

"Ham sounds good."

"Verne, could you pass the ham to Alex, please?"

Repeat of above. Finally, after all of Alex's needs had been met, the rest of us were free to begin eating.

"Alex, how is your waffle?"

"Very good, Mrs. Irvington."

"Theresa, remember?"

"It's very good, Theresa."

"Not too crisp?"

"No. Just right."

"You're sure? Because it would be no trouble for me to go right in that kitchen and make another one for you."

"He said it's fine, Mom."

"It's not soggy in the middle, is it?"

"No. It's perfect, Theresa. And may I say what a pleasure it is to meet someone who has such consideration for other people and their feelings."

Cute, Alex.

"Why, thank you, Alex. And may I say what a pleasure it is to meet a person of your generation who appreciates when a person is trying to be considerate."

Cute, Mom. Very cute.

"Yes," my aunt chimed in. "It's very rare in a person your age to appreciate something like that. Most of them think manners and consideration are just old-fashioned ideas."

Mark set his fork down, looking first at my aunt and then my mother. "To me, old-fashioned is about the highest compliment you can give to someone," he said. "It was some of those same old-fashioned ideas that survived a depression and won a little thing called World War Two."

My mother put her hand to her chest, overcome with emotion. My aunt was so affected she held her forkful of sausage in midair. If the Son of God had popped into our living room at that moment, He would have had to get his own waffle.

"My aunt," Mark droned on, "she's the one who raised me when my parents were killed, she always told me the only way to be smart when you're young is to respect the wisdom of your elders. I've never forgotten those words."

"Oh," my mother said. "That's beautiful."

"She was a wonderful woman."

"She must have been," Aunt Marnie said, her voice cracking with emotion.

"Could I have some more ham?" I asked.

"If you don't mind my asking, Alex, how long has she been gone?" my mother asked.

"Eight years. She died a month before I graduated from dental school."

"Oh, she never got to see you graduate," my aunt said, shaking her head.

"Excuse me, Mom, could you pass the ham?" I asked again.

"She must have been so proud of you," my mother—sitting right there next to the plate of ham—said.

"I hope so. That's how I try to live each day now, in a way

168

that would make my aunt proud. I don't know if I always succeed. All I know is that I try."

My uncle reached across my mother and picked up the plate of ham.

"Verne, what are you doing?" Aunt Marnie asked, temporarily forgetting the times and sorrows of Saint Alex.

"Samantha wanted some more ham."

"Well, for Pete sakes Samantha," my mother snapped, "all you had to do was ask."

I finished eating as quickly as possible and went outside for a cigarette. When I returned, my mother and aunt were listening with rapt attention as Alex told them he'd always felt he was born thirty years too late. "I'll never know the simple pleasure you grew up with. I can sit on a porch and have a glass of lemonade, but it can never feel the same as it did for you. Our innocence has been lost forever." I went back outside for another cigarette. I began to have a sneaking suspicion that I'd become invisible to my family. I didn't necessarily see that as a bad thing.

After Alex-The-Amazing-Courtesy-Man was done eating and sucking up, we retired into the living room to open presents. He offered to help clear the table, but my mother assured him that she and my aunt could take care of all that later. She then very cleverly arranged it so that Mark and I ended up next to each other on the couch. It was pretty crafty on her part. She said for the two of us to go ahead and sit together on the couch. We fell for it.

Before any of the other presents got passed out, my mother handed Mark his gift.

"This is for you, Alex."

"For me? Thank you. I didn't expect anything."

"It's from all of us," my aunt said.

"Well, thank you all very much. That's very nice."

"Go ahead," my mother urged, "open it."

Yeah, open it Alex. Santa doesn't give a crap what anyone else gets this year.

Mark unwrapped the box and opened it. He took out a bottle of brandy.

"A little birdie told us what to get you," my mother said proudly.

My aunt and mother stared at him with expectant smiles and the affection he so richly deserved, being the only person on planet Earth under the age of sixty who had decent manners and common courtesy. But something was wrong. He should have been smiling and thanking them in that Alex way of his. But instead of being his usual wonderful self, which other members of his generation could follow as a good example, he stared at the bottle with a surprised expression on his face and then gave me a funny look.

I felt a tug at the back of my brain. Dammit to hell. I'd forgotten to tell my mother to get him peach marmalade, not brandy. Alex didn't drink. How could I have forgotten that? Damn, damn, damn.

"Thank you," he said, recovering quickly and smiling at my relatives. Sure, for them he could put on an act, no problem. "This was very thoughtful of you."

I racked my brain for a way to rectify the situation as we passed out the other presents, but it came up empty. I guess it's true what they say: you do have to use it regularly. I was at a loss, but I knew I'd better do something to clear the air between us or it was going to be a long, horrible day.

"Mom," I said, after all the gifts had been opened, "Alex and I sure could use another cup of coffee. Would you mind getting us some?"

She and Aunt Marnie, and even Uncle Verne, stared at me as if I'd lost my mind.

"I'd really appreciate it. And I know Alex would."

I tilted my head toward Mark and gave my mother a serious look, letting her know I wouldn't be asking if it wasn't something important. Something important having to do with *Alex*, the repository of all her future hopes and dreams. Being asked to leave her own living room by her own daughter went against everything she believed in. But if that's what it took to produce grandchildren with perfect teeth, she'd sacrifice her convictions.

"Marnie, Verne," my mother said, getting up off her chair, "I think this might be a good time to get all of us a fresh cup of coffee and perhaps a slice of coffee cake."

On top of everything else she'd baked a coffee cake? The menu around here was certainly going to suffer once Alex was out of the picture.

Aunt Marnie leaped to her feet. Uncle Verne appeared to be having difficulty keeping up with the latest developments. Our family normally didn't have developments.

"Verne?" my aunt requested, the way maybe Patton would have. "We could use your help."

Uncle Verne rose slowly, with a dazed look in his eyes. Never, in the entire history of Stone holiday dinners, had he dared step foot inside my mother's kitchen. Now he was being invited. I hoped it wasn't too much for him. He followed my mother and aunt with a heavy step and, I'm sure, a heavy heart.

"I'm really sorry," I said after they left. "I completely forgot to tell my mother about your gift. I know I have no excuse, it's just that I've had a lot going on, and—"

"It's always about you, isn't it? I didn't even want to be here today. And this is . . . I should really just get up and walk out. It would serve you right."

"I know. I wouldn't blame you, but please don't. It would kill my mother. She went out and bought you the best bottle of brandy she could possibly find. I know you hate me, and I don't blame you, but—"

"I don't hate you, Samantha. If anything, I pity you."

People always say that like it's a nice thing.

"And you know I'm not going to leave. I could never hurt your mother like that. Not after she's been so wonderful to me."

"Thank you," I managed to say once I'd swallowed the bile back down.

"I just hope you'll take time for some self-reflection after the holidays. In my opinion, you need to think seriously about how you treat other people."

God, was I sick of this guy. He couldn't simply accept my

apology and let it go at that. No. He had to turn it into another opportunity to show off his moral superiority.

I wanted to tell him where to get off, but I couldn't afford to. Not now.

"I'll give it some thought," I said, biding my time.

A few minutes later we were all seated together again in the living room—one big, happy family—sipping coffee and nibbling coffee cake, pretending like nothing unusual had happened. Rewriting our personal history is one of my family's great talents. I settled back, ready to endure at least two hours of their favorite Christmas carols and endless questions about Alex and his wonderful philosophy of life. At least I had my cigarette breaks to look forward to. Then my mother made her startling announcement.

"Now, Samantha, we've all talked it over. It doesn't make any sense for you two to sit here all day. Your aunt and I are going to be busy for hours with the meal. Your uncle has a whole stack of John Wayne movies he brought over to entertain himself with. So why don't you and Alex go out for a while? I know you'd probably rather be alone than stuck with all of us old fuddy-duddies. We'll have plenty of time to really talk and get to know each other over dinner."

I couldn't believe it. I could leave the premises on a major holiday with no resistance, no guilt, no fears. The taste of freedom was in my mouth, but—curse the fates that rule my life— I couldn't take advantage of it. The only thing worse than spending the day with my family would be spending it with my date.

"Mom, where do you get these ideas? Do you really think Alex and I would want to be anywhere else than here? This is Christmas for Pete sakes. A day for family. We'll just stay put. Alex can watch John Wayne movies, and I can help you cook, and maybe we'll sing some carols later. Right, Alex?"

"Actually, Sam," he said, "I'd really love some time alone with you."

What?

"Of course you would," my mother agreed. "Go ahead, Samantha. You'll only be in our way in the kitchen. Not that she isn't a wonderful cook, Alex. It's just that Marnie and I have our own system. You two go out and enjoy. We'll have plenty of time together over dinner."

After years of experience I knew the taste of defeat, and this was it. My family had finally done something I'd been dreaming of for years, and they did it on the one day I didn't want them to. We stood and prepared to take our leave, putting on a convincing show until we got into the car.

"Why did you say that?" I asked him as I backed out of the driveway. "Why would you want to spend time alone with me if I'm such a horrible person?"

"I needed a break from all the pretending. I thought we could go to a movie. That way we won't have to talk to each other," he answered calmly.

I was so sick of this guy and his attitude that I almost lost my head and started to tell him exactly what I thought of him. Then I caught myself. A movie? Christmas Day, and instead of sitting in my mother's living room listening to Jim Nabors sing

"Deck the Halls" I could go watch a movie? I'd heard about this, but I'd never let myself hope that I might ever be one of those lucky souls.

"I almost hate to admit this, but that's a great idea. Going to a movie on Christmas," I said, trying to absorb the wonder of it all. "Perfect. Whoever came up with the idea of showing movies on Christmas is a genius. And possibly a saint."

"Perhaps I see it differently, since I lost my family at such a young age."

God, almighty. He was still in character. Annoying character.

"I guess you can't appreciate your family," he went on, "unless you know what it's like not to have one."

"I guess not," I said, still biding my time. The drive back after dinner, that's when I'd tell him what a complete and total self-righteous jerk I thought Alex Graham really was.

When we got to the movieplex, the place was packed. Who were these people, and more importantly, where were their mothers? How did they get away with this? And how could I get in on it?

I was in such a good mood, I let him pick the movie. Then I got myself some popcorn and a drink and a box of candy. Mark, of course, did not. Probably afraid he'd spoil his appetite for that delicious apple pie. We sat down, and I was able to forget all about him and my family and my life for two hours.

The movie wasn't half bad, and when we got out of the theater, I was practically humming. One little dinner to get through and my ordeal would be over. Might as well make the best of it. And it *was* Christmas Day. Goodwill toward men is what the guy said, and I guess he meant even asshole men.

"That was a great idea," I said with all the holiday cheer I could muster up. "Thanks for thinking of it."

"I didn't do it for you."

"Well, whatever the reason, it was still a good idea."

I fumbled through my purse as we walked to the car, hoping to avoid another lengthy key discussion.

"I had to get out of your mother's house for a while."

"Yeah, I know. They can be a little hard to take. But you're doing great with them. Better than I do."

After only a few tiny seconds of waiting—really—I found my keys, unlocked the car, and we got in.

"They mean well," I continued, determined to keep the peace no matter what he said.

I started up the engine.

"I didn't mean I had to get away from them," Mark said in that smug tone I hated, "I meant you."

"Okay," I said, my goodwill starting to crack, "I know I'm not your favorite person, but all we have to get through is dinner. I'll get us out of there as soon as it's over, I promise."

"You just don't get it, do you? You always assume it's somebody else. Your family happens to be wonderful."

"Excuse me?"

"And I think you need to change your attitude and appreciate them while they're here."

"How dare *you* tell me about my family!" I exploded, losing all sight at that point of the charade. I didn't see Mark anymore, I saw Alex. Alex and his holier-than-thou attitude. Alex who could never let go of anything. Alex who I was always having to apologize or explain things to. Alex who turned every date into an examination of Samantha's motives. And worst of all, Alex who always used his dead parents as a guilt weapon every time we had an argument. "You don't know anything about my family or what goes on in my family. You've known them for about three hours. Three hours of them being on their best behavior I might add."

"Fine. You don't have to listen to me. But just remember, they're not going to be here forever. One day you'll be standing at their graveside. Think about it."

"Oh, God, I am so sick of that line of yours! You aren't the only one who's ever suffered. You aren't the only one who ever lost a parent! I *have* stood at a graveside, you jerk. My dad died when I was nineteen."

"You never told me that."

"Yeah, well . . ."

"Mine died when I was eighteen," Mark said after a moment. "And not a day goes by that I don't wish . . ."

"He died when you were ten."

"I think I know when my dad died."

"No, you said you were ten when you became an orphan. Then you went to live with your Aunt Greta . . ."

"Not Alex's dad. *My* dad."

"Your dad?"

"And the last thing I said to him was that I would rather be dead than be him. And that afternoon he was killed in a car accident."

"God, Alex, I mean Mark, I'm sorry. I didn't know."

"I didn't tell you to try and get sympathy out of you," he snapped. "I'm trying to make you see that you need to . . ."

"No, no, no. No more trying to make me see, or trying to make me change, or telling me something for my own good. I don't remember appointing you as my psychiatrist."

"I'm just saying . . ."

"No! There's nothing you can say that could possibly be worse than what I've said to myself. You want to tell me I'm a mess? Yeah, that'll get me. I had no idea. You want to tell me I've screwed up every relationship I've ever had? Boy, there's a shocker. You want to throw it in my face that I'm sitting in my car on Christmas Day having a fight with someone, and I'm not sure whether I'm fighting with him or the guy he's pretending to be, or maybe both of them at the same time? And how nuts is that? You want to point out that maybe I need to examine myself and my behavior to see why things like this keep happening to me? Way ahead of you. But I'll tell you this. I'm not the only one in this car that has relationship issues."

"At least I can deal with my emotions," he said.

"Hah! You pretend to deal with your emotions. You put on a good show. It *sounds* like you're in touch with your feelings. But all you really do is stand back and judge and come up with little theories about why everyone else acts the way they do."

"That's it. I've had it. Let me out of the car."

"With pleasure."

I slowed down, pulled into a strip mall, and slammed on my brakes. He pushed the door open, got out, and slammed the door shut. I rolled down my window as he stormed off.

"And thanks for the worst Christmas I ever had in my whole entire life!" I shouted at him before driving off.

I felt great. Getting rid of him was exhilarating. He'd been nothing but a noose around my neck, draining off all my energy in a futile battle to try and win his approval. I lit up a self-congratulatory cigarette and inhaled. I couldn't believe what I'd put up with to try to hold on to that man. But that was over; I was free. I'd head back to Mom's and . . .

Oh my God in heaven, what had I done? I knew it was me who did it, and that me was only five minutes younger than the me who was currently thinking about it, but I still couldn't believe that was me who just did what I just did. Let loose on someone who I only had to put up with a few more hours. Someone whose only role in my life was to play a fictional character. A character named Alex Graham, whose presence at my mother's house for Christmas dinner was absolutely crucial if I had any hope in hell of salvaging this day.

What did it matter what he thought of me? Why couldn't I just let him think what he thought regardless of whether or not I agreed with him? Why was it such a life-and-death matter that I make my *point*?

I made a quick U-turn, okay an illegal U-turn, but I was answering to a higher law—the law of survival of my sanity.

"Please let him be there," I prayed to the God I was pretty

sure existed, even if He or She certainly didn't seem to have my best interests at heart most of the time. "Please. I'll apologize. I'll offer him more money. I'll do whatever it takes. But please, please let him be there."

He wasn't there. I drove up and down the street for almost an hour, trying to find him, but Mark was gone.

Thirteen

**Families are like men . . .
all the good ones are taken.**

I spent another half hour driving around aimlessly, getting
up the nerve to make the call. When I couldn't put it off any
longer—the time frame I typically operate under—I pulled into
a parking lot to use my cell phone.

"Mom?"

"Samantha?"

"Yeah, it's me."

"I can barely hear you."

"I'm on my cell."

"What's wrong?"

How does the woman always *know*?

"Alex is sick."

"He's sick?"

"Who's sick?" I heard Aunt Marnie ask in the background.

"Samantha says Alex is sick."

"How can he be sick?" my aunt asked. "He looked perfectly fine when he left here."

"That's what I was just about to ask her. How can he be sick, Samantha? He looked perfectly fine when he left here."

"He's sick, all right." What was with these people? They were acting like I was making this up or something. "He's been throwing up ever since we left. I finally had to take him back to my place and let him lie down. We've tried everything, but he's getting worse. I'm at the store now getting him some 7-Up. I would have called earlier, but we kept thinking he'd get better. Every time he tries to stand up he gets dizzy. I think it's some kind of horrible flu. I feel just awful about this, but I'm going to have to let him rest. I'll be over in a little bit, but Alex isn't going to be able to make it."

"You two had a fight, didn't you?"

Anyone who doesn't believe in paranormal activity has never met a gifted mother.

"No, we didn't have a fight."

"I saw the way you two were acting. I could tell there was something wrong. I was hoping some time alone would give you a chance to patch things up."

"Wait a minute—"

"You're too stubborn, Samantha, you always have been. You can't ever admit when you're wrong."

"I didn't do anything wrong. Why are you giving me such a hard time about this? It's not my fault he got sick, Mom."

"Whatever you say."

"You know, he's *my* boyfriend. I'm the one that should be upset here, not you."

"Really? Did you clean your house from top to bottom? Did you cook for five solid days? Did you work like a dog so that your daughter could be proud of you and your home when she brought home her special man? I did everything I could to make this a wonderful day for you. All of us did. Your aunt was over here three nights this week until after ten helping me cook and clean. Your uncle forced himself to overcome his shyness and sat there and talked to a man he'd never met before."

I didn't think shyness was exactly the correct clinical term for my uncle's condition, but I got the drift.

"They were both over here at six-thirty this morning so we could get everything ready and looking perfect for when you arrived. Just so you—" Her voice caught, the way it does when someone is fighting back tears. "Well, I guess it can't be helped. When do you think you might be back? Your aunt and I need to know when we can serve dinner."

"In about twenty minutes," I squeaked out.

"I guess we'll see you then."

"Mom—" But she'd already hung up the phone.

You start off with a simple idea. You buy a man for a couple of weeks so you can feel a little better getting through the holidays with your broken heart. You never mean to hurt anyone. But before you know it, the thing has snowballed into a nightmare, and people's feelings are getting hurt, and uncles are being forced to make small talk, and you never meant for it to go this far.

You need to get through the day, make the best of it, not only for you but for your mom and your family who went to all that trouble. And then you need to stop this thing, and never never, as long as you live, do anything this stupid again.

When I walked into the house my uncle was watching one of his movies, and I sat down to watch with him. I didn't feel I could face my mother yet. She and my aunt came out a little while later, putting food on the table. We weren't given any updates on finishing touches. And when it came time to serve the dinner, they simply put it on the table and my aunt said, "It's on."

"It looks beautiful," I said once we all sat down.

"Thank you, Samantha," my mother replied listlessly.

She started to carve the ham; I went for the tried-and-true.

"Boy, there's really nothing like a good, old-fashioned Christmas dinner, is there?"

"I suppose not," my aunt said after a long silence.

I've never felt so small.

"Alex feels really bad that he can't be here." No one answered me. "Maybe we could make him up a plate like we did for Thanksgiving, so he can see what a fabulous meal you made."

"Maybe you should wait until he's feeling better," my mother said.

"Alex wanted me to be sure and tell you how wonderful everything was this morning."

My mother nodded briefly as she continued carving the ham.

"No, really. He went on and on about the food. That breakfast. He said it was the best meal he's ever had. And he loved you guys. He just went on and on."

My mother stopped carving. "He did?"

"Yeah. He said I had the kind of family he's always dreamed of."

"He said that?"

"Yes. He said a family like ours is what makes life worth living."

"What else did he say?" my mother asked, forgetting all about the ham.

"Well, it was hard for him to talk because he was so sick. But he wanted to make sure you knew how much he appreciated the time he'd spent with us. He said, 'Samantha, I just hate to miss it. Christmas with your family is the kind of holiday I've dreamed about my whole life.' Then he kind of got sick again."

My mother dropped her knife and cupped her cheeks. Aunt Marnie gasped.

"It's okay. I gave him a bucket to use."

"Oh, you silly goose, Samantha," my mother said, gazing at me with a fondness I hadn't seen since the golden days of Alex, "don't you understand anything?"

"Don't you realize what he was saying to you?" Aunt Marnie asked. "He was dropping hints a mile wide!" she proclaimed.

"Samantha," my mother said, "he's picturing the two of you as a family."

"Oh, no, he was talking about you guys. Not me."

"Honest to goodness, Samantha, what does he have to do?

Hold up a sign? Marnie, get some Tupperware. Verne, get the ice chest out of the garage. And you, young lady, you're going right back home to be with Alex. What were you thinking, leaving him there all alone when he's so sick."

"But—"

"No buts. That's where you belong right now. We can get along without you for one Christmas dinner."

Now they tell me.

That ice chest was packed and I was ushered out the door in five minutes flat, with smiles and pats on the back and good cheer all around.

At last, the Christmas I'd always dreamed of: the family in one dwelling and me in another. Alas, it was only a temporary reprieve. Sooner or later they'd expect me back, and I'd have to go.

But sitting there in my apartment, eating dinner by myself and watching a video of *The Grinch Who Stole Christmas* (the original television classic, not the movie remake—don't even get me started on my feelings regarding this issue) didn't feel as great as I thought it would. Something was missing. Pecan pie for one thing.

And much as I hated to admit it, family. When I was there they drove me crazy, but now that I was home by myself, I missed them. Found myself wondering how the Yahtzee games were going. Right about now I'd probably be heading to the refrigerator for some leftovers, as my mom reminded me to be sure and wash my hands before I unwrapped the ham. I'd roll my eyes and sigh and wish I didn't have to be there, and now I wasn't there and wished I was.

Families. You can't live with them; you can't live without them. They can drive you crazy just thinking about them. And sometimes you wish you could get a different one, but in the end, the family you've got is probably the one you're *supposed* to have.

Fourteen

In the animal kingdom, every action has a purpose. Human beings, however, waste much of their time in pointless activities, easily observed in such practices as the making of resolutions on New Year's Eve.

I skipped Shelley's big bash on New Year's Eve. When she called to see if I was coming, I took the first step on my road to recovery, and told her I'd split up with Alex.

"Are you okay with it?" she asked.

"Yeah. It never would have worked. I think I was just so taken with his looks I kept ignoring his character flaws."

"So you're not in any deep grieving or anything?"

"No."

"Well, I don't know if you're interested or not, but Tom, who's going to be at my New Year's Eve party by the way, was asking about you."

"He was?"

"Yeah. I think he'd be interested in seeing you again. And

the party would be a nice casual way for the two of you to get to know each other better."

I was tempted, so tempted. But while you can fool a lot of the people a lot of the time, sooner or later you can't fool yourself. Not that you haven't given it a damn good try. But you are a person who has hired a man to impersonate your boyfriend. You obviously have some stuff to think about, maybe some stuff to change. Maybe it won't take too long. Maybe Shelley will have a Washington's Birthday party and you'll be ready then. But not now. As regrettable as it is, you are not ready. And you found Tom enough of an actual possibility not to want to blow it.

"I'd like to see him again Shelley, but I'm not ready for anything yet. I need to take a break from dating and relationships."

"It seems like you've been on this break for a pretty long time. Maybe you just need to jump back into the water."

"I'd drown right now, Shelley. Trust me. If I thought I could handle it, I'd love to get to know Tom. Maybe in a couple months."

"Okay. But why don't you come to the party anyway?"

"I need to spend New Year's Eve by myself. I'm going to make some resolutions this year. Some serious resolutions."

"I thought you didn't believe in New Year's resolutions."

"Well, I didn't believe the fat-free potato chip was going to happen in my lifetime, and look how wrong I was."

It was the first New Year's Eve I'd ever spent alone, and I suppose I could have felt really sorry for myself. But that's just not me.

As I began my resolution writing, it was clear that I had to get Alex Graham out of my life completely. Unfortunately, I wouldn't be the only one affected by our breakup. No make-believe relationship exists in a vacuum. My mother, for one, would take a long time to get over it. She was anxiously awaiting word of my engagement, and my relationship with her was almost as good as it had been back when she'd had some hope in me. Now that hope would be dashed forever.

Resolution number one was easy. On New Year's Day I'd take the crucial second step in ridding my life of Alex, and tell my mother that he and I hadn't worked it out. She wouldn't say it out loud, but we'd both know the reason. He was way too good for me.

Resolution number two: Deal with the Greg thing. I wasn't sure how. I started to write down "get over Greg completely." But I couldn't bring myself to do it. I told myself that maybe I was jumping the gun. It wasn't as if Debbie was this incredibly great, interesting person. It might just be a sex thing with her, and once that sizzled out, he'd get bored, the way he always did. Except with me. He'd been talking to me since he was six, and we were still at it. Maybe he'd finally realize that I was the one woman he could be himself with. He certainly wasn't being himself that night at the restaurant. That was like some diminished form of himself. Wouldn't it be great to get to be your real self and still be loved. Wouldn't it, Greg? Why can't you see . . . enough, Samantha. Do not spend the rest of the night having imaginary conversations with Greg, trying to convince him to fall in love with you. Write these words: Greg is out of my life as a lover, forever. Write them twenty-five times.

I did. It killed me, but I did it.

Resolution number three: Write those same words every day until they actually sink in.

Resolution number four: When they have actually sunk in, and you don't feel like you're going to die writing them down, and when you know for a fact that you will never do anything again as stupid as hiring a fake boyfriend, then, and only then, you may call Shelley and see if Tom is still available.

Resolution number five: Think seriously about getting motivated again to quit smoking.

I felt pretty good when my resolutions were complete. A little sad, but good. Not at the mercy of my sadness anymore and not trying to hide from it.

I picked up my book, ready to start some serious reading, and by chance happened to notice the *TV Guide* sitting there, open and all. And went to shut it because I'd been keeping my place so much better organized, and happened to take a quick peek, and happened to notice that *Casablanca* was on, had just started as a matter of fact . . . hell, Jane Austen had been dead for over a hundred years. It wasn't like she was going anywhere.

I awoke New Year's morning ready to put my plan for the day into action. The mere fact that I had a plan for the day was a good sign. Things were changing in my life already. It was the first day of a new year, the first day of the rest of my life, and thanks to my impressive work the evening before, I knew exactly what I needed to do and where I needed to go.

I didn't make any stops along the way. Didn't dash into my favorite 7-Eleven and treat myself to some of their world-famous coffee: French roast, large, flavored just so with the handy hazelnut creamer they provide for discerning customers such as myself. I didn't buy an extra pack of cigarettes, or a candy bar to fortify myself. I drove straight through, my destination firmly in mind, focused only on the task ahead.

"Who is it?" I heard her call out a few seconds after I'd rung the bell.

"It's me, Mom," I said.

As soon as she opened the door I heard the music, the drums, the announcers. I heard Aunt Marnie say, "Oh, isn't that the most beautiful thing you've ever seen?"

The Rose Parade was in full force at the Stone household, another time-honored holiday tradition. So determined had I been to start changing my life, I'd completely forgotten it was parade day. My aunt drags my uncle over every New Year's morning to watch it with my mother. He doesn't seem to get much out of it—the snoring is a dead giveaway—but my mother and aunt are transported. For a few brief hours, they can see a world they understand. Nice flowers in pretty colors. Horses with rhinestone saddles ridden by handsome, clean-cut cowboys. Young girls in formal gowns and white gloves. Marching bands. Hope for humanity.

Ever since I moved out, I'd always managed to avoid having to watch it with them. They try to understand the fact that I don't want to get up that early. I've probably been out doing God-knows-what on New Year's Eve, which they'd rather not know about anyway. Something none of those nice girls on the floats ever did. But what they can't understand is that I don't watch it at all.

"You didn't watch it?" my mother asked in shock the first year after I'd moved out.

"I wasn't up."

"But they repeat it, Samantha. You can watch it at night."

"Mom, I'm just not a big fan of the Rose Parade."

"How can you not like the Rose Parade?"

"I don't know. I've seen about twenty of them, and they all look the same to me by now."

"All look the same? Do you know how many hours it takes to make just one of those floats?" I knew she did, because she pays close attention to all the vital parade information the commentators pass along.

"It just gets boring after a while."

"Boring? I don't understand how anyone could find the Rose Parade boring. It must be all that TV you watched growing up."

That would be the same TV she and my father were usually enjoying right along with me.

Since I'd never dropped in during the parade, I don't know how it would normally have gone. But as the Rose Parade is only on once a year and myself they can see anytime, I don't think they would have dropped everything at the mere sight of me. This time they did.

"Samantha!" my mother exclaimed. "Marnie, look who's here. It's Samantha."

"Samantha?" my aunt asked, as if this news was simply too good to be true.

"Samantha who never comes to see the Rose Parade with us," Mom said, as she winked at my aunt.

"Then she must have a good reason to be here," my aunt said, winking back.

"Maybe she had a very, very, nice New Year's Eve?" my mother suggested, and then she and my aunt giggled. They giggled—my aunt and my mother—the same two people who have been scowling ever since the first reports of hippies started coming in over the news.

"Go on in the living room, Samantha," my mother told me indulgently, like I was company, "I'll get you some coffee."

I walked into the living room. Aunt Marnie was actually missing one of the floats because she had her head turned toward me with a huge smile.

"Did you have a nice New Year's Eve?" she asked.

"It was okay," I told her as I sat down.

Aunt Marnie leaned toward me. "I think I know why you're here. And I just want to tell you how happy we are for you. We both have a pretty good sense about these things. We knew he was special the very first time you talked about him. And then seeing the two of you together. Normally I don't believe in rushing things, but you two are so right together."

"Would you look at that float?" I pointed to the TV. "I don't think I've ever seen anything so beautiful in my whole life."

"You know, you've given your mother some sleepless nights over the years. I don't mind telling you that, Samantha, because now it's going to be all right. You went off the track there for a while—maybe a little longer than most people—but now you've gotten yourself the kind of man and the kind of life that will make your mother proud. I always told her, 'Theresa, sooner or later, it's what a person learns in their family that triumphs in the end. That's where their true character is formed.' And I was right, wasn't I?"

I think I'd proven that beyond a shadow of a doubt.

The kitchen door burst open, and my mother raced toward me holding a cup of coffee.

"Here we go." She handed the cup to me with a tender smile. "Did you and Alex have a good time last night?" she asked.

"That can wait. Why don't we watch the parade first? I know how much you look forward to it."

"Oh, don't be silly. It's just a parade."

My aunt and my mother smiled knowingly at each other.

"You have some news for us?" my mother asked.

As they sat waiting for me to speak, the commentator informed us that over two million pieces of wire were used to tie the flowers to the floats.

"Marnie, why don't you turn that off?" my mother said, never taking her eyes off me.

Aunt Marnie did so without a single protest. They sat smiling, waiting. Uncle Verne continued to doze.

"Mom, Aunt Marnie, I do have some news for you."

They leaned forward, the way people might do if they thought they were holding the winning lottery ticket.

"Alex and I—"

Their eyes were practically popping out of their heads.

Just say it. You made a resolution. It's time to take control of your life. Yes, it will be hard. But take the plunge. Now. Right now.

I saw the look on their faces as I braced myself to say what had to be said, and cursed the day we'd made peace with the Soviets. All of this could have been avoided with one little nuclear missile attack.

"I know you really like Alex . . ."

They both nodded.

"And I know you hoped that we'd become . . . well . . . serious."

They didn't say anything, simply stared at me while visions of bridesmaids and wedding cake danced through their heads. Staring, staring, staring. I felt beads of perspiration on my forehead. I was letting down the team. It was the bottom of the ninth, three runners on, the series title within reach, and I was about to strike out. About to dash their hope to pieces and become, once again: SAMANTHA, DESTROYER OF ALL THINGS PURE AND GOOD.

I rehearsed it in my mind one more time. Alex was a wonderful man in many ways, but I wasn't in love with him. I knew how disappointed they were going to be, but . . .

My mother cleared her throat. I looked at her and for the first time it hit me that she was growing old. Her hands lined and covered with veins, her hair getting thin. A whole host of emotions welled up inside me; not a one of them was pleasant. This was going to be so hard on her. And my aunt. And they had both had so many difficulties in their lives. I needed to learn to be more patient with them. Their generation hadn't had the same kinds of chances mine did. Was it any wonder that sometimes they were resentful?

Maybe we should all go on a vacation together. I could take them some place they'd never been. We'd rent an RV and go see the Grand Canyon or something. And maybe New Year's Day wasn't the best time to tell them the bad news. They had their parade to watch and it *was* on only once a year. Maybe . . . and then the phone rang.

"Oh, that darn phone!" my mother said, as she jumped to her feet. There was no way she'd let it simply ring, no matter what else was going on around her. She considers answering the phone a moral imperative.

"Samantha! It's for you."

"Who is it?"

"Gregory," she told me, as she rolled her eyes.

I stood up and walked over to take the receiver from her. I repeated to myself "Greg is out of your life forever as a lover" over and over, all the way to the phone. But I couldn't keep my stupid heart from doing that ridiculous pounding.

"Greg?"

"I was hoping I might find you there. I left a message on your machine, but I wanted to talk to you in person."

"What's up?"

"I wanted you to be the first to know."

"Know what?"

"We took the plunge. It wasn't planned or anything, but we

197

figured what the hell. What better way to ring in the new year? Debbie and I got married."

"You got married?" I asked stupidly, in a daze. Usually I'm an ardent believer in the benefits of denial, but that kind of announcement can puncture even the best laid defenses. I didn't realize it until that moment, standing there frozen with shock, but I'd been kidding myself. All my talk of healing and getting over him and writing down little messages to myself had been a cover for my true belief. The one I kept buried deep down in that place known by some as the unconscious and by others as the crazy place. My belief that he would maybe fall in love with Debbie, maybe get very serious about her, but in the end, somehow, some way, ultimately, he'd never marry her.

That in the end, when it got right down to it, when all was said and done, ultimately, he'd choose me. Or nobody. I could live with him choosing nobody. But her? He *married* her? Debbie?

"Yeah. We flew to Vegas last night and did the deed."

Speak, Samantha. Say something. Anything.

"You got married. Wow. Congratulations."

"Anyway, we're going to have a humungo party when we get back. So don't make any plans for Saturday night."

For the love of God, did these people have no decency? Couldn't they keep their joy and happiness in the privacy of their own home, instead of constantly shoving it in front of everyone's face?

"Uh . . . I can't on Saturday."

"Why not?"

Maybe I should have said something else. But I was still in shock, and not thinking too clearly. "Alex and I have this thing we can't get out of," I said. Invoking the name of Alex had become an automatic reflex, like when the doctor taps your knee.

"We'll do it Friday then."

"I don't know. This week is bad."

"Hey, this isn't any old party. I got married. Move some things around."

"I'll try, it's just—"

"Are you going to be on there all day?" someone hissed in my ear. Guess who. I can't believe she still has the ability to sneak up on me like that. Parents really should be seen and not heard.

"Mom, please. I can't hear."

"You there, Sam?"

"Sorry, Greg, my mom was—"

"What's so important that you can't call him back?"

"He just got married, okay? So can you please—"

"Gregory got married? Oh my goodness. Give him my congratulations."

"Mom, I can't talk to you and him at the same time."

"You mean the Gregory that used to live next door?" Aunt Marnie had arrived on the scene. "That's who got married?"

"Do you two mind? I'm trying to have a conversation here."

"Don't you have some good news for him, too, Samantha?" my mother prodded.

"Why don't you tell us all at once?" my aunt suggested.

"Sam?"

"Yeah, Greg, hold on a—"

"Samantha, for Pete sakes, your aunt and I are going crazy with the suspense."

"Sam?"

"Samantha?"

Every life has those moments where a turn is made in the road, one that will affect that life for years to come. This was one of my moments. And I took the wrong turn.

"Greg, sorry for all the commotion. It's just my aunt and my mom are kind of anxious for some news they think I might have. It's kind of an amazing coincidence, actually. See, the thing is, Alex and I . . . we got engaged last night."

I believe I called myself the biggest idiot that ever lived the minute those words were out of my mouth. But like most of my moments of self-awareness it came too late to do me any good. Old patterns are easy. They're so automatic, so easy in that split second of decision. And then, when you realize what you've done, you don't care or you say you don't care because undoing them would be so damn hard and hurt so damn much that it doesn't seem worth the effort. Even though you know that it's going to hurt worse later on. Later on doesn't have any reality then and there. Only then and there does.

As soon as they heard the news, Mom and Aunt Marnie shrieked loud enough to wake the dead.

"What's all the racket?" Uncle Verne snorted. They'd woken him up, too.

"Samantha's engaged!" my mother and my aunt shouted in unison, as they wrapped their arms around me.

"Hey, you guys, I can't breathe."

"You and Alex got engaged?" Greg asked over the general pandemonium.

"Uh huh. He popped the question right after our midnight kiss." In for a penny, in for a pound.

"Wow. Hold on a sec. Yeah. She did. Hey, Sam, Debbie says congratulations."

"Tell her thank you. Hold on. What? No, Mom, we haven't set a date yet. I'll talk to you in a minute, okay. Please? I'm back, Greg. We should probably wind this up. It's a little crazy here at the moment."

"Okay. So give me a night. We'll make it a double celebration."

"Don't make a fuss over us, really. We hate that. We'll just be regular guests."

"You sure?"

"Absolutely."

"So what'll it be? Friday or Saturday?"

"Let's make it Friday," I said, and then it hit me. Mark, the actor portraying Alex, is currently not speaking to me and may, in fact, think I am the most despicable person who has ever lived. It might take a little time to convince him to become engaged to me. "Uh, no, better make it Saturday."

All the way home I kept telling myself not to overreact or judge myself too harshly. These had been shocking and dire circumstances. So maybe hiring Mark one more time—and it would definitely be the very last time—wasn't the healthiest solution.

So I was avoiding reality. Sometimes reality sucks and it's not like I was doing heroin. And I was aware that what I was doing wasn't healthy. Not like some people who are totally in denial and don't have a clue.

And it wasn't as if I planned on using Alex as a crutch for the rest of my life. One last date, get through Greg's wedding reception, and that was it.

No matter what else happened. This would be my last time. My very last time.

Fifteen

A competent therapist can provide
a couple with the illusion that they
understand each other.

It was one thing to think about calling Mark, it was something else to actually bring myself to do it. It meant swallowing my pride, which I still had some of. Pride that is. In spite of everything I still had my pride.

In the heat of the moment I'd revealed some pretty painful things about myself to Mark, things which I was still having a hard time facing myself. Let alone facing in front of a guy I found rigid and judgmental.

But having to go to Greg's wedding reception was going to be the most painful thing I'd ever done, and I couldn't face it on my own. I'd face it afterward, Greg being married, because I'd have to. This was real; dream time was over. The illusion that we were soulmates destined to be together someday, that he would see that someday, had been permanently shattered.

But I had to get through that night. Somehow. Seeing the two of them together as a married couple. And wedding receptions are not the appropriate place to act as if you're dying inside. It brings people down. The bride gets miffed. I'd have to act happy, happy for *them*, and I hated the whole idea of them. So I'd swallow my pride and apologize to Mark, and I'd do whatever it took to convince him to date me one more time.

I phoned him and left a very nice message saying how sorry I was and asking him to call me back so we could clear the air. Nothing. Maybe his machine had screwed up. It happens. I left a second message. Nothing. Okay, maybe he was out of town, or sick or something. I called a third time just to be on the safe side. Waited another day. Nothing. Time was running out. In desperation I called Amanda to see if she'd heard from him.

"Yeah. He told me what happened. Or his version of what happened."

"What did he say?"

"He said you didn't respect him as an actor or as a person."

"That isn't true, Amanda. It was all just a big misunderstanding. I think if I could just talk to him. Explain. I hate to leave things like this."

"He doesn't want to see you."

"He's just angry right now. But I know we could work this out. And I still owe him a hundred dollars."

"Sam, you're going to have to face it. It's over between you two. Mail him a check."

"I know if we could sit down face-to-face and talk, I could explain—"

"He's not going to see you."

"Please, Amanda."

"Why is this so important to you?"

"Because . . . Amanda, Greg got married."

"Oh, Sam. I'm sorry. How are you doing?"

"Shitty. Really shitty. And he's having this party to celebrate and the thought of having to go there by myself . . . I need Alex with me. I'll do whatever it takes."

"I don't know, Sam. I hate to get in the middle of things like this. And to be honest, this is starting to sound kind of unhealthy."

"Do you think I don't know that? Of course it's unhealthy."

"Then why do it? Wouldn't it be better to just face the pain now, and . . ."

"I can't. Not now, okay? I'm a mess right now. I just have to get through that party and I'm not going to have time in the next four days to get all fixed up inside. So could you please just let me come over after your next class and try to talk to him? Please?"

"All right. I'll try to help you guys at least talk things out. What happens after that, you're on your own. And Sam . . ."

"Yeah?"

"Really think about it. Make sure this is the right thing to do for yourself."

"Lord, Amanda, if I knew the right thing to do, I wouldn't be in this mess."

The next morning I sat on Amanda's deck while she finished up her class. My mouth was dry and my stomach kept doing cartwheels, the way it does when you're trying to patch things up with a guy that a week earlier you couldn't stand the sight of and now realize how desperately you need. He had to give me one more chance. He just had to.

It was a little after eleven when I heard Amanda's voice coming from the kitchen.

"Let's go out on the deck and talk. It's such a nice day."

The sliding glass door opened and Amanda walked out onto the deck with Mark following behind. Mark spotted me as Amanda shut the door and stopped in his tracks. I smiled at him nervously. He didn't look all that happy to see me, which I guess wasn't too surprising. But still, when you've gone to all the trouble of smiling at someone, would it kill him to smile back?

"What's she doing here?" he asked, looking pointedly at Amanda.

"She wanted a chance to talk to you."

"I told you I never wanted to see her again."

"I know," Amanda said. "But I think you two need some closure."

"Mark, I thought we could at least try to clear the air," I said, giving him another smile. "I think it would be good for both of us. And I wanted to start off by saying how sorry I am for some of the things I said. And I'm truly sorry I forgot about the brandy."

"So she says she's sorry and that makes everything all right?" Mark asked, still keeping his eyes on Amanda like I wasn't even in the room and hadn't made a beautiful and sincere apology.

"I think if I'm honestly sorry you could at least respect that."

"Why?" he snapped, giving me a deadly look. I had his attention at last. "You never respected me or my work."

"I'll admit I didn't always take your work seriously enough. But I have to tell you, Mark, that last fight we had, I wasn't fighting with you, I was fighting with Alex. Like he was a real person. That's how good an actor you are, and I mean that with all my heart."

"How do you feel, Mark, when you hear Sam say that?" Amanda asked.

"Why?"

"I think the two of you are so blocked at this point, that without getting in touch with your feelings, you'll never get past your communication problems."

"That's what you think we have, Amanda? Communication problems? This goes way beyond communication problems. And you," he said, looking back at me, "still owe me a hundred dollars."

"I have it right here," I told him, pointing to my purse, "right next to my keys." He didn't even crack a smile. "Mark, I'm willing to accept my responsibility in all this. Can't you at least meet me halfway?"

"Why should I?"

"I'd like us to try again."

"You've got to be kidding. There's no way in hell I'd ever go out with you again."

"Try to speak in 'I feel' statements if you can, Mark," Amanda gently suggested.

"Fine. I feel that this is exactly why I don't want to go out with her again. First she says she wants to apologize. Then it turns out she really wants to use me again."

"I think use is a little strong," I said. "I mean, I do pay you."

"He's entitled to his feelings, Samantha. We're not here to judge, just to listen. So you're saying you feel used by Samantha?"

"Yes, I do."

"And if you didn't feel so used maybe the two of you could work things out?"

"I don't *want* to work things out. I don't trust her. I told her right from the start that I needed honesty, and it's been one lie after another."

"I may not have been completely up front, but—"

"A successful career woman who just doesn't have time to date? Greg and I are just old friends?"

"Okay, Mark, I'll own that," I said, relenting. I knew we'd finally come to that horrible point in our relationship. The one where you've tried everything else you can think of and now there's no turning back. You're going to have to be honest. "I wasn't completely straight with you. But I didn't do it to hurt you. It's just . . . I didn't know you, and the stuff that was going on with me was very painful and personal. The truth is, I started seeing you because I was hurt and angry that Greg had fallen in love with somebody else. I thought he and I . . . well, it's complicated, but I thought we'd end up together. I was devastated when he met Debbie. And the holidays were coming up, and I know I was less than honest, but please try and understand. It was such a horrible time for me. I was feeling really bad about myself, and I needed somebody to help me get through. I wasn't exactly at my best."

"Whatever."

"Whatever? I spill my guts, bare my soul, and that's all you have to say? I know you're mad at me, but can't you show a little compassion?"

"Compassion? You think you don't have a real great life because some guy dumped you?" Mark shook his head and sat down on one of the deck chairs. "I've dedicated my life to one thing. Acting. I'm thirty-six years old, I live in a converted garage with orange crates for furniture, and I've got fifty-eight dollars in my checking account. I don't have a family, and not many women are interested in a relationship with a thirty-six-year-old struggling actor. I've sacrificed all the things that most people call a life so I could act, and it's starting to look like I'm never going to make it. So excuse me if I don't cry at your sad little tale."

"You're going to make it one day, Mark," Amanda said, "I can feel it."

"Ten years, Amanda, I've been in this crummy town for ten years trying to break in. Samantha, all I ever asked of you was the chance to practice my craft. But you couldn't give me anything. I told you over and over what I needed, but you never gave an inch. You never once thought that maybe this wasn't a picnic for me, either. That maybe this wasn't exactly the kind of acting I'd been dreaming of."

Amanda nodded sympathetically.

"Sam," she asked after a moment, "how do you feel when you hear him say that?"

"I feel bad I guess." And I did. I'd wanted this to be a completely one-sided relationship, that had been my plan from the very start. The problem with one-sided relationships, though, is that the other side is a person, too. Even if you *are* paying them. They have their own histories, their own baggage. "I was under a lot of stress and I guess I didn't think about it from his point of view. And I'll admit I didn't give enough and I didn't listen. But I can. If he'd just give me another chance, I know I can be there for him."

Amanda and I looked hopefully at Mark. He shook his head. There's just no talking to some people.

"Well, we tried," Amanda said sadly, "but sometimes . . ."

"Wait," I said before Amanda went any further. "Mark, maybe everything you say is right. Maybe the two of us are impossible together. But could you just go out with me one more time as a favor?"

"Why should I do you any favors?"

"I guess there's no reason you should, but . . . here it is. Greg married Debbie on New Year's Eve. He's having a party to celebrate, and I don't want to face it on my own. I feel like I have to be there, and I'd really appreciate it if you would go with me."

"Why? So I can watch you drool over him all night?"

"I won't do that, I promise. It'll be different this time. I won't even look at him. And I'll make a point of telling everyone about our engagement."

"Our what?" he asked.

"Oh, yeah. We kind of got engaged."

We weren't going to get anywhere if he kept getting snagged

up on all these tiny details instead of trying to look at the big picture.

"You never told me that," Amanda said, looking at me like I was a kook or something. "How did you manage to get engaged to him?"

"Well, Greg called to tell me he was married, and I . . ." But before I could give a logical explanation of these easily explained events, Mark had to butt in.

"It's a ridiculous story line. You and Alex could never make a marriage work."

"So? People get engaged all the time who don't have a chance in hell of making their marriage work . . ."

My voice trailed off. I couldn't talk and be illuminated by truth at the same time. It had been right there in front of my face the whole time, and I'd missed it. We'd both missed it.

"Mark, I think I just figured out what our real problem is. You've been trying to make this a healthy relationship. But it's not. It's a neurotic, dysfunctional relationship."

Mark raised his eyebrows and cocked his head, his brow furrowed.

"A neurotic and dysfunctional relationship," Mark said slowly, pondering my words.

"Neurotic and dysfunctional," Amanda repeated. "That just might work."

"Of course," Mark said, his face growing animated. "Of course. It all makes sense now. Alex has been so damaged by the traumatic events of his childhood, he can't even see how destructive this relationship is."

"Yes," Amanda said. "He keeps coming back for more. It's as if he's still that ten-year-old, peering out the window, waiting for his mom and dad to come back."

"Exactly," Mark said. "We put on a great show in front of other people, but when we're alone all we do is fight. But that feels natural to me, too. Because I learned to put on a good show at such an early age. I couldn't afford to let people see how much pain I was in."

"I give you nothing," I said. "I don't meet any of your needs, even when you tell me what you need I just can't hear you."

"I tell you and tell you and tell you and nothing ever changes, but I delude myself into thinking that someday you'll hear me."

"I try to listen, I try to give you what you need—"

"But you can't."

"No, I just can't. I don't have it in me."

"The smartest thing the two of us could do would be to get as far away from each other as possible."

"But we're weak."

"Confused."

"Blind."

"We think we're in love."

"And it isn't love. It's just sick, neurotic, dysfunctional need."

"Exactly," Mark agreed. "Sick, neurotic, dysfunctional need."

Mark and I stared at each other dumbstruck. This was the first time we'd ever been able to really communicate with each other, and it took us both by surprise.

"See what can happen," Amanda said happily, smiling at both of us, "when two people take the risk of being completely honest with each other."

I smiled, too. Acting out a sick, neurotic, dysfunctional relationship? This was going to be a piece of cake.

Sixteen

**The longer a couple is together,
the easier it becomes to embarrass
each other in public.**

Sometimes, it's the little things that drive one person crazy about another person. The way they stir their coffee in the morning, how loudly they sneeze, their annoying laugh. With me, it was Mark's breathing exercises. Trying to drive while he was inhaling and exhaling over and over drove me nuts.

On the way to Bogart's that night for Greg's party, Mark's nose was silent. I should have been relieved, but the longer we drove, the more it bothered me that he *wasn't* doing his breathing exercises.

"How come you're not breathing?" I finally asked.

"If I wasn't breathing, I'd be dead."

"I mean you're not breathing-breathing, the way you usually do."

"I just don't feel like it tonight."

"Everything okay?"

"Everything's fine."

"I haven't done anything to upset you, have I?"

"No."

"I want you to tell me if I do. I'm really going to try tonight. I'm going to be there for you."

"Great. I just don't feel like talking now."

"Okay. But you'd tell me, right? I mean, if I'd done anything to upset you."

"Didn't we just go over this?"

"So you're absolutely sure everything's okay between us?"

"Yes. I'm absolutely sure."

"I hate to keep pressing this, but you don't sound fine. And I think if we've learned anything, Mark, it's that we have to keep the lines of communication open."

"Did it ever occur to you that maybe something is going on with me that has absolutely nothing to do with you?"

"So something *is* bothering you."

"Something I don't want to talk about that has absolutely nothing to do with you."

"Okay. I won't say another word. But this is good, don't you think? I mean, the way we're learning to open up to each other more, instead of just holding it all inside."

"Yeah. It's great."

At eight-fifteen I pulled into Bogart's, and the minute I saw the place I felt unbearably sad. A big chunk of my life had happened there. Not grand, glorious occasions, but the meat-and-potatoes kind of moments that really make up your life. Once I went through that door, everything was going to be different. I didn't know if I'd ever have the heart to come back.

When we walked inside, the place was packed. A lot of the regulars were there and most of the guys from Greg's work. A group I didn't recognize stood on one side of the room. I figured those were Debbie's people. The happy couple was seated on top of one of the pool tables, underneath a huge banner of congratulations, but I wasn't ready to face them yet.

"Let's go to the bar," I told Mark. "There's someone I want to say hello to."

Rick was busy filling pitchers of beer, so he didn't see me at first. I stood there watching him, feeling sad right down to my toes. When he finally spotted me, I managed to give him a smile.

"Hey, Sam! Looking good!"

"Hey, Rick. I want you to meet someone. This is Alex Graham."

"Hi, Alex," Rick said with a curt nod. I didn't take this lack of enthusiasm about my fiancé personally. Rick won't smile at anyone the first time he meets them, unless they happen to be Muhammad Ali, B.B. King, or one of the original astronauts.

"Hi, Rick," Mark said. "Nice to meet you."

"Rick, I wanted you to be the first to know. Well, the first besides my mother and Greg. Alex and I are engaged."

"Oh, yeah? Well, congratulations. Seems like everyone around here is getting married these days."

"Yeah, seems like. I'll take my usual and, Alex, a club soda?"

"Uh, no, actually I think a beer sounds good."

"A beer?"

"Yeah, a beer."

"But—"

"Whatever you have on draft will be fine."

"Coming right up," Rick said.

"But you don't drink," I whispered as soon as Rick turned around to get our drinks.

"Would you get off my back!" Mark hissed under his breath.

I don't know, maybe it was just me. But it seemed that as soon as we got engaged, some of the magic went out of our relationship.

"One draft and one Amaretto," Rick said, handing us our drinks. "On the house."

"Thanks," Mark said, taking the drinks from Rick. "Here you are, sweetheart."

"Thank you," I replied sweetly, the way I thought an engaged person would.

"Catch ya later, Sam," Rick said. "And, uh, don't be a stranger."

I nodded as he went back to refill pitchers. It had been his way of saying he kind of missed me, which for Rick was like a declaration of undying friendship and loyalty, and I got a little choked up. At least until I heard Mark slugging down his beer.

"You're going pretty fast with that."

"It's just one lousy beer."

"You mean after all the crap you gave me about the brandy, now you . . . oh my God. Not doing your breathing the way you usually do, drinking a beer. You're not in character, are you?"

"It'll be close enough."

"Close enough?"

"It's not like anyone's going to know the difference. We're not talking brains of the century here, are we?"

"I can't believe you're doing this to me, after everything we talked about."

"You're making a federal case out of nothing."

"Nothing! I thought we agreed that—"

"Look, I'm not an actor anymore, okay?"

"What do you mean you're not an actor anymore?"

"It means I give up, that's what it means."

"But why?"

"Let's just say it gave up on me, okay?"

"What happened?"

"Okay, since you won't drop it, I'll tell you. Don't ask me how, but my agent finally got me a read for a good part. It was small, just a few lines, and the only reason I got called in was because the original guy flaked out. But it was for an HBO series with a director I've always wanted to work with.

"Anyway, I thought I really had a chance. You know what the director told me after I did my read? I didn't have the *quality* they were looking for. He couldn't tell me what the quality was, mind you, just that I didn't have it. And that was my last curtain call. I don't have it in me anymore. I'm tired of beating my head against a wall. I'm going back to Boston and sell shoes or fry burgers, and maybe some community theater will let me paint the scenery for their fifty-third remake of *Our Town*. Now, can we drop it please."

"Mark, I know it's a setback, but you're too good to just give up like this. And lots of people go years and years before—"

"Save the pep talk, all right? I don't have anything left. I don't even care anymore."

"Sam!" Greg's voice rang out across the room. "You made it!"

I looked up to see Greg headed our way. I plastered on a smile and gave him a little wave. By the time he reached us, Mark had finished off the rest of his beer.

"Hey, you two," Greg said.

"Hey, Greg," I said, "great party."

"Thank you, ma'am. So, does it show yet? Do I look like an old married man?"

"Oh, yeah," I said, "henpecked and everything."

God, he looked so happy. But then, many of our better philosophers have proven happiness is an illusion, so all Greg's big, stupid smile proved was his own ignorance.

"Can you believe it, Sam? You know what I did today? I bought life insurance. I've got beneficiaries now."

"Well, that's, uh, great I guess. Part of being married, huh?"

"You got it. Hey, Alex, how's it going?"

The light of my life belched loudly in reply. "I'm doing great, man. Couldn't be better."

"Sam told me the good news about your engagement. You're getting yourself one hell of a girl."

"She's one hell of a girl, all right," Mark agreed, and then belched once more. "Hey. I'm out of brew, and I think we should drink a toast to *all* the happy couples. Barkeep! Hey, barkeep!"

A few of the regulars turned to look at my beloved.

"Sweetheart," I said softly, "he'll be back in a minute. He's got other customers."

"I don't have a minute. I want to toast my sweetie. Yo, barkeep!"

"Alex, that isn't the best way—"

"Can you believe this, Greg? We're not even married yet, and already it's nag, nag, nag. This is a bar, isn't it? And I want another drink. Is that so unreasonable?"

"No, of course not. I was just—"

"Let's hold off on that toast," Greg said, as he slapped Mark on the back. "I need to borrow your woman here for a minute, okay pal?"

"Sure. I'll bet it's fine with Sam, too. Isn't it, Sam? Barkeep!"

"Greg, I'd rather stay here with Alex. He doesn't know anyone and—"

"I just need a minute of your time. Debbie wants to say hello."

"Not a problem, buddy," Mark said with a gleam in his eye that I didn't like the looks of. "Don't worry about me, sweetie pie. You two go have fun."

Mark winked at us as Greg headed me away from the bar. I turned my head around as Mark bellowed for the barkeep once again. Normally Rick had no tolerance with obnoxious drunks, but I gave him an apologetic smile, and mouthed the word sorry. Rick gave me a slight nod, but I knew I couldn't afford to be gone too long. Rick is not a patient man. I braced myself to congratulate Debbie, but as we walked toward the pool tables, Greg took a sharp left and beckoned me to the back door.

"Where are we going?"

"I need to talk to you."

"About what?" I asked as he opened the door. He walked outside. I hesitated for a second or two and then followed him.

"Are you out of your mind?" he asked, shutting the door behind us.

"Usually. It's never bothered you before."

"You're really going to marry that guy?"

"Excuse me?"

"Sam, I know this whole thing has been really sudden, but don't marry that guy."

"What whole thing?"

"Me and Debbie."

"I beg your pardon. Are you trying to say I'm marrying Alex because you married Debbie?"

Where do people *get* these ideas?

"I think maybe that's a part of it."

"You are so full of it."

"I'm saying this as your friend, even though I know it's going to piss you off. He's all wrong for you."

"He happens to be perfect for me. And this has nothing to do with you getting married."

"Come on, Sam. The truth is, we've both been using each

other as a crutch for the past year. And I should have been a lit-tle more—"

"That's the most ridiculous thing I ever heard." It was time to set this guy straight about a thing or two. "Here I go and meet a great guy, the best guy I've ever met, and he's in love with me and wants to marry me, and you are so self-centered and arrogant that you think it only has to do with you."

"He's a phony, Sam. I'm sorry to say it, and I wish it wasn't true, but something about him doesn't ring true."

Some people are such bad judges of character.

"A phony? Alex? Oh my God. You couldn't be more wrong. He's probably the most genuine and sincere person I've ever met."

"Yeah? So how come he was so perfect the first time I met him, and now he's in there being an asshole?"

Greg stared at me. I could hear the music and the voices coming from inside. In a dramatic turn of events that only a short time earlier I would have found impossible to believe, I wanted desperately to be back in there with the music and the drunken asshole, not out here with Greg, who was supposed to be wildly jealous of Alex based on his obvious superiority in every way. What's the point of coming up with a great plan if other people won't cooperate?

"First of all, as I remember it, the last time you and I got together *you* had too much to drink. And the reason he's getting drunk—and he's only had one beer, so it's not like he's really drunk—but the reason he's drinking, which he hardly ever does by the way, is that he's under a lot of stress at work. He had a very difficult case this week."

"He works on teeth."

"Just teeth, huh? Well, try and eat a meal without them and then tell me they're 'just teeth.'"

"So what was the difficult case that has him so upset?"

"He, uh, had this patient, see, and she'd been wearing braces for a while, and he thought her teeth were all fixed. But when they went to take the braces off, her teeth went right back to where they'd been before. Which is, like, unheard of. And he's very upset about it. Because he cares. Probably too much. It just about broke his heart to have to put the braces back on her teeth again."

"Something's just not right about him, Sam. You know, I think you should talk to Debbie. She's been there. Her first husband was a lot like Alex. A real smooth talker until they got married. And she'll be the first to tell you that she saw all the red flags, but she kept pretending and making excuses, the way you are right now. And then she ends up with a kid and no money and a whole load of shit."

The Debbie story. Just what I needed.

"Oh, please. I think I can handle my life without Debbie's advice."

"Very nice, Sam, very nice."

"What?"

"You should hear your tone of voice. Like you're better than her?"

Of course I'm better than her. Maybe not a better person in the strict moral sense, but I'm so much better for you than she ever could be. I know you don't laugh with her the way you did with me. I know you're not free to be yourself the way you were with me. Can't you see that, Greg? Can't you see I'm better?

"I never said I was better than her."

"You don't even want to give her a chance, do you? She happens to think you're great, by the way. She's the one who pointed out that I've been being a little insensitive to your feelings."

That about made the evening perfect.

"Maybe she can't come up with the great one-liners," he went on, "but she's a good person. You should see her with that kid. Even when she's beat to hell, she tries to do her best by him. She puts us to shame."

"I think she's a great mom."

"She's a great mom because she's a good person with a good heart. I was hoping maybe the two of you could get to be friends."

"I don't have any problem with that. You know, I don't know where you get all this stuff. You're so off base about everything. I'm going back inside and say hello to Debbie and give her my gift. And then I'm going to find my fiancé and maybe have a couple of dances with him. And then we're going to leave. And I'm going to pretend you didn't say those horrible things about the man I love."

I stormed back inside. And because I happen to have the ability to rise above my own petty concerns, and be a bigger person than some people I could name, I walked right over to Debbie to give her my best.

"Sam, that is so nice," she said when I handed her my gift. "I thought maybe you'd be mad that we just kind of went and eloped. I know you guys have been friends forever."

"No, I'm just happy for both of you."

So, so terribly happy. Words cannot express . . .

"It's beautiful. I know exactly where I want to put it. Thank you so much." And then, adding insult to injury, on top of being so genuinely nice over a lousy serving tray, the woman had the nerve to give me a hug. Of all the stinky things to do to another person who hated her for no logical reason.

"Congratulations again," I said.

"Thanks, Sam. And we'd like to have you over for dinner real soon, as soon as we get all our stuff moved."

"Yeah, sure," I lied, "that would be great. Well, I should probably go find Alex."

"Okay. Talk to you soon?"

"Very soon."

I saw Mark sitting at the end of the bar and made my way toward him. It looked as if he'd struck up a conversation with someone, but there were so many heads in my way I couldn't see who he was talking to. We'd stick around for an hour or so to keep up appearances, and then make our excuses. I could make it through an hour.

"Sam, wait a minute."

It was Greg. I didn't turn around. I just kept walking.

"I'm sorry, okay?"

I stopped and turned around. I owed him that much, I suppose, since if you looked at the situation in a certain way he hadn't exactly been completely off the mark.

"Is this what you really want?" he asked. "Marrying Alex?"

"This is what I really want."

"You're sure?"

"I know what I'm doing."

Funnily enough, thunder didn't strike me dead when I uttered those words.

"Well, then . . . congratulations. I really mean that. I hope the two of you will be as happy as Debbie and me."

If only everyone could be as happy as Greg and Debbie, what a wonderful world it would be.

"I'm sure we will be."

"Good. That's—"

I didn't hear the rest of his sentence. "This garbage heap we call life," a familiar voice shouted drunkenly at the top of his lungs, drowning out Greg and everyone else in the general vicinity. "A tale told by an idiot, full of sound and fury, signifying nothing. I need another beer."

It was my beloved, proving once again that in my particular case of karma, when it comes to personal indignities, the universe figures the sky's the limit.

The bar began to quiet down and people turned to stare at Mark. People I knew. Some of them my friends, one of them the love of my life. I'd told these people I was marrying this guy, but he'd fooled me into believing he was going to play the part of a sober orthodontist. Damn the lying ways of men! It was bad enough having Greg nearby; the universe added the finishing touch. Debbie scooted right on over.

"Is that Alex?" she asked.

"Uh, excuse me," I said, not bothering to answer her question, and walked quickly toward my fiancé. He needed my love and understanding so I could get him outside, sober him up, and kill him.

"Bartender! I need you desperately. Come hither, fair bartender, and yonder moon shall hide . . . or is it the sun . . . one of the two. A beer!" he shouted. "A beer, a beer, my kingdom for a beer!"

"Sweetheart," I whispered, trying to sound affectionate, which is not so easy when you want to wring somebody's neck, "what do you say we get out of here?"

"Good idea. I want to go somewhere where people treat you with a little consideration. This bartender isn't paying any attention to me," he slurred as he tried unsuccessfully to stand up. He wobbled back and forth and then fell back onto the stool. "But I'm having a little problem with my legs."

"Why don't you let me help you?"

"Why should you help me? You don't love me. I don't even think you like me. Do you? Do you like me?"

"Alex, I love you with all my heart. Why don't you let me help you out to the car? Then we can have a long talk about whatever's bothering you."

"I want another drink."

"I'll get you one."

"Promise?"

"Promise."

"Okey-dokey. Whoops. Oh, there you are. Like this?"

"Just like that."

I clutched his arm around me as we began our endless journey toward the exit. Silence reigned at Bogart's, and I felt as if the entire world was watching me . . . and some of my entire world was.

Greg went ahead of me and held open the door. And then Rick said, "Good night, Sam," like I was just heading out after a night of great times.

"Good night sweet prince," Mark said as we went out the door.

"Good night, Rick," I said with what little dignity I could muster.

"Good night, Sam," Greg called out.

"Good night, Greg."

And then everyone else called out good night, and I started to feel a little better. But just as the door started to close, I heard Debbie—sweet Debbie who never had a mean word for anyone.

"She's not really going to marry that jerk, is she?" I heard her ask.

Seventeen

Of the many ways human beings have found to aggravate each other, nothing beats unsolicited advice.

After Mark passed out in my car, I should have left him in a ditch, but humanitarian that I am, I dragged him home, helped him to the couch, and left him there for the evening. With any luck, I'd find him dead the next morning.

No such luck. When I walked into the living room the next morning, he was dead to the world, but not a corpse. There's no such thing as justice on this lousy planet.

"Hey!" I shouted. "You on the couch. Time to get up."

He groaned and opened his eyes.

"Samantha?" he asked.

"Very good, Einstein."

"Huh?"

"This is my place. You were too drunk to drive, so I brought you back here. After you managed to completely embarrass me in front of my friends."

"Oh yeah," he said, rubbing his temples. "It's all coming back to me. Do you have to talk so loud?"

"I'm so sorry. Do you have a headache? Maybe that's because you had about ten beers in less than an hour."

"I know, I know. God, my head hurts."

"Good. Now you've got five minutes to get yourself together and get the hell out of here."

He lumbered to his feet. "I'm really sorry about last night. I was depressed, and I don't usually drink like that, and—"

"Save it. Just get out."

"You don't need to pay me if that helps at all."

"Not much. Just get out. That would help."

"Can I use the bathroom first?"

"No."

"I think I'm going to be . . ."

He grabbed his stomach and made a sound I was all too familiar with, having dealt with dates' hangovers more times than I cared to remember.

"Go! First door on the left!" He ran past me. "And you make a mess," I yelled after him, "you clean it up!"

I stood there fuming as I timed him. Five minutes passed and he hadn't reappeared. Men. You give them clear boundaries and they just won't honor them. I stormed down the hallway and heard water running in the bathroom. I pounded on the door.

"Are you about done in there?"

"I'll be out in a minute."

"That's about what you've got. One more minute, and I'm not kidding."

The water stopped, and a few seconds later he opened the door, looking really bad. I had no sympathy for him at all; I believe most people in my position wouldn't have either. Except maybe the Dalai Lama or somebody. But then again, the Dalai Lama doesn't date, which could explain his compassionate nature and the serene expression on his face.

"Sam," Mark said, as he walked out of the bathroom, "I know there's no excuse for my behavior last night. It was completely unprofessional. I'm very sorry and I hope you can accept my apology."

"Just take yourself and your inflated actor's ego, and get out."

"People always think that, but it really isn't true. Actors have to be the most humble people in the world. They have to be willing to reveal—"

"Would you just shut up and get out! I'm not kidding."

"I need to get my shoes."

"They're by the couch."

He walked into the living room, sat down on the couch, and put on one of his shoes. Just like that. I mean, he'd completely humiliated me, and he just sat there putting on his shoes. I marched over to the couch and stood in front of him, hands on hips, as was appropriate for the situation.

"I can't believe you did this to me. I really can't believe it. Would you stop with the god damn shoes and look at me."

He stopped putting on his shoes and looked at me. That's it. Just looked at me.

"Well?" I asked. "Don't you have anything to say?"

"I don't know what else to say."

"You could try apologizing."

"I did try, but you said—"

"I don't care what I said. Forget it. Take your shoes and get out."

I marched to the door ready to fling it open. He had his sorry butt about halfway there when I heard the footsteps—and then the voices. Unfortunately, they weren't voices coming from inside my head telling me to kill him. They were other human voices in other human bodies, and they were right outside my front door.

"I don't know about this," I heard one of the voices say.

"We're her friends. We can't think about ourselves. We have to think about her."

I knew those voices. Damn—the happy couple. I grabbed Mark by the arm.

"Don't make a sound," I whispered.

"I think I'm going to—"

"Ssshhh."

The doorbell rang. My plan was to stay perfectly still and not make a sound until they went away. The doorbell rang a second time.

"I don't think she's home," I heard Greg say.

"Let's wait a few more minutes," I heard Debbie say. "Maybe she's in the shower."

"Maybe we should come back."

I held my breath. They had to get hungry eventually.

"No, Greg. We're going to do this."

Like hell they were—whatever it was. And then, before I could stop him with my iron grip, Mark bolted away from me, heading toward the bathroom, bumping into the wall as he went. I held my breath, hoping they hadn't heard.

"Sam?" Debbie called out. "It's us. Greg and Debbie."

But of course they'd heard. Why would my life suddenly take a turn for the better, right at that particular moment? Still, one keeps hoping. I don't know why. One just does.

"Hold on a minute," I told them.

I ran back to the bathroom and found Mark throwing up again. I ordered him to stay put until Greg and Debbie left, and went back out to face the two of them.

"Greg!" I said. "Debbie!" I said, as if finding them on my doorstep was the most delightful thing that had happened to me in simply ages. "What are you guys doing here?"

"We need to talk to you," Debbie said firmly. "Can we come in?"

"Sure."

They walked past me, with Debbie in the lead, and Greg following her like a man who's realized he's made a terrible mistake. Or so it appeared to me.

"Do you guys want some coffee or juice or something?" I asked politely.

"No. We're fine," Debbie said.

"Have a seat."

They seated themselves on the couch. I picked up my pack of cigarettes and sat down in my favorite cable . . . er, reading chair. I took out a cigarette.

"So, what's up?" I asked.

"Uh, Sam, would you mind not smoking?" Greg asked.

"You're kidding."

"No. I gave them up. Gotta start taking better care of myself."

"It's his Christmas gift to me," Debbie said, giving him a squeeze.

Well, this was a fine how-do-you-do. Would she stop at nothing in her ruthless drive to destroy this man?

"Actually," I said, as I put my cigarette back, "I'm glad you guys came by. Alex feels terrible about last night. He wanted you to know how sorry he is. He's not used to drinking, and it went right to his head. He's feeling really embarrassed. I think this whole engagement has him freaking out a little bit. Me, too, if I'm honest. It's a big, big step. But then, I guess I don't have to tell you two that, do I?"

"Sam, we're not going to beat around the bush," Debbie said, as if I hadn't spoken at all. "First of all, I want you to know that coming here today was my idea. And even though you may get mad, I had to. Because someone did this for me once, and it saved my sanity. I only wish I'd been ready to hear it sooner. I just don't want you to get mad at Greg or anything. If you're going to get mad at anyone, get mad at me."

"What am I going to get so mad about?"

"I've been there, Sam. I know the excuses and the denial.

And most of all, I know the pain. Loving someone and not wanting to admit there's a problem. But Sam, you have to face it, or you're going to end up knowing the kind of misery I knew. My first husband had the same problem. Sam, okay, here goes. Alex is an alcoholic."

"What?"

"He's an alcoholic."

"That's ridiculous. An alcoholic? Alex? He never drinks. That's why it went to his head last night."

"Listen to me. I think on some level Alex knows he needs help. That's why he tries not to drink. Like that first night when we all went out, and he only had club soda. But as soon as there's any stress, like your engagement for example, he can't handle it. And sooner or later he picks up that first drink. For an alcoholic there's no such thing as a first drink. There's just the first of many. Too many. And the whole cycle starts all over again."

"Look, I appreciate your concern, but you're way off—"

"Sam! Listen to me! I lived it! I know what I'm talking about."

"No, Debbie, you don't. I'm sorry about the problems you had with your husband—first husband—but Alex and I don't have those problems. We're completely happy. And we're going to have a wonderful marriage."

"Oh, Sam. I know you want to believe that. Especially now . . ."

Her voice trailed off. Greg looked down at the ground.

"I don't follow," I said. "What do you mean, especially now?"

"Nothing," Greg said quickly. "She didn't mean anything."

"You guys come barging over here, telling me how to live my life, and all of a sudden you want to change the subject? Why stop now? Go ahead, Debbie, say what you had to say."

"All I meant was that I know this is a hard time for you."

"Why would this be a hard time for me? It's probably the best time of my life. I'm engaged to marry the most wonderful man on earth."

"Sam, don't be mad. But I know that you and Greg spent a lot of time together this past year. And I know this is a big adjustment for you. Our getting married and everything."

Was this woman off in left field or what?

"It's really not a problem."

"It's okay, Sam. I'm not going to get all jealous. I know how close the two of you have been. I'm sure you still have feelings for Greg, and that's okay. I'm sure on some level he still has some feelings for you, too."

"Friendship feelings."

"But that's not the point, Sam."

"What is the point?" I asked wearily.

"If you marry Alex, what you went through last night is going to be your life. And you deserve better. Don't just grab on to the first guy that comes along."

"He's not exactly the first guy that came along. He's just the best guy that came along."

"Oh, Sam," she said sadly, like I'd just told her I'd put on five pounds or something.

"Look, you guys. You've had your say. I've listened. And now we're done."

"No, Samantha," I heard a familiar voice say, "Debbie's absolutely right."

I was actually surprised to see him—Mark—as he walked into the living room. I don't know why. My karma's basic purpose in life has always been to make a bad situation even worse. You'd think I'd be used to it by now.

"Oh, God," Debbie moaned. "Why didn't you tell me he was here? I'm sorry, Alex. Not for what I said, but for how I said it. It's not that I don't like you—"

"Alex, sweetheart," I interrupted, "there's really nothing more to say about this, is there?"

"Yes, there is," he said, stopping to stand in front of me. "When I said you were right, Debbie, I meant you were right to come over here. She's being a friend, Samantha. I embarrassed you and probably ruined their party, and they have a right to know why. I think your friends deserve to know the truth."

"I don't think this is the time or the place—"

"The truth is, you're too good for me."

No one moved. No one said a word. I was deeply gratified that no one burst into uncontrollable laughter.

"No, Debbie, I'm not an alcoholic," Mark continued. "What you saw last night was a mistake. I'd taken some allergy medication, and I hadn't had anything to eat since lunch. That first beer hit me pretty hard. I'm not used to drinking and I lost control. I apologize to you and Greg for any embarrassment I caused at your party."

"That's okay," Greg muttered. "You had that teeth thing, too."

"I told him about that patient of yours," I said quickly. "You know, Alex, the one whose teeth all moved back."

"Oh. Anyway, the important thing I had to say was to you, Samantha."

He knelt down next to my chair.

"Last night was the first time we'd been out together in public as an engaged couple, and all my old insecurities came to the surface," he said in a shaky voice. "Ever since we became engaged, I've been waiting for you to come to your senses. Sometimes it's just too hard to believe that an incredible woman like you is actually willing to marry me. When you're only a kid and your parents never come back one day, the scars never completely heal. I thought I drove them away. I thought I'd done something wrong, or that something was wrong with me. I've carried that feeling around inside of me most of my life."

I stared at him, speechless, as tears started rolling down his cheek.

"It didn't matter how successful I became. I always felt like I wasn't good enough. Especially with you. I don't know how you feel about me right now. I wouldn't blame you for throwing me out on my ear. But if you're willing to give me another chance, and be patient with me, I'll spend the rest of my life being the best husband and lover and friend I possibly can."

"Oh, God, Alex, don't cry," I said, caught up in the moment, "it's going to be okay. Of course I'll give you another chance." I put one of my hands over his.

"Alex," Debbie said in a choked voice, "that's just about the bravest thing I've ever heard a man say. I want you to know how much I admire you, and I'm sorry for jumping to the wrong conclusions. Come on, Greg. These two probably want to be alone."

She and her better half stood up and prepared to make their leave. The sound of Debbie's voice had brought me back to reality, and I have to say, reality being what it was, I did *not* appreciate it.

"I hope you know how lucky you are, Sam," Debbie said, with a touch of envy in her voice, "having a man who's able to talk about his feelings like that."

I nodded, and Debbie gave us one last smile before she walked out the door, the kind of smile women save for puppies and inspiring love stories. Greg kept his face staring straight ahead of him all the way outside.

The door closed, and it was just the two of us. Mark still had tears glistening on his cheeks, and I realized I still had my hand nestled over his. I removed it quickly, feeling awkward and clumsy, as if I'd walked into the middle of someone else's love scene.

"God, you were great," I told him to break the spell. "You almost had *me* crying."

"It wasn't too much?"

"No. It was just right."

"I felt that, too, but sometimes you're so close to the material . . ." Mark got to his feet slowly and wiped the tears off his face. "That was really good, wasn't it?" he asked, looking at me for confirmation. "It's been so long since I had a great scene. I'd forgotten what that felt like. The rush that happens when you really pull it off . . ."

He walked over to the couch and sat down, cradling his head in his hands.

"Do you want an aspirin?" I asked.

"I can't," he said morosely.

"I think I might have some Tylenol."

He shook his head.

"No. I mean I can't give up acting. I want to and I should, but I can't. I should face reality, face the odds, do something else with my life, but I can't bring myself to do it."

He closed his eyes, his back hunched over like an old man. I knew how he felt, wanting something that bad and not being able to have it, not being able to let go of it, either. Stuck there in the mud and it's killing you but the dry land doesn't hold any appeal. Right then he was suffering something I'd suffered and was still suffering, except for this difference. And it's kind of a big one. The one or two things I'd wanted in life I hadn't been willing to take a real risk for or tough it out over the long haul. Like maybe saying something to a certain person. Like maybe putting in some more time and more work with my own photography to see if maybe . . . but this line of thinking certainly wasn't going to help Mark feel any better.

"Mark, I know you feel like really bad right now, and I know you've had some tough breaks, but at least you have a dream, a passion. Something you're willing to put your whole life on the line for. Even with the odds and the struggles, I'd kill to have something like that. Most people, like me, just kind of bumble along from day to day."

"Samantha, please. I know you're trying to help, but this isn't—"

"I still remember what it felt like when I started getting into photography. I was going to school and working and spending every spare minute I could in the dark room, sleeping about four hours a day if I was lucky, and I never ran out of energy. Having that passion just made everything so . . . I don't know. Alive. And I still remember what it felt like when I realized I didn't have the gift and photography just became a way for me to earn a living. I'm a very good wedding photographer, but that's all I am. All I'm ever going to be. I'm not sitting here feeling sorry for you if that's what you're thinking. I'm sitting here wishing I had something to care that much about."

He opened his eyes and looked up at me, and it felt a little weird, like maybe for the first time he was seeing me as a person.

"Maybe you just haven't found your real passion yet," he said.

"Maybe. Maybe I got lazy, or maybe I didn't give it enough time, or maybe I don't have what it takes . . . I don't know. I never found my thing, or my viewpoint, or whatever you want to call it. Vision. A way of seeing things in a new way. Otherwise, it's just a Kodak shot." I stood up. "Anyway, do you want some coffee or something before I give you a ride back to your car?"

"Coffee might help a little. Thanks."

"Who do you think has it?" he asked as I walked toward the kitchen.

"Has what?" I asked.

"That kind of vision you're talking about."

I stopped and turned around.

"My favorite photographer is Diane Arbus. I just love her. Maybe she wasn't technically the most brilliant photographer of all time, but she would take pictures of people that everyone else thought of as freaks, and she'd find something in them. She had this great quote where she said the maimed and deformed were the real aristocrats in life, because they'd been up against it since the day they'd been born."

"Wow."

"Yeah. I also kind of hate her, too. See, she had this other quote where she said she thought she'd made people see in her photographs something that only she could show them. And when I read that, that's when I knew what was missing from my own work. I got the techniques right, I just didn't have that. That unique way of seeing. And why I'm telling you this I have no idea."

"I'm glad you did."

"Why?"

"Don't you like it when someone tells you something real about themselves?"

"Yeah. I guess I do."

I made the coffee and we ended up doing something that morning that we hadn't done in the entire time we dated. We talked.

He told me how seeing James Dean in *Rebel Without a Cause* on TV when he was twelve years old had blown him away. He'd taken drama in high school, had the lead in the senior play, but once he got to college he'd tried to put it out of his head. Making it as an actor was too risky. Started off majoring in business, then marketing, finally decided to go into teaching. Taught high school drama for a few years, and then, one night, watching one of his kids onstage, seeing the kid was *good*, felt like he was watching himself up there, the self he'd given up.

He spent a couple years taking classes, doing community theater, saving money, talking his girlfriend into coming with him. Promised her and himself that he'd give it five years. If he hadn't made it by then, they'd return to Boston. She only lasted in L.A. for six months before heading back home. And when his five-year deadline came up, he decided to give it one more year. And every year after that it was the same. He'd get a nibble, a call back, sometimes a bit part, a commercial, and think maybe this was it. The part that would get him noticed by somebody.

I told him that *Rebel Without a Cause* had blown me away, too, the first time I saw it. He asked me who my favorite actor was.

"Why that would be you, of course."

"Besides me."

"I guess I don't really have a favorite actor. I have favorite performances."

"Which ones?"

"Let's see, off the top of my head . . . Olivia de Havilland in *The Heiress*. Dana Andrews in *The Best Years of Our Lives*. Ummm . . . Shirley Booth in *Come Back Little Sheba*."

"You're an old movie buff."

"Yeah. New ones, too. The guy that played Randall in *Clerks*. He was hysterical. Kevin Spacey in *The Usual Suspects*. Ummm . . . oh, did you ever see *Flesh and Bone*? Meg Ryan, Dennis Quaid, James Caan, and Gwyneth Paltrow?"

"No."

"Everyone in it just knocked me out. Even the small parts. There's this one guy who plays Dennis Quaid's employee, and he tears your heart out in a two-minute scene. And this woman you only hear on the phone for about thirty seconds and this other one eating candy bars . . . but it's like you *know* them. I love those moments you get in a movie sometimes where you just catch a glimpse of somebody but it's like you see their whole essence . . . what about you?" I asked. "Who's your favorite actor?"

"It's not an original answer, but for my money, Marlon Brando in his best roles is the best that's ever been."

"He was pretty amazing. *A Streetcar Named Desire*? Here he is, this completely revolting character, and you can't take your eyes off him."

We talked for another hour, mostly about movies. Mark really knew his stuff. On the drive back to his car, he explained some of the finer techniques of film making. Turns out I'd completely missed the whole metaphor thing. We even talked a little bit about books. I couldn't contribute much beyond what I'd read in college and the first two chapters of *Emma*, but I listened attentively and asked very intelligent questions.

"Well," I said, as I pulled into the Bogart's parking lot, "I guess this is it."

"I guess so. I really am sorry about last night."

"You made up for it. Of course, Debbie's going to be devastated when she finds out we split up. She was crazy about Alex. To say nothing of my mom. You're the son-in-law she's always wanted."

"What about you? Are you going to be okay?"

"Yeah, I think I am. Greg's married. There's no getting around that. But I got through the reception and I'm still alive and life goes on. And it's time for me to get on with mine. So as soon as we say good-bye, I'm going to tell my mom it's all over with me and Alex."

"What reason are you going to give? Let's face it, Alex was a pretty great guy."

"You don't want children."

"Samantha, Alex definitely wants children. Family is the most important thing in the world to him . . ."

I gave him a look.

"Sorry. Force of habit."

"You know Mark, before you go, there is one thing I want to tell you. Well, two things actually. One is, as weird as this whole thing was, it gave me something to focus on which I really needed. In retrospect it probably would have been better to take up stamp collecting or something, but this helped get me through. And the other thing is, I'm not normally this weird.

I'm weird, but not this weird. So I want to thank you for putting up with me and all this and I just hope it wasn't too awful."

"It wasn't. And I like weird girls."

"Then you must be crazy about me. Anyway, I should probably get going. I need to go break my mom's heart before I chicken out."

"Good luck. And take care."

"You, too. Thanks for everything. And I'll be looking for ya at the movies."

I watched Mark get into his car, and waved good-bye before I drove off. Turning onto the street, I felt a little sad. Mark and Alex and I had had our ups and downs for sure. There had been times I'd wanted to kill the both of them. But now that it was over I could see they weren't such bad guys. Under different circumstances we might even have been friends. The three of us just couldn't make it as a couple.

And I'd never forget them. We had a history together. A neurotic, dysfunctional history, I grant you, but still. It's never easy to let go.

Eighteen

**Being the bearer of bad news
is more than most of us can bear.**

$\mathcal{D}$riving over to Mom's house, I followed Mark's lead and did some breathing exercises of my own in order to stay centered. I'd called her on my cell to tell her we needed to discuss the wedding. Mom was thrilled, thinking the nuptials of the century were about to be launched. It wasn't going to be easy breaking it to her. I'd have to try to get her to look on the bright side: I'd actually been engaged to a great guy for a few weeks. This was huge progress for me. Most of the men in my life hadn't held any promise right from the start.

"I'll just be a minute," Mom said when she answered the door. "Go on into the living room. I've got something to show you."

I walked inside. There were enough catalogues and bridal magazines piled on the couch to help ten women get married. I glanced at them for a moment and sat down. I'd only been engaged for eight days. I had no idea my mother would go to all this effort in such a short period of time, as if this was an occasion she'd been waiting for her whole life or something. As soon as I broke it to her, I'd bring up the vacation idea. Me and you and Aunt Marnie and Uncle Verne, we'll go someplace you've always wanted to see. We'll . . .

"Samantha, close your eyes, please," she called out to me from the hallway.

"Why?"

"I have a surprise for you. Just close your eyes."

"Okay. They're closed."

"Are you sure they're closed?"

"Yes, Mom. The whole room went dark."

"Oh, you're such a goose. You can open them now."

I opened my eyes. My mother stood in front of me, smiling shyly, holding her wedding gown in front of her.

"Before you say anything," she said, "I want you to know this is just an idea. You don't have to wear it if you don't want to. I just thought I would offer."

"It's beautiful."

"Do you really like it? You're not just saying that?"

"No, I mean it. It's a beautiful gown."

And it was. The bodice was a shimmering panel of tiny beads, and then it flared out into a paneled skirt with a beaded gown.

"I've saved it all these years hoping . . . but I don't want to force you into anything. This is your wedding, and you should wear what you want."

"It's absolutely gorgeous. I love it."

"I'm so glad. Now I know we'll have to get it altered, but I think it will look just lovely on you, Samantha. Just . . . lovely."

Oh, God. This was going to be awful. What had I been thinking? I hadn't been thinking, obviously. And I had many fun-filled hours ahead to look forward to when I could berate myself for my stupidity, but right now I had to get this done. Hanging on to a relationship that wasn't working—and didn't actually exist—would only prolong the agony. For her and me. A clean break was the only way.

"Mom."

"Yes?"

"We need to talk about the wedding."

"Certainly. Let me just set this over here. I have a few catalogues you might want to take a look at."

She laid the dress down across a chair, and sat down on the couch, beaming at me. I was starting to feel like the kind of person who leads a puppy on, playing with it, getting its hopes up, only to leave it behind at the pet shop without a second glance.

"Are you sure you want to wear the dress, Samantha?"

"It's beautiful. I really would, but Mom—"

"Samantha, before we talk, I want to see how it looks on you."

"Now? I really think we should talk first."

"Let me just hold it up in front of you."

"Mom—"

"Humor me. I've been waiting for this moment for thirty-four years."

She walked over to the couch and picked up the gown.

"In a minute, Mom, okay? I need to—"

"Samantha, just this once can you please do as I ask?"

Just this once?

"I guess so."

"Good. Let's go in your old room. It has the full-length mir-ror."

She led; I followed. It was a pattern we'd established early on.

"Stand in front of the mirror so you can see yourself."

"So that's what those things are for."

"Here. Hold it up in front of you, and let me see how it looks."

I held up the dress and took a good look at myself. I gasped a little; so did she.

"It's perfect on you," she said, and she was right. This was the first item of clothing we'd agreed on since I was twelve. It was simple and elegant and sexy in the way old movies are sexy. Like something Ginger would have worn to marry Fred. And it fit perfectly, as if it had been designed especially for me.

"Imagine how beautiful you're going to look walking down that aisle," I heard her say.

I did imagine it; I couldn't help myself. It was hypnotic standing there with that dress. I could picture it so clearly. Me—the bride. The center of attention. It's my day. The music plays; the crowd stands. I saw myself walking down the aisle, all eyes riveted, people nudging each other to whisper how radiant I looked, as the groom gazed at me with worshipful eyes.

"You could wear your hair up with some baby's breath and maybe a simple veil if you want," my mother said.

Baby's breath. Yes. And in my hands a small bouquet of . . . snap out of it, Samantha. There is no groom, no wedding, no cutting of cake or throwing of rice in your immediate future.

"Mom, about the wedding . . ."

I saw her reflection in the mirror. She hadn't looked at me like that since . . . actually, I couldn't remember her ever looking at me that way. Even the lines in her face had relaxed. I couldn't ever remember her being that happy, and now I was going to be the one to destroy that happiness which it felt like I had been doing my whole life. I looked down at the floor, I couldn't see her face and say the words I had to say.

"Yes?" she asked, and her voice was so soft and soothing I made the mistake of looking at her face again, reflected in the mirror, and at the thought of how that face was going to change when I broke the news . . . I lost my nerve.

"We want to keep it simple," I said.

She stood there beaming as she gazed back at my reflection. "Whatever you want, Samantha, you know that."

Nineteen

**Every relationship is a series
of constant negotiations.**

I gave my mom an excuse about a last-minute photography appointment and got out of there as soon as possible. Who's in charge of our mouths I'd like to know. I know I have a brain. Maybe not a deluxe model, but still. I can read, write, do simple arithmetic, navigate the freeways of southern California, something's ticking in there. So how does my brain always get outwitted by my mouth? Why am I always saying stuff I either have no intention of saying, or saying stuff that makes sense at the time but an hour later I can't for the life of me figure out why I said?

Alone in the car, with no one to talk to and therefore maybe giving my brain a fighting chance, I thought over the situation. And by the time I pulled into my parking spot, had what I thought was, considering the situation that I was in, a pretty good way to get out of it.

As soon as I got inside my apartment, I left Mark a message, asking him to call me when he returned. He got back to me a few minutes later.

"Sam. Hi. I was in the shower when you called."

"A likely story."

"How about I just walked in the door."

"Much better."

"So, I, uh, didn't expect to hear from you."

"Something's kind of come up. Could we meet somewhere? Maybe for dinner? I want to ask you something, but it's kind of complicated and it would be easier in person."

"We could do that. I know this great Italian place, if you like Italian food."

"I love Italian."

"Great. What night works for you?"

"The sooner the better."

"Would tonight work?" he asked.

"Amazingly enough, I'm free. Tonight would be great."

He was already there when I got to the restaurant. We greeted each other a little awkwardly. It felt weird to be meeting like this, without anyone being on salary. After we'd said hello, and established we were both doing okay and great respectively, I followed him to the hostess desk, and a few minutes later we were seated.

We talked about weather and traffic as we looked at our menus. I asked if he'd ever had the manicotti. He had and recommended it highly. I told him about a movie I'd seen recently with what I thought was a really interesting performance by the leading man. I was in the middle of telling him why I thought it was so interesting when the waitress came over to take our order. The minute she was gone, I took a few sips of wine to get my courage up.

"Well," I said, "I'll bet you're wondering why I wanted to see you. This is a little bit awkward, so bear with me."

"Maybe this will make it easier," Mark said as I set down my wineglass. "I think I've got a pretty good idea what you wanted to talk about."

"You do?" I asked.

"I think so."

"That's amazing. I guess that kind of insight into other people is part of what makes you such a great actor."

"You think I'm a great actor?" Mark asked, looking down at the table as he asked, his cheeks coloring slightly.

That's when I knew. The guy I was going to ask to stage a breakup with me in front of my mother was interested in me. He must have thought I'd asked him here on a sort of testing-the-waters situation, an exploratory date if you will. Now I'd have to figure out a way to tell him I needed him to help me publicly end our relationship, but without hurting his feelings about not being able to date him. The single life is a never-ending challenge.

Part of me was so incredibly flattered, and started to feel some of the juices flowing again that hadn't flowed in a long time. It wasn't like that spark thing I'd felt with Tom, but Tom was probably a pipe dream anyway. And what did I even know about Tom, other than that he was a landscaper, liked movies, and had laughed at one of my jokes. Tom could be a serial killer for all I knew.

Mark was smart, gorgeous, talented. He could be a little smug at times, especially when it came to his acting, but underneath it all, he was a good guy. Interesting to talk to. Really seemed to listen, which is so rare in a man. And that sweet little ass of his . . . but none of that mattered. It was too late for us now. We had to end our relationship once and for all, for everyone's sake.

"Of course I think you're a great actor. And I think I've learned a lot from you, especially about what makes a story line work. And it doesn't feel like the story is through, does it?"

"No, it doesn't."

"That's why we need to break up in front of my mother. She's such a crucial part of the story. And unless she can witness exactly why we break up, and sees the *rightness* of our breakup, well, I'm afraid Alex Graham will haunt her for the rest of her life."

"What?"

"Mark, okay, this is embarrassing, but what the hell, you've already seen me at my neurotic worst. My mom is so excited about our engagement. It's the first time she and I . . . I'm not the daughter she wanted. I never will be. And marrying Alex is the first thing I've ever done that made her proud of me. I went over to her house this afternoon, and she got out *her* wedding dress for me to wear at *our* wedding. If you could have seen her face . . . I couldn't do it. I could not tell her we weren't getting married. Which I know is really my problem not yours, but I'd like to hire you one last time. I swear, this will really be the last time. I need you to come over to her house with me, supposedly to plan our wedding, and help me stage a breakup that everyone can live with. Otherwise, the way things are going, I'm going to have to hire you for the next ten years to marry me and have a couple of kids."

I thought I'd done that very well. Not shown even a hint of awareness that I was aware that he was interested in me. He could save face completely, make a little money, and everyone could walk away with dignity. But he just sat there staring at me.

"Look," I said nervously, still trying to give him an out, "I know you're probably sick of playing Alex Graham. And I know I've been a gigantic pain in the ass. So, for all the trouble and everything, this time I'll pay you two hundred dollars. It shouldn't take more than an hour. That's a pretty good deal."

"That's why you wanted to see me?"

"Yeah."

"Oh."

He didn't say anything else, just "oh." And then just sat there looking down at his plate.

"Did you think this was about something else?" I asked, even though I didn't want to. Even though I'd thought my clever maneuvering would keep us from avoiding this conversation. But you can't just sit there letting someone stare down at their plate, looking glum, and act as if nothing's going on.

"I guess I thought we kind of connected this morning."

"We did, Mark. It was a great conversation. I really liked talking to you."

"I liked talking to you, too," he said, looking up at me. Our eyes met for a moment, and I got this picture of us having great talks about movies and books and life. Spending long nights in front of the fireplace reading poetry together, except I didn't have a fireplace. But still. And he'd have to choose the poetry since I hadn't read much of it since college although I'd always meant to, I'd always liked that one about the two roads. Maybe he had a fireplace . . . but it would never work between us. We'd started out down the wrong road and it was too late to get back on the right one.

"I like you, Mark. And if things were different . . . but we both sat in that living room and told my mom all about your life as an orthodontist. And your tragic beginning as an orphan. And all my friends. How can we undo that? There's no way to make it work, now. It's too late. I made a big mess of things and now I have to clean the mess up. The only thing left is for you to come to my mom's house on Friday morning at ten, when she and my aunt will be there to start planning the wedding, and at an opportune moment let it drop you don't want children, so that I can painfully and regretfully tell you I can't marry you."

"You say you want to clean the mess up. Why don't you really clean it up? Why don't you be honest with them? Tell them what really happened. Take a chance on that so you could take a chance on us?"

I had no idea how to answer that question. By its reaction I could tell my stomach wasn't too crazy about the idea. Fortunately, before the silence got too unbearably long, the waitress arrived with our food. I tried to engage her in some conversation for a while, but I guess there's only so much you can say about pasta. Only so long you can delay the inevitable. After rearranging the manicotti on my plate in as many variations as I could conceive, I finally spoke.

"Mark, I'm really sorry, but I can't. I don't know if we would work, and you're asking me to change a lifetime of dynamics which would take everything I have, for something that's very iffy. Even if it wasn't iffy, I don't know if I have it in me. This whole thing has been very painful and very embarrassing and to have to admit it publicly to my mother of all people . . . and it's not just about me. I think knowing the truth would make it worse for her, too. This way we can all just blame you. And if there's one thing my family loves, it's blaming other people."

I smiled, but he didn't respond.

"Mark, I'm sorry. Under normal circumstances I'd love to go out with you. But these aren't normal circumstances. It's my own fault and I know it's my own fault, but I'm stuck with it. I'm just . . . stuck."

"That's too bad."

"Yeah."

I took a bite of food and chewed and chewed and chewed, and finally managed to swallow it.

"So," Mark finally said, "you want me there at ten?"

"You'll do it?"

"I'll do it."

"Thank you."

"I could use the money. You said two hundred, right?"

"Yeah, I said two hundred."

Other than arranging the details of our final meeting, we ate the rest of our meal in silence.

Twenty

Rose-colored glasses don't come with a lifetime warranty.

The night before my scheduled breakup, I ordered myself a pizza. The pizza guy met all my expectations. He was on time and he gave me exactly what I needed without any complications or conflicting emotions—pepperoni, extra cheese, thick crust. Of course, I had to pay him, but I was used to that by now.

I threw on my old, comfy jeans, sliced up my pizza, and sat back to watch *Double Indemnity*, a great old movie about a scheming woman who deceives everyone in her life just to get what she wants. Of course, the premise is totally unrealistic. For one thing, you should see how she wears her hair.

I was all curled up on the couch, doing all right, not great but all right, thanks to the calming effects of pizza and a good movie, when the doorbell rang.

I put my video tape on pause and looked out the window to see who it was. Greg. Greg? He gave me a little wave, and the old familiar feelings started making their presence known. I didn't want those feelings anymore. I'd put a lot of energy and half a pizza into avoiding my feelings for the evening so I could get through my breakup tomorrow, and dammit, that's what I was going to do. I smoothed back my hair and went to open the door.

"Greg, hey. I don't mean to be rude, but I just got a pizza and . . . God, are you okay? You look awful."

"I feel like hell. Can I come in?"

I could have fought anything but that, him looking so forlorn. I'd never seen him look so down, and it tore me up inside. Still. In spite of all the pain I'd gone through because of him, pain he didn't even know about and would probably feel embarrassed about if I brought it up, all I wanted to do was comfort him.

"Yeah, sure. Is something wrong?"

"It's killing me, Sam," he said as he plopped himself down on my couch. I turned off my movie.

"What's killing you?"

"Being married. That's what."

I sat down slowly, trying to absorb this statement.

"I think I made a mistake with Debbie. I love her, but . . . I don't know. Ever since we got married it's just . . . I don't know. It's like the minute we said 'I do,' she started wanting to change me. You got a cigarette?"

"I thought you quit."

"I just want one."

"Yeah, I know that old line. I fall for it myself all the time."

"Can I just have a damn cigarette? If I wanted this kind of crap, I could have gone home."

He wasn't exactly demonstrating his most attractive side, but then he'd been under a lot of stress being married to the wrong woman and all.

"You're free to leave. I was just sitting here minding my own business."

"Sorry, sorry. I'm just pissed at everybody today. Can I have a cigarette?"

"Here." I threw him my pack.

"Thanks."

He pulled a cigarette out and threw the pack back to me.

"So, what happened?" I asked.

"Debbie and I . . . it's not what I thought it would be."

"What isn't? Being married?" I asked casually, as if this was of no great consequence to me one way or the other.

"Yeah. I don't know. It's . . . I feel like I can't breathe. I got home from work last night and I was a few minutes late and she made this whole major deal out of it. How I should have called and . . . I know it doesn't sound like much . . . I don't know. It's like the reality of it has hit me." That was another thing Greg and I had in common. Reality had never been our strong suit. "She thinks we need a new couch. It's okay with me. But she isn't happy unless I go with her to pick it out. Six hours, Sam. Six hours looking for a couch I could care less about. It's like she . . . I don't know."

Hmmm. I'd been hoping for some more compelling evidence against Debbie than what he'd mentioned so far. For one thing, I knew that his "few minutes late" could have been more like two or three hours. But with some astute yet subtle questioning on my part we'd surely be able to get him to see the real problem: Debbie was not the gal for him.

"Well, Greg, that's pretty typical married stuff. What did you expect it to be?"

"I don't know. I guess I thought it would be more . . . fun."

"I guess it could be fun. With the right person," I added. Subtle, huh?

"Throw me that pack, will ya?"

"Here. Maybe fun isn't the right word exactly. I mean, it's like a different kind of fun. I guess it's like when you decide to get married, you're not just deciding to get married. You're deciding you want something with that person that's more than just fun. That's why you marry them. If it's the right person," I added again for good measure.

"I don't know. She's got this other thing she's doing that's driving me nuts. Ever since we came over here that time, she's been on my back to tell her my feelings, the way Alex does. God, if I hear that one more time. I keep trying to tell her I'd *feel* better if she'd just quit asking me how I feel."

He took a deep drag on his cigarette, and stared out the window. He wasn't looking at me at all. This wasn't about me. This was about him and Debbie. Only about him and Debbie.

I took a good look at him lounging on my couch—a good, long look—and for a minute he wasn't Greg, just another guy who'd never grown up. Maybe I didn't have a lot of room to talk. Maybe I wasn't exactly a poster child for the fully actualized adult. But if I'd married someone that I loved as much as he said he loved Debbie, I would have made the effort. I'd have helped them pick out a couch. I'd have called if I was going to be late. I'd at least have done that much. And I wouldn't have freaked out after less than a month of marriage.

It came back to me that he hadn't exactly been the perfect boyfriend when we'd been together. There were all sorts of areas we couldn't touch, things we couldn't say, feelings I couldn't express, because if Greg didn't want to talk about something, then it didn't get talked about.

And then it hit me with annoying clarity that if Greg and I had gotten back together, we probably wouldn't have made it over the long haul. It was a shocking revelation, like when I first realized my smoking was maybe not entirely a matter of free will and personal choice. Something inside me shifted a little.

And as it shifted, I had a memory come to me clear as day of my father sitting in his recliner, nursing a beer, reading the paper. I saw myself sitting on the floor, seven years old, coloring, glancing up at him every few minutes. Something had happened in school that day, something I was excited about. But I couldn't tell him, not until he was ready. Because every night that's what we did in our house. We waited until my dad had his beers, read the paper, and did whatever else he needed to do before we could "bother" him.

And if he'd had a bad day, maybe it was a lot of beers, and

maybe the roast got all dried out and the potatoes got cold, but we didn't eat until he gave the okay. And other times he only needed one or two beers, and those nights were wonderful. He'd tease me and Mom, make us laugh, sometimes my stomach hurt I was laughing so hard. And I don't know about her, but when one of those nights happened I'd think maybe now it was always going to be like this.

I got used to too many beers too much of the time. I got used to the waiting and always taking my cue from the other person. Letting them decide when it was and wasn't okay to talk or feel. It felt normal. It felt natural. It felt like love.

How easy it would have been to say that Greg was simply my father in disguise and I'd never really loved him. That would have cleaned things up nicely. But it wouldn't have been true. I loved Greg and our connection was real. If I called him at two in the morning because I was stuck on the side of a road somewhere with a dead battery and scared to death out there all by myself in the dark, he'd come get me without question.

I didn't have to stop loving Greg. That's what had been killing me, trying not to love him anymore. I could love him for the rest of my life. I could take a moment every day to wish him well. Wish *him* well, not the person I wanted him to be. But I couldn't be *in* love with him.

"Greg," I said, "the truth is, marriage is hard. You're going to have to make all kinds of adjustments whether you're married to Debbie or anyone else. Picking out a couch is the least of it. So you have to decide whether you're willing to do that and everything else that goes along with it or not. You pays your money and you makes your choice. But I'm not the person you should be talking to about this. You should be talking to Debbie."

"You kicking me out?"

"Sorry, but I'm beat. It's been a long day."

"All right, all right," he groaned, getting to his feet, "I know when I'm not wanted. Sorry if I was an SOB earlier, Sam. I didn't mean to dump on you."

"That's okay."

"We should go to Bogart's one of these nights and shoot some pool. Just you and me. Like the old days."

"Sure. Sounds great. Oh, and Greg, something you should know. Alex and I split up."

"God, Sam, I'm sorry. I never would have come over if . . ."

"It's okay. The truth is, I'm not that devastated. I think I just got engaged to him just to be engaged to him. Don't worry about it. You didn't know. And I'm going to be fine."

"You sure you're okay? If you need to talk, I could call Debbie and stay for a while. She wouldn't mind."

I knew he was wondering if he and Debbie had been right about why I got engaged. And maybe I could have used a good long talk with him about all that had happened. How much his engagement and marriage had affected me. But I knew enough now to know it wouldn't be good for me to talk it over with him. I might not be looking for a declaration of love, but I'd still be looking for a level of connection he couldn't give. So I kept my face and my voice calm and cheerful and—finally—accepted the limitations of our relationship.

"No. You need to be home. And I need to eat my pizza and watch my movie."

"You sure?"

"Positive."

"Okay. Hang in there," he said, giving me a hug. It only hurt a little, like a little ton of bricks.

"Oh, and Sam," he said as he opened the door, "don't tell Debbie I was smoking. She'd have a shit fit."

Twenty-one

Women who elope live an average of 9.3 years longer than women who endure the ordeal of planning a wedding.

Friday morning. Zero ten hundred hours plus twelve minutes. Allied Headquarters. Stone residence. Kitchen table. Coffee poured; sugar, cream, napkins, spoons, distributed to all personnel in attendance, which did not include Mark. Mark who was now fifteen minutes late. Mark who had left me a message yesterday saying he'd meet me here instead of me picking him up as usual. The same Mark who didn't return any of my calls which I'd left the night before and also that morning because I had something important to tell him. Mark, who I was now beginning to suspect was going to stand me up for our breakup, which I believe may be a first in the history of dating.

Commander Mom at the helm. Second in command: Aunt Marnie. Target: Amphibious landing into the waters of matrimony. Me stalling for time by throwing out ideas for a small, simple wedding, and them shooting me down at every turn. Me starting to grow more and more irritated, despite my vow to try and be more patient with my family. Especially my mom, who I now thought I understood a little better. Living like that with my dad for all those years had to have taken its toll. But this was supposed to be *my* wedding, which even if it wasn't going to really happen, shouldn't I have some say-so about it?

It started with the date I'd picked.

"That soon?" my mom protested. "But there's so much to do. You haven't even sent out any invitations."

"That shouldn't take long."

"They have to be engraved. And you haven't ordered the cake, you haven't gotten your shoes or a veil. And we don't have a caterer."

"They don't *have* to be engraved. And the food will be simple. And surely I can find a pair of shoes in four weeks."

My aunt and my mother exchanged glances.

"Is there some particular reason," my mother said with uncharacteristic nervousness, "that it has to be so rushed? Don't you think it would make more sense to take a little longer so we can do this right?"

"I think once you've made the decision to get married, you should just do it, not prolong it into some sort of two-year planning session."

More furtive glances. Where in the *hell* is Mark? And why does my mom always have to be so stubborn?

"Samantha, are you sure that's all? Because you know you can always confide in me. No matter what it is, I'll understand."

News to me, but I nodded as if it went without saying. "Sure, Mom."

She started to speak and then hesitated. That's the worst danger sign of all. That's when even she isn't sure she should say what she's about to say.

"There's nothing else? No other reason why you have to get married so quickly?"

"What other reason could we . . ." And then it dawned on me what they were hinting at. "I'm not pregnant, if that's what you're thinking. I just want to keep it simple. How many times do I have to explain that."

"Samantha," my aunt said, taking off her glasses and rubbing her eyes, "maybe I'm speaking out of turn here, but there's a right way to do things and a wrong way, and this isn't the right way to have a wedding. You're her only daughter. This is the only wedding she gets. And that's all I have to say."

My mother didn't add anything, but her silence spoke volumes.

It's the only wedding *she* gets? Didn't she have one a few decades ago, the one that eventually produced me? Wasn't that *her* wedding? So maybe her marriage didn't turn out the way she hoped, and I felt bad about that. But did that mean my wedding was supposed to be about her?

"This isn't the wrong way, it's just not *your* way. But if there's one day in my life that I should get to decide about, it's my wedding day. So this is how it's going to be. We're going to get married at Hillshire Park, invite a few friends and family, and then come back here for the reception."

"In the park? That's ridiculous," mom said with a dismissive wave. "What if it rains? And my friends certainly aren't going to want to have to traipse around a park."

"Mom—"

"What about that lovely church in Fullerton? I can't remember which people they are, but it has that old Spanish courtyard with a fountain. You know which one I mean, Marnie. That would be perfect for pictures of the wedding party. I don't know about the reception," she barreled on. "The Harolds had it at the Elks Club, but I thought it was kind of tacky myself. Didn't you think so, Marnie?"

"Very tacky."

"Mom!"

"For Pete sakes, Samantha, I'm not hard of hearing. You don't have to shout."

"You're not listening to me. I don't want a big wedding."

"Who said anything about big? I'm talking a hundred people at the most. Maybe a hundred and fifty."

"I don't want that kind of a wedding. I don't want to deal with hundreds of people I don't know or barely know."

"Okay, we don't have to invite everyone, I suppose. We could probably cut it down to a hundred or so."

"Listen to me. For the last time, I want a simple ceremony, in the park, in front of a few friends and family, and no arguments. I'm only doing this much because I know you want it. As far as I'm concerned, I'd be happy to go to Vegas and have Elvis marry us."

"Elvis Presley happens to be dead, young lady," my mother informed me, "and I don't think he married people."

"An Elvis impersonator, Mom, not the real Elvis."

"Well, pardon me, but I don't go trotting off to Vegas to throw away my hard-earned money, like some people. And if you want to get married by some fake Elvis in some Las Vegas showroom, then be my guest."

"They have chapels. They don't use the showrooms. They put shows on in the showrooms. That's why they're called showrooms. Look. This is supposed to be my wedding and I want to keep it simple! How many times do I have to tell you that! Instead of letting me have the wedding I want, you're worried about what other people will think. That's it, isn't it? What will people think if we don't have a big fancy wedding? That's the trouble with this world. People get caught up in meaningless details and other people's expectations. Well, I refuse to be like that. Alex and I don't need to impress other people with our wedding. We want to do it our way. And I'd hoped you could support me in that. But I guess I was wrong. I just wanted to have a nice little wedding . . . but instead . . . forget it. Just forget it. If this is the way it's going to be, I won't even *get* married!"

"Samantha, it's all right. Calm down."

"I am calm."

"No, you're not. You're hysterical. Take a deep breath."

"Yes, dear. Just be calm. Your mother was only trying to help."

"That's right. And if you want a simple wedding, that's fine. We'll have a simple wedding."

They were . . . surrendering? A battle of wills had ensued

and they were backing off? I was the victor? I'd . . . stood my ground? And the gates of hell hadn't opened up and swallowed me whole?

"Okay then. I'm glad we're clear on that. Now I'm going outside to have a cigarette and see if I can get hold of Mark on my cell. He should have been here by now. Excuse me, please."

It was the best exit I'd ever made out of that kitchen. It was the best cigarette I'd had in years.

I'd just stubbed it out after trying to reach Mark unsuccessfully, when a car pulled into the driveway. God, I was happy to see him. Not just because he hadn't stood me up, although that was a great relief. Him not showing up wouldn't exactly have been a karmic surprise.

But I was also just happy to see him. I wanted to run out to his car and tell him about the scene he'd just missed. And then I wanted to tell him what I'd been wanting to tell him on the phone. I felt a warm, golden glow all over. I felt a big, uncontrollable grin on my face as I stood up to meet him.

Then felt it disappear as it hit me that that was a very expensive car in the driveway, much more expensive than he'd be able to afford. And he wasn't on the driver's side; he was on the passenger side. A redhead was driving that car. A very good-looking redhead. A redhead he was grinning at the way I'd just been grinning at him.

Twenty-two

Timing is everything.

She had flaming red hair and big pouty lips, but the sunglasses she never took off covered up most of the rest of her face. She was tall and slim with killer breasts (fake, I'm sure) that announced her arrival from every angle. And somehow she managed to radiate an air of complete contempt toward me while never taking her eyes off Mark.

I stood there watching them approach, already feeling like a fool. Who was this woman and what in the hell was she doing at my breakup with my prospective groom.

"Sam, this is Kameron—with a K," Mark said proudly, as they stopped in front of me, "my new agent."

"Oh, hi," I said. His new agent. Okay, this was doable. Survivable. He hadn't introduced her as his new girlfriend or the best lay he'd had in years.

"Kameron, this is Sam, the woman I was telling you about."

"Hello," Kameron said, as if she was doing me some gigantic favor.

The woman he was telling her about? Telling her what about?

"You know, Kameron, I owe Samantha a huge debt of gratitude. She helped me make the decision to stick with acting."

"Really." By the looks of her forced smile, Kameron didn't appear to be impressed with my contribution to art and society.

Before I could prepare some devastating remark which would lead to a complete reevaluation of her self and values while impressing Mark with my wit and insight, Kameron's purse started ringing. Her expensive, tiny, cloyingly sweet little purse that obviously had no room to store old Kleenex, tobacco crumbs, and gum wrappers, the way God intended.

"Pardon me, I have to take this," she said as she pulled her cell phone out. "Kameron Mead," she barked into the phone, her tone making it clear that whoever was on the other end had better not be wasting her time.

Mark watched her with the same awe and respect I reserve for chocolate mousse pie.

"Ronnie," she gushed into the phone, "bear with me here for just a sec. I'm going to be walking. I'm surrounded by people at the moment."

"Is it him?" Mark asked.

Kameron nodded. "Be a sweetie," she whispered at me, "and keep Mark entertained while I'm gone."

She jiggled her fake breasts and implanted ass (again, a

guess, but I'd lay odds on it) down the driveway talking a mile a minute. Mark never took his eyes off her.

"Isn't she great?" he asked.

"Yeah, super. Who exactly is she?"

"That's Kameron Mead," he said, the way a devout Catholic might drop the name of the Virgin Mary.

"And?" I asked.

"You don't know who Kameron Mead is?" He looked at me like I'd just emerged from years of living in the bush with primitives.

"No," I had to admit.

"Kameron Mead is one of the biggest agents in town. And she's standing in your driveway, taking a call from a major casting director for a major motion picture. For me."

"You're kidding."

"No. She got the flu. Can you believe it? All the struggling, all the work, and it comes down to Kameron Mead taking a day off. The first day in twelve years she hasn't gone into the office, and she happens to catch *Frankie's Mad as Hell* on TV. And she spots a certain *quality* she's been looking for in one of the actors. Me. I only had three lines, but she saw something there that she liked. So long story short, she has her assistant track me down, and yesterday I got the call. The call I've been waiting for for ten years. Kameron Mead might want to represent me. She thinks I just might be the man to play Jordan Crane. Jordan Crane, the lead role in Jerry Morton's new film."

"Oh my God, Mark, that's . . . it's incredible. I'm so happy for you. Congratulations."

"Thank you."

"You must be on cloud nine. All those years finally paid off. That must be the best feeling in the world."

"I don't know what I'm feeling yet. I think I'm still in shock."

"I'll bet. You know, I had something kind of amazing happen today, too. Not as big as yours, but just now, I stood up to her. My mom. Which may not sound like a big deal, but for me it's a huge deal and, anyway, it's a long story, I can tell you later, but I feel so liberated. And last night, I tried to call you, I don't know if you got my messages, but I had this revelation about me and Greg and why I end up with the guys I end up with, and, well, like I said it's a long story . . ." I knew I was rambling, but I was trying to cram into a few minutes what I'd planned on spending hours telling him. "You're such a great guy and I'm sorry it took me this long to realize that."

"Thank you, Samantha. That's very—"

"I know I said I wasn't interested before, but I, well, I actually am interested. I was thinking maybe we could go out to dinner tonight. We can celebrate your big break. I'll take one of my credit cards and we'll really do it up right."

"Boy, Samantha, that would be great, but the thing is, there's a party that Kameron wants me to go to. She wants me to meet some people."

"Oh. That's okay. I understand. This is your big break and everything. And the fact that you still came today . . . I really appreciate it."

"Well, I said I would."

"I just feel bad about you coming all this way for nothing."

"What do you mean for nothing?"

"I don't want to do this anymore. I'm sick of it and all the lies. I never thought it would get this complicated. Even today, I had no intention of going in there and planning the wedding. But you were late, and it kind of threw me off. I didn't know if something had happened to you or you were standing me up and the next thing I know I'm fighting with my mom over a wedding that isn't going to take place . . . it's ridiculous. I'm going to tell her everything."

"I thought you said . . ."

"I know what I said, but the truth is, it's not going to kill me and it's not going to kill her, and I've got to start somewhere. And you and I don't stand a chance unless we come clean. Who knows? Maybe everyone will find it funny."

Mark's face wasn't quite glowing with the anticipation and delight I'd predicted.

"What's wrong?" I asked after a few moments of uncomfortable silence.

"Kameron needs to see how I play as a romantic lead, and there's no time for me to put something else together. They're having the final reads next week. I told her about the thing we had going today and we were hoping she could watch the scene of our breakup. I was going to say she was a wedding consultant I hired."

"You told her? The whole story?"

"Kind of."

"I don't even know that woman. Didn't it occur to you to call me and see how I felt about this? About her coming here today?"

"I honestly didn't think you'd care. She's a stranger; you'll never see each other again. And you and I weren't going to see each other again, you'd made that clear enough."

"I know, but . . ."

"Sam," he pleaded, "I don't think you understand what it means, her being willing to come here today. She canceled time with her chakra controller to be here. That's how much she believes in me. But you don't get a second shot in this business. If I have to go out there and tell her I've wasted her time . . ."

Before he could finish, Kameron's five-hundred-dollar high heels came clicking up the driveway. "Things are happening. They are definitely happening. We'll see what you do here today, and if I like what I see, I'll get a nice little buzz going before the weekend's over. God, I hate weekends. Now sweetie," she purred, as she pushed past me to get next to Mark, "I hope you understand that what we have going here isn't just about doing deals. It's about a relationship. You're going to have to trust me and my instincts."

"I trust you completely."

"Good."

"And I respect your judgment."

"And I will try to respect yours."

Personally, I found it a little rude for the two of them to be trusting and respecting each other and ignoring me. And I was starting to get a sneaking suspicion.

"Mark," I said as nicely as I could, all things considered, "I'd like to talk to you alone for a minute."

"Is there anything else we need to discuss right now?" he asked Kameron.

"No. I think we're set."

"I have to tell you, Kameron, I feel a little vulnerable having you watch me work."

"Don't be. Just make me believe in this breakup. Make me care. Make me fall a little bit in love. You're going to be great."

"Thanks, Kameron. That means a lot coming from you."

"Don't say it if I don't mean it. I'll wait by the car until you're ready. And good luck. You too, Samantha. We're counting on you."

Thanks. And good luck with that masquerading-as-a-human-being thing.

Kameron whisked herself over to her God-only-knows-how-much-it-cost automobile, probably enough to feed a small impoverished nation for a month. I waited until I thought she was far enough away for privacy and then turned to face Mark.

"Samantha," Mark said as I turned around, "I know you're upset, but try to understand. You completely nixed the idea of us seeing each other. And this . . . is my shot. I'll never get another one like it. And I know I can do the part. If I can read for it, I know—"

"Oh, I understand. Completely. But you hope we can still be friends."

And I did. Saw the expression on his face, noted his body language and the way he couldn't look me in the eye. The writing was on the wall, clear as day to anyone who'd ever been there. And I had. Enough times to qualify for super saver miles.

"You have no intention of dating me. But if pretending you're still interested will get me to go along with having Kameron here, then you're willing to do it. At least when I wasn't going to see you I was honest about it."

"Samantha, you've got it all wrong," he tried to insist, but even he wasn't a good enough actor for that.

"You know what I think? I think if I'm not good enough to date, then I'm not good enough to break up with."

"You wouldn't really be that petty, would you?"

"I'm about as petty as they come, buster. So, if you want me to even *think* about breaking up with you, you're going to have to at least do me the courtesy of being honest."

He opened his mouth and started to say something, but I crossed my arms and gave him a look that left no room for any misinterpretation. I thought about putting my hands on my hips, but it seemed a little over the top.

"Okay," he admitted sheepishly, "the truth is, it probably isn't going to happen for us. At least not now. It's not that I'm not interested. Maybe if we'd been together for a while. But things are going to be crazy in my life. I can't afford the energy to start a new relationship at this point. I need to concentrate on my career one hundred and ten percent. I can't let myself get diverted. Not after ten years of struggling. I'm really sorry. I wish things were different. I mean that."

"And why is it exactly that I should do you a favor at this point? Give me one good reason I should go in there and help you make the big time?"

"Because you understand what it means to want something

so badly. And because when you turned me down, I was still willing to show up for you."

"I said one reason."

"Sam."

"All right. I'll do it. But this had better get me some extra karma credit or something. And by the way . . ."

"Yes?"

"Kameron is a bitch and the 'K' is pretentious."

Twenty-three

Standing up for yourself does wonders for your self-esteem, which is a good thing, since other people aren't going to be too crazy about you.

My aunt and my mom were sitting at the kitchen table when I returned with Mark and Kameron. They acted as if they'd never moved from their seats while I was gone, but I had a pretty good hunch some discreet peering out the living room window from behind the curtains had transpired in my absence. I'd been outside for over half an hour, and it was entirely out of character for them to have assumed I could handle my own affairs for that long without their advice and guidance. I was also sure they were dying to know just who this redhead was who'd arrived on the scene, and they looked entirely too unsurprised to meet her when I made the introductions.

"Mom, Aunt Marnie, this is Kameron. She's a wedding consultant. Mark brought her along to help with the planning."

"Hello," Kameron said glancing around the kitchen as if

stunned to discover how the other half lives, and appalled at their lack of taste.

"Kameron, this is my mom, Theresa, and my aunt Marnie."

"It's nice to meet you, Kameron," my mom said, starting to stand. "Let me get you a cup of coffee."

"Oh, no thank you. I don't do caffeine."

"Would you like some orange juice?" my mom asked.

"I don't do citrus."

My mom sat back down.

"Do you do water?" I asked. "We have a delightful little vintage that comes right out of our tap. Amusing, yet full bodied."

"No thank you," Kameron said with a tight smile. Some people have no sense of humor.

"Well," Mark said, "why don't we get started?"

Mark, Kameron, and I sat down, and I made a point of pouring myself some more coffee, loading it up with cream and sugar, and picking up another pastry.

Mark and I had outlined the basic details of our breakup during our last awkward dinner together. We'd spend a few minutes talking over the wedding and then I'd bring up the subject of children. At which point he would break my heart by telling me he didn't want children and would never change his mind. Our marriage would then be out of the question, due to Mark's unbelievable selfishness and immaturity. And I would amaze one and all with my strength and courage following the end of my engagement.

"Kameron at this point is just going to listen to our ideas,"

Mark explained, "so she can get a feel for what kind of wedding we had in mind."

"That's easy," I said, "We want it very simple."

"Really?" Mark asked. "I assumed you'd want a traditional church wedding."

Wasn't *anyone* going to let me have the wedding I wanted?

"Well, you assumed wrong. I hate all the planning and fuss. The whole day turns out to be about everyone else and impressing them."

"No, it's about celebrating the fact that two people want to share the rest of their lives together."

"Which can be accomplished very simply and very beautifully if done well."

"Alex," my mom said, leaning forward with a sincere gaze into his eyes, "I wish you'd talk to her. She has some silly idea about getting married in a park and . . ."

"A park?" Mark asked. "You want to get married in a park?"

"What's wrong with that? There's this beautiful park a few blocks from here. We could set up a gazebo and . . ."

"I don't want to get married in a park."

"Then I guess we have a problem."

"If I may," Kameron said.

"You butt out," I told her.

"Samantha!" my mom said, horrified.

"I really don't need some woman I've never met, and *didn't* even know was coming today, to interfere with a matter that is strictly between me and my husband-to-be."

"I just thought it would be a nice surprise for you," Mark

said looking crestfallen. Oh, he was good. He was very good. He marches in here with the redhead but *I'm* the one being bitchy and unreasonable.

"It's just . . . I love you so much," Mark went on, with a catch in his voice. "And I want this wedding to be so perfect. I want the pomp and circumstance. I want to see you come down the aisle of some wonderful, old-fashioned church, wearing a veil and gown, the most beautiful woman in the world, the woman I get to spend the rest of my life with."

He'd foiled me again. I knew every female eye in the room was on me, one or two of them probably with tears welled up. I *hated* Alex Graham. I was going to have to be all sweet and nice and apologetic and relent and have the wedding *he* wanted, because he always wins. He always, always wins. Damn him all to hell.

"All right," I forced myself to say, "maybe we can compromise."

"I knew you'd see the light," Mark said, and then he patted my hand. Like I'm a kid or something? So maybe my inner child had more of a place in my daily routine than is strictly speaking healthy, but I was an adult. I had a driver's license, didn't I? I paid rent, went to work, had voted for five presidents, one of whom actually won. And it's not like I *asked* to be born.

Don't you ever pat my hand like that again, you asshole, I wanted to scream. But couldn't. Not after that sterling performance of his. I should never have agreed to this. I did it for Mark, but Mark as Alex I did not need in my life. What I needed was to break up with them immediately because I couldn't take one more minute of their controlling, patronizing attitude.

"I just hope we don't have such different ideas about how to raise our kids," I said, patting his hand in return.

"There's no need to borrow trouble," my mom said nervously. "You'll work all that out as you go along." I swear, I believe at that moment she *knew* somehow what was coming.

"We've never talked about that, have we?" Mark asked quietly.

"About what?" I asked innocently.

"Kids."

"What about them? I was thinking at least two, maybe three."

"Oh, Samantha," Mark said. "I should have told you."

"Told me what?"

"I don't want children. Not ever."

"Not ever?"

"Not ever."

"Oh."

"Alex," my aunt said, "a lot of people feel that way. But they change their minds."

"I don't think I'm going to," he said with quiet conviction. Even I had to admire his delivery. "I'd be terrified for them all the time. After what I went through, losing my parents, knowing that danger lurks everywhere for everyone, I'd be too afraid. And it wouldn't be fair to them. Children need their parents to be brave, and I, I couldn't be. I'm sorry, Sam."

287

"I'm sorry, too," I said, "but if you're not willing to have children, then I can't . . . I can't marry you."

A collective gasp. They'd all seen it coming, but hearing me say it, well, it was still a shock.

"I'd like to thank you, though, for being honest with me now, before it was too late."

"I suppose there's no point in us seeing each other again, is there?" he asked.

I shook my head, looking at him with regret.

"Then, before I go, let me just tell you what you've meant to me."

Oh, God, not more of that again. I was done. I was so done. I didn't think I could bear to sit through another one of his declarations of love.

"I think," I said to him, and patted his hand again just to, well, because I got a kick out of it, "that we've said all there is to say."

"But I'm never going to see you again. I can't leave it like this."

"Sure you can."

"I need some closure."

"Alex, please, this is so painful. Why prolong the agony?"

"If you would just let me . . ."

"No! Dammit, Alex! Why does it always have to be your way? Why make me sit and listen to something I don't want to listen to! Why do you always have to control the situation? It's over, it's done, now let's just get on with our lives!" I caught a glimpse of Kameron's red hair out of the corner of my eye, which made things that much worse. "Please just go before I say something we're both going to regret."

"Samantha, I think you're being hasty here," my mom said desperately. "I think the two of you need to take some time before making such an important decision. I think you're making a huge mistake."

"You do?" I asked. I looked her dead in the eye. "And why is that?"

"Because you two love each other, and . . . and . . ."

"And I might not ever get the chance again?"

Something inside me snapped. The real story and the fake story all became the same story, and I was ready to put the book down.

"You know what Mom, I was only marrying him to make you happy. Yeah. That's right. I don't love him. I don't even think I like him. I'm not happy when I'm with him. We barely have anything to talk about. His not wanting kids is just a handy excuse. But I was seriously thinking of marrying him, a man that pats my hand like I'm a three-year-old, spending the rest of my life with him, or a few years anyway, just to try and win your approval. Well, I'm done. This is me and this is how I live my life and you can take it or leave it."

I stood up, defiant, ready to march out of there and conquer the world. Or at least go rent a good movie.

"You don't love me? You never loved me?" Mark asked, sounding devastated.

Which meant if I walked out of there I had to be the most heartless bitch that ever lived. Which was tempting. Samantha, the heartless bitch, who is so mean her terrified family does whatever she wants. God. The freedom. But I could pull that off for maybe five minutes and then they'd see right through me. So fine, I'd let Alex have his little scene to impress Kameron with a K. He'd could have his little victory if it meant that much to him. Within the confines of the situation I was in, I think I'd managed to make my point.

"I'm sorry, Alex," I said softly, sitting back down. "I didn't mean what I said. I was just mad. But we're not right for each other. We want different things. If we got married, we'd just end up hating each other." I patted his hand a couple of times. "We wouldn't want that, would we?"

Mark took a deep breath and sat up very straight. A tear rolled down his cheek.

"Samantha, a few minutes ago I would have said I'd die if you didn't love me. And a part of me has died. Maybe the best part of me. But you gave me something, something that will give me the strength to go on, the way I did after I lost my parents. Because I don't care what you say now, for a short time you *did* love me. And no one can ever take that away from me. I wish it had been forever. But you know what? Every day I can smile, just knowing that you're somewhere on the same planet as I am, being you. Doing those Samantha things that no one else does. I can let it make me happy. And I will. I will love you until the day I die. All I ask in return is just one thing."

"What, Alex?"

"You happen to be one of the most wonderful things this sad little planet has to offer. Promise me you'll never change."

He leaned toward me and gently kissed my lips. Another tear rolled down his cheek. He cupped his hands lightly around my face. He gave me a sad smile, one last kiss on my forehead, and slowly took his hands away. "Good-bye, Samantha. Thank you for letting me be a part of your life."

We all watched as he stood up.

"Kameron, I'll be waiting for you in the car," he said and then slowly walked out of the kitchen. No one took their eyes off him, except me. I couldn't look at him or anyone else, especially not a certain female who'd given birth to me thirty-four years ago.

I heard him open the door. I heard the door close, heard his footsteps down the driveway as they grew gradually softer and then faded away into silence. And with that, my relationship with Alex Graham came to an end. Now all I had to do was look back up and say something. "Gotta run," seemed like a good choice. I'd take a deep breath, count to ten . . . okay, maybe one hundred . . . but before I could decide on the appropriate number to count to in a situation like this, someone started weeping. And there was only one someone it could be. A certain someone who'd suffered morning sickness on my behalf, taught me how to tie my shoes and use the potty.

I looked up, not even sure what I'd say or do—but it wasn't her. Mom sat there stone-faced, not making a sound. As did Aunt Marnie. It was Kameron-with-a-K who had tears streaming down her face.

"Are you all right?" I asked.

Kameron nodded and plucked a tissue out of her purse. "I'll

be fine in a minute. It's just . . . I can't remember the last time I was so deeply moved. The sheer raw courage. The dignity . . . oh, damn. I hate it when I get like this. I can't work when I get like this." She dabbed the tissue carefully underneath her sunglasses. "I just hope you people appreciate what you saw here today."

After composing herself, Kameron stood up and left the same way Mark had, dropping her tissue in the center of the kitchen floor on her way out.

Twenty-four

A neurotic's work is never done.

I didn't stay long after that. None of us quite knew what to say to each other, what with me having asserted the right to live my own life and make my own decisions and all. I offered to help clear the table and rinse the dishes, but my mom told me that was quite all right. Meaning that it wasn't all right, nothing was all right, perhaps nothing would be all right ever again. I didn't have any emotional energy left to fight her or appease her, or even try and talk things out. Maybe we all needed a little time to adjust.

Because I had no intention of going back to the old way. Not that she wasn't going to fight me tooth and nail and make it as difficult as possible. And I wouldn't always win because sometimes I'd be sick or tired or down and wouldn't have the resources to fend her off. But it had taken me thirty-four years to have my say, and I wasn't going back.

During the week, I kept waiting for my mom to call, dreading it and anticipating it at the same time. But she didn't and I couldn't. I couldn't be the one to back down this time. If I did, I knew I'd start backtracking into my old patterns. I had to keep reminding myself I hadn't done anything wrong, and in time, if I had to, I was sure I'd learn to live with the guilt.

I called Amanda and we spent a long, giddy evening rehashing every nuance of the Alex Graham experience. She used words like "transcendant" and "soul enhancing." I just thought I was a little less nuts.

Amanda can be a bit much at times, which before I would have paid more attention to than to all the good stuff about her. Maybe when you're driving your *self* less crazy, other people's craziness is easier to take. She told me Mark hadn't gotten the part, but was still being represented by Kameron-with-a-K and his career had good prospects. I wouldn't exactly say I was happy for him—I'm striving for mental health, not sainthood—but I didn't want to see him boiled alive in hot oil for my personal entertainment either. Progress, not perfection.

It was toward the end of our evening that I came up with my idea. You'd think I'd have learned to ignore any idea that happened to pop into my brain—considering the track record my ideas and my brain had going for them—but this one seemed a cut above. No fake people were involved.

"Amanda, what would you think about having an acting class for regular people, like me?"

"You're regular?"

"Okay, irregular people. This is just off the top of my head, but what if you had a playacting class? You could have a couple of actors and then let people come and play scenes with them to find out more about themselves. It's like, everyone has this one personality they're stuck with. You're the shy person or the funny person or whatever. But people could come here and be someone else. Or find out they're a lot more than they thought they were. Or they could act out scenes to try them on for size. Like women could have a safe place to act, I don't know, really bitchy, or vampy, or tell off their moms or their husbands with no holds barred, or be something they could never be in a million years in real life. Like pretending you're a rock star in the shower."

"Samantha Stone, that is an incredibly good idea."

"Really?"

"Yeah. That's one reason why actors love what they do. Getting to be all those people you can't be in real life. I can't believe I never thought of this. I could take my passion for theater and my passion for personal growth and . . . you should help me with it."

"I just thought I could come. How could I help?"

"You did it in real life. You could talk about your experience, at whatever level you were comfortable with, and help people overcome their reservations."

And then, stunning myself completely and breaking all previous records, I got a second idea.

"And I could take pictures. This would be about *seeing*, right? Seeing ourselves in new ways. I remember I took this picture of my aunt once. I forget what she was doing, but she had this expression on her face that she uses all the time. And when she saw the photo she was just shocked. She said something about how I must have caught her at a bad moment. But it wasn't. It was a typical moment. And she had no idea. So I was thinking that if people were okay with it, I could take photos of them when they were acting as someone else. It would feel safer to them, but it would still be a kind of window. When you take a picture of someone when they're caught up doing something else, something always comes through."

"That's the first time I've ever heard you talk about photography like that. As more than just your job."

"I know."

"So maybe this is where you get to become someone else, too."

"Or maybe just keep trying to find out who I really am. And what I can do."

I was driving back from an appointment with a client a few nights later, and I didn't feel like going straight home. There might be a message from my mom, or there might not, and I still wasn't sure which outcome I preferred. I wanted to go somewhere I could forget about the world for awhile, hear some blues, and be allowed to feel however I was feeling at that particular moment without anyone trying to talk me out of it. I wanted to go to Bogart's, and I was ready to go to Bogart's, and I didn't think Greg would be there on a Thursday. My head was over him, but my heart still had a little way to go.

Rick and I were exchanging informed opinions about what idiots all politicians are, when I looked up and saw Greg and

Debbie coming in the door. Couldn't they just relocate to another country or join the circus? It's not like an infinite universe couldn't arrange something like that if it wanted to. Compared to making the Grand Canyon it would be child's play.

"Hey, guys," I said, when they came over, ever the master of witty conversation.

"Hey, Sam," Greg said. "Haven't seen you here in a while."

"Sam," Debbie said, "Greg told me about you and Alex. How are you doing? I mean, really."

"Really good. Really, really good."

"Hey, I've got an idea," Debbie volunteered.

I braced myself in anticipation.

"I am the world's worst pool player, Sam. He tries to be patient but I know it drives Greg crazy. Why don't you two go have a few games. I'll sit here and listen to some music."

What are you supposed to do with a person like that, who continues to do nice things in spite of the fact that you wish they'd disappear from the face of the earth? People drive me nuts, that's all. They just drive me nuts. I wish I could get along without them.

Greg and I played pool for about an hour. It was all right. I didn't talk a whole lot, still didn't feel completely natural in this situation yet, but I made it past that first step and that was something. Debbie sat at the bar, talking to Rick, occasionally putting some money in the jukebox, and never once showing boredom or exasperation. She was playing hell with my suppressed hostility. After our third game, I told Greg I was ready to call it a night. He went to use the bathroom, and I went over to tell Debbie good-bye. Courteous and considerate people like her make a big deal out of these meaningless social rituals.

"Sam, I want to thank you," she said, before I could make a clean getaway. "Greg told me you kicked some shit into him, as he put it. About, God I hope this isn't too painful for you to hear, but about what being married means."

"Oh."

"It made a difference. We've still got stuff we're going through, but I think he needed to hear that from someone. And he really respects your opinion. So thanks. I'm just sorry things didn't work out for you."

"Me, too."

"I know you're probably busy with your photography and everything, but would you like to come over for dinner some time?"

Oh, God, yes. I'd love it. Let's schedule it in right after my session on the rack, which I also can't get enough of.

"Uh, well, like you said, I'm pretty busy."

"I know. Whenever. It's just, boy, this isn't easy to say. I think Greg needs you as a friend. To be honest, I tried to hide it, but I felt a little jealous about that at first. But now I can see that your friendship is a good thing for him. And I'd like to get to know you better, too. And I'd really love to have you meet my kid."

So what are you going to do in the face of that kind of relentless pressure? These nice people really know how to apply the screws. You should avoid them at all costs. Because the next thing I knew, I found myself looking at her and thinking she wasn't really so bad.

"I've got a better idea," I heard myself say. "Why don't you guys come to my place some night? That way you'll get a break from cooking."

"Really?" she asked happily.

"Yeah," I said, "I'd really like to have you guys over." And I even kind of meant it in a weird sort of way I still don't completely understand.

There wasn't a message from my mom when I got home, but there was one from Angela, asking me to call her as soon as I got in. I might have put it off if she hadn't sounded so upset. I knew I was going to have to tell her and Shelley the story sooner or later, but I was dreading it.

Then I found out why she'd called, and my story seemed pretty irrevelant. Shelley had been at the hospital.

"Oh my God. What happened?"

"She fainted. She's fine now, but it was really scary. We were afraid we were going to lose the baby."

"Oh my God. But she's okay? And the baby's okay?"

"They're fine. Her blood sugar is a little high, which sometimes happens according to the doctor. She's going to have to be very careful about what she eats, and taking care of herself. And she's going to have to take a little time off from work."

"Can I come see her?"

"That's what I wanted to talk to you about. Sam . . ."

"What?"

"Shelley is really hurt. Apparently your mom told her mom something about you and Alex being engaged. I guess I'm kind of hurt, too. You didn't even tell us. The last we knew the two of you split up. We haven't heard from you in weeks, and then we find out you're engaged."

Shelley's mom and my mom maybe talked twice a year since her parents had sold their house and bought a condo. But I should have realized my mom would call every person in her phone book when I told her I was getting married.

"I'm sorry, Angela. I'm not engaged anymore. I would have told you but we really weren't engaged for very long."

"No offense, Sam, but that's bullshit. Even if you were only engaged for a minute and a half, what does it say about our friendship that you didn't tell us?"

It said a lot. And maybe it was time for me to say something about it.

"Angela, to tell you the truth, I've been in a bad place for a while, and I guess I didn't feel comfortable around the two of you. Your lives are so perfect and mine was such a mess . . ."

"You think our lives are perfect?"

"Maybe not perfect, but geez, compared to mine . . ."

"Compared to yours how? You wouldn't even want to live the way we live. We don't judge you. Why do you always judge us?"

"See, Angela, I feel like you do judge me. Maybe not you so much, but Shelley . . ."

"Shelley respects you, Sam. Do you think we come home at night and revel in how perfect our lives are? Don't you think we get tired or sick of it all sometimes? Don't you think we have crappy bosses and office politics and a whole load of crap we deal with? Don't you think we fight and sometimes wonder what in the hell we're doing with each other?"

"But you make it, don't you? You're still with each other."

"Look, I don't know what happened between you and Alex, but one day . . ."

"Angela, stop. Don't go any further. Do you want to know what happened with Alex? He was a fake."

"I thought he seemed a little too good to be true. Sometimes those are the ones that . . ."

"No, you're not getting it. I let myself fall in love with Greg again, which I didn't tell you or Shelley because I figured you'd tell me what a stupid idea it was. There goes Samantha, screwing up her life again."

"Is that what you honestly think we think of you? God, Sam. I can't even believe I'm hearing this. We don't think that at all. We think you're out there struggling with the rest of us, screwing up sometimes like the rest of us, but still a great, smart, funny person that we think the world of. And yeah, we might have told you Greg wasn't a very good bet, but that wouldn't mean we were judging you."

But I would have known they were right. Some tiny part of me would have known, had always known, which—most neurotic of all—was why it always pissed me off. What else did I know now that I wouldn't figure out for another ten years? Odds are, whatever it was, it wasn't gonna be anything good.

"Angela, I am so sorry. I think what's been going on is I've been judging myself, and not liking too much of what I saw. You want to know about me and Alex. Well, the minute I let myself fall in love with Greg, it turned out he'd fallen in love with somebody else. To make it completely perfect, he even married her. So what did the oh-so-smart Samantha Stone do to deal with the situation?

"I created the perfect man, the magnificent Alex Graham, and then I hired that guy you met to pose as him. His name is Mark Simpson and he's an actor. I took him to meet you guys, and Greg, and best of all, my mother. He even came for Christmas Day. And my mom thought he was so perfect I ended up pretending we were engaged and actually had to hire him to stage a breakup in front of her before the two of us ended up having kids together. That's what a mess I was and that's why I didn't share the happy news with you and Shelley."

I suppose the story had its humorous side, but she really didn't have to laugh on and on like that.

"Sam, you have to let me tell her this story. Please. It will make her feel so much better."

Honestly. Every pregnant lesbian couple thinks they're the center of the universe.

I went over the next morning and Shelley and I talked for over two hours.

"Sam, I felt the same way," she said, and I, too, could not believe what I was hearing. "I felt like you were judging *me*."

"You? What would I have to judge you about?"

"I always felt like you saw me as this boring, settled-down, suburban person, while you were still out there doing your thing."

"Doing my thing?"

"See? I don't even know the cool catchphrases anymore. But come on, be honest, you do sometimes think that about me, don't you? Like I'm a minivan person?"

"Maybe a little."

"I knew it."

"But part of it's envy I think. You know how to do all this stuff and I just haven't quite figured out what to do with myself yet. But I'm working on it. And if we're being honest, don't you sometimes think of me as a screw-up?"

"Not a screw-up, exactly. I guess I just get exasperated with you sometimes because you hold yourself back. But Sam, please tell me you know me well enough to know that I'm not so shallow that I would judge you because of the car you drive or where you live."

"I do know that. I may have forgotten it there for a while, but I really do know that."

"Good. And from now on, when we have something on our minds, let's just tell the other person. Agreed?"

"Agreed."

And then suddenly there he was. I'd been thinking it was just as well—who needs another relationship to screw up my life again, things are going well, I'm navigating through the waters on my own steam. Not all problems solved, there's still that whole meaning-of-life thing, but down to four cigarettes a day and *seriously thinking about quitting for good*—and into my mind he comes. Even after I'd specifically told my mind to put him *out* of my mind, he kept popping in uninvited and unannounced.

"Sam?"

303

"Yeah?"

"You look like you want to say something."

"I don't know if I want to say it or not. I don't know if I should say it or not."

"Just say it."

"I mean, I'm not sure if the timing is right, and I don't know if I'm ready, but how ready do you have to be? Do you have to wait until you're . . ."

"Sam, for the love of God, just say it."

"All right," I said. "What can you tell me about Tom?"

To make a long story short—a new skill I'm working on—after two days of obsessing over it, I called Tom and invited him to dinner.

A few seconds passed by, during which time I discovered the eternal moment really is in the here and now.

"That sounds nice," he said. "I could bring a bottle of wine."

So he'd only been there a minute, long enough to exchange basic small-talk greetings and hand me the bottle of wine—the spark thing was still there—when the doorbell rang. One of these days I'm going to rip that thing out of the wall I swear. Because who ends up standing there but the only person who could have picked just that time, i.e., the worst possible time, to show up on my doorstep.

"Mom? What are you doing here?"

"Hello, Samantha. I was out doing some errands and I thought I'd bring you your high school yearbook."

"My yearbook?"

"It's your freshman yearbook. You must have the other three, but when I was cleaning out the attic I found this one up there. I thought you might want it. May I come in for a minute?"

"Actually, Mom, I, uh . . . have company."

"Oh?" she asked.

"But if you'd like to come in and meet him, I guess that would be okay."

"You have a date?"

"Yeah."

"I just don't understand how you could be dating again so soon after losing a wonderful man like Alex. It's only been what, two weeks?"

"Mom, thank you for the yearbook. I'm dating again so soon because Alex and I were over long before the broken engagement. And Mom, I'd love to have lunch with you one day this week if you'd like. But I need to get back to my date."

"Fine, Samantha. I'm not sure about lunch. I'm very busy this week. Here's your yearbook. Have a nice evening."

I shut the door and exhaled. That little encounter had taken everything I had. Mom and I were in for a very trying, prolonged battle. I felt tired just thinking about it. And one of these days I was going to have to sit down and tell her the true story of Alex Graham and why I did it. I had a feeling she wasn't going to find it particularly funny.

But none of that had to affect my dinner with Tom, who was here and now. I locked the door and turned around. Tom was staring at me with a puzzled expression.

"You were engaged two weeks ago?"

I almost started to say something else. Something like, "Well, kind of, but it was a huge mistake, and I didn't really love him, so it's not like I'm still in my grieving phase, I mean, we were really over before we got started," but I didn't.

"No," I said.

"No?"

"No. What you just heard . . . about that . . ."

Yes, Samantha, about that. Here's a guy that, if what Shelley says is true, you might actually have a shot at a normal relationship with. It will probably feel strange at first, and who knows, you might not even like it.

But one thing you do know, there is no way you'll have a chance to find out unless you take the risk of being yourself. Let him see who you really are. And who you were. And how you got from there to here.

At least that way if he rejects you he's rejecting *you*, not some fake you that you invented in order to keep him from rejecting the real you that he never got to know anyway. Of course, then I'd lose the comfort of telling myself that if he had gotten to know the real me, he might have really liked her . . . just shut up and say something, Samantha, before he thinks you're a complete idiot.

I took a deep breath and asked, "Would you like to hear a funny story?"

Up Close and Personal with the Author

HAVE YOU ALWAYS WANTED TO BE A WRITER?

I used to write all the time as a child. I had a poem published in the local newspaper when I was seven, and I wrote a novel one summer when I was ten. In high school I'd write love poems for my friends. But it never occured to me to do it for a living. Then after switching majors almost weekly in college, I had a professor who encouraged me to enter the college's literary contest. I sat down and started writing a short story, and from that point on I knew that was what I wanted to do.

WHAT OTHER JOBS HAVE YOU HAD?

I've been a sales clerk, a waitress, a temp, a grill cook, an insurance biller, a typesetter, a desktop publishing specialist, a secretary, a house cleaner, an editor for a community newspaper, a grant writer, a research assistant, a survey taker, and a janitor. Basically, I found my niche in the menial labor industry, and enjoyed it so much I kept with it. The one or two times I found a real job it threw me off so much I didn't last long.

DID YOU EVER GET DISCOURAGED?

Sometimes, but not for long. Then I had a short book accepted for publication by a regional publisher. A month before publication was due, the publisher went bankrupt. I moved to Portland, Oregon, and got a good job and decided I was never going to go through the heartbreak of writing again. That's actually how I came to write this book. I'd been working for about three months, and doing no writing at all. One Saturday I got up and I literally couldn't stand not writing anymore, so I started sketching out a mystery novel. Samantha Stone actually started out as a wisecracking photographer out to solve a murder. I thought she was going to be the new Kinsey Milhone.

HOW DID YOU GO FROM THAT NOVEL TO THIS NOVEL?

I got a lot of help along the way. Even though my mystery was awful, I had an agent who saw something in my writing and especially in the character of Samantha Stone. I decided to start all over, get out of the way, and let Samantha tell the story. I was also lucky to have people around me who kept believing that sooner or later I was going to get the story down right.

WHO OR WHAT INSPIRED THE CHARACTER OF SAMANTHA STONE?

I honestly don't really know. She just kind of showed up and took over.

ARE YOU AND SAMANTHA STONE ALIKE?

In some ways. We both took a long time figuring out what we wanted to do and where we fit in. We definitely have a similar sense of humor. The way I think of it is if Samantha Stone existed in real life, we'd be lifelong friends. But she isn't me.

HOW HAS YOUR LIFE CHANGED SINCE YOU FOUND OUT YOU WERE GOING TO HAVE A NOVEL PUBLISHED?

It's a paradox. In some ways everything has changed, and in some ways everything is exactly the same. I remember when my agent told me we had three offers, and it was now just a matter of deciding which one to accept. I went outside to have a cup of coffee and just kind of savor the news. I was wearing my favorite knock-around sweater. I hadn't been sitting there more than a couple minutes, thinking about the fact that my life was really going to change, when (this is a true story) a bird came along and dropped a load on my shoulder. I leaped up to go inside, with bird droppings dripping down my sweater, and was in such a hurry I let the screen door bang against my foot, and it tore a piece of skin off the back of my heel. So now I'm hobbling across the living room with blood dripping off my foot, and bird doo dribbling down my arm, and thinking to myself, "Hmmm. Maybe my life isn't going to change that much after all."

WHAT IS IT ABOUT SAMANTHA STONE THAT YOU THINK PEOPLE CAN RELATE TO?

I think it's the fact that if she had her way she would absolutely never have to change or deal with any of the issues in her life. She only does so when absolutely forced to, and then with great reluctance. Given her choice, God would simply give Samantha whatever she wants and she would never have to really grow up. I've never known anyone who simply decided to change or grow just because it sounded like fun. It's always hard work and usually painful. I think they relate to her because they recognize that part in themselves.

NOW THAT YOU'VE HAD A NOVEL PUBLISHED, WHAT ARE YOUR FUTURE GOALS?

To keep writing. To one day retire altogether from the menial labor industry. To remember to water my house plants.

Like what you just read?

IRISH GIRLS ABOUT TOWN
Maeve Binchy, Marian Keyes, Cathy Kelly, et al.
Get ready to paint the town green. . . .

THE MAN I SHOULD HAVE MARRIED
Pamela Redmond Satran
Love him. Leave him. Lure him back.

GETTING OVER JACK WAGNER
Elise Juska
Love is nothing like an '80s song.

THE SONG READER
Lisa Tucker
Can the lyrics to a song reveal the secrets of the heart?

THE HEAT SEEKERS
Zane
Real love can be measured by degrees. . . .

I DO (BUT I DON'T)
Cara Lockwood
She has everyone's love life under control . . . except her own.

HOW TO PEE STANDING UP
Anna Skinner
Survival Tips for Hip Chicks.

WHY GIRLS ARE WEIRD
Pamela Ribon
Sometimes life is stranger than you are.

Great storytelling just got a new address.
Published by Pocket Books

Then don't miss these other great books from Downtown Press!

LARGER THAN LIFE
Adele Parks
She's got the perfect man. But real love is predictably unpredictable. . . .

ELIOT'S BANANA
Heather Swain
She's tempted by the fruit of another . . . literally.

BITE
C.J. Tosh
Life is short. Bite off more than you can chew.

LINER NOTES
Emily Franklin
What's on the soundtrack to your life?
(Available October 2003)

MY LURID PAST
Lauren Henderson
When you've been around the block a few times, how do you find your way home?
(Available November 2003)

DRESS YOU UP IN MY LOVE
Diane Stingley
Imaginary boyfriends are always in fashion.
(Available December 2003)

HE'S GOT TO GO
Sheila O'Flanagan
When it comes to man trouble, how much is too much to take?
(Available January 2004)

Look for them wherever books are sold
or visit us online at www.downtownpress.com.

Great storytelling just got a new address.
Published by Pocket Books